FUNDAMENTOS DE

# PESQUISA DE MARKETING

F981 Fundamentos de pesquisa de marketing / Joseph F. Hair Jr. ... [et al.] ; tradução: Francisco Araújo da Costa. – 3. ed. – Porto Alegre : AMGH, 2014.
xxiii, 429 p. : il. ; 25 cm.

ISBN 978-85-8055-371-0

1. Marketing. I. Hair, Joseph F.

CDU 658.8

Catalogação na publicação: Ana Paula M. Magnus – CRB 10/2052

Joseph F. Hair Jr.
Kennesaw State University

Mary W. Celsi
California State University–Long Beach

David J. Ortinau
University of South Florida

Robert P. Bush
Louisiana State University at Alexandria

# FUNDAMENTOS DE PESQUISA DE MARKETING

**3ª Edição**

**Tradução:**
Francisco Araújo da Costa

AMGH Editora Ltda.
2014

Obra originalmente publicada sob o título *Essentials of Marketing Research*, 3rd Edition
ISBN 0078028817 / 9780078028816



Gerente editorial: *Arysinha Jacques Affonso*

*Colaboraram nesta edição:*

Editora: *Verônica de Abreu Amaral*

Capa: *Flavia Hocevar*

Leitura final: *Mônica Stefani*

Revisão técnica da 1ª edição: *Janaina de Moura Engracia Giraldi*
*Professora do Departamento de Administração da FEA-RP/USP*
*Doutora e Mestre em Administração pela FEA/USP*
*Master of Science in Marketing pela KULeuven (Bélgica)*

Editoração: *Techbooks*


AMGH EDITORA LTDA., uma parceria entre GRUPO A EDUCAÇÃO S.A. e McGRAW-HILL EDUCATION
Av. Jerônimo de Ornelas, 670 – Santana
90040-340 – Porto Alegre – RS
Fone: (51) 3027-7000 Fax: (51) 3027-7070



Unidade São Paulo
Av. Embaixador Macedo Soares, 10.735 – Pavilhão 5 – Cond. Espace Center
Vila Anastácio – 05095-035 – São Paulo – SP
Fone: (11) 3665-1100 Fax: (11) 3667-1333

SAC 0800 703-3444 – www.grupoa.com.br

IMPRESSO NO BRASIL
*PRINTED IN BRAZIL*
Impresso sob demanda na Meta Brasil a pedido de Grupo A Educação.

# Autores

**Joseph Hair** é professor de Marketing da Kennesaw State University e diretor do programa de doutorado em administração. Anteriormente, ocupou a cátedra Copeland de Empreendedorismo na Louisiana State University. Publicou mais de 40 livros, incluindo os líderes de mercado *Multivariate Data Analysis*, na 7ª edição (Prentice Hall, 2010), citado mais de 22.500 vezes; *Marketing Research*, na 4ª edição (McGraw - Hill/ Irwin, 2009); *Principles of Marketing*, 12ª edição (Thomson Learning, 2012), adotado por mais de 500 universidades no mundo inteiro; e *Essentials of Business Research Methods*, 2ª edição (M. E. Sharpe, 2011). Além de publicar diversos manuscritos em periódicos acadêmicos como *Journal of Marketing Research, Journal of Academy of Marketing Science*, *Journal of Business/Chicago*, *Journal of Advertising Research* e *Journal of Retailing*, ministrou programas de educação executiva e treinamento gerencial para várias empresas, consultor e é palestrante frequente sobre métodos de pesquisa e análise multivariada. É Distinguished Fellow da Academy of Marketing Science e da Society for Marketing Advances, além de ter sido presidente da Academy of Marketing Sciences, da Society for Marketing Advances, da Southern Marketing Association, da Association for Healthcare Research, da Southwestern Marketing Association e do American Institute for Decision Sciences, Seção Sudeste. Foi laureado pela Academy of Marketing Science com o Outstanding Marketing Teaching Excellence Award, e a Louisiana State University, sob sua liderança, foi nacionalmente reconhecida pela Entrepreneurship Magazine como um dos 12 maiores programas nos Estados Unidos.

**Mary Wolfinbarger Celsi** é bacharel em Letras - Inglês pela Vanderbilt University, mestre em Administração Pública e de Empresas e PhD em Marketing na University of California, em Irvine. Suas especializações incluem marketing digital, comportamento do consumidor *online*, marketing interno e identidade do consumidor e organizacional. Leciona na California State University, em Long Beach, desde 1990. A Dra. Celsi é especialista em metodologias de pesquisa qualitativa e quantitativa. Recebeu bolsas do Center for Research on Information Technology in Organizations (Centro de Pesquisa em Tecnologia da Informação em Organizações - Crito) que possibilitaram sua coautoria em diversos artigos a respeito do comportamento do consumidor na Internet. O interesse da Dra. Celsi em e-commerce (comércio eletrônico) e tecnologia estende-se à sala de aula; ela desenvolveu e ministrou o primeiro curso de Marketing para Internet na CSULB, em 1999. Também escreveu artigos sobre o impacto da tecnologia e do e-commerce em sala de aula e no currículo da escola de administração. A Dra. Celsi colaborou com a pesquisa sobre marketing interno, tendo recebido duas bolsas do Marketing Science Institute e conduzido estudos em várias empresas Fortune 500. Publicou artigos no *Journal of Marketing*, *Journal of Consumer*

*Research, Journal of Retailing, California Management Review, Journal of the Academy of Marketing, Journal of Consumer Research* e *Earthquake Spectra.*

**David J. Ortinau** obteve seu título de PhD na Louisiana State University. Iniciou sua carreira como professor na Illinois State University e, depois de concluir o grau de PhD, mudou-se para a University of South Florida, em Tampa, onde continua a ser reconhecido pela qualidade de sua pesquisa e excelência como professor nos níveis de graduação, pós-graduação e PhD. Suas áreas de interesse em pesquisa abrangem metodologias de pesquisa e desenvolvimento de escalas de mensuração, formação de atitude e diferenças perceptuais nos ambientes de varejo e marketing de serviços e as tecnologias interativas de marketing eletrônico e seu impacto nos problemas de pesquisa de informações. É consultor de várias empresas de grande e pequeno porte, com especialização em satisfação do cliente, qualidade no atendimento ao cliente, valor de serviço, fidelidade no varejo e imagem. Dr. Ortinau apresentou diversos artigos em reuniões acadêmicas nacionais e internacionais e continua sendo um colaborador regular de influentes publicações como o *Journal of the Academy of Marketing Science* (JAMS), *Journal of Retailing* (JR), *Journal of Business Research* (JBR), *Journal of Marketing Education* (JME), *Journal of Services Marketing* (JSM), *Journal of Health Care Marketing* (JHCM), entre outros. O professor Ortinau foi membro do conselho editorial do Journal of the Academy of Marketing Science (JAMS) de 1988 a 2006 e continua no conselho como editor associado de marketing do Journal of Business Research (JBR). Além disso, foi coeditor de Marketing: Moving Toward the 21st Century (SMA Press, 1996). Ocupou várias posições de liderança na Society for Marketing Advances (SMA) e copresidiu o conselho de administração do SMA Doctoral Consortium de 1998, em Nova Orleans, e do SMA Doctoral Consortium de 1999, em Atlanta. O Dr. Ortinau é ex-presidente da SMA, reconhecido como SMA Fellow de 2001 e indicado para SMA Fellow de 2007. Ele copresidiu o Academy of Marketing Science Conference Program de 2004 e o SMA Retailing Symposium de 2007.

**Robert P. Bush** é professor de Marketing e ocupa a cátedra de Alumni e Amigos de Administração na Louisiana State University em Alexandria. Publicou diversos artigos em periódicos como o *Journal of Retailing, Journal of Advertising, Journal of Marketing Education, Journal of Consumer Marketing, Journal of Customer Relationship Marketing* e outros.

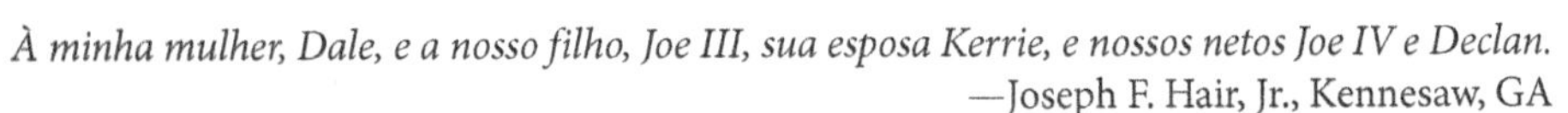

*À minha mulher, Dale, e a nosso filho, Joe III, sua esposa Kerrie, e nossos netos Joe IV e Declan.*
—Joseph F. Hair, Jr., Kennesaw, GA

*A meu pai e minha mãe, William e Carol Finley.*
—Mary Wolfinbarger Celsi, Long Beach, CA

*A todos os meus sobrinhos, que são os futuros líderes da sociedade, e a todos os meus alunos antigos, atuais e futuros, por enriquecerem diariamente minhas experiências de vida como educador e mentor.*
—David J. Ortinau, Tampa, FL

*A meus dois filhos, Robert Jr. e Michael.*
—Robert P. Bush, Sr., Alexandria, LA

# Prefácio

Vivemos em um mundo globalizado, altamente competitivo e cada vez mais influenciado pela tecnologia da informação, sobretudo pela Internet. A primeira edição de *Fundamentos de Pesquisa de Marketing* se tornou uma importante fonte de conhecimentos sobre a pesquisa de marketing. Muitos de vocês, nossos clientes, ofereceram ideias sobre a primeira e segunda edições deste livro, assim como sobre as edições anteriores de nosso texto mais longo, *Marketing Research*. Alguns preferem desenvolver projetos de pesquisa aplicada, enquanto outros gostam mais dos estudos de caso ou dos exercícios no final dos capítulos. Alunos e professores, igualmente, estão preocupados com os preços dos livros. *Fundamentos de Pesquisa de Marketing* foi escrito para atender as necessidades de vocês, nossos clientes. O texto é conciso e o livro tem um bom preço, sem deixar de conter um texto atualizado e um conjunto de suplementos abrangente. A seção a seguir resume o que você encontrará quando folhear e, esperamos, adotar a terceira edição de *Fundamentos*.

## Recursos inovadores deste livro

Em primeiro lugar, a coleta de dados migrou rapidamente para abordagens *online* nos últimos anos, chegando a 60% de todos os métodos de coleta de dados em 2011. O movimento em direção a métodos de coleta de dados via Internet obrigou a inclusão de materiais novos sobre o assunto. Os capítulos sobre amostragem, mensuração e escalonamento, planejamento de questionários e preparação para análise de dados exigiram novas diretrizes sobre como lidar com questões relativas ao mundo *online*. O monitoramento de mídias sociais e as comunidades *online* de pesquisa de marketing estão expandindo os métodos de pesquisa e são trabalhados em nosso capítulo sobre pesquisas qualitativas e observacionais.

Segundo, para fortalecer as habilidades analíticas dos alunos, ampliamos o caso sobre o Santa Fe Grill com a criação de um restaurante concorrente, o Jose's Southwestern Café. A criação de um concorrente permite que os alunos comparem as experiências do cliente nos dois restaurantes e apliquem seus achados na elaboração das estratégias de marketing mais eficazes para o Santa Fe Grill. Os exercícios demonstram as considerações práticas necessárias na amostragem, no planejamento qualitativo e observacional, no planejamento de questionários, na análise e interpretação de dados e na preparação de relatórios, para mencionar apenas algumas questões. O monitoramento de mídias sociais e as comunidades *online* de pesquisa de marketing estão expandindo os métodos de pesquisa e são trabalhados em nosso capítulo sobre pesquisas qualitativas e observacionais.

Terceiro, atualizamos os Painéis de Pesquisa de Marketing em cada capítulo para incluir novos recursos focados em questões polêmicas e atuais da pesquisa de marketing. Os temas debatidos incluem ética, privacidade e coleta de dados *online*, especialmente análise de *clickstream*, a função do Twitter e LinkedIn na pesquisa de marketing e o fortalecimento das habilidades de pensamento crítico dos alunos.

Em quarto lugar, outros livros cumprem superficialmente a tarefa de conduzir uma revisão da literatura a fim de encontrar informações sobre o problema da pesquisa. Nosso livro conta com um capítulo que inclui material substancial sobre revisões de literatura, incluindo as diretrizes de como conduzir uma revisão de literatura e das fontes de pesquisa. Uma vez que os alunos utilizam muito a Internet, enfatizamos o uso do Google, Yahoo!, Bing e outros mecanismos de busca para executar a pesquisa auxiliar. Na tentativa de tornar o livro mais conciso, integramos as fontes de informação secundárias às pesquisas de mídia digital. O material se encontra no Capítulo 3.

Quinto, nosso texto é o único que inclui um capítulo separado sobre a análise de dados qualitativos. Outros textos discutem a coleta de dados qualitativos, como grupos focais e entrevistas em profundidade, mas depois não explicam o que fazer com esse tipo de dados. Nós, ao contrário, dedicamos um capítulo inteiro ao assunto, tomando como referência o trabalho seminal de Miles e Huberman e possibilitando aos professores oferecer uma abordagem mais equilibrada em suas aulas. Também explicamos tarefas importantes, como a codificação de dados qualitativos e a identificação de temas e padrões. Um recurso prático importante do Capítulo 9 desta terceira edição é um exemplo de relatório de um projeto de pesquisa quantitativa, que deve ajudar os alunos a entender melhor as diferenças entre relatórios quantitativos e qualitativos. Também criamos um projeto de pesquisa qualitativa instigante sobre insatisfação com produtos. É o novo PMEA no final do capítulo que ajuda os alunos a analisar as pesquisas qualitativas.

Sexto, como parte da ênfase "aplicada" de nosso livro, *Fundamentos* apresenta dois recursos pedagógicos que devem ser de grande valia para o entendimento prático dos alunos sobre as questões trabalhadas. Um deles é o material em boxes, mencionado anteriormente, intitulado "Painel de Pesquisa de Marketing", que resume um exemplo de pesquisa aplicada e propõe questões para discussão. O outro, ao final de cada capítulo, é a "Pesquisa de Marketing em Ação", um exercício que possibilita aos alunos aplicar o que foi tratado no capítulo a uma situação real.

Sétimo, como já observado, o texto possui um excelente caso contínuo, dividido por todo o livro, que possibilita que o professor ilustre a aplicação de conceitos por meio de um exemplo realista (o restaurante mexicano Santa Fe Grill) e divertido, com o qual os estudantes podem se identificar, dada a popularidade dos temas de negócios de restaurantes mexicanos. Conforme referido, nessa edição adicionamos um concorrente, o Jose's Southwestern Café, para que os alunos completem uma análise competitiva, incluindo a aplicação de conceitos de importância e desempenho. Como é um caso contínuo, o professor não precisa apresentar um novo caso ao aluno em cada capítulo, mas sim se basear no que foi visto anteriormente. O caso do Santa Fe Grill é envolvente porque o cenário trata de dois alunos empreendedores que começam seu próprio negócio, o objetivo de muitos universitários. Finalmente, quando o caso contínuo é utilizado em capítulos posteriores sobre a análise de dados quantitativos, é fornecido um conjunto de dados que pode ser utilizado no SPSS para ensinar habilidades de análise de dados e interpretação. Desse modo, os estudantes conseguem comprovar como as informações de pesquisa de marketing são empregadas para melhorar o processo decisório.

Oitavo, além do caso do restaurante Santa Fe, existem cinco outros conjuntos de dados no formato SPSS (disponíveis no *site* da Bookman Editora www.bookman.com.br). Os conjuntos de dados servem para projetos de pesquisa ou como exercícios adicionais em todo o livro. Essas bases de dados cobrem uma ampla variedade de tópicos com os quais todos os alunos podem se identificar e oferecem uma excelente abordagem para melhorar o ensino dos conceitos. A seguir você encontra um resumo desses casos:

> Deli Depot é uma versão expandida do caso Deli Depot mencionado nas edições anteriores. Uma visão geral desse caso é fornecida como parte da seção PMEA (Pesquisa de Marketing em Ação) no final do Capítulo 10. O tamanho da amostra é 200.
>
> A Remington's Steak House é apresentada na seção PMEA no Capítulo 11. A Remington's é concorrente do Outback e da Longhorn. O foco do caso é analisar os dados para identificar imagens do restaurante e preparar mapas perceptuais para facilitar o desenvolvimento da estratégia. O tamanho da amostra é 200.
>
> QualKote é uma aplicação comercial de pesquisa de marketing baseada em uma pesquisa de satisfação de empregados. É apresentado como a PMEA no Capítulo 12. O caso examina a implementação de um programa de melhoria da qualidade e seu impacto na satisfação do cliente. O tamanho da amostra é 57.
>
> O caso Consumer Electronics se baseia no rápido crescimento do mercado de gravadores/reprodutores digitais e enfoca o conceito dos inovadores e dos adotantes iniciais. A visão geral e as variáveis do caso, assim como alguns exemplos de análise de dados, são fornecidas na PMEA do Capítulo 13. O tamanho da amostra é 200.
>
> Backyard Burgers se baseia em uma pesquisa nacional de clientes. O banco de dados possui um forte potencial para comparações de análises de dados e abrange assuntos com os quais os alunos não terão dificuldade em se identificar. O tamanho da amostra é 300.

Em nono lugar, a cobertura do livro sobre análise de dados quantitativos é mais extensa e mais fácil de compreender do que em outros livros. Instruções passo a passo específicas abrangem como usar o SPSS a fim de executar a análise de dados para todas as técnicas estatísticas. Isso possibilita aos instrutores despender muito menos tempo explicando aos alunos como usar o *software* pela primeira vez. Isso também economiza tempo ao proporcionar uma referência acessível para os alunos quando eles esquecem como usar o *software*, o que acontece com frequência. Para os instrutores que desejam abordar técnicas estatísticas mais avançadas, nosso livro é o único a trabalhar o assunto. Na terceira edição, adicionamos materiais sobre a seleção da técnica estatística apropriada e uma discussão muito mais detalhada de como interpretar os achados de análises de dados.

Décimo, como já observado, as técnicas de pesquisa de marketing *online* estão mudando com rapidez a "cara" do marketing, e os autores possuem experiência e têm um forte interesse nas questões associadas à coleta de dados *online*. Normalmente, o material em outros livros sobre pesquisa *online* é um acessório que não integra as considerações da pesquisa *online* e seus impactos. Nosso livro, por outro lado, possui uma análise nova e detalhada sobre essas questões. O material é abrangente e atualizado, pois foi escrito durante o ano passado, quando muitas dessas tendências eram evidentes, e temos à nossa disponibilidade as informações necessárias para documentá-las.

## Novidades da terceira edição

A lista a seguir destaca muitas das mudanças que você poderá aproveitar na terceira edição. Esta versão do texto inclui:

- Fontes e dados com atualizações significativas em todo o volume.
- Material introdutório do Capítulo 1 reescrito para ser mais envolvente.
- Esclarecimento da diferença entre problema de pesquisa e pergunta de pesquisa no Capítulo 2.
- Materiais adicionais sobre o desenvolvimento de boas hipóteses no Capítulo 3.
- As últimas informações disponíveis sobre monitoramento de mídias sociais e comunidades de pesquisa de marketing *online* (MROCs) no Capítulo 4.
- Uma expansão do Capítulo 5 para incluir novos tipos de levantamentos, como SurveyGizmo e Qualtrics, e métodos atualizados. O capítulo também inclui explicações mais aprofundadas dos conceitos fundamentais, incluindo mais informações sobre validade e testes de mercado.
- Mais materiais sobre terminologia de amostragem, abordagens de determinação de tamanhos de amostra e o teorema do limite central no Capítulo 6.
- Expansão do material sobre validade no Capítulo 7 e informações adicionais sobre escalas ordinais, desenvolvimento de escalas, adaptação de escalas/construtos existentes e frases com formulações negativas. Cinco das figuras também foram revisadas para incluir mais exemplos.
- Materiais adicionais sobre questionários *online* e uma análise mais abrangente sobre o layout de questionários no Capítulo 8.
- Um projeto de grupo em pequena escala adicional para ajudar os instrutores a ensinar análise qualitativa no Capítulo 9.
- Versões revisadas de todas as figuras SPSS nos Capítulos 10 a 13, utilizando a versão 20.
- Diversas alterações ao material interativo do Capítulo 10, incluindo a Figura 10.2, o Questionário para Funcionários do Santa Fe Gril, o Exercício Prático do PMEA do Deli Depot e questões para discussão do SPSS.
- Versão totalmente revisada da seção sobre desenvolvimento de hipóteses no Capítulo 11.
- Parágrafos e figuras adicionais no Capítulo 12 para ilustrar os conceitos de homoscedasticidade e normalidade.
- Três novas figuras no Capítulo 13 e versões revisadas do material para incluir o uso de gravadores de vídeo digital. Também adicionamos materiais sobre apresentações orais.

## Didática

Muitos livros sobre pesquisa de marketing são de fácil leitura. Uma pergunta importante, porém, é: "os estudantes conseguem compreender o que estão lendo?". Este livro oferece inúmeros recursos didáticos, todos visando a responder essa pergunta de maneira afirmativa. A seguir, veja uma lista dos principais elementos:

**Objetivos de aprendizagem.** Cada capítulo começa com Objetivos de Aprendizagem claros, que os alunos podem usar para avaliar suas expectativas e entendimento considerando a natureza e a importância do material abordado no capítulo.

**Casos de abertura reais.** Cada capítulo começa com um exemplo interessante e relevante de uma situação real que ilustra o foco e a importância do seu tema. Por exemplo, o Capítulo 1 ilustra a emergência dos *sites* de redes sociais, como o Twitter, no aprimoramento das atividades de pesquisa de marketing.

**Painéis de Pesquisa de Marketing.** Todos os capítulos incluem boxes que funcionam como painéis, comunicando ao aluno questões emergentes nas decisões de pesquisa de marketing.

**Principais termos e conceitos.** Estes são destacados em negrito no texto e suas definições são apresentadas nas margens das páginas. Eles também são listados no final dos capítulos, acompanhados do número da página correspondente para facilitar a revisão. Os itens também integram o Glossário completo de pesquisa de marketing no final do livro.

**Ética.** As questões éticas são tratadas no primeiro capítulo para oferecer aos alunos um entendimento básico desse tipo de desafio na pesquisa de marketing. A discussão de questões éticas cada vez mais importantes foi atualizada e expandida em comparação à edição anterior e inclui problemas de ética relativos à coleta de dados *online*.

**Resumos dos capítulos.** Os Resumos detalhados dos capítulos são organizados pelos Objetivos de Aprendizagem. Essa abordagem ajuda os alunos a recordar fatos, conceitos e questões principais. Os resumos também servem como um excelente guia de estudo na preparação para exercícios em sala de aula e provas.

**Questões para revisão e discussão.** As questões para revisão e discussão foram criteriosamente planejadas para melhorar o processo de autoaprendizagem e encorajar a aplicação dos conceitos aprendidos no capítulo em situações reais de tomada de decisão na empresa. Há duas ou três perguntas em cada capítulo diretamente relacionadas à Internet e criadas para oferecer aos alunos a oportunidade de melhorar suas habilidades de coleta de dados digitais e de interpretação.

**Pesquisa de Marketing em Ação.** Breves estudos de caso de PMEA concluem cada capítulo, proporcionando aos alunos uma compreensão adicional dos conceitos principais e sua aplicação à vida real. Esses casos servem como ferramentas para discussão em sala de aula ou como exercícios de aplicação. Vários deles utilizam os conjuntos de dados que se encontram no *site* da editora (www.bookman.com.br).

**Santa Fe Grill.** O estudo de caso contínuo do Santa Fe Grill utiliza uma única situação de pesquisa para ilustrar diversos aspectos do processo de pesquisa de marketing. Incluindo seu concorrente, o Jose's Southwestern Café, esse estudo de caso é um cenário de negócios especialmente projetado e incorporado em todo o livro com a finalidade de questionar e ilustrar os assuntos dos capítulos. O caso é apresentado no Capítulo 1 e, em cada capítulo subsequente, utiliza como base os conceitos aprendidos anteriormente. Mais de 30 exemplos testados em sala de aula foram incluídos, assim como um banco de dados em formato SPSS e Excel abrangendo um levantamento dos clientes dos dois restaurantes. Na terceira edição, adicionamos um levantamento dos funcionários do Santa Fe Grill para demonstrar e trabalhar as habilidades analíticas e de pensamento crítico dos alunos.

## Material de apoio

O texto é acompanhado por um extenso e rico pacote auxiliar. A seguir uma breve descrição de cada um dos seus elementos.

**Recursos para o Instrutor (em inglês).** Um Manual do Instrutor especialmente preparado, um Banco de Testes eletrônico e apresentações em PowerPoint apoiam o trabalho dos professores em sala de aula. Os professores interessados em obter esse material devem procurar pelo livro no *site* da Bookman Editora (www.bookman.com.br) e clicar no ícone da área do professor.

**Conjuntos de dados (em inglês).** Cinco conjuntos de dados em formato SPSS estão disponíveis no *site* da Bookman Editora (www.bookman.com.br) e podem ser utilizados em projetos e exercícios. Acesse o *site* e procure pelo livro. Na página do livro, clique em Conteúdo Online. Os conceitos cobertos em cada conjunto de dados foram resumidos neste Prefácio.

## Agradecimentos

Os autores tomaram a iniciativa de preparar a terceira edição, mas muitas outras pessoas merecem crédito por suas expressivas contribuições em transformar nossa visão em realidade. Agradecemos a nossos colegas do meio acadêmico e do setor por suas proveitosas opiniões ao longo de muitos anos sobre muitos tópicos de pesquisa: David Andrus, *Kansas State University*; Barry Babin, *Louisiana Tech University*; Joseph K. Ballanger, *Stephen F. Austin State University*; Kevin Bittle, *Johnson and Wales University*; Mike Brady, *Florida State University*; John R. Brooks, Jr., *Houston Baptist University*; Mary L. Carsky, *University of Hartford*; Gabriel Perez Cifuentes, *University of the Andes*; Vicki Crittenden, *Boston College*; Marc Dollosy, *University of West Texas*; Diane Edmondson, *Middle Tennessee State University*; Frank Franzak, *Virginia Commonwealth University*; Keith Gerguson, *Kennesaw State University*; Susan Geringer, *California State University, Fresno*; Timothy Graeff, *Middle Tennessee State University*; Harry Harmon, *Central Missouri State University*; Gail Hudson, *Arkansas State University*; Beverly Jones, *Kettering University*; Karen Kolzow-Bowman, *Morgan State University*; Michel Laroche, *Concordia University*; Bryan Lukas, *University of Melbourne*; Vaidotas Lukosius, *Tennessee State University*; Peter McGoldrick, *University of Manchester*; Martin Meyers, *University of Wisconsin, Stevens Point*; Arthur Money, *Henley Management College*; Tom O'Connor, *University of New Orleans*; Vanessa Gail Perry, *George Washington University*; Ossi Pesamaa, *Jonkoping University*; Michael Polonsky, *Deakin University*; Charlie Ragland, *University of Toledo*; Molly Rapert, *University of Arkansas*; Mimi Richard, *University of West Georgia*; John Rigney, *Golden State University*; Jean Romeo, *Boston College*; Lawrence E. Ross, *Florida Southern University*; Phillip Samouel, *Kingston University*; Carl Saxby, *University of Southern Indiana*; Donna Smith, *Ryerson University*; Shane Smith, *Kennesaw State University*; Bruce Stern, *Portland State University*; Goran Svensson, *University of Oslo*; Armen Taschian, *Kennesaw State University*; Drew Thoeni, *University of North Florida*; Gail Tom, *California State University-Sacramento*; John Tsalikis, *Florida International University*; Steve Vitucci, *University of Central Texas*; David Williams, *Kennesaw State University*.

Também oferecemos nosso agradecimento sincero aos críticos e resenhistas que fizeram sugestões e compartilharam suas ideias para a terceira edição:

Ali Besharat, *University of South Florida*
Emily J. Plant, *University of Montana*
Gail Tom, *California State University-Sacramento*
Tuo Wang, *Kent State University*

Finalmente, gostaríamos de agradecer a nossos editores na McGraw-Hill/Irwin: Sankha Basu, editor patrocinador; Sean M. Pankuch, editor de desenvolvimento; Donielle Xu, gerente de marketing; e Jean Smith, editora de desenvolvimento freelancer. Também somos gratos à nossa equipe de produção profissional: Mary Jane Lampe, gerente de projeto; Studio Montage, designer; Nicole Baumgartner, compradora; e Prashanthi Nadipalli, gerente de projeto de mídia.

**Joseph F. Hair, Jr.**
**Mary Wolfinbarger Celsi**
**David J. Ortinau**
**Robert P. Bush**

# Sumário resumido

# Sumário

# Parte I

# O papel e o valor das informações da pesquisa de marketing

# 1

# Pesquisa de marketing para a tomada de decisão gerencial

**Objetivos de aprendizagem** Após ler este capítulo, você estará apto a:

1. Descrever o impacto da pesquisa de marketing no processo de tomada de decisão.
2. Demonstrar como a pesquisa de marketing se enquadra no processo de planejamento de marketing.
3. Apresentar exemplos de estudos de pesquisa de marketing.
4. Compreender o escopo e o foco do setor de pesquisa de marketing.
5. Reconhecer as questões éticas associadas à pesquisa de marketing.
6. Debater novas habilidades e tendências emergentes na pesquisa de marketing.

## A explosão das técnicas de coleta de dados

O Twitter pode ser uma ferramenta para os pesquisadores de marketing? O Twitter é um serviço de "microblogging" no qual os usuários postam mensagens instantâneas de até 140 caracteres, chamadas de "tweets". Os consumidores são o principal grupo de usuários, mas cada vez mais empresas encontram maneiras de usar os serviços. Um desses usos é o da "entrada de sinalização", ou seja, a coleta de informações no Twitter para fins de pesquisa. Na entrada de sinalização, as organizações buscam no Twitter conversas sobre suas empresas, marcas ou produtos. As empresas podem utilizar a ferramenta de busca search.twitter.com ou o aplicativo TweetDeck para observar, em tempo real, o que se diz sobre suas marcas, produtos ou setor. Alguns observadores defendem que o excesso de conversas aleatórias e "tagarelice sem sentido" não permite que se encontre algo de valor, mas cada vez mais ferramentas de pesquisa são desenvolvidas na forma de *add-ons* do Twitter para utilizar abordagens de mineração de dados para organizar o caos e encontrar informações relevantes.[1] Max Goldberg, sócio fundador do Radical Clarity Group, escreve: "O Twitter é uma ótima ferramenta para *feedback* e atendimento ao cliente, [pois permite que] empresas ouçam as conversas sobre suas marcas. Os tweets dos clientes podem recompensar o bom atendimento e destacar problemas. A natureza instantânea do Twitter encoraja as empresas a tentar resolver rapidamente os problemas com seus produtos ou serviços".[2] ■

## A crescente complexidade da pesquisa de marketing

A tecnologia e o crescimento dos negócios globais estão aumentando a complexidade da pesquisa de marketing. Nosso primeiro Painel de Pesquisa de Marketing trata dos desafios enfrentados pelos pesquisadores de marketing internacional. As tecnologias digitais criam inúmeras oportunidades para a pesquisa de marketing, mas também muitos desafios. As ferramentas que utilizam a Internet, incluindo levantamentos web, ferramentas interativas e sociais, como Facebook e Twitter, e a telefonia móvel, estão provocando transformações radicais na coleta de dados. A Market Truths (**www.markettruths.com**) é uma empresa de pesquisa de mercado que realiza pesquisas customizadas e padronizadas no Second Life e outros mundos virtuais em nome de seus clientes. Suas pesquisas incluem determinar se o mercado-alvo de uma empresa está presente em um determinado mundo virtual e monitorar atitudes em relação às marcas da empresa.[3] Algumas das técnicas mais novas, como o neuromarketing, que envolve escanear os cérebros dos participantes enquanto estes visualizam anúncios, por exemplo, ainda não comprovaram sua utilidade, e podem ou não oferecer ideias úteis para os pesquisadores.[4] Muitas das novas ferramentas de coleta de dados, incluindo Twitter, análise do clickstream e GPS, representam desafios consideráveis em termos da privacidade do consumidor. As técnicas e ferramentas disponíveis atualmente aumentam cada vez mais a dificuldade de escolher um método para projetos de pesquisa específicos. Nunca o mundo da pesquisa foi mais complexo ou mais emocionante para os pesquisadores de marketing.

### PAINEL Conduzindo pesquisas de marketing internacionais

Muitas empresas de pesquisa de marketing estão presentes em diversos países. Por exemplo, a Gfk Research (www.gfk.com) faz pesquisa de marketing em mais de 100 países. Pesquisar em todo o mundo tem seus desafios. Grande parte da teoria e prática do marketing foi desenvolvida nos Estados Unidos. A boa notícia é que muitas teorias e conceitos desenvolvidos para explicar o comportamento do consumidor provavelmente são aplicáveis em outros contextos. Por exemplo, a ideia de que os consumidores podem comprar itens que refletem a concepção de si mesmos e suas identidades pode se aplicar a diversos países. Segundo, as técnicas de pesquisa de marketing, incluindo amostragem, coleta de dados, técnicas qualitativas e quantitativas e análises estatísticas, são ferramentas cuja aplicação provavelmente seja quase universal.

Mas os desafios não são poucos. Alguns pesquisadores de marketing estudam a cultura de um país e chegam a conclusões abrangentes sobre a aplicabilidade de seus achados. Contudo, a cultura pode ter um efeito poderoso sobre alguns tipos de compras. Alguns segmentos e subculturas existem em diversos países, então, realizar pesquisas centradas nas diferenças culturais em nível nacional talvez leve a uma definição estreita demais do mercado-alvo. Yoram Wind e Susan Douglas defendem que, apesar dos consumidores de cada país terem comportamentos ligeiramente diferentes, muitas vezes a variação é maior dentro de cada país do que entre eles. Assim, as pesquisas que tiram conclusões abrangentes sobre a cultura de consumo em um determinado país podem não ser úteis para a empresa que deseja comercializar um produto para determinado segmento. Pesquisas mais específicas, aplicáveis a uma dada oportunidade ou problema de marketing, são necessárias.

A pesquisa em mercados emergentes, como a América Latina, a África e o Oriente Médio, é importante, pois esses mercados estão crescendo, mas a falta de dados secundários de fornecedores de pesquisa de mercado nessas áreas representa um grande desafio para as empresas que desejam entendê-las melhor. O desenvolvimento das capacidades de pesquisa é complicado pelo fato de que identificar amostras representativas é difícil, pois nem sempre há ▶

## PAINEL Conduzindo pesquisas de marketing internacionais (*continuação*)

dados demográficos confiáveis sobre esses mercados. Traduzir itens de levantamentos para outro idioma pode alterar seu sentido, mesmo quando o pesquisador é cauteloso e utiliza a retrotradução para identificar eventuais problemas. Além disso, talvez seja difícil estabelecer a equivalência conceitual nos levantamentos; por exemplo, a ideia ocidental de "verdade" não é aplicável à filosofia confucionista.

Construir relacionamentos com empresas de pesquisa de marketing em países nos quais as organizações desejam coletar informações é a estratégia mais adotada, pois as empresas locais já possuem conhecimentos úteis sobre desafios e soluções de pesquisa. Entretanto, a pesquisa de marketing nem sempre é bem vista pela gerência em mercados emergentes. Isso pode ocorrer por diversos motivos. A aceitação e participação dos consumidores em levantamentos pode ser fraca. O custo das más decisões de negócios pode ser menor, de modo que a percepção de necessidade de pesquisas para minimizar os riscos também é menor. Finalmente, os pesquisadores que utilizam técnicas qualitativas e quantitativas muitas vezes precisam ajustar sua metodologia para interagir com mais sucesso com os consumidores em mercados emergentes.

A tecnologia oferece oportunidades e obstáculos para a pesquisa de marketing internacional. A 3Com contratou a Harris Interactive para conduzir a maior pesquisa de opinião interativa via Internet do mundo. Mais de 1,4 milhão de respondentes, em 250 países ao redor do mundo, participaram do Project Planet. Em muitos países, os respondentes inseriram suas respostas em um levantamento *online*. Em áreas remotas, sem telefones ou computadores, os entrevistadores levaram tablets portáteis para a entrada de dados. Quando os entrevistadores voltaram do campo, os dados puderam ser enviados para um banco de dados. Com essa pesquisa, a 3Com alcançou mesmo as comunidades sem acesso a tecnologias. Os resultados não são verdadeiramente representativos, mas isso sinaliza um esforço global importante, ainda que imperfeito, de coletar informações interculturais significativas.

O que o futuro nos reserva? As empresas de pesquisa que conseguirem desenvolver métodos e conceitos que as ajudem a entender e atender os mercados mundiais provavelmente serão mais competitivas no cenário global. As empresas de pesquisa que conseguirem oferecer informações acionáveis serão aquelas que estudam o comportamento do consumidor em contexto, trabalham com empresas de pesquisa de marketing locais para desenvolver uma boa infraestrutura de pesquisa, aplicam novas tecnologias adequadamente para coletar dados válidos e confiáveis e desenvolvem a sofisticação analítica necessária para entender segmentos dentro e além das fronteiras nacionais.

Fontes: Yoram Wind and Susan Douglas, "Some Issues in International Consumer Research," *European Journal of Marketing*, 2001, pp. 209-217; C. Samuel Craig and Susan P. Douglas, "Conducting International marketing Research in the 21st Century," 3rd Edition, John Wiley & Sons Ltd, Chichester, West Sussex, England 2005; B. Sebastian Reiche and Anne-Wil Harzing, "Key Issues in International Survey Research," Harzing.com, acessado em 26 de junho de 2007, www.harzing.com/intresearch_keyissues.htm, acessado em 11 de agosto de 2011; Fernando Fastoso and Jeryl Whitelock, "Why is so Little Marketing Research on Latin America Published in High Quality Journals and What Can We Do About It?" *International Marketing Research*, 2011, Vol. 28(4), pp 435-439; Holmes, Paul "3Com's Planet Project: An Interactive Poll of the Human Race," http://www.holmesreport.com/casestudy-info/581/3Coms-Planet-Project-An-Interactive-Poll-of-the-Human-Race.aspx, May 28, 2011, acessado em 13 de agosto 2011.

Apesar da explosão de novas ferramentas e conceitos de pesquisa de marketing, as ferramentas tradicionais, como o teste de hipóteses, a definição de construtos, e confiabilidade, a validade, a amostragem e a análise de dados continuam essenciais para avaliar os usos e o valor das novas abordagens de coleta de dados. Os métodos tradicionais de coleta de dados, como grupos focais, compradores disfarçados e entrevista telefônica assistida por computador (CATI), permanecem ferramentas relevantes e muito utilizadas. As empresas cada vez mais adotam técnicas de pesquisa híbridas, envolvendo múltiplos métodos de pesquisa, para superar os pontos fracos inerentes às metodologias individuais.

A American Marketing Association define **pesquisa de marketing*** como a função que liga uma organização a seu mercado por meio da obtenção de informações. Essas informações facilitam a identificação e a definição de oportunidades e problemas do mercado, assim como o desenvolvimento e a avaliação das ações de marketing. Finalmente, ela possibilita o monitoramento do desempenho do marketing e melhora o entendimento do marketing como um processo de negócio.[5] As organizações utilizam as informações obtidas na pesquisa de marketing para identificar novas oportunidades de produtos, desenvolver estratégias publicitárias e implementar novos métodos de obtenção de dados para melhor entender os clientes.

A pesquisa de marketing é um processo sistemático. Suas tarefas incluem criar os métodos para obtenção de informações, gerenciar o processo de obtenção de informações, analisar e interpretar os resultados e comunicar os achados aos tomadores de decisão. Este capítulo apresenta uma visão geral da pesquisa de marketing e sua relação fundamental com o marketing. Primeiro, explicamos por que as empresas utilizam a pesquisa de marketing e mostramos exemplos de como esse processo pode ajudar as empresas a tomar decisões consistentes. Depois, discutimos quem deve usar a pesquisa de marketing e quando.

Este capítulo oferece uma descrição geral das maneiras pelas quais as empresas colhem as informações. Apresentamos uma visão geral do setor de pesquisa de marketing a fim de esclarecer o relacionamento entre os prestadores de serviços e os usuários das informações de marketing. Concluímos o capítulo com uma descrição do papel da ética na pesquisa de marketing, seguida de um apêndice com as carreiras na pesquisa de marketing.

## O papel e o valor da pesquisa de marketing

As organizações de todos os tamanhos, grandes e pequenas, costumam ter dúvidas sobre mercados, consumidores, culturas, subculturas e variáveis do mix de marketing. Muitos gerentes com experiência em seu setor sabem dar palpites inteligentes, baseados em sua vivência. Mas os mercados e as preferências dos consumidores mudam, às vezes com grande velocidade. Por maior que seja a experiência dos gerentes em seus mercados, seus melhores palpites às vezes erram o alvo. Os teóricos da decisão comportamental, como Dan Ariely, autor de *Previsivelmente Irracional*, documentaram que até indivíduos experientes erram feio em suas previsões, mesmo quando a decisão que estão tomando terá consequências importantes.[6] E muitas decisões gerenciais envolvem novos contextos, nos quais a experiência está ausente ou é até enganosa. Por exemplo, as organizações podem estar considerando novas estratégias, incluindo vender para um novo segmento, usar mídias novas ou em mutação para atrair seus clientes ou lançar novos produtos. Da mesma forma, mercados e consumidores internacionais representam oportunidades, mas, em alguns mercados emergentes, a pesquisa secundária é esparsa e falta até a infraestrutura de pesquisa de marketing para fornecer aos gerentes as informações das quais precisam para reduzir os riscos na tomada de decisão. Nos mercados emergentes, assim como em todos os outros, uma pesquisa bem executada reduz o risco dos fracassos de marketing.

A pesquisa de marketing depende bastante das ciências sociais tanto para seus métodos quanto para sua teoria. Assim, os métodos de pesquisa de marke-

* N. de E.: Para uma definição completa dos termos em negrito, veja o Glossário ao final do livro.

ting são diversificados, abrangendo uma ampla variedade de técnicas qualitativas e quantitativas e aproveitando conceitos de disciplinas como psicologia, sociologia e antropologia. A pesquisa de marketing é considerada uma caixa de ferramentas cheia de recursos projetados para uma série de finalidades. As ferramentas incluem levantamentos, experimentos e etnografia, entre outros. Essa caixa de ferramentas se expandiu nos últimos anos, com o advento das mídias sociais, dos levantamentos via Internet e da telefonia móvel. E os problemas e oportunidades de marketing internacionais aumentaram a complexidade dos problemas e oportunidades de marketing em geral, além de criarem desafios especiais para os pesquisadores de marketing que buscam entender esses mercados. O tamanho e a diversidade da caixa de ferramentas representam oportunidades incríveis para os pesquisadores que desejam cultivar e desenvolver maneiras inovadoras de aprender mais sobre mercados e consumidores.

Não importa se trabalha para uma empresa de pequeno, médio ou grande porte: é altamente provável que em algum momento você e sua organização precisarão adquirir, encomendar ou até realizar, no melhor espírito faça você mesmo, uma pesquisa. Alguns métodos de pesquisa envolvem técnicas difíceis de dominar em um curso isolado, mas os materiais essenciais em um curso de um semestre serão de grande valia para transformá-lo em um cliente de pesquisa melhor e o ajudarão a realizar alguns projetos por conta própria.

Você provavelmente já sabe que nem todas as pesquisas são igualmente bem executadas e que as mal conduzidas produzem informações que não são úteis para a tomada de decisão. Além disso, algumas pesquisas secundárias inicialmente parecem relevantes para uma decisão, mas se revelam menos úteis para seu problema de decisão após uma análise da metodologia ou amostra empregada pela empresa de pesquisa. Mesmo uma pesquisa bem executada possui pontos fracos e deve ser examinada com um olhar crítico. Desenvolver o conhecimento e a postura crítica necessários para avaliar esforços de pesquisa o ajudará a determinar como e quando aplicar a pesquisa disponível para os problemas de marketing do momento.

A pesquisa de marketing é aplicada a inúmeros problemas que envolvem os quatro Ps: preço, praça, promoção e produto; em outras instâncias, ela serve para analisar consumidores atuais ou potenciais em detalhes, incluindo suas atitudes, comportamentos, consumo de mídia e estilos de vida. Os profissionais de marketing também estão interessados nas subculturas de consumidores, pois os produtos muitas vezes são usados como forma de participação e apoio em uma subcultura. Os acadêmicos e consultores de marketing realizam pesquisas teóricas que ajudam os profissionais do setor a entender perguntas que se aplicam a uma ampla variedade de contextos de marketing. A seguir, explicamos como a pesquisa de marketing se aplica aos quatro Ps tradicionais; ao estudo de consumidores e de subculturas de consumidores; e o papel da pesquisa teórica no marketing.

## A pesquisa de marketing e as variáveis do mix de marketing

**Produto** As decisões de produto são variadas e incluem o desenvolvimento e lançamento de novos produtos, branding e posicionamento de produtos. O desenvolvimento de novos produtos em geral envolve muitas pesquisas para identificar possíveis oportunidades para novos produtos, projetar produtos que evoquem respostas favoráveis junto aos consumidores e então desenvolver um mix de marketing apropriado para os novos produtos. O *teste de conceito e produto* ou *teste de mercado* fornece informações para decisões de aprimoramento de produtos e lançamentos de novos produtos. O teste de produtos tenta responder duas perguntas fundamentais: "Qual é o desempenho do produto para o cliente?" e "Como aprimorar o produto de modo a superar as expectativas do cliente?"

O branding é uma questão estratégica importante para produtos novos e existentes. Algumas empresas de marketing, como a Namestomers, se especializam em branding, identificando possíveis nomes e então realizando pesquisas de consumo para escolher qual nome comunica de fato os atributos ou a imagem do produto. Mesmo marcas com identidades estabelecidas precisam realizar pesquisas regularmente para detectar com antecedência as mudanças de significado e atitude em relação a uma marca.

O posicionamento é um processo no qual a empresa busca entender como produtos presentes ou possíveis são percebidos pelos consumidores em termos de atributos de produto relevantes. O **mapeamento perceptual** é uma técnica muito usada para definir a posição relativa de produtos em duas ou mais dimensões consideradas importantes para os consumidores em suas decisões de compra. Para criar o mapa, os consumidores são solicitados a informar o quão semelhantes ou dessemelhantes entre si são os membros de um grupo de marcas ou produtos relevantes. As respostas são então utilizadas para construir mapas perceptuais que convertem os dados do posicionamento em uma figura ou gráfico mostrando como as marcas são vistas uma em relação à outra. O mapa perceptual reflete os critérios que os consumidores adotaram para avaliar as marcas, representando as principais características do produto que são importantes para os consumidores na seleção de produtos ou serviços.

**Praça/Distribuição** No marketing, as decisões de distribuição incluem escolher e avaliar locais, canais e parceiros de distribuição. Os varejistas, incluindo as lojas *online*, realizam uma ampla variedade de estudos, mas algumas necessidades do varejo são especiais. Os estudos de pesquisa de mercado únicos aos varejistas incluem análise da área de comércio, estudos de imagem da loja, padrões de tráfego em loja e análise de localização. Como o varejo é uma atividade com altos níveis de contato com o cliente, boa parte da **pesquisa de varejo** se concentra no desenvolvimento de bancos de dados por meio do escaneamento óptico no ponto de compra. Os varejistas combinam os dados coletados no ponto de compra com informações sobre as mídias que os clientes consomem, os tipos de bairros nos quais vivem e as lojas nas quais gostam de comprar. Essas informações ajudam os varejistas a selecionar as mercadorias que irão estocar e a compreender os fatores que influenciam as decisões de compra de seus clientes.

Os varejistas *online* enfrentam desafios especiais, mas também têm oportunidades únicas de coleta de dados. Esses lojistas conseguem determinar quando o *site* é visitado, quanto dura cada visita, quais páginas são acessadas, que produtos são examinados e comprados e se os produtos são ou não abandonados nos carrinhos de compra virtuais. Os varejistas *online* que realizam marketing de busca (SEM) têm acesso à análise de dados de busca para ajudá-los a escolher quais palavras-chave adquirir junto a mecanismos de busca. Na **segmentação comportamental**, os varejistas *online* trabalham com *sites* de conteúdo para veicular anúncios com base nos dados coletados sobre os comportamentos dos usuários. Por exemplo, o *site* de meteorologia Weather.com pode apresentar anúncios para um par de sapatos específico que o cliente visualizou recentemente enquanto navegava no Zappos.com.

Nos últimos anos, o **shopper marketing** tem recebido muita atenção. *Shopper marketing* significa "entender o comportamento dos consumidores-alvo enquanto compradores, em diversos canais e formatos, e alavancar essa inteligência de modo a beneficiar todas as partes interessadas, definidas como marcas, consumidores, varejistas e compradores".[7] O *shopper marketing* inclui gestão de categorias, displays, vendas, embalagem, promoção, pesquisa e marketing. A finalidade desse tipo de pesquisa é "ajudar os fabricantes e varejistas e entender todo o processo pelo qual os consumidores passam na realização de uma compra, desde o pré-loja até o ponto de compra dentro da loja".[8] A pesquisa de marketing é necessária para apoiar as estratégias e táticas de *shopper marketing*.

**Promoção** As decisões promocionais são influências importantes nas vendas de qualquer empresa. Bilhões de dólares são gastos anualmente em várias atividades promocionais. Considerando os pesados gastos nessas atividades, é essencial que as empresas saibam como obter bons retornos sobre seus orçamentos de comunicação. Além das mídias tradicionais, as mídias digitais, como Google e YouTube, e as mídias sociais, como Facebook, representam desafios especiais para as empresas que precisam de métricas confiáveis para avaliar corretamente o retorno sobre seus gastos com publicidade. Os pesquisadores de mercado precisam desenvolver métricas significativas e então coletar dados para essas métricas.

As três tarefas de pesquisa mais comuns nas comunicações de marketing integrado são estudos sobre a eficácia da propaganda, pesquisa de atitude e rastreamento de vendas. A pesquisa de marketing que examina o desempenho de um programa promocional deve considerar o programa inteiro, pois cada esforço muitas vezes afeta todos os outros no mix promocional.

**Preço** As decisões de preço envolvem a precificação de novos produtos, os níveis de preço em situações de teste de mercado e a alteração de preços de produtos existentes. A pesquisa de marketing oferece respostas para questões como as seguintes:

1. Qual é o tamanho da demanda potencial no mercado visado em vários níveis de preço? Quais são as previsões de vendas em vários níveis de preço?
2. Quão sensível a alterações nos níveis de preço é a demanda?
3. Existem segmentos identificáveis com diferentes sensibilidades a preços?
4. Existem oportunidades de oferecer diferentes linhas de preços a diferentes mercados-alvo?

O Painel de Pesquisa de Marketing apresenta um experimento de precificação que pretendia ajudar a Amazon.com a escolher o preço ideal para DVDs.

### Consumidores e mercados

**Estudos de segmentação** A criação de perfis de clientes e o entendimento de características comportamentais são focos importantes de qualquer projeto de pesquisa de marketing. Determinar por que os consumidores se comportam de uma dada maneira com relação a produtos, marcas e mídias é um objetivo importante de muitas pesquisas de marketing. As decisões de marketing que envolvem os quatro Ps são mais bem-sucedidas quando a demografia, as atitudes e os estilos de vida do mercado-alvo estão claros para os tomadores de decisão.

Um componente importante da pesquisa de segmentação do mercado são os **estudos de benefícios e estilos de vida**, os quais examinam as semelhanças e as diferenças nas necessidades dos consumidores. Os pesquisadores utilizam esses estudos para identificar segmentos de um mercado para os produtos de uma dada empresa.

O objetivo é obter informações a respeito das características do cliente, dos benefícios do produto e das preferências por marcas. Esses dados, aliados às informações sobre idade, tamanho da família, renda e estilo de vida, podem ser comparados a padrões de compra de determinados produtos (carros, alimentos, eletrodomésticos, serviços financeiros) para desenvolver perfis de segmentação de mercado. Os estudos de segmentação também são úteis para determinar como elaborar comunicações que serão eficazes junto ao público-alvo.

Os estudos de segmentação são úteis, mas às vezes é necessário obter mais informações sobre as culturas ou subculturas que as empresas buscam atender. Os profissionais de marketing podem empregar pesquisas etnográficas (ou netnográficas) para estudar o comportamento do consumidor enquanto atividades integradas ao contexto cultural e repletas de identidade e outros significados simbólicos. A etnografia exige a observação prolongada dos consumidores em contexto. O estudo de culturas e subculturas de consumidores exige imersão por parte de observadores treinados e habilidosos. As técnicas etnográficas consomem muito tempo e dinheiro, mas oferecem aos tomadores de decisão análises aprofundadas que não seriam possíveis de outra forma. O estudo etnográfico dos consumidores amplia o entendimento das empresas sobre como os consumidores veem e usam os produtos em seu cotidiano.

## Teoria do marketing

Alguns leitores veem a palavra *teoria* e param imediatamente de ler e escutar. Mas a teoria muitas vezes é útil e relevante. Como escreveu Kurt Lewin, pioneiro da psicologia social, organizacional e aplicada, "não existe nada mais prático do que uma boa teoria".[9] O propósito da teoria é generalizar as relações entre conceitos de uma maneira que possa ser aplicada a uma ampla variedade de negócios e, muitas vezes, também a outros contextos. Assim, a teoria do marketing é importante para muitos negócios. A teoria é tão importante que muitas grandes empresas pertencem ao Marketing Science Institute (MSI.org), que concede bolsas de pesquisa para acadêmicos que estudam os problemas de marketing que as empresas e os setores estão tentando compreender.

Alguns exemplos de teoria prática que a maioria dos alunos de marketing aprende são úteis para demonstrar a importância da teoria no campo do marketing. Por exemplo, a teoria da adoção e difusão (adotada da sociologia) ajuda os profissionais de marketing a entender como novos produtos são adotados e se disseminam pelo mercado e as características dos produtos e adotantes que ajudam ou inibem a adoção. Outro exemplo de teoria útil vem da pesquisa em marketing de serviços, na qual os pesquisadores descobriram que cinco características (empatia, confiabilidade, capacidade de resposta, segurança e tangíveis) são importantes para os consumidores em uma ampla variedade de contextos de serviço. A teoria da sobrecarga de informações explica por que os consumidores têm maior probabilidade de fazer uma compra após experimentar entre 6 do que entre 24 sabores.[10] Na pesquisa de vendas, simpatia, similaridade e confiança são características ligadas ao sucesso dos vendedores. No marketing de novos produtos de tecnologia, os pesquisadores descobriram que o otimismo tecnológico (uma atitude positiva em relação aos benefícios de novas tecnologias) facilita a adoção anterior de novos produtos. Esses poucos exemplos mostram como a teoria ajuda na reflexão sobre problemas e oportunidades de negócios. No Capítulo 3, você aprenderá mais sobre o desenvolvimento de modelos conceituais.

## PAINEL O experimento perfeito de descoberta de preços?

O varejo *online* representa uma oportunidade quase perfeita para um projeto de pesquisa de mercado que deseja testar a elasticidade de preço de produtos. Por exemplo, a Amazon.com realizou um experimento de preços em larga escala com diversos DVDs colocados à venda em seu *site*. Os clientes recebiam preços aleatórios (refletindo descontos entre 20 e 40%) para 68 DVDs quando visitavam o *site* da loja. Enquanto as diferenças quase sempre se resumiam a alguns poucos dólares, em alguns casos as diferenças de preço eram muito maiores. Por exemplo, os consumidores que adquiriam *Arquivo X: A Segunda Temporada Completa* pagavam preços que variavam de 89,99 a 104,99 dólares por uma caixa de DVDs com preço normal de 149,99 dólares.

A metodologia experimental utilizada pela Amazon para determinar o preço ideal é padrão e muito usada *online* e *offline*. Os consumidores recebem aleatoriamente diferentes ofertas de preço e então o varejista coleta dados de vendas para determinar qual preço teve o melhor resultado. O problema para a Amazon é que a empresa é ao mesmo tempo grande e *online*, e os consumidores compartilham informações rapidamente pela Internet. Os consumidores se reuniram e descobriram que haviam pago preços diferentes pelo mesmo DVD no mesmo dia. Por exemplo, o *E-commerce Times* informou que, quando verificou o preço do DVD de *Missão Impossível*, o filme custava 17,99 dólares, mas, algumas horas depois, saía por 20,99 dólares.

Os consumidores ficaram furiosos e acusaram a Amazon de ter políticas de preço desonestas. A Amazon pediu desculpas, admitiu que cometera um erro e concordou em devolver a diferença entre o preço pago por qualquer DVD afetado e o menor preço oferecido possível. O resultado é que a Amazon devolveu, em média, 3,10 dólares para 6.896 clientes. Até os estudos de pesquisa de marketing mais cuidadosos podem criar problemas.

Fontes: Lori Enos, "Amazon Apologizes for Pricing Blunder." *E-commerce Times*, September 28, 2000, www.ecommercetimes.com/story/4411.html; Keith Regan, "Amazon's Friendly Deception," *E-commerce Times*, September 18, 2000, www.eccomercetimes.com/story/4310.html, acessado em 13 de agosto de 2011; Troy Wolverton, "Amazon Backs Away from Test Prices," September 12, 2000, news.cnet.com/2100-1017-245631.html, acessado em 13 de agosto de 2011.

# O setor de pesquisa de marketing

O setor de pesquisa de marketing vem apresentando um crescimento incomparável nos últimos anos. De acordo com o estudo *Advertising Age* (Era da Propaganda), as receitas das empresas de pesquisa norte-americanas aumentaram substancialmente nos últimos anos.[11] O crescimento das receitas de empresas internacionais foi ainda mais marcante. Os fornecedores de pesquisa de marketing atribuíram esse aumento de receita aos estudos de satisfação do cliente pós-venda (um terço da receita da empresa), aos sistemas de escaneamento de produtos voltados para o varejo (também um terço de todas as receitas), ao desenvolvimento de bancos de dados para gestão da marca no longo prazo e aos estudos internacionais de mercado.

## Tipos de empresas de pesquisa de marketing

Os fornecedores de pesquisa de marketing são classificados como internos ou externos, de pesquisas customizadas ou padronizadas, ou agenciadores/facilitadores. Os fornecedores de pesquisas internos em geral são unidades organizacionais no interior de uma empresa. Por exemplo, IBM, Procter & Gamble, Kraft Foods e Kodak possuem departamentos internos de pesquisa de marketing. A Kraft Foods e outras empresas obtêm diversos benefícios ao manter sua função de pesquisa de marketing interna, incluindo consistência dos métodos de pesquisa, compartilhamento de informações por toda a empresa, menores custos de pesquisa e a capacidade de produzir resultados de pesquisa que levam a ações.

Outras empresas escolhem utilizar fontes externas de pesquisa de marketing. As fontes externas, normalmente chamadas de fornecedores de pesquisa de marketing, cuidam de todos os aspectos da pesquisa, incluindo concepção do estudo, produção do questionário, entrevistas, análise de dados e preparação do relatório. Essas empresas recebem honorários pelo serviço realizado e apresentam propostas de pesquisa a serem utilizadas pelo cliente para fins de avaliação e decisão. Um exemplo de proposta se encontra na seção Pesquisa de Marketing em Ação ao final do Capítulo 2.

Muitas empresas utilizam fornecedores externos de pesquisa porque estes podem ser mais objetivos e menos sujeitos às políticas e regulamentações da empresa do que os fornecedores internos. Além disso, muitos fornecedores externos oferecem talentos especializados que, pelo mesmo custo, não seriam obtidos com fornecedores internos. Finalmente, as empresas podem escolher fornecedores externos para estudos específicos, conquistando maior flexibilidade para programar estudos, além de combinar requisitos de projetos específicos com os talentos de empresas de pesquisa especializadas.

As empresas de pesquisa de marketing também fornecem pesquisas customizadas ou padronizadas. As **empresas de pesquisa customizada** oferecem serviços especializados, altamente adaptados a cada cliente. Muitas empresas de pesquisa customizada concentram suas atividades em uma área específica, como testes de nome de marca, mercados de teste ou desenvolvimento de novos produtos. Por exemplo, a Namestormers ajuda as empresas na seleção e no reconhecimento de nomes de marca; a Survey Sampling Inc. concentra-se exclusivamente no desenvolvimento de amostras; e a Uniscore conduz apenas estudos que utilizam dados de escaneamento de varejo. As **empresas de pesquisa padronizada**, por outro lado, oferecem serviços mais gerais. Elas também seguem uma abordagem comum e tradicional de concepções de pesquisa, de modo que os resultados de um estudo conduzido para um cliente podem ser comparados com as normas de estudos realizados para outros. Essa categoria inclui empresas como a Burke Market Research, que conduz estudos de lembrança de propaganda no dia seguinte; a AC Nielsen (independente da Nielsen Media Research), que realiza auditorias de lojas em diversas organizações de varejo; e a Arbitron Ratings, que coleta dados primários referentes a comerciais de televisão.

Muitas empresas de pesquisa padronizada também oferecem **serviços de negócios por assinatura**, que incluem a compra de painéis de diários, auditorias e dados de lembrança de propagandas, realizados ou desenvolvidos a partir de bancos ou conjuntos de dados comuns. Um exemplo clássico de serviço de negócios por assinatura é o banco de dados estabelecido por métodos de escaneamento óptico de varejo. Esse banco de dados, disponibilizado pela AC Nielsen, acompanha as vendas de varejo de milhares de produtos de marca. Os dados podem ser customizados para uma série de setores (p.ex.: lanches, medicamentos não controlados ou automóveis) para indicar perfis de compra e volumes de venda em um determinado setor.

## Novas habilidades para um setor em mudança

Os trabalhadores do setor de pesquisa de marketing representam uma grande diversidade de culturas, habilidades e personalidades. À medida que as empresas de pesquisa de marketing expandem seu escopo geográfico para a Europa, a Ásia e a orla do Pacífico, os requisitos para a execução de projetos de pesquisa de marketing de sucesso mudarão drasticamente. Muitos requisitos de habilidades básicos continuarão os mesmos, mas práticas novas e inovadoras precisarão de uma única base de habilidades, mais abrangente do que nunca.

Em um levantamento com 100 executivos de empresas de pesquisa de marketing, as habilidades de negócio fundamentais para potenciais empregados foram avaliadas. As habilidades de comunicação (verbal e escrita), as habilidades interpessoais (capacidade de trabalhar com outras pessoas) e habilidades estatísticas foram consideradas atributos principais para o trabalho no setor.[12] Mais especificamente, as cinco principais habilidades que os executivos esperam encontrar em candidatos a empregos nas empresas do setor são: (1) a capacidade para compreender e interpretar dados secundários; (2) habilidades de apresentação; (3) competência em língua estrangeira; (4) habilidades de negociação; e (5) proficiência em computação.[13] Os resultados desse levantamento indicam que houve uma mudança nas habilidades requisitadas de analíticas para executivas no setor de pesquisa de marketing. Além de habilidades quantitativas, de trabalho em equipe e comunicação, o Departamento de Estatísticas do Trabalho dos Estados Unidos enfatiza a importância da orientação a detalhes, paciência e persistência para pesquisadores.[14] No futuro, analisar bancos de dados existentes, interações multiculturais e negociação serão provavelmente características importantes dos pesquisadores de marketing. As tarefas da pesquisa de marketing são discutidas mais adiante no Apêndice sobre carreiras no final deste capítulo.

## A ética na pesquisa de marketing

Podem ocorrer comportamentos éticos e antiéticos num processo de pesquisa. As principais fontes de questões éticas na pesquisa de marketing são as interações entre três grupos principais: (1) os fornecedores da informação; (2) os usuários da informação de pesquisa; e (3) os respondentes. Os fornecedores de pesquisa enfrentam diversos desafios éticos e oportunidades de erro. Alguns envolvem práticas de negócios gerais, enquanto outro tratam da condução de pesquisas aquém das normas profissionais. Os clientes também podem ter comportamentos antiéticos ou fraudulentos, como ocorre em todas as relações de negócios. Os respondentes podem abusar da relação de pesquisa ou serem abusados por ela. Por exemplo, nos últimos anos, a pesquisa de marketing na Internet gerou novas questões relativas ao potencial de abuso de respondentes na área da privacidade. Essas questões serão tratadas a seguir (a Figura 1.1 lista práticas questionáveis ou antiéticas típicas entre os grupos principais).

### Questões éticas nas práticas de negócios gerais

Questões de preço, questões de confidencialidade do cliente e o uso de metodologias de "caixa preta" são todas possíveis armadilhas éticas para fornecedores de pesquisas.

Primeiro, a empresa de pesquisa pode ter práticas de preço antiéticas. Por exemplo, depois de cotar uma série de preços globais para um projeto de pesquisa proposto, o pesquisador pode dizer ao tomador de decisão que itens variáveis do custo, como despesas de viagem, incentivos monetários ou honorários cobrados pelo tempo de uso do computador são extras, muito acima do preço cotado. Esses custos "suaves" podem ser facilmente utilizados para inflar o custo total do projeto. Outra prática antiética encontrada com muita frequência na pesquisa de marketing é a venda de serviços de pesquisa desnecessários ou não garantidos. Embora seja perfeitamente

**Figura 1.1** Desafios éticos na pesquisa de marketing.

**Fornecedor de pesquisa**

*Práticas de negócios gerais*
Inflar despesas
Venda de serviços desnecessários
Não preservar a confidencialidade dos clientes
Venda de metodologias de "caixa preta" de marca

*Conduzir pesquisas aquém das normas profissionais*
Metodologia de pesquisa não responderá a pergunta de pesquisa
Realizar pesquisas para provar conclusões predeterminadas
Corte de custos em projetos resultam em achados inconclusivos
Entrevistador realiza "entrevistas de calçada"

*Abuso de respondentes*
Não fornecer os incentivos prometidos
Afirmar que as entrevistas são mais curtas do que são de fato
Não preservar a confidencialidade do respondente
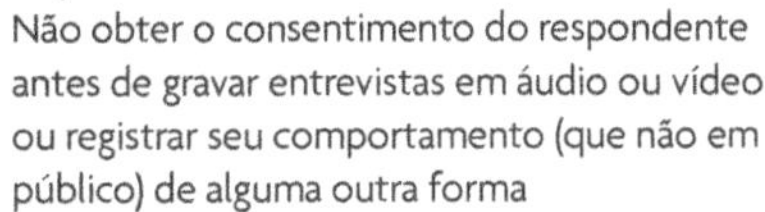
Não obter o consentimento do respondente antes de gravar entrevistas em áudio ou vídeo ou registrar seu comportamento (que não em público) de alguma outra forma
Invasão de privacidade
Fingir condução de pesquisa para realizar vendas (*sugging* ou *frugging*)
Falsificar o patrocínio da pesquisa
Enganar o respondente (sem debriefing)
Causar problemas para o respondente

*Questões de Internet*
Fornecer informações insuficientes aos usuários de um *site* sobre como seus dados de clickstream são registrados e utilizados

Enviar e-mails de seguimento indesejados para os respondentes
Desanonimização de dados

**Cliente/comprador da pesquisa**
Solicitação de propostas sem intenção de compra
Promessas enganosas de negócios futuros
Exagerar os achados da pesquisa

**Ações antiéticas por parte do respondente**
Dar respostas desonestas ou se comportar de maneira falsa

aceitável vender pesquisa de acompanhamento, que possa auxiliar a empresa do tomador de decisão, a venda de serviços desnecessários é antiética.

As empresas de pesquisa devem preservar a confidencialidade do cliente. Essa exigência pode ser difícil para empresas especializadas em determinados setores (p.ex.: automóveis) e que coletam dados regularmente sobre diversos concorrentes e sobre o setor em geral. Em alguns casos, um novo cliente pode solicitar um estudo bastante semelhante a um projeto realizado pouco tempo antes para outro cliente. A tentação de simplesmente compartilhar os resultados anteriores é grande, mas o fato é que tais resultados pertencem ao outro cliente.

Uma prática comum entre as empresas de pesquisas é a venda de **metodologias de "caixa preta" de marca.** Essas técnicas de marca são bem variadas, incluindo versões proprietárias de escalas, amostragem, correção de amostra, métodos de coleta de dados, segmentação de mercado e índices especializados (p.ex.: índices de satisfação do cliente, fidelidade ou qualidade). Na verdade, algumas técnicas de marca envolvem divulgação suficiente de detalhes, de modo que nenhuma metodologia é uma caixa preta apenas por ser de marca. As metodologias são chamadas de "caixas pretas" quando são proprietárias e as empresas de pesquisa não revelam como elas funcionam. O desejo de preservar uma técnica proprietária é compreensível, mas sem acesso aos mecanismos internos do método, compradores de pesquisa e terceiros não têm como avaliar sua validade. Obviamente, ninguém força os clientes a escolher metodologias de "caixa preta". Se não conseguem entender suficientemente os pontos fortes e fracos de um método antes de realizarem a compra, os clientes devem procurar outros fornecedores.

## Conduzindo pesquisas que não atendem às normas profissionais

Em alguns casos, os fornecedores de pesquisas conduzem projetos que não atendem às normas profissionais. Por exemplo, um cliente pode insistir que a empresa utilize uma determinada metodologia, apesar de os pesquisadores acreditarem que ela não responderá à pergunta de pesquisa do cliente. Com medo de perder a venda, a empresa de pesquisa acaba cedendo aos desejos do cliente. O fornecedor também pode concordar em realizar o estudo apesar de a empresa não ter o conhecimento técnico necessário para conduzir o tipo de estudo que o cliente precisa. Neste caso, o cliente deve ser encaminhado para outro fornecedor.

Outra situação antiética pode ocorrer devido à pressão do cliente para a realização de pesquisas que provem uma conclusão predeterminada. Se os pesquisadores manipularem conscientemente a metodologia de pesquisa ou o relatório para apresentar uma imagem tendenciosa com o único intuito de agradar o cliente, esse comportamento será antiético.

Outra pressão que resulta em pesquisas pouco profissionais é o corte de custos. O cliente talvez não tenha um orçamento suficiente para um projeto de pesquisa que forneça informações úteis. Por exemplo, cortes de custos podem levar a reduções em tamanhos de amostra. O resultado é que os achados podem ter margens de erro enormes (por exemplo, ±25%). O fornecedor deve informar o cliente que os resultados provavelmente não serão confiáveis antes de conduzir uma pesquisa dessa natureza.

Os entrevistadores que trabalham para empresas de pesquisa também podem ter comportamentos antiéticos. Uma prática de falsificação famosa entre muitos pesquisadores e entrevistadores é a **entrevista de calçada** (ou cadeira de balanço). Isso ocorre quando os entrevistadores ou observadores treinados respondem eles próprios as perguntas ou criam os comportamentos dos respondentes "observados", em vez de conduzir entrevistas ou observar as atitudes dos respondentes conforme orientado no estudo. Entre as outras práticas de falsificação de dados estão pedir a amigos ou parentes que preencham os questionários, não usar a amostra designada de respondentes e, em vez disso, qualquer um que esteja convenientemente disponível para a pesquisa ou não seguir o procedimento de chamada de retorno indicado nas instruções da pesquisa. Para minimizar a possibilidade de falsificação de dados, as empresas de pesquisa costumam verificar aleatoriamente 10 a 15% das entrevistas por meio de chamadas de retorno.

## Abuso de respondentes

Além de práticas de negócios antiéticas gerais e pesquisas conduzidas aquém das normas profissionais, o abuso dos respondentes pode ser um problema. Na pesquisa de marketing, o potencial de abuso de respondentes se manifesta de diversas maneiras. As empresas de pesquisa podem não entregar o incentivo prometido (prêmios de concursos, presentes ou dinheiro) aos respondentes em troca de entrevistas ou questionários. Uma segunda forma de abuso é afirmar que a entrevista será curta, quando na realidade pode durar uma hora ou mais. Os respondentes também são abusados quando as empresas de pesquisa utilizam patrocinadores "falsos". Alguns clientes temem que a identificação do patrocinador afetará as respostas às perguntas da pesquisa. A empresa de pesquisa não é obrigada a revelar seu cliente para os respondentes, mas seria antiético criar um patrocinador falso para um estudo.

Às vezes, é necessário enganar os clientes durante um estudo. Por exemplo, um estudo experimental induzia os consumidores a buscar variedade, fazendo os participantes lerem um "estudo científico" afirmando que alterar produtos para cabelo com frequência melhora a saúde e higiene do cabelo. Ao final de qualquer estudo que envolva subterfúgios, os participantes passam por um "**debriefing**" no qual o truque deve ser explicado. É importante observar que os respondentes jamais devem sofrer danos físicos ou psicológicos. Um exemplo flagrante de dano foi um estudo sobre resolução de reclamações, no qual o pesquisador enviou cartas para proprietários de restaurantes afirmando que ele e a esposa haviam sofrido intoxicação alimentar no estabelecimento enquanto comemoravam seu aniversário de casamento. Os empresários que receberam as cartas foram enganados de uma maneira que provocou preocupações e ansiedade indevidas.

Em geral, os pesquisadores prometem anonimato aos respondentes para encorajar sua cooperação e a honestidade das respostas. A confidencialidade dos respondentes é violada se os nomes são compartilhados com a empresa patrocinadora para fins de acompanhamento de vendas ou se os nomes e dados demográficos dos respondentes são entregues a outras empresas sem sua aprovação. Na verdade, algumas das "pesquisas" são conduzidas com o objetivo de coletar nomes. A prática, conhecida como ***sugging*** ou ***frugging***, é totalmente antiética e impacta negativamente o setor como um todo, pois leva os consumidores a rejeitar pesquisas legítimas por receio de serem procurados por vendedores.

Os pesquisadores de marketing não devem invadir a privacidade dos clientes. Os comportamentos públicos podem ser gravados em áudio ou vídeo sem consentimento prévio, mas os comportamentos privados, incluindo entrevistas de pesquisa, não devem ser gravados sem o consentimento do respondente. A questão é ainda mais complexa e controversa em ambientes *online*, nos quais o comportamento do consumidor é registrado digitalmente (p.ex.: na análise de clickstream) e conversas sobre a empresa e seus produtos são coletadas e analisadas. Os métodos de pesquisa *online* que acompanham os consumidores sem seu consentimento seriam antiéticos, mesmo quando o comportamento analisado é, de certa forma, público, e todos os identificadores foram removidos do fluxo de dados? As políticas de privacidade postadas nos *sites* fornecem informações suficientes aos consumidores de que seus comportamentos podem estar sendo registrados? O que dizer do uso de "cookies", os arquivos de identificação digitais colocados nos computadores de indivíduos pelos *sites*, usados para coletar informações sobre seus comportamentos e interesses de modo a ajustar os anúncios e o conteúdo a suas necessidades? Os cookies costumam ser projetados para preservar a privacidade do cliente, pelo menos em relação à identidade, mas ainda coletam e utilizam dados sobre ele. A Doubleclick, empresa que veicula anúncios em *sites* diversos, foi alvo de diversas investigações por parte de defensores da privacidade durante sua existência. A Doubleclick usa cookies que coletam informações de usuários de todos os *sites* que atende, permitindo que ela colete muitas informações sobre consumidores individuais (não identificados). Qual deve ser o nível de transparência dos *sites* sobre suas atividades de registro do clickstream? A seção "All Things Digital" do jornal *The Wall Street Journal* publicou o seguinte aviso:

Alguns dos anunciantes e empresas de *web analytics* usados nesse *site* podem colocar "cookies" no seu computador. Estamos informando você, leitor, com franqueza e queremos que você saiba como eliminar esses cookies caso deseje (...) A ideia é que este aviso apareça apenas na primeira vez que você visitar o *site* em qualquer computador.[15]

A Marketing Research Association (MRA) desenvolveu diretrizes referentes a questões sobre pesquisas de marketing na Internet. A MRA sugere que os *sites* publiquem uma política de privacidade para explicar como os dados são usados. Os pesquisadores também devem descontinuar o uso de e-mails de seguimento caso os respondentes o solicitem. Mais recentemente, os pesquisadores demonstraram que é possível "*desanonimizar*" informações na Internet por meio da combinação de registros públicos disponíveis em redes sociais.[16] As diretrizes da MRA proíbem os pesquisadores de realizar **desanonimização de dados**, apesar de ainda permitirem a prática de registro do clickstream. Mas assim como ocorre com outros comportamentos públicos, as ações *online* podem ser observadas, mas quaisquer informações identificadoras devem ser removidas do arquivo de dados. Outras tecnologias digitais, como o GPS, também produzem problemas em termos de privacidade (ver Painel na página 17).

## Ações antiéticas por parte do cliente/usuário da pesquisa

O cliente ou tomador de decisão que precisa de dados de pesquisa também enfrenta oportunidades para um comportamento antiético. Um comportamento desse tipo ocorre quando o tomador de decisão solicita propostas de pesquisa detalhadas de vários fornecedores concorrentes sem a intenção de selecionar uma delas para conduzir a pesquisa. Nesse caso, os "clientes" solicitam as propostas com a finalidade de descobrir como elas mesmas podem conduzir a pesquisa de marketing necessária. Eles obtêm esboços dos questionários, bases de amostragem e procedimentos amostrais sugeridos e conhecimento a respeito dos procedimentos de coleta de dados. Depois, de maneira antiética, podem utilizar as informações para conduzir sozinhos o projeto de pesquisa ou barganhar o preço entre as empresas interessadas.

Infelizmente, outro comportamento antiético comum entre os tomadores de decisão é prometer a um fornecedor de pesquisa em vista um relacionamento de longo prazo ou projetos adicionais a fim de obter um preço bem mais baixo no projeto de pesquisa inicial. Quando o fornecedor conclui o projeto inicial, o cliente esquece as promessas de longo prazo.

Os clientes também podem ser tentados a exagerar os resultados de um projeto de pesquisa de marketing. Eles podem afirmar, por exemplo, que os consumidores preferem o sabor de seus produtos quando, no teste real, a diferença entre produtos foi estatisticamente insignificante, ainda que o resultado tenha sido ligeiramente positivo para os produtos da empresa patrocinadora.

## Ações antiéticas por parte do respondente

A prática antiética mais comum dos respondentes em qualquer pesquisa é fornecer respostas erradas. A expectativa geral no ambiente de pesquisa é de que quando um sujeito consentiu livremente em participar, irá responder verdadeiramente.

Os respondentes de pesquisa muitas vezes dão respostas falsas quando encontram perguntas relativas à renda ou sua prática de certos tipos sensíveis de comportamento, como consumo de álcool ou substância ilícitas.

## PAINEL Pesquisa e privacidade de dados: o desafio

O uso do GPS enquanto ferramenta de pesquisa cria problemas éticos? A Acme Rent-A-Car, de New Haven, Connecticut, instalou unidades de GPS em toda sua frota de carros de aluguel. Assim, a locadora sabe aonde cada um de seus clientes foi com o carro. A empresa sabe não apenas onde você parou, mas a qual velocidade dirigiu até ali. A Acme começou a multar seus clientes por excesso de velocidade com base nos dados da unidade de GPS. Por ora, os tribunais deram ganho de causa para os clientes.

As seguradoras também estão usando a tecnologia de GPS. O que elas vão descobrir? Se você dirige à noite ou em rodovias interestaduais, ambas práticas mais perigosas; se e com que frequência você excede os limites de velocidade ou ignora placas de parada obrigatória; ou se você para no bar a caminho de casa e quanto tempo fica por ali. Assim, a seguradora consegue pesquisar o comportamento de direção muito melhor do que no passado, além de trabalhar questões relativas a preços. Por exemplo, os sistemas de GPS utilizados pela Progressive Insurance resultaram em preços bem menores para alguns clientes e significativamente maiores para outros. Quem dirige menos, como comprovado pelo GPS, paga menos. Quem dirige abaixo do limite de velocidade paga menos. É justo, não é mesmo? Mas alguns defensores dos direitos do consumidor afirmam que isso viola o direito à privacidade dos indivíduos.

Fontes: Annette Cardwell, "Building a Better Speed Trap," *Smartbusiness.com*, December/January 2002, p. 28; Ira Carnahan, "Insurance by the Minute," *Forbes*, December 11, 2000, p. 86; Will Wade, "Insurance Rates Driven by GPS," *Wired*, October 3, 2003.

Os consumidores têm a chance de ganhar dinheiro com a participação em levantamentos de marketing e grupos focais. Para participar de mais grupos ou levantamentos, os respondentes em potencial podem mentir para os pesquisadores na esperança de corresponder às características buscadas. Por exemplo, um participante em potencial pode dizer que é casado, quando na verdade é solteiro, ou que possui um automóvel Toyota, quando não o tem. Mas o motivo para os pesquisadores de marketing pagarem os participantes de grupos focais ou levantamentos é que sua pesquisa exige o trabalho com um tipo específico de respondente. A mentira do respondente com o objetivo de obter dinheiro pela participação é antiética. Pior do que isso, do ponto de vista do pesquisador, a mentira prejudica a validade da pesquisa.

## Códigos de ética da pesquisa de marketing

Os pesquisadores de marketing devem ser proativos em seus esforços para assegurar um ambiente ético, e o primeiro passo para isso é estabelecer um código de ética. Muitos fornecedores de pesquisa de marketing estabeleceram códigos de ética internos derivados de outros formulados por instituições maiores que hoje governam o setor. O Código de Ética da American Marketing Association se aplica a todas as funções de marketing, incluindo a pesquisa, e pode ser acessado no endereço **www.marketingpower.com**. A ESOMAR, organização mundial para propiciar pesquisas melhores a mercados, consumidores e sociedades, também publica um código de ética de marketing em seu *site* (**www.esomar.org**). A Marketing Research Society resume os princípios centrais do código da ESOMAR conforme segue:[17]

1. O pesquisador de marketing agirá em conformidade com todas as leis nacionais e internacionais relevantes.
2. O pesquisador de marketing se comportará eticamente e não fará nada que possa prejudicar a reputação da pesquisa de marketing.

3. O pesquisador de marketing terá especial cuidado ao conduzir pesquisas com crianças e outros grupos vulneráveis da população.
4. A cooperação dos respondentes é voluntária e deve estar baseada em informações adequadas, e não enganosas, a respeito do objetivo geral e da natureza do projeto quando sua concordância em participar estiver sendo obtida, e todas as declarações devem ser honradas.
5. Os direitos dos respondentes como indivíduos serão respeitados pelos pesquisadores de marketing e não serão prejudicados como resultado da cooperação em um projeto de pesquisa de marketing.
6. O pesquisador de marketing jamais permitirá que dados pessoais por ele coletados numa pesquisa sejam utilizados para outra finalidade que não a pesquisa.
7. O pesquisador de marketing assegurará que os projetos e as atividades sejam concebidos, realizados, relatados e documentados de forma precisa, transparente, objetiva e com a qualidade apropriada.
8. O pesquisador de marketing agirá em conformidade com os princípios aceitos da justa competição.

## Tendências emergentes

O consenso geral no setor de pesquisa de marketing é que cinco grandes tendências estão se tornando evidentes: (1) maior ênfase nos métodos de coleta de dados secundários; (2) movimento em direção à gestão de dados baseada na tecnologia (dados de escaneamento óptico, tecnologia de banco de dados, gerenciamento do relacionamento com o cliente); (3) maior uso da tecnologia digital para obtenção e recuperação de informações; (4) base de clientes internacional mais ampla; e (5) movimento além da análise de dados e em direção a um ambiente de gestão da informação e interpretação de dados.

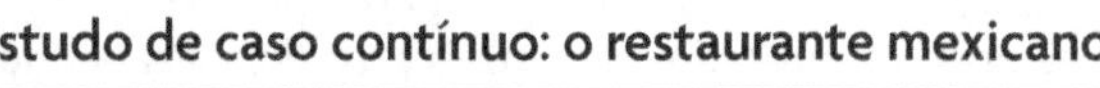

### Estudo de caso contínuo: o restaurante mexicano Santa Fe Grill

A fim de ilustrar os princípios e os conceitos da pesquisa de marketing neste texto, preparamos um estudo de caso que será utilizado em quase todos os capítulos deste livro. O estudo de caso é a respeito do restaurante mexicano Santa Fe Grill, iniciado há 18 meses por dois ex-alunos de administração na Universidade de Nebraska, em Lincoln. Eles eram companheiros de quarto no tempo da faculdade e ambos tinham um desejo empreendedor. Depois de se formarem, queriam começar um negócio próprio, em vez de trabalhar para alguém. Os dois proprietários usam pesquisas para iniciar seu negócio e fazer com que ele prospere. A Pesquisa de Marketing em Ação que conclui este capítulo oferece mais detalhes sobre o caso contínuo. Os exercícios relativos ao Santa Fe Grill são incluídos no corpo do texto de cada capítulo ou em uma seção Pesquisa de Marketing em Ação separada. Por exemplo, o Capítulo 3 possui uma seção sobre dados secundários. No Capítulo 6, durante a discussão sobre amostragem, são avaliadas diferentes abordagens de amostragem, incluindo discussões sobre problemas de tamanho de amostra no caso do Santa Fe Grill e sobre por que a empresa de pesquisa recomendou entrevistas de saída. Da mesma forma, o questionário usado para coletar dados para o caso contínuo é apresentado no Capítulo 8, ilustrando princípios de concepção de mensuração e questionários. Em todos os capítulos sobre análise de dados, utilizamos os dados do estudo de caso contínuo para ilustrar o *software* estatístico e as diversas técnicas estatísticas de análise de dados. O foco em um único estudo de caso de um problema de pesquisa de negócio típico permite que você compreenda mais facilmente os benefícios e armadilhas do uso de pesquisa para apoiar o processo de tomada de decisão de negócio.

A organização deste livro é consistente com essas tendências. A Parte 1 (Capítulos 1 e 2) explora a informação e a tecnologia de pesquisa de marketing do ponto de vista do cliente, incluindo como avaliar projetos de pesquisa de marketing. A Parte 2 (Capítulos 3-5) apresenta uma visão geral do papel emergente dos dados secundários, com ênfase em abordagens tecnológicas para a criação e o desenvolvimento de projetos de pesquisa. Os capítulos da Parte 2 também discutem o projeto de pesquisa de marketing tradicional (métodos de levantamento e concepções de pesquisa), bem como a coleta de dados qualitativos e quantitativos. Exemplos práticos que ilustram como os dados são utilizados no setor facilitam a discussão. Esses métodos são fundamentais para o processo de pesquisa de marketing, mas avanços recentes, como a coleta de dados *online*, alterou o foco dessas questões.

A Parte 3 (Capítulos 6-8) cobre amostragem, escalas e mensuração de atitude e elaboração de questionários, incluindo explicações do impacto da coleta de dados *online* crescente nessas questões. A Parte 4 (Capítulos 9-13) prepara o leitor para o gerenciamento, categorização e análise dos dados de pesquisa de marketing, tanto qualitativos como quantitativos. Um capítulo a respeito da análise dos dados qualitativos explica o método básico de execução desse tipo de análise. As aplicações dos pacotes de *software* estatísticos oferecem ao leitor um manual prático para a análise de dados quantitativos. Essa parte termina mostrando como apresentar com eficácia os achados da pesquisa.

Cada capítulo é concluído com uma seção especial chamada "Pesquisa de Marketing em Ação". O objetivo dos exemplos e ilustrações nessas seções de Pesquisa de Marketing em Ação é facilitar a compreensão dos temas do capítulo e, em especial, fornecer ao leitor instruções detalhadas sobre os métodos de pesquisa.

## PESQUISA DE MARKETING EM AÇÃO
Caso contínuo: Santa Fe Grill

O restaurante mexicano Santa Fe Grill foi iniciado há 18 meses por dois ex-alunos de administração da Universidade de Nebraska, em Lincoln. Eles eram colegas de quarto no tempo da faculdade e ambos tinham um desejo empreendedor. Depois de se formarem, queriam começar um negócio próprio, em vez de trabalhar para alguém. Os alunos tinham trabalhado em restaurantes enquanto cursavam a faculdade, como garçons e um deles como assistente de gerente, e sentiam que tinham o conhecimento e a experiência necessários para iniciar o próprio negócio.

No último ano da faculdade, os dois prepararam, na aula de empreendedorismo, um plano de negócios para um novo conceito de restaurante mexicano. Inicialmente eles pretendiam abrir um restaurante em Lincoln, Nebraska. Entretanto, após uma análise demográfica desse mercado, eles decidiram que Lincoln não condizia com a demografia por eles objetivada tão bem quanto imaginava inicialmente.

Depois de pesquisar o perfil demográfico e competitivo de vários mercados, eles concluíram que Dallas, no Texas, seria o melhor lugar para iniciar um negócio. Ao examinarem os mercados, estavam buscando uma cidade que mais bem atendesse ao mercado-alvo de famílias e pessoas solteiras entre 18 e 50 anos. A população de Dallas é constituída de quase 5,5 milhões de pessoas, das quais cerca de 50% estão na faixa etária entre 25 e 60 anos. Isso revelou a eles que havia muitos indivíduos em seu mercado-alvo na área de Dallas. Também descobriram que 55% da população ganha entre US$ 35 mil e US$ 75 mil por ano, o que indicava que o mercado teria renda suficiente para comer fora regularmente. Por fim, 56% da população era casada e muitos tinham filhos em casa, o que era coerente com o mercado-alvo desejado. Abaixo você encontra informações demográficas mais detalhadas sobre a área.

O conceito do novo restaurante se baseava nos mais frescos ingredientes, complementados por uma atmosfera festiva, um atendimento gentil e as mais avançadas estratégias de propaganda e marketing. O elemento essencial seria preparar e servir pratos mexicanos feitos com os ingredientes básicos o mais frescos possível. Tudo seria preparado diariamente. Além desse conceito de "tudo fresquinho", eles queriam uma atmosfera festiva e um atendimento rápido e gentil. O ambiente seria aberto, muito iluminado e animado por intensa atividade. O mercado-alvo seria composto, na sua maioria, por famílias com filhos, com idades entre 18 e 49 anos. Os programas de marketing seriam os mais memoráveis, com as propagandas planejadas para propiciar um posicionamento atraente e ligeiramente excêntrico no mercado.

O Santa Fe Grill não foi o sucesso imediato que os donos esperavam. Para melhorar as operações do restaurante, os dois precisavam entender quais aspectos do negócio promoviam a satisfação e fidelidade dos clientes e em quais o serviço ficava abaixo das expectativas. Assim, eles decidiram conduzir três levantamentos. Um foi projetado para obter informações junto aos clientes atuais do Santa Fe Grill. Um segundo levantamento coletaria informações de seu principal concorrente, o Jose's Southwestern Café. O terceiro levantamento coletaria dados dos funcionários que trabalham no Santa Fe Grill. Os dois empreendedores acreditavam que o levantamento dos funcionários era importante porque suas experiências poderiam estar afetando a maneira como os clientes avaliavam o restaurante.

O Santa Fe Grill se instalou em um terreno no lado leste do shopping Cumberland Mall, junto à entrada principal. O shopping possui 75 ou mais lojas e é considerado um grande sucesso na área. Uma empresa de pesquisa tinha sua sede no shopping, então os empresários decidiram usar uma abordagem de interceptações em shoppings para coletar os dados dos clientes. Outro restaurante mexicano, aberto havia mais tempo e que parecia ter mais sucesso, também ocupava um terreno externo do mesmo shopping, mas ficava localizado no lado oeste. O objetivo era completar entrevistas com 250 indivíduos que haviam comido recentemente no Santa Fe Grill e 150 que haviam comido recentemente no Jose's Southwestern Café. Além disso, os funcionários do Santa Fe Grill foram solicitados a visitar um *site* na Internet e responder a um questionário específico para eles.

Durante um período de duas semanas, foram completadas 405 entrevistas com clientes: 152 para o Jose's, 253 para o Santa Fe Grill. No levantamento dos funcionários, foram completados 77 questionários. Os proprietários acreditam que os levantamentos os ajudarão a identificar os pontos fortes e fracos do restaurante, permitindo que comparem-no com um concorrente próximo e desenvolvam um plano para melhorar suas operações.

**Demografia selecionada para área geográfica (raio de 16 quilômetros do Santa Fe Grill)**

| Residências por tipo | Número | Porcentagem |
|---|---|---|
| Total de residências | 452.000 | 100 |
| Residências familiares | 267.000 | 59 |
| Com filhos menores de idade | 137.000 | 30 |
| Residências não familiares | 185.000 | 41 |
| Residência individual | 148.850 | 33 |
| Morador de 65 anos ou mais | 29.570 | 7 |
| Residências com indivíduos menores de idade | 157.850 | 35 |
| Residências com indivíduos com 65 anos ou mais | 74.250 | 16 |
| Tamanho médio das residências | 2,6 pessoas | |
| Tamanho médio das famílias | 3,4 pessoas | |

| Gênero e Idade | Número | Porcentagem |
|---|---|---|
| Masculino | 599.000 | 51 |
| Feminino | 589.000 | 49 |
| Total | 1.188.000 | |
| Menos de 20 anos | 98.800 | 29 |
| 20 a 34 anos | 342.000 | 29 |
| 35 a 44 anos | 184.000 | 16 |
| 45 a 54 anos | 132.500 | 11 |
| 55 a 59 anos | 44.250 | 4 |
| 60 anos ou mais | 13.000 | 11 |
| Idade mediana (anos) | 32 | |
| 18 anos ou mais | 873.000 | 74 |

## Exercício prático

1. Com base na sua compreensão do Capítulo 1, quais tipos de informações sobre produtos, serviços e clientes os proprietários do Santa Fe Grill deveriam considerar coletar?
2. É realmente necessário um projeto de pesquisa? Um levantamento dos clientes seria a melhor abordagem? Os funcionários também devem ser entrevistados? Por quê (não)?

# Resumo

**Descrever o impacto da pesquisa de marketing no processo de tomada de decisão.**
A pesquisa de marketing é o conjunto de atividades fundamental para todas as decisões relacionadas com marketing, independente da complexidade ou do foco da decisão. A pesquisa de marketing é responsável por equipar os gerentes com informações precisas, relevantes e oportunas de modo que eles possam tomar decisões de marketing com algum grau de confiança. No contexto do planejamento estratégico, é responsável pelas tarefas, métodos e procedimentos que uma empresa usará para implementar e direcionar seu plano estratégico.

**Demonstrar como a pesquisa de marketing se enquadra no processo de planejamento de marketing.**
O segredo do planejamento bem-sucedido é a informação precisa, seja ela relacionada a produto, promoção, preço e/ou praça. A pesquisa de marketing também ajuda organizações a entender melhor os consumidores e mercados. Finalmente, a pesquisa de marketing é usada para desenvolver uma teoria que pode ser útil em uma ampla gama de problemas de marketing.

**Apresentar exemplos de estudos de pesquisa de marketing.**
Os estudos de pesquisa de marketing apoiam a tomada de decisão relativa a todas as variáveis do mix de marketing, além de fornecer informações sobre mercados e culturas. Os exemplos de estudos de pesquisa incluem teste de conceitos e produtos; mapeamento perceptual; análise da área de comércio, estudos de imagem de loja, estudos de padrão de tráfego dentro de lojas e análise da localização; pesquisa de *shopper marketing*; estudos de eficácia da propaganda, pesquisa de atitudes e acompanhamento de vendas; estudos de preços para produtos novos e existentes; estudos de segmentação e cultura do consumidor; e desenvolvimento de teorias e marketing.

**Compreender o escopo e o foco do setor de pesquisa de marketing.**
Em geral, os projetos de pesquisa de marketing podem ser conduzidos internamente, pela equipe de pesquisa de marketing, ou externamente, por empresas de pesquisa independentes ou facilitadoras. Os fornecedores externos são classificados como de pesquisas customizadas ou padronizadas, ou como agenciadores ou facilitadores.

**Reconhecer as questões éticas associadas à pesquisa de marketing.**
A tomada de decisões éticas é um desafio em todos os setores, incluindo a pesquisa de marketing. Os conflitos éticos na pesquisa de marketing ocorrem tanto para o usuário quanto para o fornecedor da pesquisa, além dos respondentes selecionados. Ações antiéticas entre os fornecedores da pesquisa de marketing abrangem as práticas de negócios antiéticas gerais, a condução de pesquisas aquém dos padrões profissionais, o abuso do direito dos respondentes e problemas específicos da Internet, como a violação da privacidade. O comportamento antiético por parte dos clientes inclui solicitar propostas sem a intenção de contratar os serviços, prometer mais serviços que nunca se materializam para obter serviços a baixo custo e exagerar os achados da pesquisa. Os respondentes são antiéticos quando dão respostas desonestas ou se comportam de maneira falsa.

**Debater novas habilidades e tendências emergentes na pesquisa de marketing.**
Assim como o ambiente de negócios dinâmico faz com que as empresas modifiquem e troquem as práticas, da mesma forma este ambiente em mutação dita a mudança no setor de pesquisa de marketing. Especificamente, as mudanças tecnológicas afetarão como a pesquisa de marketing será conduzida no futuro. Entre as habilidades necessárias requeridas para se adaptar a essas mudanças estão: (1) a capacidade para entender e interpretar dados secundários; (2) habilidades de apresentação; (3) competência em língua estrangeira; (4) habilidades de negociação; e (5) proficiência em informática.

# Principais termos e conceitos

Mapeamento perceptual 7
Metodologias de "caixa preta" de marca 13
Pesquisa de marketing 5
Pesquisa de varejo 7
Segmentação comportamental 7
Serviços de negócios por assinatura 11
*Shopper marketing* 8
*Sugging/frugging* 15

## Questões de revisão

1. Qual é o papel da pesquisa de marketing nas organizações?
2. Que melhorias em estratégias de varejo podem ser atribuídas aos resultados obtidos nas pesquisas de *shopper marketing*?
3. Analise a importância da pesquisa de segmentação. Como ela afeta o desenvolvimento do planejamento de mercado de uma dada empresa?
4. Para as empresas, quais são as vantagens e desvantagens de manter um departamento interno de pesquisa de marketing? Quais vantagens e desvantagens podem ser atribuídas à contratação de um fornecedor externo de pesquisas de marketing?
5. Conforme o setor de pesquisa de marketing se expande, que habilidades os futuros executivos deverão possuir? Como essas habilidades diferem daquelas atualmente necessárias para operar bem no campo de pesquisa de marketing?
6. Identifique os três principais grupos de pessoas envolvidas no processo de pesquisa de marketing e então dê exemplos de comportamentos antiéticos praticados ocasionalmente por esses grupos.
7. Às vezes, os respondentes dizem que são algo que não são (p.ex.: proprietários de um Toyota ou casados) para que sejam selecionados para um grupo focal. Às vezes, os respondentes não informam corretamente sua renda pessoal. É sempre antiético mentir em um levantamento? Por quê (não)?

## Questões para discussão

1. EXPERIMENTE A INTERNET. Acesse um de seus mecanismos de busca preferidos (Yahoo!, Google, etc.) e digite o seguinte termo: pesquisa de marketing. Com base nos resultados, acesse um diretório de empresas de pesquisa de marketing. Selecione uma empresa e comente os tipos de estudos que ela realiza.
2. EXPERIMENTE A INTERNET. Use o Google para encontrar uma empresa de pesquisa de marketing local. Envie um e-mail solicitando descrições de cargos de vagas em aberto. Quando obtiver as descrições, discuta os atributos específicos solicitados necessários para exercer cada função.
3. Você foi contratado pelo McDonald's para liderar uma equipe de clientes espiões. O objetivo de sua pesquisa é melhorar a qualidade de atendimento da loja do McDonald's em sua área. Que atributos de qualidade de atendimento você tentará medir? Quais comportamentos do cliente ou dos empregados você irá monitorar de perto?
4. Contate uma empresa local e entreviste o proprietário/gerente acerca dos tipos de pesquisa de marketing realizada para aquela empresa. Verifique se a empresa possui departamento de pesquisa interno ou se ela contrata uma agência externa. Verifique também se a empresa adota uma abordagem única para problemas específicos ou se é sistemática durante um longo período de tempo.
5. EXPERIMENTE A INTERNET. Conforme a Internet continua a crescer como meio para conduzir vários tipos de estudos de pesquisa de marketing, há uma preocupação crescente a respeito das questões éticas. Identifique e discuta três questões éticas pertinentes para a pesquisa conduzida pela Internet.

   Agora entre na Internet e valide suas preocupações éticas. Visite o *site* do ESOMAR (ESOMAR.org) e leia sobre questões éticas relativas à Internet. Que ações antiéticas são possíveis na pesquisa via Internet?

# Apêndice A

## Carreiras na pesquisa de marketing: Um olhar para a Federal Express

As oportunidades de carreira na área de pesquisa de marketing variam de acordo com o setor, a empresa e o porte da empresa. Cargos diferentes existem em empresas de produtos de consumo, empresas de bens industriais, departamentos internos de pesquisa e empresas especializadas. As tarefas podem ser muito simples, como a tabulação dos questionários, ou muito complexas, como a sofisticada análise de dados. A Figura A.1 relaciona alguns títulos de cargos e funções assim como a variação dos salários nas várias posições.

A maior parte das pessoas bem-sucedidas em pesquisa de marketing é criativa e inteligente; elas também possuem habilidades de solução de problema, pensamento crítico, comunicação e negociação. Os pesquisadores de marketing devem ser capazes de trabalhar sob rigorosas restrições de tempo e sentir-se à vontade em trabalhar com grandes volumes de dados. A Federal Express (FedEx), por exemplo, normalmente busca pessoas com fortes habilidades analíticas e de computação para preencher funções de pesquisa. Os candidatos devem ter graduação em administração, marketing ou em sistemas de informação. Ter um MBA normalmente dará ao candidato uma vantagem competitiva.

Como é o caso de muitas empresas, o cargo inicial normal na área de pesquisa de marketing na Federal Express é o de analista de pesquisa júnior. Enquanto aprendem os detalhes acerca da empresa e do setor, essas pessoas recebem treinamento na função de um analista de pesquisa. A trajetória normal da carreira inclui uma promoção para técnico em informação e depois para diretor de pesquisa e/ou diretor executivo de conta.

A pesquisa de marketing na Federal Express é um tanto incomum pelo fato de estar alojada na divisão de tecnologia da informação. Isso evidencia que, embora a função de pesquisa permeie toda a empresa, ela assumiu uma orientação de alta tecnologia. Na FedEx, a pesquisa de marketing opera três áreas gerais:

1. *Desenvolvimento e melhoria de banco de dados.* Essa função deve estabelecer relacionamentos com os atuais clientes da FedEx e utilizar essas informações para planejar novos produtos.
2. *Pesquisa de tempo de ciclo.* Fornecer mais informações para a eficiente expedição de encomendas, rastreamento de entregas, reabastecimento automático dos estoques dos clientes e melhor intercâmbio de dados.
3. *Sistema de inteligência de mercado.* Basicamente um banco de dados logístico e esforço de pesquisa para prestar melhor atendimento para varejistas de catálogo, empresas de marketing direto e organizações de comércio eletrônico.

Toda a função de pesquisa é conduzida por um vice-presidente de pesquisa e tecnologia da informação, a quem quatro unidades funcionais estão diretamente subordinadas. Essas quatro unidades são responsáveis pela operação do sistema de apoio à decisão de marketing, rastreamento de vendas, desenvolvimento de novos negócios e administração de projetos especiais.

Se você estiver interessado em seguir a carreira de pesquisa de marketing, um bom modo de começar é visitar o *site* **www.careers-in-marketing.com/mr.htm**.

**Figura A.1** **Plano de carreira em pesquisa de marketing.**

| **Cargo*** | **Atribuições** | **Faixa salarial (Anual em US$ Mil)** |
|---|---|---|
| Diretor executivo de conta | Responsável por todo o programa de pesquisa da empresa. Atua como agente da empresa e do cliente. Contrata funcionários e supervisiona o departamento de pesquisa. Apresenta os resultados da pesquisa para a empresa e/ou clientes. | $60 a $90 |
| Estatístico | Atua como consultor especializado nas técnicas estatísticas para problemas específicos relativos à pesquisa. Muitas vezes é responsável pelo projeto de pesquisa e pela análise de dados. | $40 a $70 |
| Analista de pesquisa | Analista de pesquisa Planeja o projeto de pesquisa e executa as tarefas do projeto. Trabalha com um analista para elaborar o questionário. Realiza análises, prepara o relatório, agenda os eventos do projeto e define o orçamento. | $35 a $65 |
| Analista júnior | Trabalha sob a supervisão do analista de pesquisa. Ajuda no desenvolvimento do questionário, pré-teste e análise preliminar. | $30 a $45 |
| Coordenador de projeto<br>Diretor de projeto<br>Gerente de campo<br>Diretor de trabalho de campo | Contrata, treina e supervisiona os entrevistadores de campo. Fornece os cronogramas e é responsável pela precisão dos dados. | $25 a $35 |
| Bibliotecário | Cria e mantém uma biblioteca de fontes de dados primários e secundários para atender aos requisitos do departamento de pesquisa. | $35 a $45 |
| Secretária e assistente de tabulação | Manuseia e processa dados estatísticos. Supervisiona as tarefas diárias do escritório. | $22 a $35 |

* Os cargos são categorias gerais e nem todas as empresas empregam todos eles.

## Exercícios

1. Acesse a página da Federal Express e identifique os requisitos que a empresa está buscando para profissionais de pesquisa de marketing. Escreva uma breve descrição desses requisitos e relate suas conclusões para a turma.
2. Se você estivesse procurando uma posição na área de pesquisa de marketing da FedEx, como se prepararia por meio de treinamento e educação para tal cargo? Elabore um plano de um ano para si mesmo, identificando os cursos, as atividades especiais, os interesses e a experiência profissional que você teria de obter para um cargo de pesquisa de marketing na FedEx.

# 2

# O processo e as propostas de pesquisa de marketing

**Objetivos de aprendizagem** Após ler este capítulo, você estará apto a:

1. Descrever os principais fatores ambientais que influenciam a pesquisa de marketing.
2. Discutir o processo de pesquisa e explicar as várias etapas.
3. Perceber a diferença entre a concepção de pesquisa exploratória, descritiva e causal.
4. Identificar e explicar os principais componentes de uma proposta de pesquisa.

## Como solucionar problemas de mercado utilizando um processo sistemático

Bill Shulby é presidente da Carolina Consulting Company, uma empresa de consultoria em estratégia de marketing sediada em Raleigh-Durham, na Carolina do Norte. Recentemente ele trabalhou com os dois proprietários de uma empresa de telecomunicações regional localizada no Texas para a melhoria dos processos de qualidade de atendimento. Quase no final da reunião, um dos donos, Dan Carter, questionou a satisfação dos clientes e as percepções da imagem da empresa em relação à qualidade dos serviços e à retenção de clientes. No decorrer da conversa, Carter disse que não sabia ao certo como os serviços de telecomunicações eram vistos pelos clientes atuais e potenciais. Acrescentou ele: "Só na semana passada, o departamento de atendimento ao cliente recebeu 11 chamadas de diferentes clientes reclamando sobre várias coisas, de faturas erradas à demora para a instalação da DSL. Logicamente, nenhum desses clientes estava feliz com nosso atendimento." Depois perguntou a Shulby: "O que posso fazer para avaliar a satisfação de nossos clientes em termos gerais e o que pode ser feito para melhorar nossa imagem?"

Shulby explicou que um estudo de pesquisa de marketing iria responder às questões de Carter. Dan Carter respondeu que a empresa nunca havia feito uma pesquisa, de modo que ele não sabia o que esperar do estudo. Shulby citou vários exemplos de estudos que a Carolina Consulting Company conduzira para outros clientes e explicou como a informação fora usada, assegurando não revelar informações confidenciais. Carter então perguntou: "Quanto custa realizar esse estudo e quanto tempo leva?" Shulby explicou que precisava fazer mais algumas perguntas a fim de compreender as questões e então prepararia uma proposta resumindo a abordagem a ser usada, os produtos da pesquisa, o custo e o prazo de execução. A proposta estaria pronta em uma semana, e eles marcariam uma reunião para discuti-la em detalhes. ■

## Importância do processo de pesquisa

Empresários e gerentes costumam identificar os problemas que precisam de ajuda para solucionar. Nessas situações, informações adicionais são necessárias para uma tomada de decisão ou para a solução de um problema. Uma solução é um estudo de pesquisa de marketing baseado num processo de pesquisa científica. Este capítulo apresenta uma visão geral do processo de pesquisa, assim como uma introdução aos assuntos essenciais.

## A nova visão sobre o processo de pesquisa de marketing

As organizações, tanto comerciais quanto sem fins lucrativos, cada vez mais se confrontam com novos e complexos desafios e oportunidades que são resultado de questões legais, culturais, tecnológicas e competitivas que estão sempre mudando. Talvez o fator mais influente seja a Internet. Seu rápido progresso tecnológico e seu uso crescente por pessoas no mundo inteiro estão transformando a Internet numa força determinante em muitos dos avanços atuais e futuros da pesquisa de marketing. As filosofias tradicionais de pesquisa estão sendo desafiadas como nunca haviam sido. Por exemplo, há uma ênfase crescente na coleta, análise e interpretação de *dados secundários* como uma base para a tomada de decisões administrativas. Os **dados secundários*** são informações previamente coletadas para outro problema ou questão. Um subproduto dos avanços tecnológicos é o armazenamento, em um depósito de dados (*data warehouse*), dos dados que estão sendo coletados, que ficam disponíveis como dados secundários para ajudar a compreender os problemas da empresa e melhorar a qualidade das decisões. Ao contrário, os **dados primários** são informações coletadas especificamente para um problema ou uma oportunidade de pesquisa em pauta.

Muitas empresas de grande porte (como Dell Computers, Bank of America, Marriott Hotels, Coca-Cola, IBM, McDonald's e Walmart) estão vinculando os dados de vendas coletados nas lojas e *online* com os perfis de clientes que já estão nos bancos de dados da empresa, desse modo melhorando a capacidade de compreender o comportamento do comprador e de atender às necessidades dos clientes. Porém, mesmo empresas pequenas e médias estão construindo bancos de dados com informações sobre seus clientes para atender os atuais clientes com mais eficácia e atrair novos clientes.

Outra novidade é o uso cada vez maior das **tecnologias de gatekeeper** (como identificador de chamadas e dispositivos para filtragem e resposta automatizadas) como meio de proteger a privacidade contra práticas intrusivas de marketing como telemarketing e fraudes. Do mesmo modo, muitos usuários da Internet bloqueiam ou apagam periodicamente os cookies para evitar que profissionais de marketing rastreiem seu comportamento. A capacidade dos pesquisadores de marketing para coletar dados do consumidor utilizando métodos tradicionais como o correio e as pesquisas por telefone tem sido seriamente limitada pela combinação de dispositivos de gatekeeper e a recente legislação federal e estadual sobre a privacidade de dados nos Estados Unidos. Por exemplo, os pesquisadores de mercado devem contatar quase quatro vezes mais pessoas hoje para completar uma única entrevista do

* N. de E.: Para uma definição completa dos termos em negrito, veja o Glossário ao final do livro.

que há cinco anos. Da mesma forma, profissionais de marketing e pesquisadores *online* devem fornecer opção de participar ou não quando solicitarem informações. Progressos na tecnologia de gatekeeper continuarão a desafiar os profissionais de marketing a serem mais criativos no desenvolvimento de novas maneiras de atingir os respondentes.

A terceira novidade que afeta os tomadores de decisão em marketing é a expansão em larga escala para os mercados globais. A expansão global apresenta aos responsáveis pela decisão de marketing novos conjuntos de questões culturais que forçam os pesquisadores a se concentrar não apenas nas tarefas de coleta de dados, mas também nas atividades de interpretação de dados e de gestão da informação. Por exemplo, uma das maiores empresas de banco de dados para pesquisa do mundo, a NFO (National Family Opinion) Worldwide, Inc., localizada em Greenwich, Connecticut, com subsidiárias na América do Norte, Europa, Austrália, Ásia e Oriente Médio, adaptou muitos de seus serviços de medição e rastreamento de marcas para acomodar determinadas diferenças culturais e linguísticas encontradas nos mercados globais.

Em quarto lugar, a pesquisa de marketing está sendo reposicionada nas empresas para desempenhar um papel mais importante no desenvolvimento de estratégias. A pesquisa de marketing está sendo usada cada vez mais para identificar novas oportunidades de negócio e para desenvolver novos produtos, serviços e ideias. Ela também está sendo vista não só como um mecanismo para executar com mais eficiência estratégias de CRM (Gerenciamento do Relacionamento com o Cliente), mas também como um componente essencial no desenvolvimento de inteligência competitiva. Por exemplo, a Sony usa o *site* de seu Playstation (**www.playstation.com**) para coletar informações a respeito dos usuários do sistema e para construir relacionamentos mais próximos. O *site* foi projetado para criar uma comunidade de usuários que podem unir o PlayStation Underground no qual eles irão "se sentir como se pertencessem a uma subcultura de jogadores intensos". Para atingir esse objetivo, o *site* oferece compras *online*, oportunidades de experimentar novos jogos, suporte ao cliente e informações sobre novidades, eventos e promoções. Entre as características interativas estão jogos *online* e painéis de mensagens, assim como outros aspectos de construção de relacionamento.

Juntas, essas influências principais estão forçando gerentes e pesquisadores a verem a pesquisa de marketing como uma função de gestão da informação. O termo *pesquisa de informação* reflete as mudanças evolutivas que estão ocorrendo no setor de pesquisa de marketing, afetando os tomadores de decisão nas organizações. Aliás, um nome mais apropriado para o tradicional processo de pesquisa de marketing é simplesmente processo de pesquisa de informação. Esse **processo de pesquisa de informação** é uma abordagem sistemática para coletar, analisar, interpretar e transformar dados em informações para tomada de decisão. Embora muitas das tarefas específicas envolvidas na pesquisa de marketing permaneçam as mesmas, compreender o processo de transformar dados em informações utilizáveis a partir de uma estrutura de processamento de informações mais ampla expande a aplicabilidade do processo de pesquisa na solução de problemas organizacionais e na criação de oportunidades.

## Como determinar a necessidade de pesquisa de informações

Antes de apresentarmos e discutirmos as etapas e os passos específicos do processo de pesquisa de marketing, é importante que você compreenda quando a pesquisa é necessária e quando não é. Mais do que nunca, os pesquisadores devem interagir de perto com gerentes e identificar problemas e oportunidades de negócio.

Tomadores de decisão e pesquisadores são frequentemente treinados de modo diferente em sua abordagem para identificar e solucionar problemas, dúvidas e oportunidades, como ilustrado no quadro Painel de Pesquisa de Marketing. Até tomadores de decisão e pesquisadores de marketing se unirem em pensamento, a responsabilidade primordial pelo reconhecimento inicial da existência de um problema ou de uma oportunidade deve ser do tomador de decisão, não do pesquisador. Uma boa regra prática é perguntar: "O problema (ou dúvida) de decisão pode ser resolvido com base na experiência e no julgamento gerencial?" Se a resposta for "não", a pesquisa deve ser considerada e talvez implementada.

Os tomadores de decisão quase sempre iniciam o processo de pesquisa porque reconhecem problemas ou oportunidades que requerem mais informações antes que bons planos de ação sejam desenvolvidos. Uma vez iniciado o processo de pesquisa, na maioria dos casos os tomadores de decisão irão precisar de ajuda para definir o problema, coletar e analisar os dados e interpretá-los.

Existem diversas situações nas quais a decisão de empreender um projeto de pesquisa de marketing talvez não seja necessária.[1] Essas situações encontram-se relacionadas e discutidas na Figura 2.1.

A responsabilidade inicial dos tomadores de decisão hoje é determinar se a pesquisa deve ser utilizada para coletar as informações necessárias. A primeira pergunta que o tomador de decisão deve fazer é: *o problema e/ou a oportunidade pode ser solucionado(a) utilizando-se as informações existentes e o julgamento gerencial?* O foco está em decidir que tipo de informação (secundária ou primária) é requerida para responder às perguntas da pesquisa. Na maioria dos casos, os tomadores de decisão devem executar o processo de pesquisa de informação sempre que tiverem uma dúvida ou um problema, ou acreditarem que há uma oportunidade, mas que não possuem

## PAINEL Tomadores de decisão e pesquisadores

**Tomadores de decisões gerenciais...**
Tendem a pensar orientados para a decisão, são intuitivos, mas precisam da informação para confirmar suas decisões. Eles desejam informações adicionais agora ou "ontem", assim como resultados sobre o comportamento do mercado no futuro ("como serão as vendas no próximo ano?"), enquanto mantêm uma postura sóbria em relação ao custo das informações adicionais. Tomadores de decisão tendem a ser orientados para o resultado, não gostam de surpresas e costumam rejeitar a informação quando são surpreendidos. Sua principal preocupação é o desempenho no mercado ("ainda não somos o número um?"); querem informações que permitam a certeza ("é ou não é?") e defendem ser proativos, mas quase sempre permitem que os problemas os forcem a tomar decisões de forma reativa.

**Pesquisadores de marketing...**
Tendem a pensar de forma científica, técnica e analítica e gostam de explorar novos fenômenos; aceitam prolongadas investigações para assegurar a integridade; focam informações sobre comportamentos passados ("nossa tendência tem sido..."); e não são econômicos com informações adicionais ("você recebe aquilo que comprou"). Os pesquisadores são orientados para o resultado mas adoram surpresas; eles costumam gostar de abstrações ("nosso ganho exponencial...") e da probabilidade de ocorrências ("pode ser", "tende a sugerir que..."); e defendem a necessidade proativa de contínua investigação nas mudanças do mercado, mas sentem-se na maior parte do tempo restritos a realizar investigações reativas ("rápidas e baratas") por causa da falta de visão e planejamento da administração.

**Figura 2.1** **Situações em que a pesquisa de marketing pode não ser necessária.**

**Fatores e comentários sobre a situação**

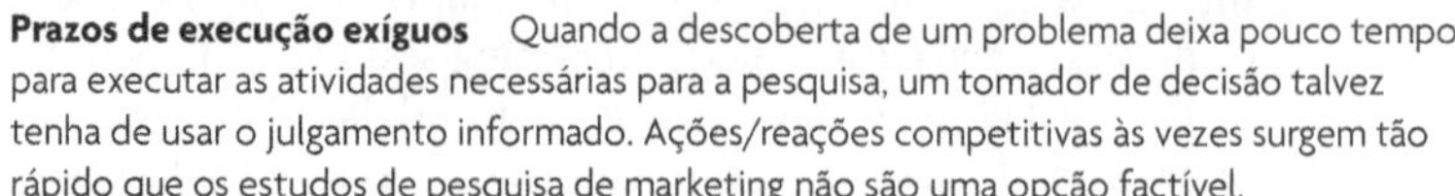

**Prazos de execução exíguos** Quando a descoberta de um problema deixa pouco tempo para executar as atividades necessárias para a pesquisa, um tomador de decisão talvez tenha de usar o julgamento informado. Ações/reações competitivas às vezes surgem tão rápido que os estudos de pesquisa de marketing não são uma opção factível.

**Recursos inadequados** Quando existem importantes restrições de dinheiro, pessoal e/ou de instalações, a pesquisa de marketing não é factível.

**Custos são maiores que o valor** Quando os benefícios a serem ganhos com a pesquisa não são significativamente maiores do que os custos, a pesquisa de marketing não é factível.

as informações certas ou não estão propensos a confiar nas informações disponíveis para solucionar o problema. Na realidade, conduzir estudos de pesquisa primária ou secundária requer tempo, esforço e dinheiro. Outra questão gerencial fundamental diz respeito à disponibilidade de informações existentes. Com a ajuda de um especialista em pesquisa, os tomadores de decisão deparam-se com a seguinte pergunta: *a informação adequada está disponível nos sistemas internos da empresa para resolver o problema?* Se as informações de marketing necessárias não estiverem disponíveis no sistema interno da empresa, um projeto de pesquisa de marketing customizado deve ser considerado para obtê-la.

Com a contribuição do especialista em pesquisa, os tomadores de decisão devem avaliar as "restrições de tempo" associadas com o problema/oportunidade: *há tempo suficiente para realizar a pesquisa antes de a decisão gerencial ser tomada?* Os tomadores de decisão quase sempre precisam da informação em tempo real, mas, em muitos casos, a pesquisa sistemática que apresenta informações de alta qualidade pode durar meses. Se o tomador de decisão precisa da informação imediatamente, talvez não haja tempo suficiente para concluir o processo. Às vezes, as organizações temem que a oportunidade vá desaparecer do mercado e não podem esperar. Outra questão fundamental está na disponibilidade de recursos de marketing, como dinheiro, equipe, habilidades e instalações. Muitas pequenas empresas não dispõem do dinheiro necessário para considerar a realização de uma pesquisa formal.

Uma avaliação de custo-benefício deve ser feita quanto ao valor da pesquisa comparado com o custo: *os benefícios de ter informações adicionais cobrem os custos de reunir as informações?* Esse tipo de pergunta permanece desafiador para os tomadores de decisão hoje. Embora o custo de realização da pesquisa de marketing varie de projeto para projeto, geralmente ele pode ser estimado com precisão. Todavia, determinar o verdadeiro valor da informação esperada continua difícil.

Alguns problemas de negócio não são resolvidos com pesquisa de marketing. Isso sugere uma pergunta *A pesquisa vai fornecer feedback útil para a tomada de decisão?* Um bom exemplo está na área dos produtos "novos de verdade". Em 1996, Charles Schwab conduziu uma pesquisa na qual perguntava a seus clientes sobre o interesse em um pregão *online*. A pesquisa voltou com um "não" retumbante. Na época, a maioria dos consumidores não tinha acesso à Internet e não era capaz de imaginar que teria algum interesse em um serviço de pregão *online*. Schwab ignorou a pesquisa e desenvolveu seu próprio sistema de pregão *online*. A empresa teria economizado tempo e dinheiro se simplesmente não tivesse feito a pesquisa.

A pesquisa pode entregar o jogo para a concorrência: *Essa pesquisa vai dar informações demais aos concorrentes sobre nossa estratégia de marketing?* Por exemplo, quando uma empresa oferece uma possível novidade em um mercado de teste, ela revela muito à concorrência sobre o produto e os esforços promocionais correspondentes. Além disso, alguns concorrentes tentam ativamente atrapalhar o teste de mercado. Os concorrentes podem reduzir seus preços durante o teste para impedir a empresa de coletar informações precisas, uma prática conhecida pelo nome de *jamming*.

## Panorama do processo de pesquisa

O processo de pesquisa consiste em quatro fases distintas porém relacionadas: (1) determinar o problema de pesquisa; (2) selecionar uma concepção de pesquisa adequada; (3) executar a concepção da pesquisa; e (4) comunicar os resultados da pesquisa. (Veja Figura 2.2.) As etapas do processo devem ser cumpridas de modo apropriado a fim de obter informações precisas para a tomada de decisão. Entretanto, cada etapa pode ser considerada um processo distinto que consiste em vários passos.

As quatro etapas são baseadas no **método científico**. Isso significa que os procedimentos de pesquisa devem ser lógicos, objetivos, sistemáticos, confiáveis e válidos.

### Transformando dados em conhecimento

O objetivo principal do processo de pesquisa é fornecer aos tomadores de decisão o conhecimento que possibilitará a eles resolver os problemas ou explorar as oportunidades. Os dados se tornam **conhecimento** quando alguém, o pesquisador ou o tomador de decisão, os interpreta e acrescenta-lhes significado. Para ilustrar esse processo, vamos considerar o Hotel Magnum. Os executivos da organização estavam avaliando meios de reduzir custos e melhorar os lucros. O vice-presidente financeiro sugeriu diminuir "a qualidade das toalhas e da roupa de cama" nos quartos. Antes de tomar uma decisão final, o presidente pediu ao departamento de pesquisa de marketing para entrevistar clientes empresariais.

A Figura 2.3 resume os principais resultados. Um total de 880 pessoas foi solicitado a informar o grau de importância que elas atribuíam a sete critérios na hora de escolher um hotel. Os respondentes usaram uma escala de importância de seis pontos que variavam de "Extremamente importante = 6" a "Nada importante = 1". A

**Figura 2.2** Desafios éticos na pesquisa de marketing.

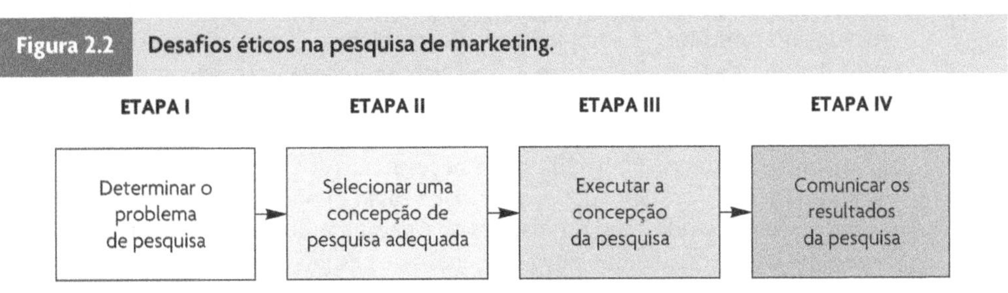

Figura 2.3 **Resumo das diferenças nos critérios de seleção do hotel: comparação entre clientes empresariais novos e habituais.**

| Critério de seleção do hotel | Total (n = 880) média | Clientes novos (n = 440) média | Clientes habituais (n = 440) média[a] |
|---|---|---|---|
| Limpeza do quarto | 5,6 | 5,7 | 5,5[b] |
| Toalhas e roupas de cama de boa qualidade | 5,6 | 5,5 | 5,6 |
| Opções do cartão de hóspede preferencial | 5,5 | 5,4 | 5,7[b] |
| Pessoal e auxiliares gentis e amáveis | 5,1 | 4,8 | 5,4[b] |
| Serviços VIP gratuitos | 5,0 | 4,3 | 5,3[b] |
| Localização conveniente para negócios | 5,0 | 5,2 | 4,9[b] |
| TV e entretenimento no quarto | 3,6 | 3,3 | 4,5[b] |

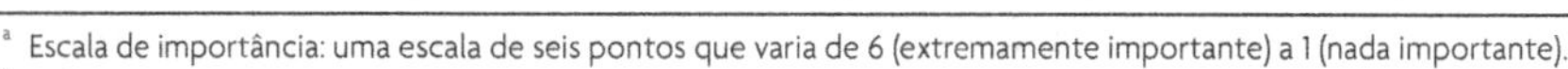

[a] Escala de importância: uma escala de seis pontos que varia de 6 (extremamente importante) a 1 (nada importante).
[b] Diferença média em importância entre os dois grupos de clientes é significativa a $p < 0,05$.

importância média de cada critério foi calculada para os novos clientes e para os clientes habituais, e as diferenças estatisticamente significativas foram identificadas. Esses resultados não confirmam, entretanto, se "toalhas e roupas de cama de qualidade" deveriam ser cortadas para diminuir os custos operacionais.

Quando os resultados foram apresentados, o presidente fez a seguinte pergunta: "estou vendo um monte de números, mas o que eles estão realmente me dizendo?" O diretor de pesquisa de marketing respondeu esclarecendo: "Entre nossos clientes novos e habituais, a 'qualidade das toalhas e das roupas de cama' é considerada um dos três mais importantes critérios de escolha de um hotel quando precisam pernoitar. Além disso, eles sentem que 'a limpeza do quarto e a oferta de opções do cartão de hóspede preferencial' são comparáveis à importância da qualidade das roupas de cama e banho. Mas os clientes novos atribuem importância expressivamente maior à limpeza do quarto do que os clientes habituais (5,7 *versus* 5,5). Ademais, os clientes habituais atribuem importância expressivamente maior à disponibilidade de opções do nosso cartão de hóspede preferencial do que os clientes novos (5,7 *versus* 5,4)." Com base nessas considerações, os executivos decidiram que não deveriam diminuir a qualidade das roupas de cama e banho para reduzir despesas e melhorar a lucratividade.

## Inter-relação dos passos e do processo de pesquisa

A Figura 2.4 mostra os passos de cada etapa do processo de pesquisa. Embora em muitos casos os pesquisadores sigam as etapas na ordem, os passos em si podem ser trocados ou omitidos. A complexidade do problema, a urgência de solucioná-lo, o custo das abordagens alternativas e o esclarecimento das necessidades de informação irão impactar diretamente quantos passos devem ser adotados e em que ordem. Por exemplo, dados secundários ou estudos de pesquisa "prontos para usar" podem ser encontrados, o que pode eliminar a necessidade de coletar dados primários. Da mesma maneira, o pré-teste do questionário (Passo 7) pode revelar pontos fracos nas escalas que estão sendo consideradas (Passo 6), resultando no refinamento das escalas ou mesmo na seleção de uma nova concepção de pesquisa.

**Figura 2.4** Etapas e passos do processo de pesquisa de informação.

**Etapa I: Determinar o problema de pesquisa**
Passo 1: Identificar e esclarecer as necessidades de informações
Passo 2: Definir as Perguntas de Pesquisa
Passo 3: Especificar os objetivos da pesquisa e confirmar o valor da informação

**Etapa II: Selecionar uma concepção de pesquisa**
Passo 4: Determinar o projeto de pesquisa e as fontes de dados
Passo 5: Elaborar a concepção da amostragem e o tamanho da amostra
Passo 6: Examinar as questões e as escalas de mensuração
Passo 7: Elaborar e realizar o pré-teste do questionário

**Etapa III: Executar a concepção da pesquisa**
Passo 8: Coletar e preparar os dados
Passo 9: Analisar os dados
Passo 10: Interpretar os dados para produzir conhecimento

**Etapa IV: Comunicar os resultados da pesquisa**
Passo 11: Preparar e apresentar o relatório final

# Etapa I: Determinar o problema de pesquisa

O processo para determinar o problema de pesquisa envolve três atividades inter-relacionadas: (1) Identificar e esclarecer as necessidades de informação; (2) definir o problema e as questões de pesquisa; e (3) especificar os objetivos da pesquisa e confirmar o valor da informação. Essas três atividades reúnem pesquisadores e tomadores de decisão com base no reconhecimento pela administração da necessidade de informação para melhorar o processo decisório.

## Passo 1: Identificar e esclarecer as necessidades de informação

Geralmente, os tomadores de decisão elaboram uma declaração do que eles acreditam que seja o problema antes de envolverem o pesquisador. Em seguida, os pesquisadores ajudam os tomadores de decisão a se assegurar que o problema ou a oportunidade foi corretamente definido(a) e que os requisitos de informação são conhecidos.

Para que compreendam o problema, os pesquisadores utilizam um processo de definição de problema. Não há o melhor processo, mas qualquer que seja adotado deve incluir as seguintes atividades: pesquisadores e tomadores de decisão devem (1) concordar com o tomador de decisão quanto ao propósito da pesquisa; (2) entender o problema por completo; (3) identificar os sintomas mensuráveis; (4) selecionar a unidade de análise; e (5) determinar as variáveis relevantes. Definir corretamente o problema é o primeiro passo importante para determinar se a pesquisa é necessária. Um problema mal definido pode produzir resultados de pouco valor.

**Objetivo da solicitação de pesquisa** A definição do problema começa por determinar o objetivo da pesquisa. Os tomadores de decisão devem decidir se os serviços de um pesquisador são necessários. Depois, o pesquisador parte para definir o problema perguntando ao tomador de decisão por que a pesquisa é necessária. Por meio de perguntas, os pesquisadores começam a descobrir o que os tomadores de decisão acreditam que seja o problema. Ter uma ideia geral da necessidade de pesquisa faz voltar a atenção para as circunstâncias em torno do problema.

Segundo o *princípio do iceberg*, os tomadores de decisão conhecem apenas 10% do verdadeiro problema. Frequentemente, o problema percebido é, na verdade, um sintoma que é algum tipo de fator de desempenho de mercado mensurável, enquanto 90% do problema não é visível aos tomadores de decisão. Por exemplo, o problema pode ser definido como "perda de participação de mercado", quando, de fato, o problema é propaganda ineficaz ou uma força de vendas mal treinada. Os verdadeiros problemas estão abaixo da linha d'água da observação. Se as partes submersas do problema não constarem de sua definição e, posteriormente, da concepção da pesquisa, as decisões baseadas na pesquisa podem ser incorretas. Utilizar o princípio do *iceberg*, mostrado na Figura 2.5, ajuda os pesquisadores a distinguir entre os sintomas e as causas.

**Compreender a situação do problema por completo** O tomador de decisão e o pesquisador devem entender o problema completamente. É fácil falar, mas quase sempre difícil fazer. Para alcançar o entendimento, pesquisadores e tomadores de decisão

**Figura 2.5** O princípio do *iceberg*.

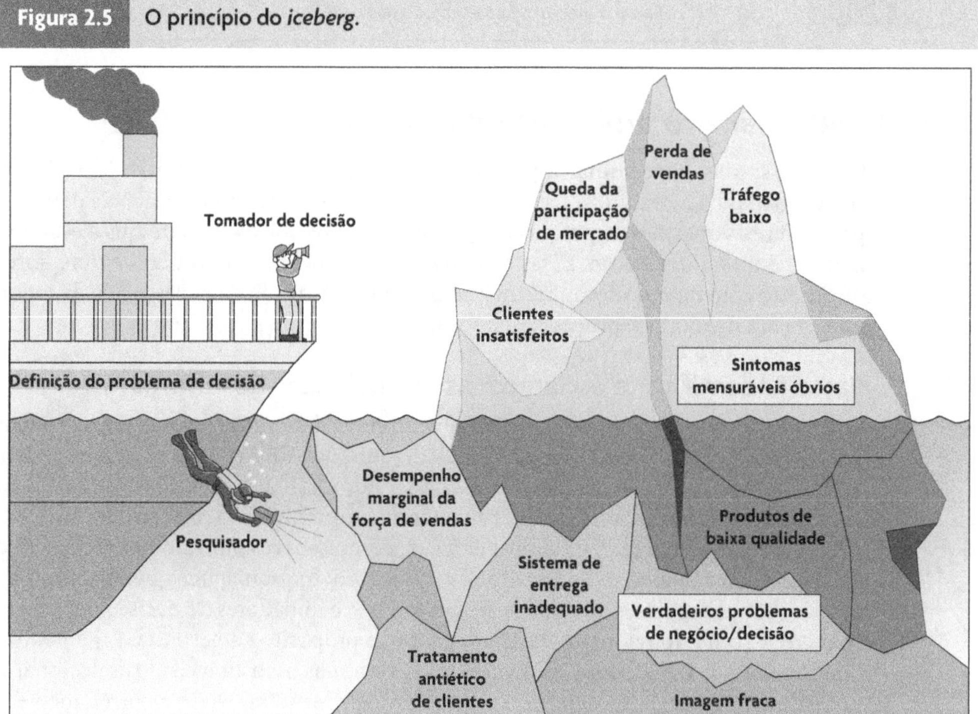


De acordo com o princípio do *iceberg*, em muitas situações o tomador de decisão só conhece 10% do verdadeiro problema. Não raro, o que se pensa ser o problema nada mais é do que uma consequência ou sintoma observável (isto é, algum tipo de fator mensurável de desempenho de mercado), enquanto 90% do problema não é visível nem claramente compreendido pelos tomadores de decisão. Por exemplo, o problema pode ser definido como "perda de participação de mercado", quando, de fato, trata-se de uma propaganda ineficaz ou de uma força de vendas mal treinada. Os verdadeiros problemas estão abaixo da linha d'água da observação. Se partes submersas do problema forem omitidas da definição do problema e posteriormente da concepção da pesquisa, as decisões baseadas na pesquisa podem não ser ótimas.

devem realizar uma análise da situação do problema. Essa **análise de situação** reúne e sintetiza informações acessórias a fim de familiarizar o pesquisador com a complexidade global do problema. Ela tenta identificar os eventos e os fatores que levaram àquela situação, assim como as consequências esperadas. A consciência da situação completa do problema oferece melhores perspectivas a respeito das necessidades do tomador de decisão, da complexidade do problema e dos fatores envolvidos. Uma análise de situação melhora a comunicação entre o pesquisador e o tomador de decisão. O pesquisador deve entender o negócio do cliente, incluindo fatores como o setor, a concorrência, as linhas de produto, mercados e, em alguns casos, as instalações produtivas. Para tanto, o pesquisador não pode confiar apenas nas informações fornecidas pelo cliente, pois muitos tomadores de decisão ou não sabem ou não querem revelar as informações necessárias. Somente quando o pesquisador vê o negócio do cliente de forma objetiva o verdadeiro problema pode ser esclarecido.

**Identificar e separar os sintomas** Depois que o pesquisador entender a situação do problema global, ele deve trabalhar em conjunto com o tomador de decisão para separar as possíveis causas dos problemas dos sintomas observáveis e mensuráveis que foram inicialmente percebidos como sendo o problema. Por exemplo, como foi mencionado, muitas vezes os gerentes veem a queda das vendas ou a perda de participação de mercado como problemas. Depois de examinar essas questões, o pesquisador pode detectar que elas seriam resultantes de questões mais específicas, como a realização de uma propaganda pobre, a falta de motivação da força de vendas ou uma distribuição inadequada. O desafio que o pesquisador enfrenta é esclarecer o problema real separando as possíveis causas dos sintomas. A queda nas vendas é realmente o problema ou meramente um sintoma de falta de planejamento, má localização ou gerência de vendas ineficaz?

De acordo com o princípio do *iceberg*, em muitas situações de problema da empresa, o tomador de decisão só conhece 10% do verdadeiro problema. Não raro, o que se pensa ser o problema nada mais é do que uma consequência ou sintoma observável (isto é, algum tipo de fator mensurável de desempenho de mercado), enquanto 90% do problema não é visível nem claramente compreendido pelos tomadores de decisão. Por exemplo, o problema pode ser definido como "perda de participação de mercado", quando, de fato, trata-se de uma propaganda ineficaz ou de uma força de vendas mal treinada. Os verdadeiros problemas estão abaixo da linha d'água da observação. Se partes submersas do problema forem omitidas da definição do problema e posteriormente da concepção da pesquisa, as decisões baseadas na pesquisa podem não ser ótimas.

**Determinar a unidade de análise** Como parte fundamental da definição do problema, o pesquisador vai determinar a **unidade de análise** apropriada para o estudo. Ele deve ser capaz de especificar se os dados serão coletados sobre pessoas, domicílios, organizações, departamentos, áreas geográficas ou algum tipo de combinação. A unidade de análise irá indicar a direção em atividades posteriores, como o desenvolvimento da escala e a amostragem. Num estudo sobre a satisfação em relação a um automóvel, o pesquisador deve decidir se deve coletar dados de indivíduos ou do marido e da mulher representando um domicílio no qual o veículo é dirigido.

**Determinar as variáveis relevantes** O pesquisador e o tomador de decisão em conjunto determinam as variáveis que precisam ser estudadas. Os tipos de informação necessários (fatos, previsões, relacionamentos) devem ser identificados. A Figura 2.6 mostra exemplos de variáveis que são frequentemente investigadas na pesquisa de marketing. As variáveis são quase sempre mensuradas utilizando-se várias questões

**Figura 2.6** **Exemplos de variáveis/construtos investigados em marketing.**

| Variáveis/Construtos | Descrição |
|---|---|
| **Consciência da marca** | Percentagem de respondentes que já ouviram falar de uma determinada marca; a consciência pode ser auxiliada ou não. |
| **Atitudes da marca** | Número de respondentes e a intensidade do sentimento positivo ou negativo em relação a uma determinada marca. |
| **Satisfação** | Como as pessoas avaliam sua experiência de consumo pós-compra em relação a um produto, serviço ou empresa em particular. |
| **Intenção de compra** | Número de pessoas que planejam comprar um determinado objeto (por exemplo, produto ou serviço) em um período determinado. |
| **Importância dos fatores** | Até que ponto fatores específicos influenciam a escolha de compra de uma pessoa. |
| **Demografia** | Idade, gênero, ocupação, nível de renda e outras características das pessoas que estão fornecendo informações. |

relacionadas num levantamento. Em algumas situações, nós nos referiremos a essas variáveis como *construtos*. Os construtos são discutidos nos Capítulos 3 e 7.

## Passo 2: Definir as perguntas de pesquisa

Em seguida, o pesquisador deve redefinir o problema como uma questão de pesquisa. Na maior parte das vezes, isso é responsabilidade do pesquisador. Para fornecer informações acessórias a respeito de outras empresas que podem ter enfrentado problemas similares, o pesquisador realiza uma *revisão da literatura*. A revisão pode descobrir teorias e variáveis relevantes e que devem ser incluídas na pesquisa. Por exemplo, uma revisão da literatura referente a pesquisas sobre a adoção de novos *software* revelaria que dois fatores, a facilidade de uso e a funcionalidade, costumam ser incluídos em estudos de adoção de *software* por que ambos são fortes preditores de adoção e utilização. Normalmente, a revisão da literatura não oferece dados que respondem à pergunta de pesquisa, mas ainda apresentam perspectivas e ideias valiosas que podem ser utilizadas na concepção de pesquisa e na interpretação dos resultados. As *revisões da literatura* encontram-se descritas em mais detalhes no Capítulo 3.

Desmembrar o problema em questões de pesquisa é um dos passos mais importantes no processo de pesquisa de marketing, pois a maneira como ele é definido afetará os demais passos. A tarefa do pesquisador é explicar novamente as variáveis iniciais associadas com o problema na forma de questões-chave: como, o quê, onde, quando ou por quê. Por exemplo, a administração da Lowe's Home Improvement, Inc., estava preocupada com a imagem global das operações de varejo da empresa, assim como com sua imagem entre clientes do mercado metropolitano de Atlanta. A questão de pesquisa inicial foi: "nossas estratégias de marketing precisam ser modificadas para aumentar a satisfação entre nossos clientes atuais e futuros?" Depois que a administração da Lowe's se reuniu com os consultores da Corporate Communications and Marketing, Inc., para esclarecer as necessidades de informação da empresa, os consultores traduziram o problema inicial para questões específicas mostradas na

Figura 2.7. Com a assistência da administração, os consultores então identificaram os atributos em cada questão de pesquisa. Por exemplo, determinados "aspectos da loja/ operação" que podem afetar a satisfação incluíam horas de operação convenientes, equipe gentil/amável e amplo sortimento de produtos e serviços.

Depois de redefinir o problema em questões de pesquisa e de identificar os requisitos de informação, o pesquisador deve determinar os tipos de dados (secundários ou primários) que irão responder melhor cada pergunta de pesquisa. Embora as decisões finais a respeito dos tipos de dados sejam parte do Passo 4, (Determinar a concepção de pesquisa e as fontes de dados), o processo é iniciado no Passo 2. O pesquisador faz a pergunta: "a questão de pesquisa específica pode ser tratada com dados que já existem ou ela requer novos dados?" Para respondê-la, os pesquisadores consideram outros pontos como a disponibilidade de dados, a qualidade dos dados e restrições de verba e tempo.

Por último, no Passo 2 o pesquisador determina se a informação que está sendo solicitada é necessária. Esse passo deve ser concluído antes de passar para o Passo 3.

## Passo 3: Especificar os objetivos da pesquisa e confirmar o valor da informação

Os objetivos da pesquisa devem ser baseados no desenvolvimento das perguntas de pesquisa do Passo 2. Formalmente, os objetivos declarados fornecem as diretrizes para determinar outros passos a serem dados. Presume-se que, se os objetivos forem atingidos, o tomador de decisão terá as informações de que precisa para responder às perguntas de pesquisa.

Antes de passar para a Etapa II, o tomador de decisão e o pesquisador devem avaliar o valor esperado da informação. Essa não é uma tarefa fácil, pois vários fatores entram em jogo. Respostas do tipo "o mais provável é que" devem ser dadas para as seguintes perguntas: "As informações podem ser obtidas como se espera?" "As informações dizem ao tomador de decisão algo que ele ainda não saiba?" "As informações oferecerão novas informações?" e "Que benefícios serão obtidos com essas informações?" Na maioria dos casos, a pesquisa somente deve ser conduzida quando o valor esperado da informação a ser obtida ultrapassar o custo de realizá-la.

**Figura 2.7** **Questões de pesquisa inicial redefinidas para a Lowe's Home Improvement, Inc.**

**Questão inicial**

Nossas estratégias de marketing precisam ser modificadas para aumentar a satisfação entre nossos segmentos de clientes atuais e futuros?

**Questões de pesquisa redefinidas**

- Quais aspectos da loja/operação as pessoas julgam ser importantes na seleção de uma loja de material de construção?
- Como os clientes avaliam os pontos de venda em aspectos de loja/operação?
- Quais são os pontos fortes e fracos das operações de varejo da Lowe's?
- Como clientes e não clientes comparam a Lowe's a outras lojas de material de construção na área metropolitana de Atlanta?
- Qual é o perfil demográfico e psicográfico das pessoas que compram nos pontos de venda da Lowe's no mercado de Atlanta?

## Etapa II: Selecionar a concepção da pesquisa

O principal enfoque da Etapa II é escolher a concepção de pesquisa mais apropriada para atingir os objetivos. Os passos desta fase estão descritos a seguir.

### Passo 4: Escolher a concepção da pesquisa e as fontes de dados

A concepção da pesquisa serve como um plano geral dos métodos utilizados para coletar e analisar os dados. Determinar a concepção mais adequada é uma função dos objetivos da pesquisa e dos requisitos de informação. O pesquisador deve considerar os tipos de dados, o método de coleta de dados (por exemplo, levantamento, observação, entrevista em profundidade), o método de amostragem, a programação de atividades e o orçamento. Existem três grandes categorias de concepções de pesquisa: *exploratória, descritiva* e *causal*. Um projeto de pesquisa pode às vezes requerer uma combinação dessas categorias a fim de atender aos objetivos.

A **pesquisa exploratória** tem um dos seguintes objetivos: (1) gerar informações que ajudarão a definir a situação do problema com que o pesquisador se depara; ou (2) aprofundar o conhecimento das motivações, as atitudes e o comportamento do consumidor que não são facilmente acessados por outros métodos de pesquisa. Exemplos de métodos de pesquisa exploratória incluem as revisões de literatura de informações já disponíveis; abordagens qualitativas, como os grupos focais e as entrevistas em profundidade; ou estudos-piloto. As revisões de literatura serão descritas no Capítulo 3 e a pesquisa exploratória, no Capítulo 4.

A **pesquisa descritiva** envolve a coleta de dados quantitativos para responder às perguntas de pesquisa. Informações dessa natureza fornecem respostas para quem, o quê, quando, onde e como. No marketing, exemplos de informações descritivas incluem as atitudes, intenções, preferências do consumidor, comportamentos de compra, avaliações das atuais estratégias do mix de marketing e demografia. No Painel de Pesquisa de Marketing a seguir, destacamos a Lotame Solutions, Inc., uma empresa que desenvolveu uma metodologia de pesquisa chamada "Time Spent" ("Tempo Despendido") para mensurar por quantos segundos diversos formatos de anúncios *online* ficam visíveis para os consumidores individuais, o que fornece informações para os tomadores de decisão na área da publicidade.

Estudos descritivos podem fornecer informações sobre concorrentes, mercados-alvo e fatores ambientais. Por exemplo, muitas cadeias de restaurantes conduzem estudos anuais que descrevam as percepções dos clientes quanto a seus restaurantes, assim como de concorrentes primários. Esses estudos, mencionados como *levantamentos de avaliação de imagem* ou *pesquisas de satisfação de clientes*, descrevem como os clientes classificam o serviço de diferentes restaurantes, a conveniência do local, a qualidade da comida e o ambiente. Algumas pesquisas qualitativas são consideradas descritivas, no sentido de proporcionarem uma descrição rica ou "densa" dos fenômenos. No entanto, na área de pesquisa de marketing, o termo *"pesquisa descritiva"* geralmente significa dados numéricos em vez de textuais. As concepções descritivas serão discutidas no Capítulo 5.

A **pesquisa causal** coleta dados que possibilitam que os tomadores de decisão determinem relações de causa e efeito entre duas ou mais variáveis. Essa pesquisa é mais apropriada quando os objetivos abrangem a necessidade de compreender que variáveis (por exemplo, propaganda, número de vendedores, preço) causam um movimento em uma variável dependente (por exemplo, vendas, satisfação do cliente).

## PAINEL Mensurando a eficácia de formatos de propaganda na Internet

Para ajudar as empresas a tomar decisões melhores quanto à veiculação de anúncios em *sites*, a Lotame Solutions, Inc., desenvolveu uma tecnologia chamada Time Spent, que mede quanto tempo os anúncios ficam visíveis (sem obstruções) para consumidores individuais. A empresa informou recentemente algo que questiona o senso comum sobre a eficácia de três formatos tradicionais de banners: *o retângulo médio, o cabeçalho* e *o arranha-céu.*

Segundo Scott Hoffman, CMO da Lotame, os três formatos de anúncios costumam ser vistos como intercambiáveis no mercado *online*, mas seus achados indicam que eles não são equivalentes, pelo menos com base na quantidade de tempo que os usuários passam visualizando cada um. No estudo da Lotame, envolvendo quase 150 milhões de anúncios, o formato de 300x250 pixels, conhecido no setor como "retângulo médio", produzia, em média, 13 segundos de exposição por usuário alcançado, em comparação com apenas 5,4 segundos para o formato "cabeçalho" (728x90 pixels), longo e magro, e 1,9 segundo para o formato "arranha-céu" (160x600 pixels), alto e fino. Apesar de esses achados contrariarem o senso comum, eles não são uma surpresa absoluta. Os cabeçalhos muitas vezes aparecem no alto da página, então desaparecem quando o usuário utiliza a barra de rolagem. Um arranha-céu pode não terminar de carregar até o usuário avançar para a parte inferior da página. O retângulo médio muitas vezes fica próximo ao meio da página, onde o usuário passa a maior parte do tempo.

A Lotame conduziu pesquisas sobre a eficácia de anúncios *online*. Seus achados indicam uma probabilidade significativamente maior na intenção de recomendar produtos entre os usuários que visualizaram um anúncio *online*.

Os achados relativos ao tempo despendido revelados pelo método Time Spent (ou seja, o número de segundos de exposição visual para cada formato de anúncio *online*) e aos anúncios têm consequências para veículos de Internet e anunciantes: os três formatos de anúncios não são equivalentes.

Fontes: Adaptado de Joe Mandese, "Finding Yields New Angle on Rectangle, Reaps Far More User Time than Leaderboards, Skyscrapers," Mediapost.com, April 7, 2009, www.mediapost.com/publications/?fa=Articles.showArticle&art_aid=103585&passFuseAction=PublicationsSearch.showSearchResults&art_searched=Lotame&page_number=0, acessado em dezembro de 2011; "Lotame Research Finds 'Rectangle' *Online* Ads Provide Best Exposure, Beating 'Leaderboards' by Nearly Two and a Half to One," April 7, 2009, www.lotame.com/press/releases/23/, acessado em dezembro de 2011; e "Display Ads Lift Branding Metrics," www.lotame.com/2011/06/display-ads-lift-branding-metrics/, acessado em dezembro de 2011.

Compreender as relações de causa e efeito entre fatores de desempenho do mercado permite que o tomador de decisão faça declarações condicionais ("Se–então") a respeito das variáveis. Por exemplo, como resultado da adoção de métodos causais, o dono de uma loja de roupas masculinas em Chicago pode prever que "se eu aumentar minha verba de propaganda em 15%, o volume de vendas global deve aumentar cerca de 20%". As concepções de pesquisa causal oferecem uma oportunidade de avaliar e explicar a causalidade entre fatores de mercado. Mas elas podem ser complexas, caras e demoradas. A discussão sobre essa categoria de pesquisa encontra-se no Capítulo 5.

**Fontes de dados secundários e primários** As fontes de dados necessárias para tratar os problemas de pesquisa podem ser classificadas como secundárias ou primárias, como vimos anteriormente. Essas fontes dependem de duas questões fundamentais: (1) se os dados já existem; e (2) se existem, até que ponto o pesquisador ou tomador de decisão sabe a(s) razão(ões) pela(s) qual(is) os dados foram coletados. As fontes de dados secundários incluem a base de dados da empresa, de bibliotecas públicas e de universidades, *sites* e dados comerciais comprados de empresas especializadas no fornecimento de informações secundárias. O Capítulo 3 discute as fontes e os dados secundários.

Os dados primários são coletados diretamente de fontes de primeira mão para solucionar o problema de pesquisa em pauta. A natureza e a coleta de dados primários é tratada nos Capítulos 4 a 9.

## Passo 5: Desenvolver a concepção da amostragem e o tamanho da amostra

Ao realizar uma pesquisa primária, deve-se levar em consideração o planejamento da amostragem. Se uma pesquisa secundária estiver sendo realizada, o pesquisador ainda deve identificar se a população representada pelos dados secundários é relevante para o problema de pesquisa em questão. A relevância dos dados secundários é tratada no Capítulo 3.

Se for necessário fazer previsões acerca de fenômenos mercadológicos, a amostra deve ser representativa. Normalmente, os tomadores de decisão de marketing são os mais interessados em identificar e resolver problemas associados com seus mercados-alvo. Portanto, os pesquisadores precisam identificar a **população-alvo** relevante. Ao coletar dados, os pesquisadores podem escolher entre coletar dados de um censo ou amostra. Num **censo**, o pesquisador tenta questionar ou observar todos os membros de uma população-alvo definida. Para populações pequenas, o censo talvez seja a melhor abordagem. Por exemplo, se seu professor de pesquisa de marketing desejasse coletar dados referentes às reações dos alunos a uma nova palestra que acabara de apresentar, ela provavelmente distribuiria questionários para toda a turma, não apenas uma amostra dela.

Uma segunda abordagem, utilizada quando a população-alvo é grande, envolve uma seleção da **amostra** da população-alvo definida. Os pesquisadores devem usar uma amostra representativa da população se desejam *generalizar* os achados. Para atingir esse objetivo, os pesquisadores desenvolvem um plano de amostragem como parte de uma concepção de pesquisa geral. Um plano de amostragem serve para definir a população-alvo apropriada, identificar os possíveis respondentes, estabelecer os procedimentos para selecionar a amostra e determinar o tamanho da amostra. Os planos de amostragem podem ser classificados em dois tipos genéricos: *probabilísticos* e *não probabilísticos*. Na amostragem probabilística, cada membro da população-alvo definida tem uma chance conhecida de ser selecionado. Por exemplo, se a população de alunos de marketing em uma universidade é de 500, e 100 serão selecionados para a amostra, a "chance conhecida" de ser selecionado é de 1 em 5, ou 20%.

A amostragem probabilística oferece ao pesquisador a oportunidade de avaliar o erro da amostragem. Por outro lado, os planos de amostragem não probabilísticas não podem mensurar o erro da amostragem e limitam a generalização dos achados da pesquisa. As concepções de pesquisa qualitativa quase sempre usam amostras pequenas, de modo que os membros são selecionados a dedo para garantir a relevância da amostra. Por exemplo, um estudo qualitativo sobre as percepções dos californianos sobre o risco de terremotos e a preparação para esses desastres incluiu residentes que estiveram perto de terremotos significativos e aqueles que não estiveram. Além disso, os pesquisadores tentaram incluir representantes dos principais grupos demográficos da Califórnia.

O tamanho da amostra afeta a precisão e a generalização dos resultados da pesquisa. Os pesquisadores devem, portanto, determinar quantas pessoas devem ser incluídas ou quantos objetos devem ser investigados. Discutimos a amostragem em mais detalhes no Capítulo 6.

### Passo 6: Examinar as questões e as escalas de mensuração

O passo 6 também é importante no processo de pesquisa para concepções descritivas e causais. Ele requer a identificação dos conceitos a serem estudados e a mensuração das variáveis relacionadas ao problema. Os pesquisadores devem ser capazes de responder perguntas como: como uma variável como a satisfação do cliente ou a qualidade do serviço deveria ser definida e medida? Os pesquisadores deveriam usar medidas únicas ou múltiplas para quantificar as variáveis? No Capítulo 7, discutimos mensuração e escalonamento.

Embora a maioria das atividades envolvidas no Passo 6 seja relacionada à pesquisa primária, compreendê-las é igualmente importante na pesquisa secundária. Por exemplo, quando usam a mineração de dados com variáveis de bancos de dados, os pesquisadores devem compreender a abordagem de mensuração utilizada para criar o banco de dados, assim como quaisquer vieses de mensuração. Caso contrário, os dados secundários podem ser mal-interpretados.

### Passo 7: Elaborar e pré-testar o questionário

Elaborar bons questionários é difícil. Os pesquisadores devem selecionar o tipo correto de perguntas a formular, considerar a sequência e o formato e pré-testar o questionário. O pré-teste obtém informações de pessoas que representam aquelas que serão pesquisadas no levantamento. No pré-teste, os respondentes são solicitados a preencher o questionário e comentar itens como clareza das instruções e das perguntas, a sequência dos tópicos e das perguntas e qualquer coisa que possa dificultar ou confundir. O Capítulo 8 trata da elaboração do questionário.

## Etapa III: Executar a concepção da pesquisa

Os principais objetivos da etapa de execução são completar todos os formulários de coleta de dados necessários, reunir e preparar os dados, e analisar e interpretá-los para compreender o problema ou a oportunidade. Assim como nas duas primeiras etapas, os pesquisadores devem ser cautelosos para assegurar que possíveis desvios ou erros sejam eliminados ou pelo menos reduzidos.

### Passo 8: Coletar e preparar os dados

Há dois métodos de coleta de dados. Um adota entrevistadores para fazer perguntas a respeito de fenômenos de mercado ou usar questionários autocompletáveis pelo respondente. O outro é pela observação dos indivíduos ou dos fenômenos de mercado. Questionários autoaplicados, entrevistas pessoais, simulações por computador, entrevistas por telefone e grupos focais são apenas algumas das ferramentas que os pesquisadores utilizam para coletar dados.

Uma grande vantagem do método de perguntas sobre o de observação é que a pergunta possibilita que os pesquisadores coletem uma gama de dados maior. Os métodos baseados em perguntas podem reunir informações sobre atitudes, intenções, motivações e comportamento passado, os quais geralmente não são visíveis na pesquisa observacional. Em suma, os métodos baseados em perguntas podem ser usados para questionar não apenas como uma pessoa se comporta, mas por quê.

Uma vez coletados os dados primários, os pesquisadores devem realizar várias atividades antes de analisar os dados. Eles geralmente atribuem um descritor numérico (código) para todas as categorias de respostas, de modo que os dados possam ser lançados no arquivo eletrônico. Depois, são verificados os erros de entrada de dados, codificação, disponibilidade, inconsistência e assim por diante. A preparação dos dados também é necessária quando se utiliza dados de armazéns internos. O Capítulo 10 discute a preparação dos dados.

### Passo 9: Analisar os dados

Neste passo, o pesquisador analisa os dados. Os procedimentos para tal variam muito em sofisticação e em complexidade, de simples distribuições de frequência (percentagens) a estatísticas de resumo (média, mediana e moda) e análise multivariada de dados. Em estudos de pesquisa qualitativa, são examinadas, categorizadas e às vezes até tabuladas informações textuais e/ou visuais. Diferentes procedimentos possibilitam que o pesquisador teste estatisticamente as hipóteses de significativas diferenças ou correlações entre diversas variáveis, avalie a qualidade dos dados e teste modelos de relacionamento de causa e efeito. Os Capítulos 9 a 12 apresentam uma visão geral das abordagens de análise de dados.

### Passo 10: Interpretar os dados para gerar conhecimento

O conhecimento é gerado para os tomadores de decisão no Passo 10, a interpretação. O conhecimento é gerado pela interpretação atenta e cuidadosa dos resultados. A interpretação é mais do que uma descrição narrativa dos resultados. Ela requer integrar vários aspectos dos achados em conclusões que possam ser utilizadas para responder as perguntas da pesquisa.

## Etapa IV: Comunicar os resultados

A última etapa do processo de pesquisa é o relatório dos achados da pesquisa para a Administração. O objetivo geral quase sempre é preparar um relatório que seja útil para os tomadores de decisão, possuam eles ou não experiência passada com pesquisa de marketing.

### Passo 11: Preparar e apresentar o relatório final

O Passo 11 é preparar e apresentar o relatório final da pesquisa para a Administração. Seria impossível exagerar a importância desse passo. Há algumas seções que devem ser incluídas em qualquer relatório dessa natureza: sumário executivo, introdução, definição do problema e objetivos, metodologia, resultados e limitações do estudo. Em alguns casos, o pesquisador não apenas entrega um relatório escrito, mas também apresenta oralmente as principais descobertas da pesquisa. O Capítulo 13 descreve como escrever e apresentar relatórios de pesquisa.

## Como desenvolver uma proposta de pesquisa

Depois de conhecer as quatro etapas do processo de pesquisa, um pesquisador pode desenvolver uma **proposta** que transmita a estrutura da pesquisa para o tomador de decisão. Uma proposta de pesquisa é um documento específico que serve como um contrato escrito entre o tomador de decisão e o pesquisador. Ela relaciona as atividades que serão realizadas para desenvolver as informações necessárias, os produtos da pesquisa, o prazo e o custo.

A proposta não é a mesma coisa que o relatório final, obviamente. Os dois são os extremos do processo, mas algumas seções são necessariamente semelhantes. Não existe um melhor modo de escrever uma proposta. Se um cliente pede propostas de pesquisa de duas ou três empresas diferentes para trabalhar um mesmo problema, ele provavelmente receberá sugestões diferentes de metodologias e abordagens para trabalhar o problema. A Figura 2.8 mostra as seções que devem constar na maioria das propostas. A figura apresenta apenas um esboço, mas na seção Pesquisa de Marketing em Ação, no final deste capítulo, há uma proposta completa.

**Figura 2.8** Esboço geral de uma proposta de pesquisa.

**TÍTULO DA PROPOSTA**

**I. Objetivo do Projeto de Pesquisa Proposto**
Inclui uma descrição do problema e dos objetivos da pesquisa.

**II. Tipo de Estudo**
Discute o tipo de concepção de pesquisa (exploratória, descritiva ou causal) e os requisitos de dados primários *versus* secundários, com a justificativa da escolha.

**III. Definição da População-alvo e do Tamanho da Amostra**
Descreve a população-alvo geral a ser estudada e a determinação do tamanho apropriado da amostra, incluindo uma justificativa para o tamanho determinado.

**IV. Concepção da Amostra e Método de Coleta de Dados**
Descreve a técnica de amostragem utilizada, o método de coleta de dados (por exemplo, observação ou levantamento), planos de incentivo e justificativas.

**V. Instrumentos de Pesquisa Específicos**
Discute o método utilizado para coletar os dados necessários, incluindo os vários tipos de escalas.

**VI. Benefícios Gerenciais Potenciais do Estudo Proposto**
Discute os valores esperados das informações para a Administração e como o problema inicial poderia ser resolvido, incluindo as limitações do estudo.

**VII. Custo Proposto do Projeto Total**
Discrimina os custos esperados para realizar a pesquisa, incluindo um valor total e cronogramas previstos.

**VIII. Perfil do Fornecedor da Pesquisa**
Descreve brevemente os pesquisadores e suas qualificações, assim como uma visão geral da empresa.

**IX. Tabelas Simuladas Opcionais dos Resultados Projetados**
Apresenta exemplos de como os dados podem ser apresentados no relatório final.

## PESQUISA DE MARKETING EM AÇÃO

Como é uma proposta de pesquisa?

# Proposta de pesquisa para o cartão de hóspede preferencial do Hotel Magnum

O propósito do projeto de pesquisa proposto é coletar informações atitudinais, comportamentais, motivacionais e demográficas para tratar várias questões-chave apresentadas pela Administração da Benito Advertising and Johnson Properties, Inc., no que tange ao Cartão de Hóspede Preferencial do Hotel Magnum, um programa de fidelidade de marketing empregado recentemente. As principais questões são as seguintes:

1. O Cartão de Hóspede Preferencial está sendo utilizado por seus titulares?
2. Como os titulares do cartão avaliam os privilégios a ele associados?
3. Quais são os benefícios e os pontos fracos percebidos do cartão e por quê?
4. O Cartão de Hóspede Preferencial é um importante fator na escolha de um hotel?
5. Quando e com que frequência os titulares do cartão o utilizam?
6. Daqueles que utilizaram o cartão, quais privilégios foram utilizados e com que frequência?
7. Que melhorias poderiam ser feitas no cartão ou nos privilégios?
8. Como os detentores obtêm o cartão?
9. A associação ao Cartão de Hóspede Preferencial deveria ser gratuita ou os titulares deveriam pagar uma anuidade?
10. Se houvesse uma anuidade, quanto deveria custar? Quanto um titular estaria disposto a pagar?
11. Qual é o perfil demográfico das pessoas que possuem um Cartão de Hóspede Preferencial do Hotel Magnum?

Para coletar dados que respondam a essas perguntas, a pesquisa terá uma concepção estruturada e direta que considere ao mesmo tempo a pesquisa exploratória e descritiva. O estudo será descritivo pois muitas questões focam a identificação da consciência, atitudes e padrões de uso percebidos do Cartão de Hóspede Preferencial do Hotel Magnum, assim como os perfis demográficos. Ele será exploratório na medida em que busca possíveis melhorias para o cartão e seus privilégios, para a estrutura de preços e para os benefícios e pontos fracos percebidos nas atuais características do cartão.

A população-alvo é composta de adultos titulares do Cartão de Hóspede Preferencial do Hotel Magnum. Ela se constitui de aproximadamente 17 mil indivíduos nos Estados Unidos. Estatisticamente, um tamanho de amostra conservador deveria ser de 387. Mas, em termos realistas, uma amostra de cerca de 1.500 indivíduos deveria ser usada para possibilitar um exame de subgrupos da amostra. O tamanho baseia-se na provável taxa de resposta do método de amostragem e da elaboração do questionário, um erro amostral predeterminado de ± 5% e um nível de confiança de 95%, custos administrativos e compensações e o desejo de um número mínimo predefinido de questionários completos.

A amostragem probabilística será utilizada para extrair a amostra do banco de dados central de titulares. Utilizando a pesquisa por correio, os titulares aleatoriamente escolhidos como possíveis respondentes receberão um questionário autoaplicado. Acompanhando o questionário, seguirá uma carta explicando o estudo, assim como os incentivos pela participação. Considerando-se a natureza do estudo, o tipo de titular percebido, as compensações quanto às considerações de custo e tempo e o uso de incentivos para estimular a participação do respondente, uma pesquisa pelo correio é mais apropriada do que outros métodos.

O questionário será autoaplicado, ou seja, os respondentes preencherão a pesquisa na privacidade do lar e sem a presença de um entrevistador. Todas as perguntas serão pré-testadas utilizando-se uma amostra de conveniência para avaliar a clareza das instruções, das perguntas e as dimensões de tempo. As escalas de resposta para as perguntas serão de acordo com as diretrizes de elaboração do questionário e com o julgamento do setor. Considerando-se a natureza do projeto proposto, as descobertas possibilitarão que a Administração do Hotel Magnum responda a perguntas relacionadas ao Cartão de Hóspede Preferencial, assim como outras questões estratégicas de marketing. Em termos específicos, o estudo ajudará a Administração a:

- Melhor entender os tipos de pessoas que utilizam o Cartão de Hóspede Preferencial e a extensão desse uso;
- Identificar questões que sugiram avaliar (e possivelmente modificar) as atuais estratégias ou táticas de marketing do cartão e de seus privilégios;
- Discernir sobre a promoção e a distribuição do cartão para segmentos adicionais.

Além disso, o projeto de pesquisa proposto irá dar início a uma base de dados de clientes e a um sistema de informação. Dessa forma, a Administração poderá melhor entender as necessidades e os desejos dos clientes dos serviços do hotel. A base de dados orientada para o cliente será útil para desenvolver estratégias promocionais, bem como para abordagens de precificação e serviço.

**Custos propostos**

| | |
|---|---|
| Custos de elaboração do questionário/carta de encaminhamento e de reprodução | $ 3.800 |
| Desenvolvimento, digitação, pré-teste, reprodução (1.500) | |
| Envelopes (3.000) | |
| Concepção da amostragem | 2.750 |
| Custos administrativos/coleta de dados | 4.800 |
| Montagem dos pacotes de questionários | |
| Postagem e caixa postal | |
| Endereçamento | |
| Custos de codificação e análise preliminar de dados | 4.000 |
| Codificação e definição de códigos finais | |
| Entrada de dados | |
| Programação de computador | |
| Custos de análise e interpretação de dados | 7.500 |
| Custos de elaboração e apresentação do relatório | 4.500 |
| Custo total máximo proposto do projeto* | $27.350 |

* Política de custos: o custo de alguns itens pode variar em relação ao que é estimado nesta proposta. Reduções de custo, se houver, serão transferidas para o cliente. É cobrada uma taxa adicional de 10% de margem de custo pelas atividades de coleta de dados e análise, dependendo das alterações feitas pelo cliente nos requisitos de análise originalmente propostos.

A pesquisa deste projeto será conduzida pelo Marketing Resource Group (MRG), empresa especializada em pesquisa de marketing localizada em Tampa, Flórida, que já conduziu estudos para muitas empresas da lista Fortune 1000*. O pesquisador responsável e coordenador do projeto será o Dr. Alex Smith, diretor sênior de projeto da MRG. O Dr. Smith é PhD em Marketing pela Louisiana State University, possui um MBA pela Illinois State University e é bacharel em Ciência pela Southern Illinois University. Com 25 anos de experiência em pesquisa de marketing, já concebeu e coordenou inúmeros projetos nos setores de produtos de bens de

* N. de R. T.: Lista das mil maiores empresas norte-americanas elaborada pela revista Fortune.

consumo, hotéis/resorts, bancos de varejo, automóveis e seguros. Possui especialização em projetos que se concentram na satisfação do cliente, qualidade do serviço/produto, segmentação de mercado e em padrões de comportamento e atitudes do consumidor, assim como em tecnologias de marketing eletrônico interativo. Além disso, publicou inúmeros artigos sobre questões teóricas e práticas relacionadas à pesquisa.

## Exercício prático

1. Se a proposta for aceita, ela atingirá os objetivos da Administração?
2. A população-alvo a ser entrevistada é apropriada?
3. Existem perguntas que deveriam ser feitas no projeto?

# Resumo

**Descrever os principais fatores ambientais que influenciam a pesquisa de marketing.**
Vários fatores-chave ambientais exercem significativo impacto na modificação de tarefas, responsabilidades e esforços associados às práticas de pesquisa de marketing. A pesquisa de marketing deixou de ter um papel secundário nas organizações, assumindo uma importância indispensável no planejamento estratégico. As tecnologias de Internet, comércio eletrônico e gatekeeper, a legislação relacionada à privacidade de dados e as expansões da estrutura global do mercado estão obrigando os pesquisadores a equilibrar o uso de dados secundários e primários para ajudar os tomadores de decisão na solução de problemas e na conquista de vantagens e oportunidades. Os pesquisadores precisam melhorar sua capacidade de uso de ferramentas tecnológicas e bancos de dados. Há ainda uma maior necessidade por mais agilidade na aquisição e recuperação, análise e interpretação de dados e informações entre equipes de tomada decisão nos ambientes de mercado global.

**Discutir o processo de pesquisa e explicar as várias etapas.**
O processo de pesquisa de informação possui quatro etapas principais, a saber: (1) determinar o problema da pesquisa; (2) selecionar a concepção apropriada de pesquisa; (3) executar o projeto de pesquisa; e (4) comunicar os resultados. Para atingir os objetivos globais de cada etapa, os pesquisadores devem ser capazes de executar com sucesso 11 passos inter-relacionados: (1) identificar e esclarecer as necessidades de informação; (2) definir o problema da pesquisa e as perguntas; (3) especificar os objetivos da pesquisa e confirmar o valor da informação; (4) definir a concepção da pesquisa e as fontes de dados; (5) desenvolver a concepção da amostragem e o tamanho da amostra; (6) examinar as escalas e as questões relacionadas à mensuração; (7) elaborar e pré-testar os questionários; (8) coletar e preparar os dados; (9) analisar os dados; (10) interpretar os dados para gerar conhecimento; e (11) preparar e apresentar o relatório final.

**Perceber a diferença entre a concepção de pesquisa exploratória, descritiva e causal.**
O principal objetivo da pesquisa exploratória é criar informação que o pesquisador ou tomador de decisão possa utilizar para (1) obter uma clara compreensão do problema; (2) definir ou redefinir o problema inicial, separando os sintomas das causas; (3) confirmar o problema e os objetivos; ou (4) identificar os requisitos de informação. Essa modalidade geralmente objetiva propiciar uma compreensão preliminar para a pesquisa quantitativa subsequente. Entretanto, os métodos exploratórios qualitativos são às vezes utilizados como técnicas independentes, pois o tópico sob investigação requer um profundo entendimento de uma complexa trama de cultura, motivações psicológicas e comportamento do consumidor. Para certos tópicos de pesquisa, a modalidade quantitativa pode ser muito superficial ou pode suscitar respostas que são racionalizações em vez das razões verdadeiras para as decisões e o comportamento de compra.

A pesquisa descritiva produz dados numéricos para descrever as características existentes (por exemplo, atitudes, intenções, preferências, comportamentos de compra, avaliações das atuais estratégias do mix de marketing) de uma determinada população-alvo. O pesquisador busca respostas para perguntas do tipo como, quem, o quê, quando e onde. As informações obtidas nessa modalidade de pesquisa permitem que os tomadores de decisão façam inferências a respeito de seus clientes, concorrentes, mercados-alvo, fatores ambientais ou outros fenômenos.

Finalmente, a pesquisa causal é mais útil quando os objetivos da pesquisa incluem a necessidade de entender por que o fenômeno de mercado acontece. O foco dessa modalidade é coletar dados que possibilitem ao tomador de decisão ou pesquisador modelar relações de causa e efeito entre duas ou mais variáveis.

**Identificar e explicar os principais componentes de uma proposta de pesquisa.**
Depois de compreender as diferentes etapas e os passos do processo de pesquisa de informação, o pesquisador pode desenvolver uma proposta. Ela serve como um contrato entre o pesquisador e o tomador de decisão. São nove as seções sugeridas: (1) propósito do projeto proposto; (2) tipo de estudo; (3) definição da população-alvo e do tamanho da amostra; (4) definição da amostragem, técnica e método de coleta de dados; (5) instrumentos de pesquisa; (6) potenciais benefícios gerenciais do estudo proposto; (7) estrutura de custos do projeto; (8) perfil do pesquisador e da empresa; (9) tabelas simuladas dos resultados projetados.

## Principais termos e conceitos



## Questões de revisão

1. Identifique as mudanças significativas do ambiente de negócios atual que estão levando tomadores de decisão a repensar suas visões a respeito da pesquisa de marketing. Fale também sobre o potencial impacto que essas mudanças podem ter sobre as atividades da pesquisa de marketing.
2. No mundo empresarial do século XXI, será possível tomar decisões de marketing críticas sem a pesquisa de marketing? Por quê?
3. O quão parecido são os tomadores de decisão e pesquisadores? Como eles diferem? Como as diferenças entre esses dois profissionais podem ser reduzidas?
4. Comente as seguintes afirmações:
   a. A responsabilidade primária para determinar se as atividades de pesquisa de marketing são necessárias é do especialista em pesquisa de marketing.
   b. O processo de pesquisa de informação serve como um plano de ação para reduzir os riscos nas decisões de marketing.
   c. Selecionar a concepção de pesquisa mais apropriada é a tarefa mais importante no processo de pesquisa.
5. Elabore uma proposta de pesquisa que pode ser utilizada para tratar o seguinte problema: "O Marriott Hotel em Pittsburgh, na Pensilvânia, deveria reduzir a qualidade de sua roupa de cama e de banho a fim de melhorar a lucratividade das operações do hotel?"

## Questões para discussão

1. Para cada uma das quatro etapas do processo de pesquisa de informação, identifique os passos correspondentes e desenvolva um conjunto de perguntas que um pesquisador deveria tentar responder.
2. Quais são as diferenças entre pesquisa exploratória, descritiva e causal? Que tipo de modalidade seria mais apropriada para tratar a seguinte questão: "Qual é o grau de satisfação dos clientes com as ofertas de serviços de

manutenção de automóveis do revendedor do qual compraram seu novo BMW"?

3. Quando um pesquisador deve utilizar um método de amostragem probabilístico em vez de um método não probabilístico?
4. EXPERIMENTE A INTERNET. Visite o *site* da empresa de pesquisa Gallup (**www.gallup.com**).
   - **a.** O *site* apresenta diversas pesquisas em sua página principal. Depois de examinar a uma das pesquisas, delineie as diferentes etapas e passos do processo de pesquisa de informação que devem ter sido adotados na pesquisa *online* da Gallup.
   - **b.** A pesquisa informada é exploratória, descritiva ou causal? Explique sua escolha.

# Parte II

# Planejando o projeto de pesquisa de marketing

# 3

# Dados secundários, revisões da literatura e hipóteses

**Objetivos de aprendizagem** Após ler este capítulo, você estará apto a:

1. Compreender a natureza e o papel dos dados secundários.
2. Descrever como conduzir uma revisão da literatura.
3. Identificar fontes internas e externas de dados secundários.
4. Discutir a conceitualização e seu papel no desenvolvimento de modelos.
5. Entender hipóteses e variáveis independentes e dependentes.

## As lojas físicas vão acabar se transformando em showrooms?

Pesquisas feitas durante a última temporada de compras de Natal oferecem evidências de uma tendência importante e crescente: o uso de aparelhos de telefonia móvel dentro das lojas para auxiliar na tomada de decisões de compra. A Pew American e a Internet Life conduziram um estudo de 1.000 adultos norte-americanos sobre o uso de telefonia móvel durante as compras. Mais de metade dos consumidores (52%) informaram que utilizavam seus telefones para ajudá-los na tomada de decisões de compra quando visitavam lojas físicas perto do Natal.

Os telefones celulares eram usados de três maneiras específicas. Primeiro, 38% dos respondentes informaram que ligavam para amigos e pediam conselhos dentro da loja. Segundo, 24% dos respondentes usavam seus aparelhos para buscar resenhas de produtos na Internet. Finalmente, um entre quatro compradores usava seu telefone para comparar preços, por exemplo, com o serviço de escaneamento de códigos de barras da Amazon, em busca de preços mais competitivos.

Algumas categorias de consumidores tinham maior probabilidade de buscar ajuda na telefonia móvel durante as compras em lojas físicas. Os consumidores mais jovens (18-49 anos), não brancos e masculinos tinham maior probabilidade de usar telefones para buscar informações sobre produtos, mas a tendência também é evidente nas populações brancas e femininas. Os achados da pesquisa mostram que as lojas físicas podem facilmente perder clientes quando os consumidores buscam produtos melhores ou com preços mais competitivos. Os varejistas *online* têm oportunidades de aumentar suas vendas, em especial se conseguirem fornecer informações rápidas e preços bons para compradores que usam aparelhos móveis. A pesquisa também destaca outra tendência relevante para os profissionais de marketing: amigos e familiares sempre foram importantes na recomendação de produtos, mas a telefonia móvel aumentou sua disponibilidade e, logo, sua influência. As empresas e os profissionais de marketing precisarão cada vez mais implementar táticas para ajudá-los a influenciar os clientes em um ambiente no qual fontes pessoais e *online* estão prontamente disponíveis no ponto de decisão.

A pesquisa da Pew Internet e da American Life sobre o uso de telefonia móvel durante as compras está disponível em seu *site*, além de ter sido publicada em outros *sites* de mídia. O estudo é um exemplo de dado secundário e, nesse caso, a pesquisa está disponível gratuitamente. Entretanto, as informações são relevantes para uma ampla variedade de empresas, incluindo varejistas *online* e físicos, desenvolvedores de aplicativos móveis e empresas de telecomunicação. Para usar o estudo com eficácia, a maioria das empresas precisará avaliar a aplicabilidade dos achados a seus respectivos setores. Por exemplo, para entender melhor a tendência de uso de telefonia móvel dentro da loja, os setores que se beneficiariam dela poderiam buscar outras fontes *online* gratuitas de informações semelhantes, adquirir pesquisas secundárias específicas ao setor e, se necessário, conduzir pesquisas primárias.[1]

## O valor dos dados secundários e das revisões da literatura

Este capítulo se concentra nos tipos de dados secundários disponíveis, no modo como podem ser usados, nos benefícios que oferecem e no impacto da Internet sobre o uso de dados secundários. Também explicamos como conduzir pesquisas auxiliares como parte da revisão da literatura e como relatar as informações encontradas ao completar o processo. A revisão da literatura é um passo importante para desenvolver um entendimento do tema da pesquisa e apoia a conceitualização e a formulação de hipóteses, o último assunto deste capítulo.

### A natureza, o escopo e o papel dos dados secundários

Uma das tarefas essenciais da pesquisa de marketing é obter informações que permitam que a gerência tome as melhores decisões possíveis. Antes que os problemas sejam examinados, os pesquisadores determinam se as informações úteis já existem, qual a relevância das informações e como podem ser obtidas. As fontes existentes de informações são abundantes e sempre devem ser consideradas antes da coleta de dados primários.

O termo **dados secundários*** se refere a dados coletados para propósitos que não o estudo em pauta. Ela também é chamada de "pesquisa de mesa", enquanto a pesquisa primária é chamada de "pesquisa de campo". Existem dois tipos de dados secundários: internos e externos. Os **dados secundários internos** são coletados pelas empresas por razões contabilísticas, programas de marketing, gestão de estoque e assim por diante.

Os **dados secundários externos** são coletados por outras organizações, como governos federais e estaduais, entidades setoriais, organizações sem fins lucrativos, serviços de pesquisa de marketing ou pesquisadores acadêmicos. Os dados secundários estão disponíveis na Internet e outras fontes de dados digitais. Exemplos dessas fontes de informações digitais incluem fornecedores de informações, *sites* federais e governamentais e *sites* comerciais.

---

* N. de E.: Para uma definição completa dos termos em negrito, veja o Glossário ao final do livro.

O papel dos dados secundários na pesquisa de marketing mudou nos últimos anos. Tradicionalmente, os dados secundários eram vistos como tendo valor limitado. O trabalho de obter dados secundários costumava ser terceirizado para um bibliotecário corporativo, uma empresa de coleta de dados por assinatura ou um analista de pesquisa júnior. Com maior ênfase na inteligência de negócios e na inteligência competitiva e a crescente disponibilidade de informações em fontes *online*, a pesquisa de dados secundários conquistou grande importância na pesquisa de marketing.

As abordagens de pesquisa secundária são cada vez mais usadas para examinar os problemas de marketing devido à relativa velocidade e à eficiência de obter dados. O papel do analista de pesquisas secundárias está sendo redefinido como o de profissional de informações de unidade de negócios ou especialista ligado à área de tecnologia da informação. Esse indivíduo cria bancos de dados de vendas e contatos, prepara relatórios de tendências competitivas, desenvolve estratégias de retenção de clientes e assim por diante.

## Como conduzir uma revisão da literatura

Uma **revisão da literatura** é um exame abrangente das informações secundárias disponíveis relativas ao tema de sua pesquisa. Os dados secundários relevantes para seu problema de pesquisa obtidos na revisão da literatura devem ser incluídos no relatório final dos achados. Em geral, essa seção do relatório é chamada de "pesquisa auxiliar" ou "revisão da literatura". A pesquisa secundária pode, em alguns casos, responder por si só sua pergunta de pesquisa, sem a necessidade de pesquisas adicionais. Mas mesmo que os analistas planejem conduzir pesquisas primárias, a revisão da literatura pode ser útil, pois fornecem informações acessórias para o estudo em pauta; esclarecem o raciocínio sobre o problema e as perguntas de pesquisa que você está estudando; revelam se já existem informações que trabalhem o tema em pauta; ajudam a definir construtos importantes relacionados ao estudo; e sugerem amostragens e outras abordagens metodológicas que tiveram sucesso no estudo de temas semelhantes.

A revisão da literatura disponível ajuda os pesquisadores a acompanharem os últimos desenvolvimentos relativos ao seu tema de interesse. Na maioria dos setores, existem alguns estudos muito conhecidos e citados. Por exemplo, o Internet Advertising Bureau (IAB) é uma organização do setor, formada por alguns dos membros mais proeminentes da comunidade de editores e anunciantes *online*. O IAB conduziu diversos estudos importantes, muitos famosos entre os membros do setor, que estão disponíveis em seu *site*. Os estudos discutem o que funciona e o que não funciona na propaganda *online*. Os analistas que conduzem pesquisas na área de propaganda *online* que não conhecem os principais estudos publicados, como aqueles realizados pelo IAB, provavelmente teriam dificuldade para convencer seus clientes, muitos dos quais estão cientes dos estudos, sobre seu nível de conhecimento da área.

Um motivo importante para realizar uma revisão da literatura é que ela pode ajudar a esclarecer e definir o problema e as perguntas de pesquisa. Por exemplo, suponha que um anunciante *online* quer um estudo sobre como o comprometimento do consumidor com a propaganda *online* afeta sua atitude em relação à marca, a visitas ao *site* e ao comportamento de compra real. Uma revisão da literatura revelaria outros estudos publicados sobre o tema comprometimento do consumidor, assim como os diferentes modos de definir e medir esse comprometimento.

A revisão da literatura também pode sugerir hipóteses de pesquisa a serem investigadas. Por exemplo, a revisão da literatura pode indicar que pessoas que fazem compras com mais frequência na Internet possuem maior probabilidade de estar comprometidos com propaganda *online*, comprometimento este que aumenta suas atitudes positivas em relação à marca; que os mais jovens possuem maior probabilidade de se comprometer com um anúncio *online*; ou que categorias de produtos com altos níveis de envolvimento, como carros, possuem maior probabilidade de resultar em comprometimento do consumidor do que categorias com baixos níveis, como toalhas de papel. Os estudos que você localizar podem não responder perguntas de pesquisa específicas, mas provavelmente apresentará algumas questões e relações a serem investigadas.

É importante observar que as revisões da literatura podem identificar escalas para medir variáveis e metodologias de pesquisa que tiveram sucesso no estudo de temas semelhantes. Por exemplo, se um pesquisador quiser medir a usabilidade de um *site*, a revisão da literatura localizará estudos publicados que sugerem listas de verificação de características importantes de *sites* de alta usabilidade. A revisão de estudos anteriores economizará tempo e trabalho por parte dos pesquisadores, pois não será necessário partir do zero para desenvolver novas escalas.

## A avaliação de fontes de dados secundários

As revisões da literatura podem incluir buscas em fontes populares, acadêmicas, governamentais e comerciais disponíveis fora da empresa. Uma busca interna das informações disponíveis dentro da empresa também deve ser conduzida. Com o advento da Internet, a condução de uma revisão da literatura ficou simultaneamente mais fácil e mais difícil. Mais fácil, pois uma gama de material está disponível em um instante; assim, encontrar estudos publicados relevantes está mais fácil do que nunca. Entretanto, navegar pelos resultados para encontrar os estudos que realmente interessam pode ser demais para qualquer um. Assim, é importante estreitar seu tema para que possa concentrar seus esforços antes de conduzir uma busca pelas informações relevantes.

Com a maior ênfase em dados secundários, os pesquisadores desenvolveram critérios para avaliar a qualidade das informações obtidas com as fontes de dados secundários. Os critérios usados para avaliar dados secundários são:

1. *Objetivo.* Como a maioria dos dados secundários é coletada com objetivos diferentes daquele em pauta, os dados precisam ser avaliadas com cuidado em termos de sua relação com o atual objetivo de pesquisa. É comum que a coleta original dos dados não seja consistente com um estudo de pesquisa de mercado específico. Essas inconsistências em geral advêm das unidades de medida empregadas. Por exemplo, boa parte dos dados contidos no *Editors and Publishers Market Guide* se baseia em médias. Os números recebem pesos para compensar diferenças ambientais ou situacionais. Apesar dos resultados representarem boas médias, eles não oferecem a precisão necessária para criar o perfil de um mercado-alvo altamente definido em relação aos dólares gastos com uma categoria de produtos em particular.
2. *Precisão.* Ao avaliar os dados secundários, os pesquisadores precisam manter em mente o que está sendo realmente medido. Por exemplo, se foram medidas as compras reais em um mercado de teste, elas eram primeiras compras experimentais ou compras repetidas? Os dados são apresentados como totais de todos os respondentes ou categorizados por idade, gênero e nível socioeconômico?

   Os pesquisadores também devem avaliar quando os dados secundários foram coletados, pois os achados muitas vezes mudam com o tempo. Por exemplo, um pesquisador que acompanhe as vendas de carros importados japoneses no mercado norte-americano precisa considerar as mudanças de atitude, a imposição de novas tarifas para restringir a importação e até mesmo as flutuações na taxa de câmbio. Finalmente, ao avaliar a precisão dos dados secundários, os pesquisadores precisam ter em mente que os dados foram coletados em resposta a um conjunto de perguntas de pesquisa diferentes daquela em pauta.

3. *Consistência.* Ao avaliar qualquer fonte de dados secundários, a melhor estratégia é buscar múltiplas fontes dos mesmos dados para garantir sua consistência. Por exemplo, ao avaliar as características econômicas de um mercado estrangeiro, o pesquisador pode tentar obter as mesmas informações de fontes governamentais, publicações de negócios privadas (*Fortune, Bloomberg, BusinessWeek*) e publicações setoriais especializadas em importação/exportação.
4. *Credibilidade.* Os pesquisadores devem sempre questionar a credibilidade da fonte dos dados secundários. A competência técnica, a qualidade do serviço, a reputação, o treinamento e a especialização da equipe que representa a organização são algumas das medidas de credibilidade.
5. *Metodologia.* A qualidade dos dados secundários depende da metodologia empregada para coletá-los. Falhas em procedimentos metodológicos podem produzir resultados inválidos, não confiáveis ou que não podem ser generalizados além do próprio estudo. Portanto, o pesquisador deve avaliar o tamanho e a descrição da amostra, o índice de respostas, o questionário e o procedimento geral de coleta de dados (telefone, Internet ou entrevista pessoal).
6. *Tendenciosidade.* Os pesquisadores precisam determinar os possíveis motivos ou planos por trás da organização que coletou os dados secundários. Não é raro encontrar fontes de dados secundários publicados em prol dos interesses de grupos comerciais, políticos ou com outro tipo de interesse. Às vezes, dados secundários são publicados para provocar controvérsia ou para refutar outras fontes de dados. Os pesquisadores precisam considerar se a organização que está informando os dados é ou não motivada por um determinado objetivo. Por exemplo, as estatísticas sobre extinções de espécies animais informadas pela Associação Nacional de Lenhadores de Madeira-de-Lei, ou pelo PETA (Pessoas pelo tratamento ético dos animais), devem ser validadas antes que possam ser usadas como fontes neutras de informação.

## Dados secundários e o processo de pesquisa de marketing

Em muitas áreas da pesquisa de marketing, a pesquisa secundária está subordinada à primária. No teste de conceitos de propaganda e produtos, grupos focais e levantamentos de satisfação, apenas a pesquisa primária pode oferecer respostas aos problemas de marketing. Mas em algumas situações, os dados secundários podem resolver o problema de pesquisa. Os dados secundários costumam ser o ponto de partida na hora de definir a pesquisa que precisa ser conduzida. Se o problema pode ser respondido apenas com base nos dados secundários disponíveis, então a empresa economiza tempo, dinheiro e trabalho. Se os dados secundários são insuficientes para resolver o problema de pesquisa, então é preciso considerar a coleta de dados primários.

Se o foco da pesquisa está em novos clientes potenciais, a pesquisa secundária agrega valor ao processo. Os pesquisadores podem, por exemplo, usar documentos internos da empresa para criar um perfil da atual base de clientes, que pode então ser usada para identificar as características significativas dos clientes em potencial. Do mesmo modo, a análise de necessidades, que identifica problemas ou exigências de determinados grupos de clientes, é outra tarefa de pesquisa secundária. Um terceiro tipo de pesquisa envolve o fornecimento de dados de apoio internos para a empresa. Aqui o foco passa para a prestação de apoio para atividades de pesquisa primária, apresentações de venda e funções de tomada de decisão. Os departamentos de marketing geram vendas com o uso de apresentações profissionais e tomam decisões sobre produto, preço, praça e promoção, ambas atividades que muitas vezes dependem de dados secundários. Finalmente, as empresas precisam saber como os mercados estão mudando para terem sucesso em seu planejamento estratégico. O desenvolvimento de ferramentas de planejamento é de responsabilidade da pesquisa secundária. À medida que a pesquisa secundária continua a aumentar seu papel na pesquisa de marketing, e as habilidades necessárias para adquirir novas formas de distribuição de dados continuam a evoluir, a importância e o valor dos dados secundários em pesquisas continuarão a crescer.

A quantidade de informações secundárias é mesmo enorme. Mas as necessidades informacionais de muitos pesquisadores estão ligadas por um tema comum. Os dados mais buscados por pesquisadores incluem características demográficas, dados empregatícios, estatísticas econômicas, avaliações competitivas e de suprimentos, regulamentações e características do mercado internacional. A Figura 3.1 apresenta exemplos de variáveis específicas dentro dessas categorias.

Diversos tipos de fontes secundárias estão disponíveis, incluindo internas, populares, acadêmicas e comerciais. A seguir, descrevemos cada uma dessas categorias de fontes de dados secundários.

**Figura 3.1** **Principais variáveis pesquisadas em buscas de dados secundários.**

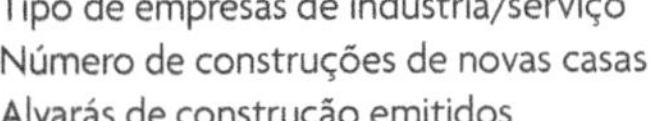
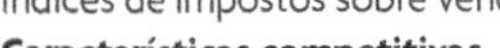

**Demografia**
Crescimento populacional: real e projetado
Densidade populacional
Padrões de imigração e emigração
Tendências populacionais por idade, raça e etnia
**Características de emprego**
Crescimento da mão de obra
Níveis de desemprego
Porcentagem de emprego por categorias ocupacionais
Emprego por setor
**Dados econômicos**
Níveis de renda pessoal (per capita e mediana)
Tipo de empresas de indústria/serviço
Número de construções de novas casas
Alvarás de construção emitidos
Índices de impostos sobre vendas
**Características competitivas**
Níveis de vendas de varejo e atacado
Número e tipos de varejistas concorrentes
Disponibilidade de instituições financeiras
**Características de fornecimento**
Número de instalações de distribuição
Custo de entregas
Nível de transporte ferroviário, marítimo, aéreo e rodoviário
**Regulamentações**
Impostos
Licenciamento
Salários
Zoneamento
**Características do mercado internacional**
Requisitos de transporte e exportação
Barreiras comerciais
Filosofias de negócios
Sistema jurídico
Costumes sociais
Clima político
Padrões culturais
Contexto religioso e moral

# Fontes internas e externas de dados secundários

Os dados secundários estão disponíveis dentro da empresa e a partir de fontes externas. Nesta seção, analisamos as principais fontes internas e externas de dados secundários.

## Fontes internas de dados secundários

O ponto de partida natural ao se buscar dados secundários é o próprio conjunto de informações internas da empresa. Muitas organizações não percebem a grande quantidade de informações valiosas contidas em seus arquivos. Além disso, os dados internos são os mais prontamente disponíveis e podem ser acessados com pouco ou nenhum custo. Apesar desse parecer um bom motivo para se usar dados internos, os pesquisadores precisam lembrar que a maior parte das informações vêm de atividades de negócios anteriores. Isso não significa que os dados internos não podem ser usados para decisões de negócios futuras: como ficará claro na discussão a seguir, as fontes de dados internas podem ser altamente eficazes no auxílio aos tomadores de decisão durante o processo de planejar o lançamento de novos produtos ou novos pontos de distribuição.

Em geral, os dados internos consistem em informações de vendas e custos. A Figura 3.2 lista as principais variáveis encontradas em cada uma das fontes internas de dados secundários.

Outros tipos de dados internos que existem entre muitos arquivos corporativos podem ser usados para complementar as informações discutidas até este ponto. A Figura 3.3 descreve outras fontes potenciais de dados secundários internos.

**Figura 3.2** **Fontes comuns de dados secundários internos.**

1. **Faturas de vendas**
   a. Nome do cliente
   b. Endereço
   c. Classe de produto/serviço vendido
   d. Preço por unidade
   e. Vendedor
   f. Termos das vendas
   g. Ponto de expedição
2. **Relatórios de contas a receber**
   a. Nome do cliente
   b. Produto adquirido
   c. Total de vendas unitárias e em dólares
   d. Cliente como porcentagem de vendas
   e. Cliente como porcentagem de vendas regionais
   f. Margem de lucro
   g. Classificação de crédito
   h. Itens devolvidos
   i. Motivos para devolução
3. **Relatórios de vendas trimestrais**
   a. Total de vendas unitárias e em dólares por:
      Cliente
      Segmento geográfico
      Segmento de clientes
      Território de vendas
      Produto
      Representante de vendas
      Segmento de produto
   b. Total de vendas contra objetivos planejados
   c. Total de vendas contra orçamento
   d. Total de vendas contra períodos anteriores
   e. Aumento/redução de porcentagem de vendas
   f. Tendências de contribuições
4. **Relatórios de atividades de vendas**
   a. Classificação do cliente contas
      Mega
      Grande
      Médio
      Pequeno
   b. Potencial de vendas disponível em dólares
   c. Penetração de vendas atual
   d. Propostas/contratos existentes por
      Local do cliente
      Produto

**Figura 3.3** **Fontes adicionais de dados secundários.**

| Fonte | Informação |
|---|---|
| Cartas de clientes | Dados gerais de satisfação/insatisfação |
| Cartões de comentários dos clientes | Dados gerais de desempenho |
| Formulários postais | Nome e endereço do cliente, itens adquiridos, qualidade, tempo de ciclo de pedido |
| Solicitações de crédito | Biografia detalhada dos segmentos de clientes (demográficos, socioeconômicos, utilização de crédito, classificação de crédito) |
| Notas de caixas registradoras | Volume em dólares, tipo de mercadoria, vendedor, fornecedor, fabricante |
| Relatórios de despesas de vendedores | Atividades de vendas, atividades dos concorrentes no mercado |
| Entrevista de saída com funcionários | Dados gerais de satisfação/insatisfação interna, dados internos sobre desempenho da empresa |
| Cartões de garantia | Volume de vendas, nomes, endereços, CEPs, itens adquiridos, motivos para devolução do produto |
| Estudos de marketing anteriores | Dados relativos à situação na qual a pesquisa de marketing foi conduzida |

Muitas informações internas das empresas estão disponíveis para atividades de pesquisa de marketing. Mantidos e categorizados adequadamente, os dados internos podem ser usados para analisar o desempenho de produtos, a satisfação de clientes, a eficácia da distribuição e as estratégias de segmentação. Essas formas de dados internos também são úteis ao planejar o lançamento de novos produtos, a exclusão de produtos existentes, estratégias promocionais, inteligência competitiva e táticas de atendimento ao cliente.

## Fontes externas de dados secundários

Após a busca por dados secundários internos, é natural que o próximo passo para o pesquisador seja os dados secundários externos. As principais fontes de dados secundários externos são: (1) fontes populares; (2) fontes acadêmicas; (3) fontes governamentais; (4) North American Industry Classification System (NAICS); e (5) fontes comerciais.

**Fontes populares** Muitas fontes populares estão disponíveis em bibliotecas e na Internet. Exemplos de fontes populares incluem *Bloomberg Businessweek, Forbes, Harvard Business Review, Business 2.0,* e assim por diante. A maioria dos artigos populares é escrita para jornais e periódicos por jornalistas ou freelancers. Fontes populares costumam ser mais atualizadas do que fontes acadêmicas e são escritas com linguajar menos técnico. Entretanto, os achados e as ideias expressos em fontes populares quase sempre envolvem informações secundárias. Além disso, enquanto os achados de trabalhos acadêmicos são revisados por colegas antes de sua publicação, os achados informados em publicações jornalísticas enfrentam um olhar muito menos crítico.[2]

Muitos estudantes de administração já conhecem os artigos e recursos de administração oferecidos pelo ABI/Inform ou Lexis/Nexus. É possível realizar buscas nesses bancos de dados por meio dos portais de bibliotecas da maioria das universidades. Os bancos de dados cobrem muitas publicações exclusivas para assinantes e que, por isso, não estão disponíveis nos principais *sites* de busca. Por exemplo, os jornais *The New York Times* e *The Wall Street Journal* têm um excelente noticiário de negócios. No entanto, os *sites* de busca atualmente não acessam os arquivos destes e de outros jornais importantes. Apesar de os arquivos destas e de outras publicações estarem disponíveis nos *sites* dos jornais, os artigos em geral só podem ser lidos com o pagamento de uma taxa. A maioria das bibliotecas paga pelo acesso a diversos jornais e publicações de negócios por meio de acordos com o ABI/Inform e o Lexis/Nexus.

Muitas informações estão disponíveis na Internet sem necessidade de assinar os bancos de dados de bibliotecas. Os mecanismos de busca continuamente catalogam essas informações e listam os *sites* mais relevantes e populares para buscas específicas. Google, Yahoo! e MSN são muito bons para encontrar estudos publicados. Antes de realizar uma busca *online*, é muito útil realizar um *brainstorming* sobre as várias palavras-chave relevantes a serem usadas na busca. Por exemplo, se você está interessado em marketing boca a boca, diversos termos podem ser úteis em suas buscas: *buzz marketing**, *underground marketing*** e *stealth marketing****.

Publicações escritas por praticantes e analistas de marketing também são fontes populares. Por exemplo, os autores do *site* **www.Clickz.com**, todos especialistas em suas respectivas áreas, escrevem artigos sobre uma gama de temas de marketing *online*. Assim, as opiniões e as análises que oferecem são oportunas e informadas pela experiência. Apesar de refletirem suas experiências e a profundidade de seu conhecimento, suas opiniões não foram investigadas com os mesmos cuidados daquelas disponíveis em publicações acadêmicas.

Outras fontes possíveis são os blogs de marketing. Muitos autores e analistas de marketing têm seus próprios blogs. Essas fontes precisam ser escolhidas com muito cuidado, pois qualquer um pode escrever ou postar em um blog. Apenas blogs escritos por especialistas respeitados merecem menção em sua revisão da literatura. A Advertising Age divulga uma lista diária dos melhores blogs de marketing. Alguns podem ser relevantes ao seu tema (ver Figura 3.4). Os bons blogs escritos por profissionais e analistas famosos costumam ser provocativos e atualizados. Eles sugerem perspectivas dignas de consideração na concepção e na execução de seu estudo. Os blogueiros também oferecem comentários perspicazes e análises críticas sobre práticas e estudos publicados sendo discutidos no momento pelos especialistas no campo. No entanto, mesmo blogs escritos pelos analistas mais respeitados expressam especulações e opiniões sem comprovação. Ao elaborar sua revisão da literatura, é preciso observar que, em geral, há mais opinião do que fato nesses blogs.

Todas as fontes populares que você encontra na Internet precisam ser avaliadas com cuidado. Leia a seção "Quem Somos" do *site* para ver quem está publicando os artigos ou estudos e descobrir se a fonte do material é confiável. Outra questão é se os estudos de marketing encontrados nos *sites* não promovem os interesses de negócios dos editores. Por exemplo, estudos publicados pelo Internet Advertising Bureau precisam ser analisados com cuidado em busca de tendenciosidades metodológicas, pois o IAB é uma entidade do setor representando organizações que se beneficiariam com

---

* N. de R. T.: Sem tradução consagrada. Também chamado marketing de "burburinho".

** N. de R. T.: Sem tradução consagrada.

*** N. de R. T.: Marketing disfarçado.

**Figura 3.4** **Melhores blogs de marketing.**

1. Ads of the World
2. Chrisbrogan.com
3. ShoeMoney
4. Seth's Blog
5. PSFK
6. Social Media Examiner
7. Copyblogger
8. Brian Solis
9. I believe in ad
10. Search Engine Land
11. ProBlogger
12. Marketing Pilgrim
13. Joe La Pompe
14. Search Engine Roundtable
15. Digital Buzz

**Fonte:** *Advertising Age*, "AdAge Power150: A Daily Ranking of Marketing Blogs," **www.adage.com/power150/**, acessado em 26 de janeiro de 2012.

o crescimento da comunicação *online*. O ideal seria procurar as informações de mais qualidade, publicadas por especialistas no setor. Quanto mais fontes forem citadas ou mencionadas, maior a probabilidade de os estudos ou blogs terem credibilidade.[3]

**Fontes acadêmicas** Talvez você queira buscar artigos acadêmicos relevantes ao tema de sua pesquisa em sua biblioteca, mas uma busca *online* pelas mesmas informações é mais fácil. O Google possui um mecanismo de busca especializado, dedicado a artigos acadêmicos, chamado Google Acadêmico. Usar a função de busca na página principal do Google em vez do Google Acadêmico identifica alguns artigos acadêmicos, mas inclui muitos outros tipos de resultados, o que dificulta a identificação dos artigos acadêmicos. O Google Acadêmico pode ser encontrado clicando o link "mais" na página principal. Se você visitar o Google Acadêmico e digitar "compras *online*", por exemplo, o Google Acadêmico (**Scholar.Google.com.br**) listará todos os artigos publicados sobre o tema. O Google Acadêmico conta quantas vezes um estudo é citado por outros documentos na Internet e lista o número junto com os resultados da busca (o resultado diz "citado por" e lista o número de citações em *sites*). A contagem de citações na Internet é uma medida da importância do artigo no campo.

Alguns estudos listados pelo Google Acadêmico estão disponíveis *online* a partir de qualquer computador, mas outros podem ser acessados apenas se você estiver na escola ou usando o portal de uma biblioteca. A maioria das faculdades e universidades paga taxas para acessar revistas acadêmicas. Se você estiver no campus enquanto acessa essas fontes, muitas revistas verão o endereço de IP do seu computador e darão acesso com base em sua localização. Em especial, os artigos do JSTOR, que publica muitas das principais revistas acadêmicas de marketing, podem ser acessados por qualquer computador ligado à rede de seu campus. No entanto, algumas revistas exigem que você passe pelo portal da biblioteca para obter acesso, esteja você dentro ou fora do campus.

Ambas as fontes populares e acadêmicas podem ser acompanhadas com uso de ferramentas *online* para registro de favoritos, como Weave, Delicious, Google Bookmarks, Xmarks e Diigo, que o ajudam a organizar suas fontes. O uso dessas ferramentas pode ajudá-lo a salvar links para projetos de pesquisa, fazer anotações sobre os *sites* e colocar tags em links com seus próprios termos de busca para facilitar a recuperação futura das fontes. Essas ferramentas também facilitam o intercâmbio com uma rede social, então elas podem ser muito úteis no processo de compartilhar fontes com diversos membros da equipe de pesquisa.

**Fontes do governo** O nível de detalhe, completude e consistência são os principais motivos para usar documentos governamentais norte-americanos. Na verdade, os relatórios do Birô do Censo dos Estados Unidos são o alicerce estatístico para a grande maioria das informações disponíveis sobre a população e as atividades econômicas dos Estados Unidos. A Figura 3.5 lista algumas das fontes de dados secundários mais comuns disponíveis do governo americano. Elas incluem dados de censos específicos (p. ex.: censo agrícola ou da construção), relatórios do censo (p. ex.: County and City Data Book), dados do Departamento do Comércio dos Estados Unidos e uma gama de relatórios governamentais adicionais.

É preciso dar dois avisos em relação ao censo e, muitas vezes, a outros tipos de dados secundários. Primeiro, os dados do censo são coletados a cada 10 anos, com atualizações periódicas, então os pesquisadores precisam sempre considerar o quão recentes são eles. Segundo, os dados do censo incluem uma quantidade limitada de tópicos. Assim como ocorre com outros dados secundários, categorias predefinidas, como idade, renda e profissão, nem sempre atendem os requisitos dos usuários.

Uma última fonte de informações disponível pelo governo norte-americano é o Catalog of Government Publications (**http://catalog.gpo.gov/F**). O catálogo indexa

**Figura 3.5** **Documentos governamentais comuns usados como fontes de dados secundários.**

**Dados do censo dos Estados Unidos**

- *Census of Agriculture (Censo agrícola)*
- *Census of Construction (Censo de construção)*
- *Census of Government (Censo governamental)*
- *Census of Manufacturing (Censo industrial)*
- *Census of Mineral Industries (Censo do setor de mineração)*
- *Census of Retail Trade (Censo comercial do varejo)*
- *Census of Service Industries (Censo do setor de serviços)*
- *Census of Transportation (Censo do transporte)*
- *Census of Wholesale Trade (Censo comercial do atacado)*
- *Census of Housing (Censo habitacional)*
- *Census of Population (Censo populacional)*

**Relatórios do censo dos Estados Unidos**

- *Guide to Industrial Statistics (Guia de estatísticas industriais)*
- *County and City Data Book (Livro de dados de municípios e cidades)*
- *Statistical Abstract of the U.S. (Resumo estatístico dos Estados Unidos)*
- *Fact Finders for the Nation (Fatos sobre o país)*
- *Guide to Foreign Trade Statistics (Guia de estatísticas do comércio exterior)*

**Dados do Departamento do Comércio dos Estados Unidos da América**

- *U.S. Industrial Outlook (Panorama industrial dos Estados Unidos)*
- *County Business Patterns (Padrões de negócios por município)*
- *State and Metro Area Data Book (Livro de dados por estado e área metropolitana)*
- *Business Statistics (Estatísticas de negócios)*
- *Monthly Labor Review (Revisão trabalhista mensal)*
- *Measuring Markets: Federal and State Statistical Data (Medindo os mercados: dados estatísticos federais e estaduais)*

**Relatórios Governamentais Adicionais**

- *Aging America: Trends and Population (Os Estados Unidos envelhecendo: tendências e população)*
- *Economic Indicators (Indicadores econômicos)*
- *Economic Report of the President (Relatório econômico do presidente)*
- *Federal Reserve Bulletin (Boletim do Banco Central)*
- *Statistics of Income (Estatísticas de renda)*
- *Survey of Current Business (Levantamento das empresas em atividade)*

## Estudo de caso contínuo: O uso de dados secundários no restaurante mexicano Santa Fe Grill

Os proprietários do Santa Fe Grill acreditam que os dados secundários podem ser úteis para entender melhor como administrar um restaurante. Com base no que você aprendeu neste capítulo sobre dados secundários, com certeza eles estão certos.

1. Que tipos de dados secundários provavelmente seriam úteis?
2. Busque fontes de dados secundários, procurando dados que possam ser usados pelos proprietários do Santa Fe Grill, para entender melhor os problemas/oportunidades à sua espera. Use o Google, o Yahoo!, Twitter ou outras ferramentas de busca no processo.
3. Que palavras-chave você usaria na busca?
4. Resuma o que encontrou em sua busca.

---

os principais relatórios de pesquisa de mercado para uma gama de indústrias, mercados e instituições nacionais e internacionais, além de indexar as publicações disponíveis para pesquisadores de julho de 1976 até o mês e ano correntes.

**North American Industry Classification System (NAICS)** Um primeiro passo na busca por dados secundários é o uso das listagens numéricas dos códigos do **North American Industry Classification System (NAICS, ou Sistema de Classificação Industrial Norte-Americano)**. Os códigos do NAICS foram projetados para promover uniformidade nos procedimentos de informação de dados para os governos federais e estaduais e negócios privados. O governo federal designa cada setor da economia com um código NAICS. As organizações dentro de cada setor informam todas as suas atividades (vendas, folhas de pagamento, impostos) de acordo com seu código. Atualmente, 99 códigos de dois dígitos representam toda a economia, desde a produção agrícola à qualidade ambiental e à construção civil. Dentro de cada código de classificação de dois dígitos há um grupo setorial com código de quatro dígitos, representando grupos específicos. Todos os negócios no setor representados por cada código de quatro dígitos fornecem informações detalhadas sobre seus negócios para diversas fontes para sua publicação. Por exemplo, como vemos na Figura 3.6, o código NAICS 12 foi designado à mineração de carvão e o código 1221 especifica carvão betuminoso e lignita, extração de superfície. É no nível dos códigos de quatro dígitos que os pesquisadores concentrarão a maior parte das buscas por dados. Os dados NAICS estão acessíveis na Internet no endereço **www.census.gov/eos/www/naics/**.

**Fontes comerciais: dados por assinatura** Uma tendência importante na pesquisa de marketing é em direção à maior dependência de fontes de dados por assinatura. O motivo para tanto é que as empresas podem obter informações consideráveis de uma grande variedade de setores a custos relativamente baixos.

A organização Society of Competitive Intelligence Professionals (Sociedade de Profissionais de Inteligência Competitiva) informa que mais de 80% das empresas de pesquisa de marketing compram e usam relatórios de pesquisas secundárias de fornecedores comerciais. Além disso, as empresas gastam mais de 15 mil dólares por ano em relatórios por assinatura e devotam pelo menos 10 horas por semana à análise dos dados.[4] Na verdade, os relatórios por assinatura disponíveis *online* estão rapidamente substituindo as fontes impressas tradicionais.

**Dados por assinatura** (ou dados comerciais) são dados de pesquisa de mercado coletados, reunidos e vendidos a empresas diferentes. As informações se encontram

**Figura 3.6** **Lista de exemplos de códigos do NAICS.**

**Lista numérica**

**10 – Mineração de metais**

1011 Minérios de ferro
1021 Minérios de cobre
1031 Minérios de chumbo e zinco
1041 Minérios de ouro
1044 Minérios de prata
1061 Minérios de ferroligas, exceto vanádio
1081 Serviços de mineração de metais
1094 Minérios de urânio, rádio e vanádio
1099 Minérios metálicos SOC*

**12 – Mineração de carvão**

1221 Carvão betuminoso e lignita – superfície
1222 Carvão betuminoso (subterrâneo)
1231 Mineração de antracito
1241 Serviços de mineração de carvão

**13 – Extração de petróleo e gás**

1311 Petróleo cru e gás natural
1321 Líquidos de gás natural
1381 Perfuração de poços de petróleo e gás
1382 Serviços de exploração de petróleo e gás
1389 Serviços de campo de petróleo e gás SOC*

**14 – Minerais não metálicos, exceto combustíveis**

1411 Rochas ornamentais
1422 Pedra calcária britada
1423 Granito britado
1429 Rochas SOC* britadas
1442 Cascalho e areia para construção
1446 Areia industrial

* Sem Outra Classificação

**Fonte:** *Ward Business Directory of U.S. Private and Public Companies*, 2007, Gale Cengage Learning.

na forma de relatórios tabulados, preparados para atender as necessidades de pesquisa do cliente, muitas vezes adaptados a determinadas divisões; por exemplo, a venda de categorias de bens de consumo, como café, detergente, papel higiênico, refrigerante, etc. Os relatórios podem ser organizados por região geográfica, território de vendas, segmento de mercado, classe de produto ou marca. Para que os dados sejam úteis, os fornecedores de dados por assinatura/comerciais precisam ter um conhecimento profundo sobre o setor e fornecer dados atualizados. Tradicionalmente, os fornecedores usam dois métodos de coleta de dados: *painéis de consumidores* e *auditorias de lojas*. Um terceiro método que cresceu rapidamente nos últimos anos é obtido com o uso da *tecnologia de escaneamento óptico*. Os dados de escaneamento quase sempre são obtidos no ponto de compra em supermercados, farmácias, mercadinhos e outras lojas de varejo.

Os **painéis de consumidores** consistem em grandes amostras de domicílios que concordaram em fornecer dados detalhados por um longo período de tempo. As informações fornecidas por esses painéis em geral consistem em informações sobre compra de produtos ou hábitos de consumo de mídia, com frequência no setor de bens de consumo embalados. Mas as informações obtidas com o uso de scanners ópticos estão sendo cada vez mais usadas.

Os painéis em geral são desenvolvidos por empresas de pesquisa de marketing e usam uma abordagem de coleta de dados rigorosa. Os respondentes precisam manter registros detalhados de seus comportamentos na época da ocorrência, utilizando questionários altamente estruturados. O questionário contém uma grande quantidade de perguntas relativas às compras de produtos ou exposições midiáticas reais. Quase sempre esse é um procedimento constante, pelo qual os respondentes informam dados para a empresa semanal ou mensalmente. A seguir, os dados dos painéis são vendidos a diversos clientes após serem adaptados às suas necessidades de pesquisa.

Diversos benefícios estão associados a dados de painéis. Estes incluem (1) menor custo do que métodos de coleta de dados primários; (2) alto nível de disponibilidade e prontidão; (3) informações precisas sobre gastos socialmente delicados, como cerveja, outras bebidas, cigarros e marcas genéricas; e (4) alto nível de especificidade (por exemplo, produtos adquiridos ou hábitos de mídia reais, não apenas intenções ou propensões de compra).

Existem dois tipos de fontes de dados baseados em painéis: aqueles que refletem compras reais de produtos e serviços e aqueles que refletem hábitos de mídia. A discussão a seguir apresenta exemplos de ambos.

Diversas empresas oferecem dados de compra baseados em painéis. O NPD Group (**www.npd.com**) fornece dados por assinatura relativos a diversos setores, incluindo automotivo, beleza, tecnologia, entretenimento, moda, alimentação, material de escritório, *software*, esporte, brinquedos e telefonia móvel. O painel de consumidores *online* do NPD consiste em mais de 2 milhões de adultos e adolescentes registrados que concordaram em participar de seus levantamentos. Os dados de painéis de consumidores podem ser combinados com informações de ponto de venda de varejo para oferecer informações mais completas sobre os mercados. O NPD também oferece aos clientes a opção de conduzir levantamentos customizados de "Fast Follow-Up", questionários curtos que obtêm informações mais detalhadas sobre tópicos específicos junto aos membros do painel.

Duas das fontes de dados mais usadas pelo NPD são o Consumer Report on Eating Share Trends (CREST, "Relatório do consumidor sobre tendências de participação alimentar") e o National Eating Trends (NET, "Tendências alimentares nacionais"). O CREST acompanha as compras de refeições em restaurantes e lanches prontos de clientes na França, na Alemanha, no Japão, na Espanha, na Grã-Bretanha, nos Estados Unidos e no Canadá. O NET fornece acompanhamento contínuo de padrões de consumo doméstico de comidas e bebidas nos Estados Unidos e no Canadá.

A TSN Global oferece inúmeros serviços de pesquisa, incluindo testes de produto e de conceito e estudos de atitudes, consciência e uso de marcas. A empresa de pesquisa possui uma rede de painéis de acesso gerenciado *online* que engloba América do Norte, Europa e Ásia-Pacífico. Os consumidores podem se inscrever para participar de painéis *online* no *site* Mysurvey.com. Além de velocidade e baixo custo, os painéis da TSN Global oferecem a capacidade de gerenciar estudos internacionais de maneira eficiente.

A Synovate ViewsNet fornece dados de painéis para todos os tipos de métodos de coleta de dados, incluindo *online*, telefone, correio e presencial. Os dados servem para diversos propósitos, incluindo modelos de previsão, modelos de fidelidade/valor de marca e informações de acompanhamento de marcas.

A lista a seguir descreve empresas de dados por assinatura adicionais e os painéis de consumidores que cada uma mantém:

- A J. D. Power and Associates mantém um painel de proprietários de carros e caminhonetes para fornecer dados sobre qualidade de produtos, satisfação e confiabilidade de veículos.
- A GfK Roper Consulting oferece assinaturas para seus serviços. Seus relatórios estão disponíveis para os níveis Estados Unidos e Mundial, com informações sobre demografia, estilos de vida, valores, atitudes e comportamento de compra. Coletivamente, seus painéis são representativos de 90% do PIB mundial.[5]
- A Creative and Response Research Services mantém um painel de consumidores chamado Youthbeat (**www.crresearch.com**) que acompanha mensalmente as opiniões de crianças, pré-adolescentes e adolescentes sobre música, consumo de mídia, *videogames*, compras, telefonia móvel e consciência sobre causas. A

pesquisa fornece uma "visão enciclopédica do marketing jovem que abrange o mundo infantil desde o momento que entram no jardim de infância até se formarem no ensino médio".[6] O Youthbeat também possui um painel de pais.

Os **painéis de mídia** e de consumidores são semelhantes em termos de procedimento, composição e projeto, diferindo apenas no fato dos painéis de mídia medirem principalmente hábitos de consumo de mídia, não de produtos ou marcas. Assim como ocorre com os painéis de consumidores, existem diversos painéis de mídia diferentes. Os itens a seguir são exemplos dos painéis de mídia por assinatura mais utilizados.

A Nielsen Media Research é a fonte mais famosa e aceita de dados de painéis de mídia. O principal serviço da Nielsen media a audiência televisiva, mas nos últimos anos "a TV não é mais uma mídia distinta, e sim uma forma de informação e entretenimento que conecta múltiplas plataformas e alcança públicos em todos os pontos de encontro possíveis".[7] A Nielsen hoje acompanha televisão e Internet, audiência de vídeos digitais gravados (DVR) e uso de aparelhos portáteis, uma estratégia que a empresa chama de mensuração interplataformas.

A Nielsen coleta dados sobre hábitos de uso de televisão por meio de um aparelho chamado People Meter, conectado ao televisor. O People Meter monitora e registra continuamente quando o televisor é ligado, quais canais estão sendo assistidos, quanto tempo é gasto em cada canal e quem está assistindo. O uso da Internet também é mensurado para a amostra do People Meter, permitindo que a Nielsen colete dados sobre a relação entre o uso de TV, *sites* e streaming. Finalmente, a Nielsen também mensura o *download* de conteúdo e seu consumo como áudio e vídeo em aparelhos portáteis. Os dados da Nielsen servem para calcular a eficiência de mídia, medida em custo por mil (CPM), ou seja, quanto custa para alcançar mil telespectadores. O CPM mede a capacidade do programa de oferecer o maior público-alvo ao menor custo.

## PAINEL Triangulando fontes de dados secundários

Estimar a penetração de mercado de novas tecnologias, do DVR ao iPhone e Twitter, é importante para a gerência, pois impacta decisões de negócios, como promoções, preços e desenvolvimento de novos produtos. Os gerentes precisam de mensurações e dados precisos para melhorar seu planejamento tático e estratégico. Entretanto, obter medidas precisas é surpreendentemente difícil.

Um exemplo é o DVR, o aparelho que utiliza um disco rígido para gravar programas de televisão. O DVR foi introduzido no mercado americano em 2000. Alguns meses depois do lançamento, uma estimativa concluiu que 16% de todas as residências americanas haviam adotado o aparelho. O crescimento incrível levou alguns profissionais de marketing a declarar o fim da publicidade tradicional, pois os consumidores usavam seus DVRs para pular os comerciais. A Knowledge Metrics/SRI, empresa especializada em tecnologia doméstica, utilizou diversas fontes para confirmar essa estimativa. Inicialmente, seus próprios levantamentos também sugeriam altos índices de adoção para DVRs, mas o esforço de verificação levou-os a questionar esses resultados. A empresa de pesquisa analisou os formulários 10-K de duas grandes empresas de DVR. As duas haviam vendido apenas algumas centenas de milhares de unidades cada, o que significa que menos de 1% das residências com TVs haviam adotado o DVR até a data.

Com base nessas informações, a Knowledge Metrics percebeu que seria preciso melhorar as perguntas em seu levantamento relativas à propriedade de DVRs. A empresa descobriu que os consumidores ficavam confusos quando questionados sobre o conceito de DVR. Com um questionário revisado e melhorado, um estudo subsequente revelou que a incidência real de propriedade era de menos de 0,5% das residências com TV, não 16%.[8]

A Arbitron, Inc., é uma empresa de pesquisa de mídia e marketing que conduz coleta de dados contínua sobre mídias, incluindo rádio, televisão, TV a cabo e não residenciais. A empresa é mais conhecida por sua mensuração da audiência de rádio. A Arbitron usa diários de ouvintes e um aparelho de mensuração eletrônica chamado Portable People Meter (PPM) para estimar audiências radiofônicas nacionais e locais. O PPM é um sistema de mensuração eletrônica portátil passivo, mais ou menos do mesmo tamanho que um telefone celular, que registra a exposição de consumidores a mídias e entretenimento. Os participantes do levantamento levam o PPM consigo durante o dia e o aparelho registra seu consumo de rádio e TV. Os dados são utilizados para planejadores de mídia, agências de propaganda e anunciantes. Atualmente, jornais, estações de rádio, estações de TV, sistemas de TV a cabo e setores *online* são os usuários predominantes dessa fonte de dados por assinatura.

**Auditorias de lojas** consistem em exames e verificações formais de quanto produtos ou marcas específicos venderam no nível de varejo. Com base em uma coleta de varejistas participantes (em geral, supermercados, minimercados e mercados populares), são realizadas auditorias sobre movimentação de produtos ou marcas em troca de relatórios de atividade detalhados e compensação monetária para o varejista. Assim, as auditorias funcionam como fontes de dados secundários. Os clientes podem comprar dados relativos ao setor, à concorrência ou a determinados produtos ou marcas. As auditorias de lojas apresentam dois benefícios exclusivos: precisão e atualização. Muitas das tendenciosidades dos painéis de consumidores estão ausentes nas auditorias de loja. Por sua natureza, as auditorias medem a movimentação de produtos e marcas diretamente no ponto de venda (em geral no nível de varejo). Além disso, as atividades de vendas e atividades competitivas são informadas assim que a auditoria é finalizada, tornando os dados atualizados e prontamente disponíveis para seus usuários potenciais.

As principais variáveis medidas em auditorias de lojas incluem os níveis de estoque iniciais e finais, notas fiscais, níveis de preço, incentivos de preços, propaganda local e material de ponto de compra (POP). Coletivamente, esses dados permitem que os usuários de serviços de auditorias de lojas gerem informações sobre os seguintes fatores:

- Vendas do produto/marca em relação à concorrência.
- Eficácia do espaço nas prateleiras e materiais de ponto de compra.
- Vendas em diversos pontos e níveis de preço.
- Eficácia de promoções da loja e cupons do ponto de venda.
- Vendas diretas por tipo de loja, local do produto, território e região.

## Como sintetizar pesquisa secundária para a revisão da literatura

É preciso incluir perspectivas e achados divergentes em sua revisão da literatura. Provavelmente os achados de alguns estudos serão inconsistentes entre si. Essas diferenças podem incluir estimativas de dados descritivos, como a porcentagem de pessoas que compra por catálogos, a quantidade de dólares gastos em propaganda ou valores de vendas de varejo *online*. Os relatórios também podem discordar quanto à natureza das relações teóricas entre as variáveis. Os pesquisadores muitas vezes precisam se aprofundar nos detalhes da metodologia usada para definir variáveis e coletar dados. Por exemplo, as diferenças em estimativas de gastos com varejo *online* se devem a diversos fatores. As três causas principais de discrepâncias em estimativas de vendas de varejo *online* são: (1) a inclusão (ou exclusão) de gastos com viagens, uma categoria importante dos gastos *online*; (2) diferenças metodológicas (por exemplo, alguns trabalhos fazem estimativas baseadas em levantamento com varejistas, outros com clientes); e (3) sempre há algum grau de erro de amostragem. Não basta dizer que os relatórios diferem em seus achados, é preciso realizar avaliações inteligentes sobre as possíveis causas das diferenças.

## Desenvolvendo um modelo conceitual

Além de estabelecer um contexto para seu problema de pesquisa, as revisões da literatura também o ajudam a conceitualizar um modelo que resuma as relações que você espera prever. Se estiver realizando uma pesquisa puramente exploratória, não será preciso desenvolver um modelo antes de conduzi-la. Depois de transformar seus objetivos de pesquisa em perguntas de pesquisa, as necessidades informacionais podem ser listadas e o instrumento de coleta de dados projetado. No entanto, se uma ou mais de suas perguntas de pesquisa exigir a relação entre variáveis, então é preciso *conceitualizar* tais relações. O processo de conceitualização é auxiliado pelo desenvolvimento de um desenho de seu modelo que mostre a relação causal prevista entre as variáveis.

### Variáveis, construtos e relações

Para conceitualizar e testar um modelo, é preciso três elementos: variáveis, construtos e relações. Uma **variável** é um item observável, usado como medida em um questionário. As variáveis possuem propriedades concretas e são medidas diretamente. Exemplos de variáveis incluem gênero, estado civil, nome da empresa, número de funcionários, frequência de compra de uma marca e assim por diante. Os **construtos**, por outro lado, são conceitos abstratos inobserváveis, medidos indiretamente por um grupo de variáveis relacionadas. Alguns exemplos de construtos comuns em marketing incluem qualidade do serviço, valor, satisfação do cliente e atitudes em relação à marca. Construtos que representam as características dos respondentes também podem ser medidos, como inovação, liderança de opinião e propensão a negócios. Na Figura 3.7, mostramos um grupo de itens identificados em uma revisão da literatura que pode ser usado para medir o construto "sabe-tudo do mercado", definido como um indivíduo com muitas informações sobre produtos e que busca ativamente compartilhar essas informações.

**Relações** são associações entre duas ou mais variáveis. Ao modelar relações causais, as variáveis ou construtos nas relações podem ser variáveis independentes ou dependentes. A **variável independente** é uma variável ou construto que prevê ou explica o resultado de uma variável em pauta. A **variável dependente** é a variável ou construto que os pesquisadores estão tentando explicar. Por exemplo, se o otimismo tecnológico e a renda familiar preveem a adoção da Internet por parte de idosos, então o otimismo tecnológico e a renda familiar são variáveis independentes, enquanto a adoção da Internet é a variável dependente.

A revisão da literatura o ajudará a identificar, definir e medir construtos. Ainda assim, após realizar uma revisão da literatura e consultar pesquisas secundárias, o analista pode acreditar que ainda não tem informações suficientes para conceber um estudo completo. A incerteza pode ter diversas fontes: a definição de construtos importantes; a identificação de variáveis ou itens que medirão cada construto; e a identificação de construtos que podem ter um papel importante na influência do resultado ou da variável dependente em pauta. Por exemplo, um dos primeiros estudos sobre varejo

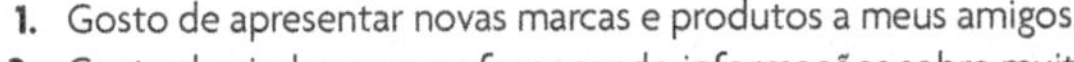

Figura 3.7 Medindo o construto "sabe-tudo do mercado".

1. Gosto de apresentar novas marcas e produtos a meus amigos.
2. Gosto de ajudar pessoas fornecendo informações sobre muitos tipos de produtos.
3. As pessoas me pedem informações sobre produtos, lojas ou vendas.
4. Se alguém me perguntasse onde é o melhor lugar para comprar diversos tipos de produto, eu poderia indicar lojas para essa pessoa.
5. Meus amigos me consideram uma boa fonte de informações quando se trata de novos produtos ou vendas.
6. Pense sobre uma pessoa que possui informações sobre uma gama de produtos e gosta de compartilhar essas informações com outros. Essa pessoa conhece novos produtos, promoções, lojas etc., mas não se sente necessariamente uma especialista em qualquer produto em especial. Até que ponto você acha que essa descrição lembra você?

**Fonte:** Lawrence F. Feick and Linda L. Price, "The Marketing Maven: A Diffuser of Marketplace Information," *Journal of Marketing* 51 (1987), pp. 83–97.

*online* tinha como objetivo a identificação e a modelagem de construtos que afetariam a satisfação do cliente *online* e o comportamento de compras repetidas. A revisão da literatura revelou que havia estudos e mensurações de satisfação do cliente e qualidade em contextos de serviço e de varejos em lojas físicas. Apesar desses estudos serem úteis na conceitualização da satisfação com varejo *online*, os pesquisadores decidiram que o ambiente de varejo *online* provavelmente tinha aspectos especiais que afetariam os índices de satisfação do consumidor. Assim, os pesquisadores usaram metodologias qualitativas (Capítulo 4) e testes-piloto antes de conceber o estudo completo.

## Desenvolvendo hipóteses e elaborando um modelo conceitual

**Formulação de hipóteses** No princípio, muitos estudantes veem o desenvolvimento de hipóteses como um grande desafio. Entretanto, elaborar hipóteses muitas vezes é um processo relativamente simples e direto. As hipóteses se dividem em dois tipos: descritivas e causais. As hipóteses descritivas oferecem respostas possíveis a problemas de negócios específicos. Por exemplo, imagine que nossa pergunta de pesquisa é "Por que esta loja de varejo atrai menos clientes de 18-30 anos do que esperávamos?" As **hipóteses descritivas** são simplesmente respostas a esse problema de pesquisa aplicada específico. Assim, hipóteses possíveis incluem "os clientes mais jovens acreditam que nossos preços são altos demais", "nossa publicidade não atingiu o segmento mais jovem" ou "o interior da loja não é atraente para os consumidores mais jovens". O desenvolvimento de hipóteses descritivas envolve três passos:

1. Revisar a oportunidade ou o problema de pesquisa (por exemplo, nossa oportunidade de pesquisa pode ser que estamos interessados em vender nosso produto para um novo segmento).
2. Escrever perguntas que fluam da oportunidade ou do problema de pesquisa (p.ex.: "um novo segmento se interessaria pelo nosso produto? Se sim, como deveríamos abordar esse segmento?").
3. Realizar *brainstorming* para elaborar possíveis respostas às perguntas de pesquisa (o segmento-alvo potencial se interessaria pelo produto se fizéssemos algumas modificações e o vendêssemos nas lojas frequentadas pelo segmento).

**Hipóteses causais** são afirmações teóricas sobre relações entre variáveis. As afirmações teóricas se baseiam em achados de pesquisa confirmados anteriormente em outra situação e considerados aplicáveis na nova. Por exemplo, o negócio talvez esteja interessado em prever os fatores que levam a aumentos nas vendas. As variáveis independentes que podem levar a vendas maiores incluem gastos com publicidade e preço. Essas duas hipóteses seriam afirmadas formalmente da seguinte forma:

Hipótese 1: Gastos maiores com publicidade levam a níveis de venda maiores.
Hipótese 2: Preços maiores levam a níveis de venda menores.

As hipóteses causais ajudam as empresas a entender como realizar mudanças que, por exemplo, melhorariam a consciência sobre novos produtos, a qualidade do serviço, a satisfação do cliente, a fidelidade e a recompra. Assim, ambos os tipos de hipóteses, descritivas e causais, são úteis para aperfeiçoar táticas e estratégias de marketing. Por exemplo, se os pesquisadores querem prever quem adotará uma nova inovação tecnológica, já existe bastante pesquisa e teoria sobre esse tema. A pesquisa sugere, por exemplo, que indivíduos com maior escolaridade, maior renda e maior abertura à aprendizagem têm maior probabilidade de adotar novas tecnologias. As hipóteses poderiam ser resumidas do seguinte modo:

- Os indivíduos com maior escolaridade têm maior probabilidade de adotar uma nova inovação tecnológica.
- Os indivíduos mais abertos à aprendizagem têm maior probabilidade de adotar uma nova inovação tecnológica.
- Os indivíduos com maior nível de renda têm maior probabilidade de adotar uma nova inovação tecnológica.
- Os indivíduos com maior desconforto tecnológico têm menor probabilidade de adotar uma nova inovação tecnológica.

As primeiras três hipóteses sugerem relações positivas. Uma **relação positiva** entre duas variáveis é aquela em que as duas variáveis crescem ou decrescem juntas, mas também é possível ter hipóteses sobre relações negativas. As **relações negativas** sugerem que, enquanto uma variável aumenta, a outra diminui. Por exemplo, a última hipótese sugere que indivíduos que demonstram maior desconforto tecnológico possuem menor probabilidade de adotar uma nova inovação tecnológica.

A revisão da literatura, os dados secundários e a pesquisa exploratória podem fornecer informações úteis no desenvolvimento de hipóteses descritivas e causais. A experiência com um contexto de pesquisa também pode ajudar os tomadores de decisão e pesquisadores a desenvolverem hipóteses. Clientes e empresas de pesquisa podem acumular bastante experiência com o tempo com um contexto de pesquisa específico que é útil na conceitualização de hipóteses para estudos futuros. Por exemplo, proprietários de restaurantes sabem tanto sobre seus clientes quanto os gerentes de lojas de roupas. Eles aprendem tudo com o tempo, observando o comportamento dos clientes e prestando atenção nas perguntas que fazem.

Boas hipóteses possuem diversas características. Primeiro, as hipóteses são consequências das perguntas de pesquisa. Lembre-se de que uma hipótese é uma afirmação, não uma pergunta. Uma segunda característica importante de uma boa hipótese é que ela é expressa com clareza e simplicidade. Se a hipótese é causal, ela deve ter uma variável dependente e uma independente na afirmação. As hipóteses devem ser testáveis. Os construtos que aparecem nas hipóteses têm de ser definidos e mensurados.

Por exemplo, para testar quatro hipóteses relativas à adoção de novas tecnologias, os pesquisadores precisariam mensurar renda, escolaridade, abertura ao aprendizado, desconforto tecnológico e adoção de novas tecnologias.

Para melhor comunicar relações e variáveis, os pesquisadores seguem um processo chamado **conceitualização**. A conceitualização envolve: (1) identificar as variáveis para sua pesquisa, (2) especificar hipóteses e relações e (3) preparar um diagrama (modelo conceitual) que represente visualmente as relações que você irá estudar. O resultado final da conceitualização é uma representação visual das relações hipotéticas por meio de um diagrama com caixas e flechas. Esse diagrama é conhecido como *modelo conceitual*. O modelo sugerido pelas quatro hipóteses que desenvolvemos sobre a adoção de novas tecnologias se encontra na Figura 3.8.

Se a revisão da literatura e os dados secundários disponíveis são insuficientes para sugerir fortes candidatos para explicar as variáveis dependentes de interesse, então será necessário realizar pesquisas exploratórias (ver Capítulo 4). As investigações exploratórias permitem que os analistas conversem com respondentes e descubram o que estão pensando e incorporem o que descobriram em pesquisas futuras. A pesquisa então ocorre em etapas. Na primeira etapa, os pesquisadores usam pesquisas exploratórias para identificar variáveis, construtos e relações que podem ser acompanhadas em outro estudo.

## Teste de hipóteses

Depois que os pesquisadores desenvolveram as hipóteses, elas podem ser testadas. Como já vimos, as **hipóteses** sugerem relações entre variáveis. Imagine que nossa hipótese é que homens e mulheres bebem quantidades diferentes de café durante o dia na época das provas finais. A variável independente no caso é o gênero, enquanto a variável dependente é o número de xícaras de café. Coletamos os dados e descobrimos

**Figura 3.8** **Um modelo de adoção de novas tecnologias.**

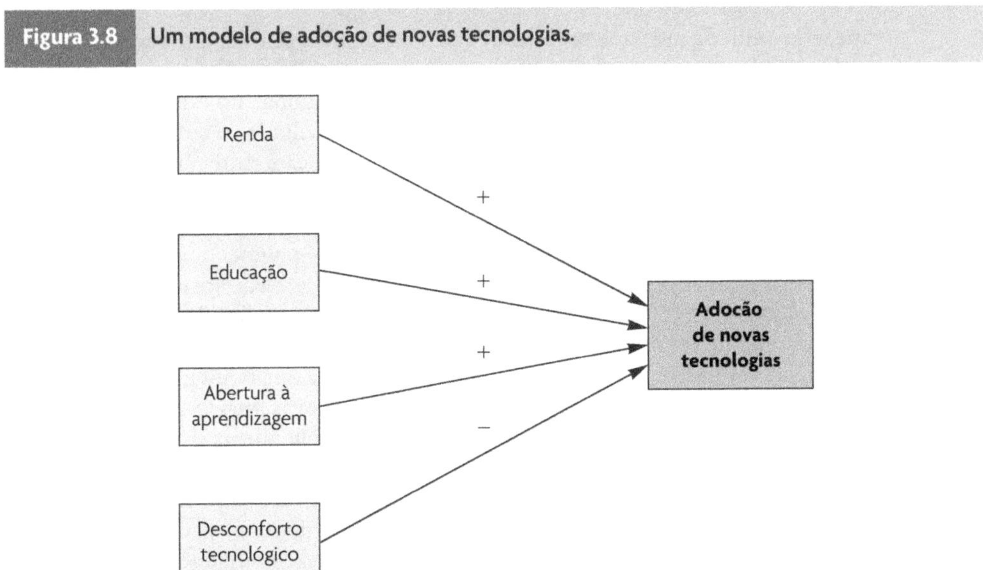

## Estudo de caso contínuo: o restaurante mexicano Santa Fe Grill: desenvolvendo perguntas de pesquisa e hipóteses

Os proprietários concluíram que precisam saber mais sobre seus clientes e o mercado-alvo. Para entender melhor essas questões, visitaram os *sites* de pesquisa Yahoo.com e Google.com. Também passaram algum tempo examinando a literatura do setor. A partir dessa revisão da literatura, foram encontradas algumas diretrizes de "melhores práticas" sobre como os restaurantes devem ser administrados. Abaixo, um breve resumo do que foi encontrado.

- Se você não tem clientes o suficiente, antes de mais nada examine a qualidade da comida, os itens em seu menu e os serviços.
- Examine e compare seus clientes e o menu no almoço e no jantar em busca de diferenças.
- Seus garçons devem ser consistentes com a imagem de seu restaurante. O comportamento e as ações de seus funcionários são muito importantes. Eles precisam ter boa apresentação, alto nível de conhecimento, boa educação e falar com clareza e confiança.
- Os itens do menu devem ter boa relação custo-benefício.
- O serviço deve ser eficiente, pontual, refinado e cordial.
- A limpeza e a aparência de seu restaurante influenciam bastante o sucesso de seu negócio.
- Siga a crença do marketing de "prometer menos e entregar mais!"
- Dê autonomia a seus funcionários para tomarem decisões para manter seus clientes felizes. Treine seus funcionários para resolver as reclamações dos clientes em vez de procurar o gerente.
- Crie uma atmosfera agradável para as refeições, incluindo móveis, acessórios, decoração, iluminação, música e temperatura.
- Descubra mais sobre as clientes. Para ocasiões especiais e jantares em família, as mulheres decidem onde comer cerca de 75% das vezes.

Com essas informações, os proprietários precisam especificar as hipóteses e as perguntas de pesquisa a serem examinadas.

1. Que perguntas de pesquisa deveriam ser examinadas?
2. Que hipóteses deveriam ser testadas?
3. A revisão da literatura deveria ser expandida? Em caso positivo, como?

que a quantidade média de xícaras de café consumidas por dia durante as provas finais é de 6,1 para estudantes mulheres, enquanto a média para homens é de 4,7. Esse achado é significativo? A resposta parece ser simples (afinal, 6,1 é maior do que 4,7), mas o erro de amostragem pode ter distorcido os resultados o suficiente para concluirmos que não existe diferenças entre o consumo de café entre homens e mulheres.

Nossa intuição é que se a diferença entre duas médias for grande, podemos ter confiança que existe uma diferença real entre as médias amostrais dos dois grupos. Mas outro componente importante a ser considerado é o tamanho da amostra usado para calcular as médias, pois o tamanho da amostra e a variância podem afetar o erro de amostragem. Para levar o erro de amostragem em consideração, precisamos colocar um intervalo ao redor de nossa estimativa da média. Depois disso, as médias podem acabar parecidas o suficiente para concluirmos que homens e mulheres consomem quantidades diferentes de café na época das provas finais.

No desenvolvimento de hipóteses, a **hipótese nula** afirma que não há relacionamento entre as variáveis. Nesse caso, a hipótese nula seria de que não há diferença no consumo de café entre homens e mulheres. É a hipótese nula que é sempre testada por estatísticos e pesquisadores de marketing. Outra hipótese, chamada de **hipótese alternativa**, afirma que há uma relação entre as variáveis. Se a hipótese nula for aceita, concluímos que as variáveis não têm relação entre si. Se for rejeitada, encontramos apoio para a hipótese alternativa de que as duas variáveis estão relacionadas.

A hipótese nula se refere a um parâmetro populacional, não a uma estatística amostral. O **parâmetro** é o valor real de uma variável, que só pode ser conhecido com a coleta de dados de todos os membros da população relevante (neste caso, todos os alunos da faculdade, de ambos os gêneros). A **estatística amostral** é uma estimativa do parâmetro populacional. Os dados demonstram que as duas variáveis estão relacionadas (rejeitando a hipótese nula) ou que, depois de considerar o erro de amostragem, a relação não é grande o suficiente para concluir que as variáveis estão relacionadas. No último caso, o pesquisador não seria capaz de detectar uma diferença estatisticamente significativa entre os dois grupos de consumidores de café. É importante observar que a incapacidade de rejeitar a hipótese nula não significa, necessariamente, que ela é verdadeira, pois os dados de outra amostra da mesma população poderiam produzir resultados diferentes.

Na pesquisa de marketing, a hipótese nula é desenvolvida de modo que sua rejeição leve à aceitação da hipótese alternativa. Em geral, a hipótese nula é marcada como H0 e a alternativa como H1. Se a hipótese nula (H0) for rejeitada, então a alternativa (H1) é aceita. A hipótese alternativa sempre traz consigo o ônus da prova.

## PESQUISA DE MARKETING EM AÇÃO
### O restaurante mexicano Santa Fe Grill

Os proprietários do restaurante mexicano Santa Fe Grill não estavam felizes com o crescimento lento das operações do restaurante e perceberam que precisavam obter um entendimento melhor de três conceitos importantes: satisfação do cliente, imagem do restaurante e fidelidade do cliente. Usando, em parte, seu conhecimento prático de negócios e o que aprenderam enquanto estudantes de administração na University of Nebraska, Lincoln, a dupla desenvolveu algumas perguntas principais:

1. O que compõe a satisfação do cliente?
2. Como as imagens do restaurante são criadas?
3. Como a fidelidade do cliente é conquistada?
4. Quais as relações entre satisfação do cliente, imagens da loja e lealdade do cliente?

Sem saber bem onde começar, eles entraram em contato com seus ex-professores, que os ensinaram pesquisa de marketing na universidade, em busca de orientações. Seu professor sugeriu que começassem com uma revisão da literatura em fontes acadêmicas e populares. Usando suas habilidades de realizar buscas na Internet, a dupla visitou os *sites* Google Acadêmico (**Scholar.Google.com.br**) e Business 2.0 (**www.Business2.com**). Lá encontraram uma gama de pesquisas passadas e artigos da imprensa popular sobre satisfação do cliente, imagem de loja e fidelidade do cliente.

Depois de revisar diversos artigos, os proprietários entenderam que a satisfação do cliente está relacionada com a capacidade do restaurante de atender ou exceder as expectativas destes de uma gama de atributos importantes dos restaurantes, como qualidade da comida, serviço aceitável, preços competitivos, atmosfera do restaurante e equipe simpática e educada. Quanto à imagem do restaurante, os dois descobriram que a imagem é, na verdade, uma impressão geral, expressa em avaliações positivas ou negativas sobre as operações do restaurante. Além disso, a fidelidade do cliente reflete a disposição dos clientes de "recomendar o restaurante para seus amigos, familiares e/ou vizinhos", assim como de gerar comunicação boca a boca positiva.

## Exercício prático

1. Com base em seu entendimento do material apresentado no Capítulo 3 e nas perguntas de pesquisa principais acima, os proprietários do Santa Fe Grill deveriam voltar atrás e reformular suas perguntas? Em caso negativo, por que não? Em caso positivo, por que sim? Sugira como as perguntas de pesquisa deveriam ser reformuladas.
2. Quanto ao desejo dos proprietários de entender as relações entre satisfação do cliente, imagem do restaurante e fidelidade do cliente, desenvolva um conjunto de hipóteses que poderia ser utilizado para investigar tais relações.

## Resumo

**Compreender a natureza e papel dos dados secundários.**

O dever do pesquisador de marketing é resolver o problema o mais rápido possível, ao menor custo e com o maior nível de precisão. Portanto, antes que o projeto de pesquisa de marketing seja conduzido, o pesquisador deve buscar informações existentes que possam facilitar uma decisão ou resultado para a empresa. Os dados existentes em geral são conhecidos como dados secundários. Se os dados secundários serão usados para auxiliar o processo de decisão ou capacidade de solução de problemas de um gestor, eles precisam ser avaliados de acordo com seis princípios fundamentais: (1) objetivo (qual a relevância dos dados para alcançar os objetivos de pesquisa específicos em pauta?); (2) precisão das informações; (3) consistência (existem múltiplas fontes dos dados?); (4) credibilidade (Como os dados foram obtidos? Qual é a origem dos dados?); (5) metodologia (os métodos usados para coletar os dados produzem dados precisos e confiáveis); e (6) tendenciosidades (o procedimento de informação de dados foi afetado por algum plano oculto ou objetivo fundamental de defender uma causa pública ou privada?).

**Descrever como conduzir uma revisão da literatura.**
Uma revisão da literatura é um exame abrangente das informações disponíveis relativas ao tema de sua pesquisa. Ao conduzir uma revisão da literatura, os pesquisadores buscam informações relevantes aos problemas e questões de pesquisa em pauta. As revisões da literatura possuem os seguintes objetivos: fornecer informações acessórias para o estudo em pauta; esclarecer o raciocínio sobre o problema e as perguntas de pesquisa que você está estudando; revelar se já existem informações que trabalhem o tema em pauta; ajudar a definir construtos importantes relacionados ao estudo; e sugerir amostragens e outras abordagens metodológicas que tiveram sucesso no estudo de temas semelhantes.

**Identificar fontes internas e externas de dados secundários.**
Os dados secundários internos são obtidos dentro da empresa. As informações financeiras e contabilísticas internas da empresa são uma fonte importante. Elas geralmente consistem em faturas de vendas, relatórios de contas a receber e relatórios de vendas trimestrais. Outras formas de dados internos incluem estudos de pesquisa de marketing anteriores, solicitações de crédito de clientes, cartões de garantia e entrevistas de saída com funcionários.

Dados secundários externos são obtidos de fora da empresa. Devido ao volume de dados externos disponíveis, os pesquisadores precisam planejar e extrair os dados certos. Uma boa orientação a seguir é: definir os objetivos que os dados secundários precisam alcançar; especificar os objetivos por trás do processo de busca secundária; definir as características específicas dos dados a serem extraídos; documentar todas as atividades necessárias para encontrar, localizar e extrair as fontes de dados; concentrar-se em fontes de dados confiáveis; e tabular todos os dados extraídos. As fontes mais comuns de dados secundários externos são as populares, acadêmicas, governamentais e comerciais.

**Discutir a conceitualização e seu papel no desenvolvimento de modelos.**
As revisões da literatura também o ajudam a conceitualizar um modelo que resuma as relações que você espera prever. Se estiver realizando uma pesquisa puramente exploratória, não será preciso desenvolver um modelo antes de conduzi-la. Depois de transformar seus objetivos de pesquisa em perguntas de pesquisa, as necessidades informacionais podem ser listadas e o instrumento de coleta de dados projetado. No entanto, se uma ou mais de suas perguntas de pesquisa exigir a relação entre variáveis, então é preciso conceitualizar tais relações. O processo de conceitualização é auxiliado pelo desenvolvimento de um desenho de seu modelo que mostre a relação causal prevista entre as variáveis. Para conceitualizar e testar um modelo, é preciso três elementos: variáveis, construtos e relações.

**Entender hipóteses e variáveis independentes e dependentes.**
Uma variável é um item observável, usado como medida em um questionário. Um construto é um conceito inobservável medido por um grupo de variáveis relacionadas. Alguns exemplos de construtos comuns na pesquisa de marketing são qualidade do serviço, valor, satisfação do cliente e atitudes em relação à marca. Construtos que representam as características dos respondentes também podem ser medidos, como inovação, liderança de opinião e propensão a negócios. Existem dois tipos de hipóteses: descritivas e causais. As hipóteses descritivas são respostas possíveis a problemas de pesquisa aplicada específicos, enquanto as hipóteses causais são afirmações teóricas sobre relações entre variáveis. Relações são associações entre duas ou mais variáveis. Ao modelar relações, as variáveis ou os construtos em relações podem ser variáveis independentes ou dependentes. Uma variável independente é uma variável ou um construto que prevê ou explica o resultado de uma variável em pauta. Uma variável dependente é a variável ou o construto que os pesquisadores estão tentando explicar (ou seja, o resultado). Por exemplo, se o otimismo tecnológico e a renda familiar preveem adoção da Internet por parte de idosos, então o otimismo tecnológico e a renda familiar são variáveis independentes, enquanto a adoção da Internet é a variável dependente.

## Principais termos e conceitos



## Questões de revisão

1. Quais características separam os dados secundários dos primários? Quais são as três fontes de dados secundários?
2. Explique por que uma empresa deveria usar todas as fontes potenciais de dados secundários antes de dar início aos procedimentos de coleta de dados primários.
3. Liste os seis princípios fundamentais usados para analisar a validade de dados secundários.
4. Quais são os motivos para se conduzir uma revisão da literatura?
5. O que você deve procurar ao tentar avaliar se um recurso *online* possui credibilidade?
6. Um pesquisador desenvolve hipóteses que sugerem que os clientes gostam mais dos anúncios quando eles são (1) verdadeiros e (2) criativos e (3) apresentam informações relevantes. Imagine o modelo conceitual que demonstraria tais relações. Quais variáveis são independentes e quais variáveis são dependentes?
7. O que são relações? O que é um relacionamento positivo? O que é um relacionamento negativo? Dê exemplos de relacionamentos positivos e negativos.
8. Qual é a diferença entre um parâmetro e uma estatística amostral?

## Questões para discussão

1. É possível conceber um estudo, coletar e analisar dados e escrever um relatório sem realizar uma revisão da literatura? Quais são os perigos e as desvantagens de realizar sua pesquisa sem conduzir uma revisão da literatura? Em sua opinião, as desvantagens superam as vantagens? Por quê?
2. EXPERIMENTE A INTERNET. Visite alguns dos blogs de marketing listados na Figura 3.4. Algum desses blogs contém qualquer informação que possa ser relevante para os praticantes que estão conduzindo pesquisas nas áreas discutidas por esses blogs? Por quê?
3. EXPERIMENTE A INTERNET. Com a ajuda do Google Acadêmico, identifique cerca de 10 referências relevantes ao tema "qualidade em serviços". Identifique quatro ou cinco que você considera úteis para conceber um levantamento para medir a qualidade dos serviços prestados em um restaurante. Liste o título de cada um dos estudos e explique por que você acha que são relevantes ao estudo que está concebendo.
4. EXPERIMENTE A INTERNET. Entre na Internet e encontre a página de seu estado. Por exemplo, **www.mississippi.com** leva ao *site* do estado de Mississippi. Lá, busque a categoria que fornece informações sobre estatísticas locais e por município. Selecione o município em que mora e obtenha os dados demográficos e socioeconômicos mais importantes disponíveis. Apresente um perfil demográfico dos residentes de sua comunidade.

5. EXPERIMENTE A INTERNET. Visite o *site* do censo dos Estados Unidos, **www.census.gov**. Selecione a categoria "Economic Indicators" (Indicadores econômicos) e navegue pelos dados apresentados. O que você aprendeu com a navegação por esses dados?
6. Você está pensando em abrir uma nova lanchonete no campus depois de se formar. Quais informações sobre seus consumidores potenciais você tentaria obter em pesquisas secundárias para ajudá-lo a entender melhor seu mercado-alvo?
7. Você está planejando abrir um café em uma de duas áreas de sua comunidade local. Realize uma busca por dados secundários das principais variáveis que o permitiriam tomar uma decisão lógica sobre qual a melhor área para abrir seu café.
8. Com base em suas experiências na faculdade, elabore e rotule um modelo conceitual que demonstre os fatores que levam à sua satisfação (ou insatisfação) com uma disciplina.

# 4

# Concepções de pesquisa exploratórias e observacionais e abordagens de coleta de dados

**Objetivos de aprendizagem** Após ler este capítulo, você estará apto a:

1. Identificar as principais diferenças entre pesquisas qualitativas e quantitativas.
2. Entender as entrevistas em profundidade e grupos focais enquanto técnicas de questionamento.
3. Definir grupos focais e explicar como conduzi-los.
4. Discutir comunidades com propósito e comunidades *online* de pesquisa de marketing (MROCs)
5. Explicar outros métodos de coleta de dados qualitativos, como etnografia, estudos de caso, técnicas projetivas e ZMET.
6. Discutir métodos observacionais e explicar como são usados para coletar dados primários.
7. Discutir o crescente campo do monitoramento de mídias sociais.

## Os códigos culturais

Clotaire Rapaille foi contratado pela Chrysler para ajudar a entender como o Jeep Wrangler poderia ser melhor posicionado no mercado americano. Apesar dos gerentes da Chrysler já terem realizado bastante pesquisa tradicional e estarem céticos em relação à metodologia de Rapaille, o pesquisador convenceu a empresa que poderia ajudá-los a entender melhor a relação emocional de seus clientes com o Jeep.

A pesquisa foi realizada em três fases. Durante a primeira hora, Rapaille informou os participantes de que era um visitante de outro planeta e que nunca vira um Jeep. Ele pediu aos membros do grupo que explicassem a um extraterrestre o que era um Jeep e como era usado. Durante a segunda hora, os participantes realizaram colagens sobre o Jeep usando tesouras e figuras recortadas de revistas. Durante a última hora, os membros do grupo deitaram no chão com travesseiros enquanto uma música relaxante tocava ao fundo e as luzes eram parcialmente obscurecidas. Nesse ambiente, foi solicitado que os participantes falassem sobre suas primeiras memórias do Jeep.

O objetivo de Rapaille ao utilizar um método qualitativo com múltiplas fases é ir além dos filtros racionais conscientes e alcançar o território mental mais inconsciente e emocional. Várias histórias e imagens sobre o Jeep foram recorrentes entre diversos respondentes: "estar em campo aberto... ir onde carros comuns não vão... dirigir livre dos limites da estrada". Consistentemente com essas histórias, diversos consumidores evocaram a imagem do Oeste Americano e das planícies.

Rapaille retornou ao grupo de executivos céticos da Chrysler e explicou que o "Código" para o Jeep nos Estados Unidos era "Cavalo". Assim, projetar e posicionar o Jeep como um utilitário esportivo seria um erro estratégico. "Os utilitários esportivos não são cavalos. Os cavalos não têm itens de luxo." Os executivos da Chrysler não ficaram impressionados, pois tinham muitas pesquisas que sugeriam que os consumidores queriam outras coisas. Mas Rapaille pediu que testassem sua teoria, convertendo os faróis quadrados do Jeep para redondos. Seu raciocínio era que os cavalos têm olhos redondos, não quadrados.

Quando a Chrysler testou o novo design, a resposta dos consumidores foi imediatamente positiva. As vendas cresceram e a nova aparência do Wrangler se tornou sua característica de maior aceitação no mercado. A empresa também posicionou o carro como um cavalo em sua nova propaganda. Em uma execução da campanha publicitária, um cão cai de um penhasco e se segura em uma árvore. Uma criança corre pedindo socorro, passando por vários veículos até chegar a um Jeep Wrangler. Nesse anúncio "o produto enquanto herói", o Jeep é capaz de trabalhar o terreno difícil e resgatar o cão. Como um herói de faroeste, o Jeep parte em direção ao pôr do sol antes que a criança possa agradecer ao motorista. A campanha foi um sucesso enorme para a Jeep.[1]

# O valor da pesquisa qualitativa

A gerência muitas vezes enfrenta situações problemáticas em que as perguntas importantes não podem ser trabalhadas ou resolvidas adequadamente com informações secundárias, mas apenas com a coleta de dados primários. Lembre-se de que os dados primários costumam ser coletados com o uso de um conjunto de procedimentos sistemáticos nos quais os pesquisadores observam ou fazem perguntas a indivíduos e registram seus achados. O método pode envolver pesquisas qualitativas e/ou quantitativas (estudaremos a diferença entre elas neste capítulo). À medida que avançamos pela Etapa II do processo de pesquisa (Selecionar uma concepção de pesquisa adequada), a atenção pode passar dos dados secundários para a coleta de dados primários. Este capítulo começa uma série de capítulos que discutem concepções de pesquisa usadas na coleta de dados primários. Como observado em capítulos anteriores, os objetivos de pesquisa e requisitos de informação são essenciais para determinar o tipo de concepção de pesquisa adequado para a coleta de dados. Por exemplo, a pesquisa qualitativa em geral é usada em concepções de pesquisa exploratórias quando os objetivos são coletar informações acessórias, esclarecer os problemas de pesquisa e criar hipóteses ou estabelecer prioridades de pesquisa. Depois disso, a pesquisa quantitativa pode ser usada para dar seguimento e quantificar os achados qualitativos.

Os resultados de pesquisas qualitativas podem ser suficientes em certas situações. Por exemplo, se a pesquisa foi concebida para avaliar as reações dos clientes a diferentes abordagens publicitárias enquanto os anúncios ainda estão na fase de *storyboarding*, a pesquisa qualitativa é eficaz. A pesquisa qualitativa também pode ser suficiente quando o *feedback* dos grupos focais ou das entrevistas em profundidade é consistente, como quando é extremamente favorável (ou desfavorável) a um novo conceito de produto. Por último, alguns temas são mais bem estudados com pesquisas qualitativas. Isso vale especialmente para comportamentos complexos por parte de consumidores que podem ser afetados por fatores difíceis de reduzir a números, como escolhas de consumidores e experiências que envolvam influências culturais, familiares e psicológicas, difíceis de entender com métodos quantitativos.

Ocasionalmente, a pesquisa qualitativa é conduzida como seguimento da quantitativa. Isso acontece quando os achados quantitativos são contraditórios ou ambíguos e não respondem completamente as perguntas da pesquisa. Este capítulo começa com um panorama dos três principais tipos de concepção de pesquisa. A seguir, introduzimos diversos métodos de pesquisa qualitativa empregados em concepções de pesquisa exploratórias. O capítulo se encerra com uma análise sobre a observação, que pode ser coletada e analisada qualitativa ou quantitativamente, e como esta é utilizada pelos pesquisadores de marketing.

## Panorama das concepções de pesquisa

Lembre-se de que os três principais tipos de concepção de pesquisa são a exploratória, a descritiva e a causal. Cada tipo de concepção possui um objetivo diferente. O objetivo da pesquisa exploratória é descobrir ideias e *insights* para ajudar a entender o problema. Se a Apple sofresse uma queda inesperada nas vendas do iPhone, a empresa poderia conduzir uma pesquisa exploratória com uma pequena amostra de clientes atuais e potenciais, ou minerar conversas em blogs e *sites* de mídias sociais na Internet para identificar algumas explicações plausíveis. Essas ações ajudariam a Apple a definir melhor o real problema enfrentado.

O objetivo da pesquisa descritiva é coletar informações que respondem a perguntas da pesquisa. Por exemplo, a Coca-Cola usaria pesquisas descritivas para descobrir a idade e o gênero dos indivíduos que compram diferentes marcas de refrigerantes, a frequência com a qual os consomem e em que situações, quais são suas marcas favoritas de refrigerante e o porquê, e assim por diante. Pesquisas desse tipo permitem que as empresas reconheçam tendências, testem hipóteses sobre relações entre variáveis e, em última análise, encontrem maneiras de resolver problemas de marketing identificados anteriormente. A pesquisa descritiva também é empregada para confirmar os achados de estudos exploratórios baseados em pesquisas secundárias ou grupos focais.

O objetivo da pesquisa causal é testar relações de causa e efeito entre variáveis de marketing definidas especificamente. Para tanto, o pesquisador deve definir explicitamente a pergunta de pesquisa e as variáveis. Exemplos de projetos de pesquisa causal seriam testar as seguintes hipóteses: "Lançar um novo energético não reduziria as vendas das marcas atuais de refrigerantes da Coca-Cola". "Usar anúncios humorísticos para Apple Macs *versus* PCs melhoraria a imagem dos produtos da Apple em geral". "Um aumento de 10% no preço dos tênis da Nike não teria um impacto significativo nas vendas".

Dependendo do objetivo da pesquisa, os pesquisadores de marketing utilizam os três tipos de concepção. Neste capítulo, enfocaremos as concepções exploratórias. Nos capítulos seguintes, analisaremos mais detidamente as concepções descritivas e causais.

## Panorama de métodos de pesquisa qualitativos e quantitativos

Existem diferenças entre as abordagens qualitativas e quantitativas, mas todos os pesquisadores interpretam dados e contam histórias sobre os temas de pesquisa que estudam.[2] Antes de discutirmos as técnicas qualitativas usadas em pesquisas exploratórias, resumimos as principais diferenças entre pesquisas qualitativas e quantitativas. Os fatores listados na Figura 4.1 resumem as principais diferenças. Leia a figura com calma.

**Figura 4.1** **Principais diferenças entre pesquisas qualitativas e quantitativas.**

| Fator | Métodos qualitativos | Métodos quantitativos |
|---|---|---|
| Metas/Objetivos | Descoberta/identificação de novas ideias, pensamentos e sentimentos; compreensão preliminar de relações; entendimento de processos psicológicos e sociais ocultos | Validação de fatos, estimativas, relacionamentos |
| Tipo de pesquisa | Exploratória | Descritiva e causal |
| Tipo de pergunta | Aberta, não estruturada, investigativa | Em geral, estruturada |
| Tempo de execução | Período de tempo relativamente curto | Em geral, período de tempo significativamente maior |
| Representatividade | Pequenas amostras, apenas indivíduos amostrados | Grandes amostras, com amostragem correta pode representar a população |
| Tipo de análise | Debriefing, subjetiva, análise de conteúdo, interpretativa | Estatística, descritiva, previsões causais |
| Habilidades do pesquisador | Comunicação interpessoal, observação, interpretação de texto ou dados visuais | Análise estatística, interpretação de números |
| Generalizabilidade | Limitada | Normalmente muito boa, pode inferir fatos e relações |

## Métodos de pesquisa quantitativos

A **pesquisa quantitativa*** usa perguntas formais e opções de resposta predeterminadas em questionários administrados a grandes quantidades de respondentes. Por exemplo, a J. D. Power and Associates conduz levantamentos de satisfação de clientes por correio entre compradores de carros novos, enquanto a American Express usa entrevistas por telefone para completar levantamentos nacionais sobre comportamento de viagem. Com métodos quantitativos, os problemas de pesquisa são específicos e bem definidos e o tomador de decisões e o pesquisador concordam sobre as necessidades informacionais exatas.

Os métodos de pesquisa quantitativa são mais usados com concepções de pesquisa descritivas e causais, mas às vezes estão associados a concepções exploratórias. Por exemplo, um pesquisador pode pilotar itens de teste em um questionário para ver como eles se relacionam com um construto antes de incluí-los em um estudo maior. As técnicas de análise quantitativa podem ser aplicadas a dados qualitativos (p.ex.: textos, imagens ou vídeos). Esses projetos são exploratórios, pois buscam detectar e mensurar problemas ou sucessos iniciais com produtos, serviços ou esforços de comunicação de marketing.

Os principais objetivos da pesquisa quantitativa são obter informações para (1) realizar previsões precisas sobre relações entre comportamentos e fatores de mercado, (2) descobrir fatos novos significativos sobre tais relações, (3) validar relações e

* N. de E.: Para uma definição completa dos termos em negrito, veja o Glossário ao final do livro.

(4) testar hipóteses. Os pesquisadores quantitativos são treinados no desenvolvimento de construtos, na mensuração de escalas, na criação de questionários, na amostragem e na análise de dados estatísticos. Os pesquisadores de marketing cada vez mais aprendem a transformar dados qualitativos de conversações *online* em medidas analíticas quantitativas. Trabalharemos essa categoria especial de técnicas quantitativas sob o tema da observação mais adiante neste capítulo. Além disso, os pesquisadores quantitativos devem ser capazes de traduzir dados numéricos em informações narrativas com sentido, contando uma história convincente e apoiada pelos dados. Os métodos quantitativos muitas vezes são estatisticamente projetáveis à população-alvo de interesse.

## Métodos de pesquisa qualitativos

Dados qualitativos consistem em textos, imagens, áudio ou vídeo. Os dados podem ocorrer naturalmente (p.ex.: blog na Internet, *sites* de resenhas de produtos) ou ser coletados de respostas a perguntas abertas dos pesquisadores. Os dados qualitativos podem ser analisados qualitativa ou quantitativamente, mas, nesta seção, enfocaremos a análise qualitativa. Apesar de a coleta e a análise de dados de pesquisa qualitativos poderem ser cuidadosas e rigorosas, a maioria dos profissionais considera a pesquisa qualitativa como menos confiável que a quantitativa. Entretanto, a **pesquisa qualitativa** consegue fazer investigações mais profundas. Os pesquisadores qualitativos buscam compreender os participantes da pesquisa, não encaixar suas respostas em categorias predeterminadas sem espaço para qualificar ou explicar suas escolhas. Assim, a pesquisa qualitativa em geral descobre achados e reações que não eram antecipados. Assim, um dos objetivos comuns é fazer descobertas preliminares sobre os problemas de pesquisa. Essas descobertas preliminares às vezes são seguidas com pesquisas quantitativas que verificam os achados qualitativos.

Outra utilidade da pesquisa qualitativa é sondar com mais profundidade de áreas que a pesquisa quantitativa pode ser superficial demais para acessar, como as motivações subconscientes dos consumidores.[3] A pesquisa qualitativa permite que pesquisadores e clientes se aproximem dos consumidores atuais e potenciais mais do que a quantitativa. Por exemplo, transcrições textuais e de vídeo permitem que os participantes falem e sejam ouvidos com suas próprias palavras no relatório do pesquisador.

Os pesquisadores qualitativos em geral coletam dados detalhados de amostras relativamente pequenas, fazendo perguntas ou observando comportamentos. Os pesquisadores treinados em comunicação interpessoal ou habilidades interpretativas usam perguntas abertas e outros materiais para facilitar a sondagem aprofundada dos pensamentos dos participantes. Algumas pesquisas qualitativas envolvem a análise de dados "encontrados", ou texto existente. Por exemplo, os pesquisadores qualitativos que quiserem entender melhor a cultura de consumidores adolescentes poderiam analisar uma amostra de posts em mídias sociais criados por adolescentes. Na maioria dos casos, os dados qualitativos são coletados em períodos de tempo relativamente curtos. A análise de dados normalmente envolve análise de conteúdo e interpretação. Para elevar a confiabilidade e a fidedignidade da interpretação, os pesquisadores seguem abordagens consistentes muito bem documentadas.

O formato semiestruturado das perguntas e as amostras pequenas limitam a capacidade do pesquisador de generalizar os dados qualitativos para toda a população. Ainda assim, os dados qualitativos têm usos importantes na identificação e na compreensão dos problemas de negócios. Por exemplo, os dados qualitativos podem ser valiosíssimos ao oferecerem aos pesquisadores ideias iniciais sobre problemas ou oportunidades específicas, teorias e relações, variáveis ou concepção de escalas de mensuração. Finalmente, a pesquisa qualitativa pode ser superior para o estudo de temas que envolvem motivações psicológicas complexas que não podem ser reduzidas com facilidade a formatos de levantamento e análises quantitativas.

Os métodos de pesquisa qualitativos possuem diversas vantagens. A Figura 4.2 resume as principais vantagens e desvantagens da pesquisa qualitativa. Uma vantagem da pesquisa qualitativa, em especial dos grupos focais e entrevistas em profundidade, é que ela pode ser concluída com relativa velocidade. Devido em parte ao uso de amostras menores, os pesquisadores podem completar suas investigações em menos tempo e com custo significativamente menor do que acontece com métodos quantitativos. Outra vantagem é a riqueza dos dados. A abordagem não estruturada das técnicas qualitativas permite que os pesquisadores coletem dados aprofundados sobre as atitudes, crenças, emoções e percepções dos respondentes, as quais podem ser fortes influências sobre seus comportamentos enquanto consumidores.

A riqueza dos dados qualitativos em geral pode suplementar os fatos coletados por outras técnicas de coleta de dados primários. As técnicas qualitativas permitem que os tomadores de decisão tenham experiências em primeira mão com os clientes e podem fornecer informações reveladoras em seu contexto. Por exemplo, um estudo etnográfico de tradições do Dia de Ação de Graças conduzido nos lares de consumidores durante as celebrações descobriu que o termo "caseiro" costuma ser aplicado a pratos que não são preparados do zero, mas sim que usam pelo menos alguns ingredientes pré-fabricados e de marca.[4]

Os métodos de pesquisa qualitativos costumam fornecer descobertas preliminares, úteis para desenvolver ideais sobre como as variáveis se relacionam. Do mesmo modo, a pesquisa qualitativa pode ajudar a definir construtos ou variáveis e sugerir itens que podem ser usados para medir tais construtos. Por exemplo, antes de conseguirem medir a percepção de qualidade da experiência de compras *online* da perspectiva de seus clientes, os varejistas precisam determinar que fatores ou dimensões são

**Figura 4.2** **Vantagens e desvantagens da pesquisa qualitativa.**

| Vantagens da pesquisa qualitativa | Desvantagens da pesquisa qualitativa |
|---|---|
| Exceto pela etnografia, dados podem ser coletados com relativa velocidade ou pode já existir na forma de conversas que ocorrem naturalmente na Internet | Falta de generalizabilidade |
| Riqueza dos dados | Dificuldade em estimar a magnitude dos fenômenos sendo investigados |
| Precisão de registro de comportamentos no mercado (validade) | Baixa confiabilidade |
| Ideias preliminares sobre construção de modelos e escalas de mensuração | Dificuldade em encontrar investigadores, entrevistadores e observadores treinados |
| Ideias de pesquisadores qualitativos com treinamento em ciências sociais e comportamentais | Dependência de habilidades de interpretação subjetivas do pesquisador qualitativo |

importantes para os clientes quando eles fazem compras *online*. Os dados qualitativos também têm um papel importante na identificação de problemas e oportunidades de marketing. As informações em profundidade aumentam a capacidade do pesquisador de entender o comportamento do consumidor. Finalmente, muitos pesquisadores qualitativos têm formação em ciências sociais, como sociologia, antropologia ou psicologia, o que permite que tragam conhecimento de teorias de suas disciplinas que aprimoram a interpretação de dados. Por exemplo, um estudo dos hábitos de higiene pessoal de jovens adultos realizado por um antropólogo descrevia o comportamento como "mágica ritual".[5] A herança da psicologia e da psiquiatria no desenvolvimento de técnicas qualitativas é vista na ênfase em motivações subconscientes e no uso de técnicas de sondagem para descoberta de motivos.[6]

Apesar de a pesquisa qualitativa produzir informações úteis, ela possui algumas desvantagens potenciais, incluindo amostras pequenas e a necessidade de entrevistadores e observadores treinados. O tamanho da amostra em um estudo qualitativo pode ser de até 10 participantes (entrevistas individuais em profundidade) e raramente ultrapassa 60 (o número de participantes em 5-6 grupos focais). Às vezes as empresas realizam estudos qualitativos em larga escala envolvendo milhares de entrevistas em profundidade e centenas de grupos focais, como a Forrester Research fez para apoiar o desenvolvimento de sua consultoria de e-commerce,[7] mas essa é a exceção, não a regra. Apesar de os pesquisadores selecionarem os respondentes a dedo para representarem sua população-alvo, as amostras resultantes não são representativas no sentido estatístico da palavra. Os pesquisadores qualitativos enfatizam que suas amostras são compostas de consumidores "relevantes", não representativos. A falta de representatividade da população-alvo definida pode limitar o uso de informações qualitativas na hora de selecionar e implementar estratégias de ação finais.

## Métodos de coleta de dados qualitativos

Diversas abordagens podem ser usadas para coletar dados qualitativos. Os grupos focais são o método de pesquisa qualitativa mais usado (ver Figura 4.3), mas o uso de técnicas projetivas, etnografia e técnicas semelhantes tem crescido nos últimos anos.

### Entrevistas em profundidade

A **entrevista em profundidade** (EEP), também conhecida como entrevista "aprofundada" ou "um a um", envolve um entrevistador treinado que faz um conjunto de perguntas semiestruturadas e de sondagem a um respondente, em geral em uma situação presencial. A situação mais comum para esse tipo de entrevista é a casa ou o escritório do respondente, ou algum tipo de centro de entrevistas conveniente. Algumas empresas de pesquisa utilizam técnicas híbridas de entrevista em profundidade, combinando entrevista por telefone e via Internet. Nesses casos, a conversa pode se estender por vários dias, dando aos participantes mais tempo para considerar suas respostas.[8] O uso da Internet também permite que os consumidores sejam expostos a estímulos sonoros e visuais, o que supera uma limitação importante das entrevistas por telefone. Dois outros métodos de EEP emergiram nos últimos anos: EEPs *online* com webcams e *chat* por texto *online*.

Uma característica especial das entrevistas em profundidade é que o entrevistador usa perguntas de sondagem para suscitar informações mais detalhadas sobre

**Figura 4.3** **Porcentagem de fornecedores de pesquisas e clientes que já utilizam métodos de coleta de dados qualitativos, 2011.**

| **Método** | **Porcentagem** |
|---|---|
| Grupos focais presenciais tradicionais | 84 |
| Entrevistas em profundidade (EPs) presenciais tradicionais | 62 |
| EPs telefônicas | 48 |
| Etnografia | 43 |
| Observação em loja | 37 |
| Estudos com quadro de avisos | 28 |
| Grupos focais *online* com *chats* | 25 |
| Grupos focais *online* com webcams | 23 |
| Grupos focais/entrevistas com comunidades *online* | 22 |
| Monitoramento de blogs | 19 |
| Móvel (p.ex.: diários, imagens, vídeo) | 17 |
| Grupos focais telefônicos | 16 |
| Comunidades *Online* de Pesquisa de Marketing (MROCs) | 16 |
| EPs *online* com webcams | 15 |
| EPs com *chats* | 15 |
| Outros métodos qualitativos | 5 |

**Fonte:** Greenbook Research Industry Trends 2011 Report, **www.greenbook.org**, acessado em dezembro de 2011, p. 17.

um tema. Ao transformar a resposta inicial do respondente em uma nova pergunta, o entrevistador encoraja o respondente a explicar melhor sua resposta original, criando oportunidades naturais para discussões mais detalhadas sobre o tema. Uma regra geral é que quanto mais o indivíduo falar sobre um tema, maior sua probabilidade de revelar atitudes, motivos, emoções e comportamentos subjacentes.

As principais vantagens das entrevistas em profundidade em relação aos grupos focais incluem: (1) muito mais detalhes podem ser descobertos ao se concentrar em um participante de cada vez; (2) menor probabilidade dos participantes responderem de maneira socialmente desejável, pois não há outros participantes a serem impressionados; e (3) menos conversa cruzada que pode inibir a participação de algumas pessoas em grupos focais. As entrevistas em profundidade são uma abordagem especialmente boa em conjunto com técnicas projetivas, que são discutidas em uma parte posterior deste capítulo.

**Habilidades necessárias para conduzir entrevistas em profundidade** Para que as entrevistas em profundidade tenham sucesso, os entrevistadores precisam ter excelentes habilidades de comunicação e audição. As habilidades de comunicação interpessoal mais importantes incluem a capacidade do entrevistador de fazer perguntas claras e diretas para que os respondentes entendam a que estão respondendo. As habilidades de audição incluem a capacidade de ouvir, registrar e interpretar com precisão as respostas. A maioria dos entrevistadores pede permissão do respondente para gravar a entrevista em vez de depender exclusivamente de suas próprias anotações.

Sem excelentes habilidades de sondagem, os entrevistadores podem deixar que a conversa sobre um determinado tema acabe antes que todas as informações potenciais sejam reveladas. A maioria dos entrevistadores precisa treinar a realização de perguntas de sondagem de qualidade. Por exemplo, entrevistas em profundidade com estudantes de administração sobre o que querem em suas disciplinas costuma revelar que "projetos no mundo real" são importantes ferramentas de aprendizagem. Mas o que eles querem dizer por "projetos no mundo real"? O que, especificamente, transforma esses projetos em boas experiências de aprendizagem? Que tipos de projetos têm mais chances de serem chamados de "projetos no mundo real"? É preciso tempo e esforço para suscitar as respostas dos participantes, e encerrar uma sequência de perguntas relativamente cedo, como é a tendência de nossas conversas no dia a dia, não funciona bem nas entrevistas em profundidade.

As habilidades interpretativas se referem à capacidade do entrevistador de entender corretamente as respostas que recebe. As habilidades interpretativas são importantes para transformar dados em informações utilizáveis. Finalmente, a personalidade do entrevistador tem um papel importante no estabelecimento de uma "zona de conforto" para respondentes durante o processo. Os entrevistadores devem ser serenos, flexíveis, profissionais e dignos de confiança. Os participantes que se sentem à vontade com os entrevistadores possuem maior probabilidade de revelar suas atitudes, sentimentos, motivações e comportamentos.

**Passos da condução de entrevistas em profundidade** O planejamento e a condução de entrevistas em profundidade inclui diversos passos. A Figura 4.4 destaca esses passos. Observe a Figura 4.4 enquanto concluímos esta breve discussão sobre a entrevista em profundidade.

## Entrevistas em grupos focais

O método de pesquisa qualitativa mais usado em marketing é o grupo focal, às vezes chamado de grupo de foco ou entrevista grupal em profundidade. A entrevista em grupo focal tem sua origem nas ciências do comportamento. A **pesquisa de grupo focal** envolve a reunião de pequenos grupos de pessoas para uma conversa interativa e espontânea sobre um determinado tema ou conceito. Os grupos focais em geral consistem em 8-12 participantes, orientados por um moderador profissional em uma discussão semiestruturada que costuma durar cerca de duas horas. Ao encorajar os membros do grupo a conversar em detalhe sobre um certo assunto, o moderador extrai tantas ideias, atitudes e experiências quanto possível sobre o tema especificado. A ideia fundamental por trás da abordagem de grupo focal é que a resposta de um indivíduo provocará comentários de outros membros, assim criando sinergia entre os participantes.

**Figura 4.4** **Passos na condução de entrevistas em profundidade.**

| Passos | Descrição e comentários |
|---|---|
| Passo 1: | **Entender perguntas/problemas iniciais**<br>• Definir as perguntas e situações problemas de situação da gerência.<br>• Desenvolver diálogos com tomadores de decisão que foquem a produção de clareza e entendimento do problema de pesquisa. |
| Passo 2: | **Criar conjunto de perguntas de pesquisa**<br>• Desenvolver um conjunto de perguntas de pesquisa (ou guia de entrevista) que foque os principais elementos das perguntas ou problemas.<br>• Organizar o fluxo lógico, passando do "geral" para o "específico" dentro de cada área. |
| Passo 3: | **Decidir sobre melhor ambiente para conduzir a entrevista**<br>• Determinar o melhor local para a entrevista com base nas características dos participantes e selecionar um cenário relaxado e confortável para a entrevista.<br>• O cenário deve facilitar a realização de conversas privadas, sem distrações externas. |
| Passo 4: | **Selecionar e filtrar respondentes**<br>• Selecionar participantes por meio de critérios específicos para a situação sendo estudada.<br>• Filtrar os participantes para assegurar que eles atendem a um conjunto de critérios específicos. |
| Passo 5: | **Respondentes são recebidos, recebem orientações para entrevista e relaxam**<br>• O entrevistador se encontra com o participante e fornece as diretrizes introdutórias apropriadas para o processo de entrevista.<br>• Obter permissão para gravar vídeo e/ou áudio da entrevista.<br>• Usar os primeiros minutos anteriores ao começo do processo de entrevista para criar uma "zona de conforto" para o respondente por meio de perguntas de aquecimento.<br>• Começar a entrevista com as primeiras perguntas de pesquisa. |
| Passo 6: | **Conduzir a entrevista em profundidade**<br>• Usar perguntas de sondagem para obter do participante todos os detalhes possíveis sobre o tema antes de passar para a próxima pergunta.<br>• Depois do encerramento da entrevista, agradecer os respondentes pela participação, realizar debriefing quando necessário e distribuir incentivos. |
| Passo 7: | **Analisar as respostas narrativas do respondente**<br>• Resumir as impressões iniciais após cada entrevista. Anotar especialmente os temas e as ideias que poderão ser usados posteriormente na codificação das transcrições, processo conhecido como *memoing*.<br>• Dar seguimento a respostas interessantes que apareçam em uma entrevista com a adição de perguntas a entrevistas futuras.<br>• Depois que todos os dados foram coletados, codificar as transcrições de todos os participantes com a categorização das respostas. |
| Passo 8: | **Escrever relatório sumário dos resultados**<br>• Prepara-se relatório sumário.<br>• O relatório é semelhante a escrever um relatório para um grupo focal. |

Além do método presencial tradicional, os grupos focais hoje também são conduzidos *online*. Esses grupos podem se basear em recursos de texto ou de vídeo. Os grupos baseados em texto se assemelham a salas de *chat*, mas com alguns aprimoramentos. Por exemplo, os moderadores podem usar demonstrações de vídeo ou "forçar" que os navegadores dos participantes abram determinados *sites*. Assim, os grupos focais *online* são especialmente apropriados para anúncios de produtos e serviços na web, pois estes são testados em seus ambientes naturais.

Os grupos focais *online* também podem ser conduzidos de maneira relativamente rápida devido à facilidade de participação e porque a transcrição da conversa é produzida automaticamente durante a seção. Apesar de a linguagem corporal não poder ser avaliada em grupos focais *online* baseados em texto e as perguntas de seguimento serem um pouco mais difíceis do que nos grupos focais 3D ou *offline* tradicionais, os grupos focais *online* têm suas vantagens. O *software* consegue desacelerar as respostas de participantes mais dominantes, dando a todos a oportunidade de participar. Populações de baixa incidência são mais fáceis de encontrar *online*, é possível selecionar amostras com maior diversidade geográficas, os índices de respostas podem ser maiores (devido à conveniência para os participantes, que podem usar seus computadores em qualquer lugar) e as respostas costumam ser mais honestas (pois há menos pressão social quando os participantes não estão fisicamente no mesmo local).[9] Um estudo que comparou grupos focais *offline* e *online* revelou que, embora os comentários fossem mais breves na Internet, eles também eram mais variados e engraçados, sugerindo que os participantes estão mais à vontade no ambiente *online*.[10]

Uma variante do grupo focal *online* é o formato de **quadro de avisos**. Nesse formato, os participantes concordam em responder durante um período de quatro a cinco dias. O moderador posta perguntas e administra a conversa, que se desenrola durante vários dias. O formato permite a participação de pessoas que não poderiam em outras circunstâncias, sendo muito útil para grupos específicos difíceis de recrutar, como agentes de compra, executivos ou profissionais de saúde.

A principal desvantagem dos grupos focais *online* baseados em texto é a falta de interação pessoal. Assim, alguns fornecedores de grupos focais *online* começaram a oferecer formatos de vídeo. Um exemplo é a QualVu (**www.qualvu.com**), empresa que oferece um formato chamado VideoDiary. O VideoDiary se assemelha a um fórum, no qual moderadores e participantes registram suas perguntas e respostas, resultando em um diálogo visual estendido. As respostas em vídeo têm duração média de 3,5 minutos e são descritas como "ricas e francas".[11] Os pesquisadores postam textos, imagens ou vídeos para o acesso dos participantes. A QualVu também oferece transcrição de fala para texto, criação de clipes de vídeo e um sistema de anotações. Com as ferramentas disponibilizadas pela QualVu, os pesquisadores facilmente criam uma *playlist* de vídeo integrada a relatórios em PowerPoint a ser apresentada pessoalmente ou *online*.

**Conduzindo entrevistas em grupos focais** Não existe uma abordagem única que seja usada por todos os pesquisadores, mas as entrevistas em grupos focais tendem a se dividir em três fases: planejamento do estudo, condução das conversas em grupos focais e análise e apresentação dos resultados (ver Figura 4.5).

## Fase 1: planejando o estudo de grupo focal

A fase de planejamento é importante para o sucesso dos grupos focais. Nessa fase, os pesquisadores e tomadores de decisão precisam ter um entendimento claro do

**Figura 4.5** **Processo em três fases para desenvolvimento de uma entrevista em grupo focal.**

**Fase 1: planejando o estudo de grupo focal**

- O pesquisador deve entender o objetivo do estudo, a definição do problema e os requisitos de dados específicos.
- As principais decisões são quem serão os participantes apropriados, como selecionar e recrutar participantes, quantos grupos focais serão conduzidos e onde realizar as sessões.

**Fase 2: conduzindo as discussões do grupo focal**

- Desenvolve-se um guia do moderador, que delineia os temas e perguntas a serem usados.
- As perguntas são feitas, incluindo sondagem de seguimento.
- O moderador certifica-se que todos os participantes contribuíram.

**Fase 3: analisando e apresentando os resultados**

- Pesquisador realiza debriefing com todos os principais envolvidos para comparar anotações.
- Os dados obtidos com os participantes são analisados por meio de análise de conteúdo.
- Um relatório formal é preparado e apresentado.

objetivo do estudo, da definição do problema e dos requisitos de dados específicos. Em última análise, o propósito dos grupos focais determina qual será o método mais apropriado, grupos presenciais ou *online*. Outros fatores importantes na fase de planejamento estão relacionados com as decisões sobre quem deve participar, como selecionar e recrutar respondentes e onde realizar as sessões dos grupos focais.

**Participantes de grupos focais** Ao decidir quem deve ser incluído como participante em um grupo focal, os pesquisadores devem considerar o objetivo do estudo, além de quem melhor forneceria as informações necessárias. O primeiro passo é considerar todos os tipos de participantes que devem ser representados no estudo. Fatores demográficos como idade, gênero e comportamentos relativos ao produto, como comportamento de compra e uso, costumam ser considerados no plano de amostragem. O objetivo é escolher o tipo de indivíduo que melhor representa a população-alvo em pauta. Dependendo do projeto de pesquisa, a população-alvo pode incluir *heavy users*, líderes de opinião ou consumidores que estão considerando a compra do produto, por exemplo.

O número de grupos conduzidos em geral aumenta com o número de variáveis de participantes (por exemplo, idade e área geográfica) de interesse. A maioria dos problemas de pesquisa pode ser coberta com 4-8 grupos. É raro que o uso de mais de 10 grupos revele novas informações sobre um mesmo assunto. Apesar de alguma diferença de opinião entre participantes ser desejável, pois facilita a conversa, os participantes devem ser divididos em grupos separados quando as diferenças criarem a probabilidade das opiniões serem ocultadas ou modificadas. Por exemplo, incluir a alta gerência com a gerência média no mesmo grupo focal de funcionários pode inibir a discussão. Do mesmo modo, múltiplos grupos são usados para obter informações de diferentes segmentos de mercado. Dependendo do tema em pauta, os pontos em comum desejáveis entre os participantes podem incluir emprego, formação acadêmica, renda, idade e gênero.

**Seleção e recrutamento de participantes** A seleção e o recrutamento dos participantes apropriados são importantes para o sucesso de qualquer grupo focal. A composição geral da população-alvo precisa estar representada nos grupos focais.

Ao selecionar participantes para um grupo focal, o pesquisador deve antes desenvolver uma abordagem de filtro que especifique quais características os respondentes devem ter para estarem qualificados para participação. As primeiras perguntas são projetadas para eliminar indivíduos que possam realizar comentários tendenciosos na discussão ou informar os resultados a concorrentes. As próximas perguntas garantem que os respondentes potenciais atendem os critérios demográficos e podem participar no horário marcado. Uma última pergunta aberta é usada para avaliar a disposição e a capacidade do indivíduo de falar (ou responder *online*) abertamente sobre um determinado tema. A pergunta está relacionada ao tema geral dos grupos focais e permite que os respondentes potenciais demonstrem suas habilidades de comunicação.

Os pesquisadores também devem escolher um método para contatar participantes potenciais. É possível usar listas de participantes potenciais fornecidas pela empresa que patrocina o projeto de pesquisa ou uma empresa de triagem especializada em entrevistas em grupos focais, ou adquiridas de um fornecedor de listas. Outros métodos incluem amostragem bola de neve, triagem aleatória por telefone e publicação de anúncios em jornais, em quadros de avisos ou na Internet.

Como amostras pequenas são naturalmente irrepresentativas, em geral não é possível recrutar uma amostra aleatória para métodos qualitativos. Assim, os pesquisadores selecionam membros segundo um propósito ou teoria. A **amostragem proposital** envolve a seleção de membros para a amostra devido a características especiais. Por exemplo, os membros podem ser escolhidos por serem típicos de sua categoria, ou por serem extremos (por exemplo, heavy users ou líderes de opinião). Uma **amostra proposital estratificada** pode ser escolhida para que membros de diversos grupos (por exemplo, consumidores de alta e baixa renda) sejam incluídos ou para permitir comparações entre grupos. A **amostragem teórica** ocorre quando entrevistas anteriores sugerem participantes potencialmente interessantes que não haviam sido considerados inicialmente no plano de amostragem. Por exemplo, se conversas com pais revelarem que adolescentes costumam opinar sobre compras tecnológicas para o lar, pode ser interessante acrescentar um grupo focal com adolescentes ao plano de pesquisa.

**Tamanho do grupo focal** A maioria dos especialistas concorda que o número ideal de participantes em uma entrevista em grupo focal presencial é de 10 a 12. Qualquer número menor do que oito provavelmente não gerará sinergia entre os participantes. Por outro lado, um número muito grande de participantes pode facilmente limitar a oportunidade de cada indivíduo de contribuir com suas ideias e observações. Os recrutadores podem qualificar mais de 12 participantes para um grupo focal porque alguém sempre falta. No entanto, se mais de 12 aparecem, alguns participantes são pagos e mandados embora para que o grupo não fique grande demais.

**Local do grupo focal** Os grupos focais presenciais podem se reunir na sala de conferências do cliente, na casa do moderador, na sala de reuniões de uma igreja ou organização cívica, na sala de reuniões de um escritório ou de um hotel, entre outros. Apesar de todos os lugares acima serem aceitáveis, na maior parte dos casos o melhor local seria uma instalação profissional para grupos focais. Normalmente, a sala possui uma mesa grande e cadeiras confortáveis para até 13 pessoas (12 participantes e um moderador), atmosfera relaxante, equipamento de gravação e um espelho falso que permite que os pesquisadores e o cliente assistam as conversas sem serem vistos. Também fica à disposição equipamento de vídeo digital para registrar os comportamentos de comunicação não verbais dos participantes.

## Fase 2: conduzindo as discussões do grupo focal

O sucesso da sessão de grupo focal presencial depende das habilidades de comunicação, relacionamento, sondagem, observação e interpretação do moderador. O **moderador de grupo focal** deve ser capaz de fazer mais do que as perguntas certas: ele também precisa estimular e controlar a direção das conversas dos participantes por meio de uma gama de temas predeterminados. O moderador é responsável por criar uma dinâmica de grupo positiva e uma zona de conforto entre si e os membros e entre cada membro.

**Preparando um guia do moderador** Para garantir que a sessão real do grupo focal seja produtiva, é preciso preparar um guia do moderador. O **guia do moderador** é uma descrição detalhada dos temas e das perguntas que serão usados para gerar diálogo interativo entre os participantes do grupo. Questões de aprofundamento ou seguimento aparecem no guia para ajudar o moderador a extrair mais informações. O guia do moderador deve ser desenvolvido e utilizado para sessões de grupos focais *online* e presenciais.

Considere modos diferentes de fazer as perguntas e diferentes níveis de generalidade. Uma pergunta comum é o que os participantes acham de uma marca ou produto. Por exemplo, pedir que um grupo focal fale sobre a Mercedes-Benz suscitará comentários sobre a qualidade e o estilo do veículo. Mas o moderador também pode fazer a pergunta de modos inovadores, como "o que a Mercedes-Benz pensa de você?" Essa é uma pergunta que suscita informações muito diferentes, como, por exemplo, que a montadora pensa que os participantes são o tipo de gente disposta a gastar grandes quantias pelo prestígio da marca.[12]

Fazer as perguntas mais importantes de maneiras mais criativas pode extrair informações cruciais. Em um grupo focal sobre a marca de automóveis Oldsmobile, os participantes precisaram responder a seguinte pergunta: "Se o Oldsmobile fosse um animal, que tipo de animal ele seria?" Entre as respostas estavam "cão fiel" e "dinossauro", o que revela algo sobre os desafios enfrentados pela marca. Os participantes também precisaram responder "Que tipo de pessoa dirige um Oldsmobile?" Um participante respondeu "um vendedor de meia-idade" e, quando perguntado onde esse vendedor comprara seu terno, sua resposta foi "[a loja de departamentos] Sears". Mais uma vez, essas respostas a perguntas indiretas sobre a imagem de marca podem revelar mais informações do que as perguntas diretas.

O nível da pergunta também é importante. Por exemplo, perguntar aos participantes suas opiniões sobre transporte, caminhonetes ou carros de luxo resulta em respostas diferentes do que perguntas específicas sobre a Mercedes.[13] O nível das perguntas escolhidas deve ser ditado pelo problema de pesquisa.

**Dando início à sessão** Em grupos focais presenciais, depois que os participantes se sentam, deve haver oportunidade (cerca de 10 minutos) para amenidades, água, sucos e refrigerantes. O objetivo dessas atividades pré-sessão é criar uma ambiente amigável, acolhedor e confortável para que os participantes se sintam à vontade. O moderador deve discutir brevemente as regras da sessão: os participantes devem ouvir que apenas uma pessoa pode falar de cada vez, que a opinião de todos têm valor e que não existem respostas erradas. Se o local inclui um espelho falso ou equipamento de áudio e vídeo, o moderador informa os participantes que estão sendo gravados e que os clientes estão atrás do espelho falso. Às vezes, é solicitado que os membros do grupo se apresentem rapidamente. Essa abordagem quebra o gelo, faz todos os participantes falarem e continua o processo de construção de dinâmicas de grupo positivas e zonas de conforto. Após completar as apresentações e as regras do jogo, o moderador faz a primeira pergunta, desenvolvida para envolver os participantes na conversa.

**Sessão principal** Usando o guia do moderador, a primeira área temática é apresentada aos participantes. Deve ser um tema interessante e fácil de discutir. À medida que a conversa avança, o moderador deve usar perguntas de sondagem para obter todos os detalhes que puder. Se houver uma boa conexão entre os membros do grupo e o moderador, provavelmente não será necessário passar muito tempo fazendo as perguntas selecionadas e recebendo respostas. Em um grupo focal bem conduzido, os participantes interagem e comentam as respostas uns dos outros.

O problema mais enfrentado por moderadores inexperientes é a superficialidade das perguntas. Por exemplo, o moderador de um grupo focal sobre *videogames* poderia perguntar aos participantes "Por que você gosta de jogar?" Uma resposta provável seria "porque é divertido". Se as perguntas param por aí, ninguém aprendeu algo. O moderador deve dar seguimento à pergunta original e questionar exatamente o que torna os *videogames* divertidos. Os participantes talvez precisem de diversas perguntas até que todos expressem as informações relevantes.

Os moderadores podem dar aos participantes exercícios para estimular a conversa. Por exemplo, em um grupo focal sobre compras *online*, os participantes receberam fichas com instruções para escrever seu *site* favorito, junto com três motivos para este ser o favorito. As respostas nos cartões se tornaram a base para conversas adicionais. A associação de palavras também serve para iniciar conversas sobre temas específicos. Por exemplo, os participantes são solicitados a escrever todas as palavras que vêm à mente quando uma empresa, marca ou produto específico é mencionado. O moderador anota as palavras e comentários em um quadro branco para facilitar a interação do grupo com relação às diversas palavras mencionadas pelos participantes.

Os moderadores de grupos focais presenciais devem saber ouvir. Os participantes têm maior probabilidade de se manifestarem quando acham que estão sendo ouvidos e que sua opinião é valorizada. O moderador deve olhar para os participantes enquanto falam e sinalizar com a cabeça, por exemplo, para mostrar que está prestando atenção. Se o moderador olha para os lados ou para o relógio, os participantes sentem que ele não está interessado de verdade no que têm a dizer. Da mesma forma, é muito importante que todos os participantes tenham a oportunidade de falar e impedir que um ou dois indivíduos dominem a conversa. Se alguém fica em silêncio, o moderador deve fazer uma pergunta a essa pessoa e incluí-la na conversa. Em geral, os moderadores não devem interromper alguém e se manter neutros quanto ao tema da discussão. Assim, em uma conversa sobre *videogames*, o moderador não deve indicar sua opinião sobre *videogames* em geral, jogos específicos ou algo mais que influenciaria indevidamente o *feedback* do grupo focal.

Os moderadores têm de enxergar o tema da discussão do ponto de vista dos participantes. Quando um participante oferece *feedback* útil, mas que o deixa desconfortável, os moderadores devem apoiar a revelação e dizer algo como "obrigado por mencionar" ou "isso é muito útil para nós". Abra espaço para opiniões alternativas. Um moderador sempre pode perguntar "alguém tem uma opinião diferente?" para garantir que um tema específico não passe quase despercebido antes de um ponto de vista importante ser manifestado.

**Encerrando a sessão** Depois que todos os temas pré-especificados foram cobertos, é preciso fazer uma pergunta de encerramento aos participantes que os encoraje a expressar suas ideias e opiniões finais. O moderador pode apresentar um panorama final da discussão e depois perguntar aos participantes "estamos deixando algo de lado?" ou "vocês acham que ignoramos algo na conversa?" As respostas a esse tipo de pergunta de encerramento podem revelar algumas ideias que não eram antecipadas. É preciso também agradecer os participantes por sua presença e entregar o presente ou valor prometido como incentivo.

### Fase 3: analisando e apresentando os resultados

**Debriefing** Os pesquisadores e os representantes do cliente devem conduzir o debriefing e as atividades de encerramento assim que possível, logo que os membros do grupo focal deixarem a sessão. A **análise de debriefing** permite que pesquisador, cliente e moderador compararem suas impressões. Os indivíduos que ouviram (ou leram) a discussão precisam comparar suas impressões com as do moderador. O debriefing é importante tanto para grupos focais presenciais quanto para os *online*.

**Análise de conteúdo** Os pesquisadores qualitativos usam análise de conteúdo para criar achados significativos a partir das discussões dos grupos focais. A **análise de conteúdo** exige que o pesquisador revise sistematicamente a transcrição de cada resposta individual e a categorize dentro de uma classificação sistemática maior. Apesar das primeiras reações "de primeira linha" serem compartilhadas durante a sessão de debriefing, a análise mais formal revela maiores detalhes e identifica temas e relações que não foram lembradas e discutidas durante o debriefing. Os grupos focais presenciais precisam que as transcrições sejam convertidas para formato eletrônico, mas os grupos *online* já ocorrem nesse formato. O *software* é então combinado com as transcrições eletrônicas para identificar e resumir o tema geral e os tópicos do grupo para análises e debates posteriores. A análise de dados qualitativos é discutida em mais detalhes no Capítulo 9.

## Vantagens das entrevistas em grupos focais

As entrevistas em grupos focais têm cinco vantagens principais. Elas estimulam novas ideias, raciocínios e sentimentos sobre um tema; promovem o entendimento de por que os consumidores agem ou se comportam em certas situações de mercado; permitem a participação do cliente; suscitam ampla variedade de respostas dos participantes; e reúnem informantes difíceis de alcançar. Como os membros do grupo interagem entre si, é possível observar o processo de influência social que afeta o comportamento e as atitudes do consumidor. Por exemplo, uma revisão da pesquisa da Coca-Cola sobre a New Coke descobriu que os efeitos de influência social revelados pelos grupos focais eram mais preditivos do fracasso da New Coke do que as entrevistas individuais.[14]

Como acontece com qualquer concepção de pesquisa exploratória, as entrevistas em grupos focais não são um método de pesquisa perfeito. As principais fraquezas dos grupos focais são inerentemente semelhantes a todos os métodos qualitativos: os achados não têm generalizabilidade em relação à população-alvo, a confiabilidade dos dados é limitada e a fidedignidade da interpretação baseia-se nos cuidados e na perspicácia dos pesquisadores. Os grupos focais ainda têm outro problema: a possibilidade da dinâmica de grupo contaminar os resultados. Apesar de a interação entre os participantes fortalecer a pesquisa de grupo focal, também é possível ocorrer pensamento coletivo. O **pensamento coletivo** acontece quando um ou dois membros do grupo focal declaram uma opinião e os outros membros apenas os imitam. O pensamento coletivo é mais provável quando os participantes não têm opiniões formadas anteriores sobre as questões sendo discutidas no grupo.

## Comunidades com propósito específico/comunidades *online* de pesquisa de marketing

As **comunidades com propósito** são redes sociais *online* específicas à pesquisa de marketing, ou então comunidades de marca mais abrangentes cujo propósito principal é marketing, mas que também são utilizadas como fontes de ideias de pesquisa.[15] Por exemplo, MyStarbucksIdea.com é uma comunidade de marca cujo foco principal é produzir novas ideias, mas o *site* também serve para pesquisa.

As **comunidades *online* de pesquisa de marketing (MROCs)** são comunidades com propósito, voltadas à pesquisa. Os clientes e consumidores são recrutados com o objetivo de responder perguntas e interagir com outros participantes da MROC. Nas comunidades *online*, a maioria das pessoas participa porque acredita que conseguirá melhorar os produtos e a comunicação de marketing de marcas ou produtos com os quais se importam. Em algumas comunidades, como na formada por proprietários de motos Harley-Davidson, os indivíduos participam gratuitamente e consideram sua contribuição uma honra.[16] Os participantes se sentem parte de um grupo especial, mais próximo do centro de poder, e sua participação é motivada por incentivos intrínsecos.

As amostras de participantes são escolhidas a dedo por representantes do mercado-alvo relevante, ou então representam fãs dedicados da marca. A Communispace originou MROCs e atualmente opera mais de 500 comunidades para clientes como Procter & Gamble, Kraft Foods, The Home Depot, BP, Novartis, Verizon, Walmart e Godiva Chocolates. Bryan Jones, diretor de *insights de* compradores da PepsiCo, resume os benefícios das MROCs: "Com a evolução da tecnologia, os pesquisadores e profissionais de marketing hoje têm acesso ímpar aos consumidores e a capacidade de comunicar-se com eles em tempo real de forma rápida e eficiente. Pesquisas que custavam dezenas de milhares de dólares e demoravam semanas e meses hoje são completadas em dias ou horas, produzindo *insights* semelhantes por muito menos dinheiro".[17]

Devido aos custos iniciais, a maioria das empresas terceiriza o desenvolvimento de comunidades para um prestador de serviços, mas o *site* leva a marca do cliente. As técnicas estão evoluindo junto com a tecnologia. Cada vez mais se solicita que os participantes de MROCs utilizem smartphones para fornecer *feedback* em tempo real, além de postar fotos e vídeos em suas comunidades. As MROCs podem ser de curto ou longo prazo e envolver pequenos ou grandes números de participantes, desde 25 nos menores até 2.000 nos maiores. A ideia de MROCs de longa duração é controversa, pois há quem acredite que elas sejam mais produtivas quando se concentram em questões específicas por períodos mais breves. Uma desvantagem das MROCs de longo prazo é que a participação na comunidade pode fazer os membros desenvolverem atitudes mais positivas em relação a marcas e produtos com o passar do tempo, gerando um *feedback* cada vez mais positivo.

A EasyJet, companhia aérea econômica europeia, utiliza um MROC com 2.000 clientes desde 2008. A comunidade recebe perguntas sobre diversas questões, incluindo triagem de conceitos, desenvolvimento de produtos e experiência geral do cliente.

De acordo com Sophie Dekker, gerente de pesquisa de clientes da EasyJet, a empresa consegue "conduzir mais pesquisas, para mais áreas do negócio e em menos tempo, mas dentro dos mesmos limites orçamentários".[18] A Godiva Chocolate, por sua vez, utilizava uma amostra de 400 chocólatras, para entender que tipos de produtos e promoções ajudariam a empresa a vender seu chocolate premium em um período econômico ruim. A comunidade fez a Godiva se concentrar em cestos de chocolates de 25 dólares ou menos e desenvolver um pirulito em forma de coração para o Dia dos Namorados, vendido a 5,50 dólares. As participantes da Godiva eram apaixonadas por chocolate: muitas entravam na comunidade todos os dias e participavam em troca de um vale-presente mensal de 10 dólares.[19]

Os membros de MROCs podem ser solicitados a participar de outros projetos de pesquisa, como levantamentos ou etnografia presencial. A etnografia presencial pede aos membros da comunidade que narrem uma emoção (p.ex.: o que o incomoda), um processo (p.ex.: fazer compras em um mercadinho) ou um ritual (jantar de Ação de Graças) usando dispositivos de telefonia móvel. O envolvimento é muito mais limitado do que na etnografia tradicional, mas a etnografia presencial cria observações contextualizadas que seriam muito difíceis ou caras de registrar com outros métodos de pesquisa.[20]

As MROCs de curto prazo duram de duas semanas até três meses, em geral envolvendo de 25 a 300 membros. As MROCs de curto prazo se parecem menos com comunidades devido à curta duração, mas costumam se concentrar mais em questões específicas. Como as MROCs são semelhantes a grupos focais e grupos de quadros de aviso qualitativos tradicionais, ainda que mais atualizados, tais comunidades de curto prazo têm cada vez mais sucesso na concorrência com suas contrapartes mais tradicionais.[21]

## Outros métodos de coleta de dados qualitativos

Além de entrevistas em profundidade, grupos focais e observação, diversos outros métodos de coleta de dados qualitativos são usados pelos pesquisadores de marketing. A seguir, oferecemos um breve panorama desses métodos.

### Etnografia

A maioria dos métodos qualitativos não permite que os pesquisadores vejam os consumidores em seus ambientes naturais. A **etnografia**, por outro lado, é uma forma distinta de coleta de dados qualitativos que busca compreender como influências sociais e culturais afetam o comportamento e as experiências dos indivíduos. Por esse ponto forte exclusivo, a etnografia é cada vez mais usada para ajudar pesquisadores a entender melhor como as tendências culturais influenciam as escolhas dos consumidores. A etnografia registra o comportamento em situações naturais, em geral envolvendo um tipo de experiência prolongada em contextos culturais e subculturais chamada de **observação participante**, e produz relatos de comportamentos que são críveis para as pessoas estudadas e envolvem a triangulação de múltiplas fontes de dados.[22] Por exemplo, um estudo etnográfico sobre *skydiving* (paraquedismo em queda livre) empregou diversos métodos, utilizando a observação de duas áreas de *skydiving* em um período de dois anos, observação participante de um pesquisador que fez mais de 700 saltos durante a pesquisa e entrevistas em profundidade com praticantes do esporte com diversos níveis de experiência.[23]

Não existe um conjunto fixo de ferramentas de coleta de dados na etnografia. A observação participante é bastante usada porque os observadores podem descobrir ideais ao se tornarem parte da cultura ou subcultura que os informantes nem sempre conseguem articular em suas entrevistas, mas algumas perguntas de pesquisa não exigem o envolvimento participativo para se obter respostas. Na *observação não participante*, o pesquisador observa sem entrar nos eventos. Por exemplo, Donna Romero, a antropóloga corporativa da Whirlpool, conduziu um estudo para uma linha de banheiras de hidromassagem de luxo. Romero entrevistou 15 famílias em seus lares e gravou os participantes em suas banheiras (com roupa de banho). Finalmente, Romero pediu aos participantes que criassem um diário de imagens, incluindo fotos pessoais e de revistas. A partir de sua pesquisa, Romero concluiu que o banho é uma "experiência transformadora... é como entrar em contato com o divino por 15 minutos".[24]

## Estudo de Caso

A pesquisa de **estudos de caso** foca um ou poucos casos em profundidade, em vez de estudar muitos apenas superficialmente (como acontece com levantamentos). O caso ou elemento estudado pode ser um processo (por exemplo, a decisão de compra organizacional de itens de alto valor monetário), um domicílio, uma organização, um grupo ou um setor. As decisões de compra em situações de business-to-business são especialmente úteis, pois são feitas por apenas uma ou poucas pessoas. A pesquisa de estudos de caso acompanha o raciocínio do mesmo indivíduo, grupo ou organização com múltiplas entrevistas durante várias semanas, o que permite obter ideias sobre seu raciocínio subconsciente e estudar a interação do grupo com o tempo à medida que problemas, projetos e processos são definidos e redefinidos.

## Técnicas projetivas

As **técnicas projetivas** usam perguntas indiretas para encorajar os participantes a projetar livremente suas crenças e sentimentos sobre situações ou estímulos oferecidos pelo pesquisador. É solicitado que os participantes falem sobre o que "outras pessoas" sentiriam, pensariam ou fariam; interpretem ou produzam figuras; ou projetem-se em situações ambíguas. Os métodos de realização de perguntas indiretas foram projetados para revelar melhor as verdadeiras ideias dos participantes do que as perguntas diretas, pois costumam fazer com que as pessoas deem respostas mais racionais, conscientes e socialmente desejáveis.

As técnicas projetivas foram desenvolvidas por psicólogos clínicos e podem ser usadas em conjunto com grupos focais ou entrevistas em profundidade. Tais técnicas incluem testes de associação de palavras, de completamento de orações, testes com imagens, testes de apercepção temática (TAT), testes com desenhos ou balões, atividades de interpretação de papéis e a Técnica de Indução de Metáforas de Zaltman (ZMET). Os estímulos devem ser suficientemente ambíguos para convidar os participantes individuais a oferecerem suas interpretações, mas ainda devem ser específicos o suficiente para estar associados ao tema em pauta.

A principal desvantagem das técnicas projetivas é sua complexidade de interpretação. São necessários pesquisadores altamente treinados, e eles costumam ser caros. Existe certo grau de subjetividade em todas as análises de pesquisas qualitativas, mas este é ainda mais elevado quando se utiliza técnicas projetivas. A formação e as experiências do pesquisador influenciam a interpretação dos dados coletados por técnicas projetivas.

## Estudo de caso contínuo: Santa Fe Grill

Um consultor corporativo com experiência no setor de restaurantes é contratado pelos proprietários do Santa Fe Grill. Após uma consulta inicial, o consultor recomenda duas áreas que precisavam ser examinadas. A primeira se concentra nas operações do restaurante. As variáveis propostas para investigação incluem:

- Preços cobrados.
- Itens oferecidos no menu.
- Decoração interior e atmosfera.
- Número de clientes no almoço e no jantar.
- Quantia média gasta por cliente.

A segunda área a ser explorada é aprender mais sobre quais fatores os clientes do Santa Fe Grill consideram ao selecionar o restaurante. As variáveis a serem examinadas no projeto incluem:

- Qualidade da comida.
- Variedade da comida.
- Garçons e outros funcionários do restaurante.
- Precificação.
- Atmosfera.
- Hábitos de jantar fora.
- Características dos clientes.

Os proprietários valorizam sua opinião sobre o projeto de pesquisa e lhe fazem as seguintes perguntas:

1. As duas áreas de pesquisa propostas pelo consultor incluem todas as áreas que precisam ser pesquisadas? Se não, quais outras precisam ser estudadas?
2. Esses tópicos podem ser entendidos completamente com pesquisas qualitativas? Também é necessário realizar pesquisas quantitativas?

---

**Testes de associação de palavras** Nesse tipo de entrevista, o respondente ouve ou lê uma palavra ou um conjunto pré-selecionado de palavras, uma de cada vez, e responde com a primeira coisa que lhe vêm à mente em relação àquela palavra. Por exemplo, o que vêm à sua mente quando ouve as palavras "telefone celular" ou "iPad" ou marcas como "Target" ou "Nike"? Os pesquisadores estudam as respostas em **testes de associação de palavras** para "mapear" o significado subjacente do produto ou da marca para os consumidores.

**Testes de completamento de orações** Nos **testes de completamento de orações**, os participantes recebem orações e tentam completá-las com suas próprias palavras. Quando funcionam, os testes de completamento de orações revelam aspectos ocultos sobre os pensamentos e sentimentos dos indivíduos em relação ao(s) objeto(s) estudado(s). A partir dos dados coletados, os pesquisadores interpretam as sentenças completadas para identificar temas ou conceitos significativos. Por exemplo, digamos que o restaurante Chili's de sua área quer descobrir que modificações são necessárias à sua imagem atual para atrair uma porção maior do segmento de mercado de universitários. Os pesquisadores poderiam entrevistar universitários na região e pedir que completassem as seguintes orações:

As pessoas que comem no Chili's são ________________________.
O Chili's me lembra ________________________.
O Chili's é o lugar certo para estar quando ________________________.
Uma pessoa que recebe um cartão-presente do Chili's é ____________.
Os universitários vão ao Chili's para ________________________.
Meus amigos acham que o Chili's é ________________________.

**Técnica de Indução de Metáforas de Zaltman (ZMET)** A **Técnica de Indução de Metáforas de Zaltman** é a primeira ferramenta de pesquisa de marketing a ser patenteada nos Estados Unidos. A ZMET se baseia na *hipótese projetiva*, que afirma que muitos pensamentos, em especial aqueles com conteúdo emocional, são processados como imagens e metáforas, não como palavras.[26] Ao contrário dos levantamentos e grupos focais, as técnicas mais utilizadas na pesquisa de marketing, com sua forte dependência em estímulos verbais, a ZMET usa um método visual. Gerald Zaltman, da Olson Zaltman Associates, explica que "os consumidores não podem lhe dizer o que pensam, pois simplesmente não sabem. Seus pensamentos mais profundos, aqueles que são responsáveis por seu comportamento no mercado, são inconscientes e... principalmente visuais".[27]

A ZMET segue diversos passos. Quando são recrutados, os participantes descobrem o tema do estudo, por exemplo, a Coca-Cola. É solicitado que os participantes passem uma semana coletando de 10 a 15 figuras ou imagens que descrevam sua reação ao tema (no caso, a Coca-Cola) e tragam as imagens para sua entrevista. Cada participante então compara e contrasta as imagens e explica o que mais estaria na figura se o enquadramento fosse ampliado. A seguir, os participantes constroem um "minifilme" que reúne as imagens que estavam discutindo e descreve como se sentem em relação ao tema em pauta. Ao final da entrevista, os participantes criam uma imagem digital que resume seus sentimentos. Quando a ZMET foi usada para estudar a Coca-Cola, a empresa descobriu algo que já sabia: que a bebida evoca sentimentos de avigoramento e sociabilidade. Mas também descobriu algo que não sabia: que a bebida pode trazer sentimentos de tranquilidade e relaxamento. Essa visão paradoxal da Coca-Cola foi destacada em um anúncio que mostrava um monge budista meditando em um campo de futebol lotado, uma imagem retirada de uma entrevista ZMET real.[28]

## Métodos de observação

Os pesquisadores utilizam métodos de observação para coletar dados primários sobre comportamentos humanos e fenômenos de marketing, independentemente da natureza das concepções de pesquisa (p.ex.: exploratórias, descritivas ou causais). A pesquisa de observação pode envolver a coleta de dados qualitativos ou quantitativos e resultar em resumos e análises qualitativos ou quantitativos das informações coletadas. A principal característica das técnicas observacionais é que os pesquisadores precisam confiar nas suas habilidades de observação de fazer perguntas predeterminadas aos participantes. Em outras palavras, com a observação presencial ou por vídeo, os pesquisadores assistem e registram o que pessoas ou objetos fazem, em vez de apenas fazer perguntas. Ocasionalmente, os pesquisadores combinam métodos de perguntas (p.ex.: entrevistas em profundidade com informantes importantes, levantamentos, grupos focais) com pesquisas observacionais para ajudá-los a esclarecer e interpretar seus achados.

Informações sobre o comportamento de pessoas e objetos podem ser observados: ações físicas (p.ex.: padrões de compra de consumidores ou hábitos de direção de motoristas), comportamentos expressivos (p.ex.: tom de voz e expressões faciais), comportamento verbal (p.ex.: conversas por telefone), padrões de comportamento temporal (p.ex.: quantidade de tempo gasta em compras *online* ou em um determinado *site*), relações espaciais e locais (p.ex.: número de veículos que passam por um semáforo ou movimentação de pessoas em um parque temático), objetos físicos (p.ex.: quais itens de marca são comprados em supermercados ou quais marcas/modelos de utilitários esportivos são dirigidos) e assim por diante. Os dados desse tipo podem ser adicionados aos dados coletados com outras concepções de pesquisa, fornecendo evidências diretas sobre as ações dos indivíduos.

A **pesquisa de observação** envolve a observação e o registro sistemáticos dos padrões comportamentais de objetos, pessoas, eventos e outros fenômenos. A observação é utilizada para coletar dados sobre comportamentos reais, ao contrário dos levantamentos, nos quais os respondentes podem fornecer informações incorretas sobre seus comportamentos. Os métodos observacionais requerem dois elementos: um comportamento ou evento observável e um sistema para registrá-lo. Os padrões de comportamento são gravados por observadores humanos treinados ou aparelhos como fitas de vídeo, câmeras, fitas de áudio, computadores, anotações manuais ou outros mecanismos de gravação. O maior ponto fraco dos métodos observacionais é que não podem ser usados para obter informações sobre atitudes, preferências, crenças, emoções e outras informações semelhantes. Uma forma especial de pesquisa observacional, a etnografia, envolve contatos prolongados com um ambiente natural e podem até incluir a participação do pesquisador. Entretanto, devido ao tempo e à despesa, os pesquisadores de marketing raramente realizam etnografias genuínas.

## Características exclusivas dos métodos de observação

A observação pode ser descrita em termos de quatro características: (1) direitura, (2) consciência, (3) estrutura e (4) tipo de mecanismo observacional. A Figura 4.6 apresenta um panorama das características e seu impacto. Consulte a figura antes de prosseguir.

## Tipos de métodos de observação

O tipo de método de observação se refere a como os comportamentos ou eventos serão observados. Os pesquisadores podem escolher entre observadores humanos e aparelhos tecnológicos. Com a observação humana, o observador é uma pessoa contratada e treinada pelo pesquisador ou um membro da equipe de pesquisa. Para ter sucesso, o observador precisa entender bem os objetivos de pesquisa e possuir excelentes habilidades de observação e interpretação. Por exemplo, um professor de

**Figura 4.6** Características exclusivas da observação.

| | Característica | Descrição |
|---|---|---|
| | Direitura | Até que ponto o pesquisador ou observador treinado observa de fato o comportamento ou evento enquanto acontece. A observação pode ser direta ou indireta. |
| | Consciência | Até que ponto os indivíduos estão conscientes que seu comportamento está sendo observado e registrado. A observação pode ser disfarçada ou não disfarçada. |
|  | Estrutura | Até que ponto o comportamento, as atividades ou os eventos a serem observados são conhecidos do pesquisador antes da realização das observações. A observação pode ser estruturada ou não estruturada. |
|  | Mecanismo observacional | Como o comportamento, as atividades ou os eventos são observados e registrados. As alternativas incluem observadores humanos treinados e aparelhos tecnológicos. |

pesquisa de marketing poderia usar habilidades observacionais para capturar, além do comportamento verbal em sala de aula de seus alunos, a comunicação não verbal demonstrada por eles durante as aulas (como expressões faciais, posturas corporais, movimento em suas cadeiras, gestos com as mãos). Se praticado assiduamente pelo professor, o método permite que determine, em tempo real, se os alunos estão prestando atenção ao que está sendo discutido, quando os alunos estão confusos em relação a um conceito ou se o tédio está começando a se instalar.

Em muitas situações, o uso de aparelhos mecânicos ou eletrônicos é mais apropriado do que ter uma pessoa coletando os dados. A **observação mediada por tecnologia** usa a tecnologia para capturar comportamento humano, eventos ou fenômenos de marketing. Os aparelhos mais usados incluem câmeras de vídeo, contadores de trânsito, scanners ópticos, monitores de acompanhamento ocular, pupilômetros, analisadores de tom de voz, psicogalvanômetros e *software*. Os aparelhos em geral reduzem o custo e melhoram a flexibilidade e a precisão da coleta de dados. Por exemplo, quando o Departamento de Transporte dos Estados Unidos conduz estudos sobre fluxo de tráfego, são colocadas linhas de pressão de ar nas estradas, ligadas a caixas contadoras ativadas cada vez que os pneus de um veículo passam por cima das linhas. Apesar dos dados serem limitados à quantidade de veículos que passa durante um certo período de tempo, tal método é mais barato e mais preciso que o uso de observadores humanos para registrar o fluxo do trânsito. Outros exemplos de situações em que a observação mediada por tecnologia seria apropriada incluem câmeras de segurança junto a caixas eletrônicos para detectar os problemas que os clientes podem enfrentar ao operar as máquinas, scanners ópticos e tecnologia de código de barras (que usa o código universal de produto, ou CUP) para contar a quantidade e os tipos de produtos comprados em um estabelecimento de varejo, catracas para contar o número de fãs em eventos de esporte ou entretenimento e o uso de "cookies" em computadores para acompanhar o comportamento na Internet (análise de clickstream).

Os avanços tecnológicos estão tornando as técnicas de observação eletrônica mais úteis e eficientes. Por exemplo, a AC Nielsen atualizou seu sistema National Television Index (NTI) ao integrar a tecnologia People Meter ao sistema NTI. O People Meter é um sistema tecnológico de audiência que substitui os diários manuais por aparelhos eletrônicos de mensuração. Quando a TV é ligada, um símbolo aparece na tela, lembrando os espectadores de indicarem quem está assistindo o programa por meio de um aparelho eletrônico portátil semelhante a um controle remoto. Outro aparelho, ligado à TV, automaticamente envia as informações pré-especificadas (por exemplo, idade e gênero do espectador, programa ligado, horário do programa) para os computadores da Nielsen. Os dados, por sua vez, são usados para gerar índices de audiência de um dia para o outro para os programas, assim como perfis demográficos da audiência para os diversos programas.

A tecnologia de escaneamento, um tipo de observação eletrônica, está substituindo rapidamente os métodos tradicionais de diários de compras de consumidores. Os **painéis por escaneamento** envolvem um grupo de domicílios participantes que recebem um cartão com código de barras exclusivo apresentado ao funcionário na caixa registradora. O código do domicílio é pareado com as informações obtidas das transações do escâner durante um determinado período de tempo. Os sistemas de escaneamento permitem que os pesquisadores observem e desenvolvam um banco de dados de comportamentos de compra para cada domicílio. Os pesquisadores também podem combinar informações de acompanhamento *offline* com informações geradas *online* para os domicílios, o que permite perfis mais completos dos clientes. Os estudos que misturam dados *online* e *offline* podem mostrar, por exemplo, se os membros do painel expostos a um anúncio *online* ou *site* realizaram uma compra *offline* após sua exposição. Os dados de escaneamento fornecem informações semanais sobre como os produtos estão se saindo em cada loja e acompanham as vendas em relação a mudanças de preços e anúncios e atividades promocionais locais. Além disso, também facilitam estudos longitudinais que cobrem períodos de tempo mais extensos.

A tecnologia de escaneamento também é usada para observar e coletar dados da população geral. As empresas de pesquisa de mercado trabalham com mercadinhos, supermercados e outros tipos de loja de varejo para coletar dados das caixas registradoras. Os dados incluem produtos adquiridos, horário, dia da semana, etc. Os dados sobre campanhas publicitárias, assim como promoções internas da loja, são integrados com os dados de compras para determinar a eficácia de diversas estratégias de marketing.

As abordagens de pesquisa observacional de maior crescimento na atualidade envolve a Internet. As lojas *online*, *sites* de conteúdo e mecanismos de busca coletam informações sobre comportamento *online*. Essas empresas mantêm bancos de dados com perfis de clientes e podem prever índices de resposta prováveis a anúncios, o horário e dia da semana em que os anúncios provavelmente serão mais eficazes, as diversas etapas dos compradores potenciais no processo de consideração para um determinado produto ou serviço e o tipo e nível de envolvimento com um *site*. Dados qualitativos detalhados de mídias sociais são cada vez mais coletados e minerados *online*, os quais envolvem conversas *online* sobre produtos, serviços, marcas e comunicações de marketing que ocorrem nas mídias sociais.

## Selecionando um método de observação

O primeiro passo ao selecionar um método de observação é entender os requisitos informacionais e considerar como as informações serão usadas. Sem esse entendimento, a seleção do método de observação é consideravelmente mais difícil. Em primeiro lugar os pesquisadores devem responder as seguintes perguntas:

1. Que tipos de comportamento são relevantes para o problema de pesquisa?
2. Que nível de detalhe de comportamento precisa ser registrado?
3. Qual é a situação (natural ou artificial) mais adequada para observação de comportamento?

É preciso avaliar os diversos métodos de observação de comportamentos. As questões a serem consideradas incluem:

1. Existe um local disponível para observação de comportamentos ou eventos?
2. O quão repetitivo são os comportamentos ou os eventos? Com que frequência eles são demonstrados?
3. Qual é o grau de direitura e estrutura necessário para observar os comportamentos ou eventos?
4. Qual nível de consciência os participantes devem ter de que seus comportamentos estão sendo observados?
5. Qual método de observação é o mais apropriado: presencial ou mediado por tecnologia?

Agora o pesquisador pode determinar melhor a capacidade do método proposto de observar e registrar com precisão o comportamento ou atividade. Os custos envolvidos (tempo, dinheiro, mão de obra) também devem ser determinados e avaliados. Finalmente, os problemas éticos potenciais associados ao método de observação proposto devem ser considerados.

## Benefícios e limitações dos métodos de observação

Os métodos de observação têm pontos fortes e fracos (ver Figura 4.7). Entre os principais benefícios está o fato de a observação permitir a coleta de comportamentos ou atividades reais, não as informadas. Isso é especialmente válido em situações nas quais os indivíduos são observados em seus ambientes naturais com uma técnica disfarçada. Além disso, os métodos de observação reduzem erros de memória, respostas tendenciosas e recusa de participação, além dos erros dos entrevistadores. Finalmente, os dados, em geral, podem ser coletados em menos tempo e com menores custos do que com outros tipos de procedimentos.

## Monitoramento de mídias sociais e a plataforma de escuta ativa

O **monitoramento de mídias sociais** é a pesquisa observacional baseada na análise de conversas em mídias sociais, como Facebook, Twitter, blogs e *sites* de resenhas de produtos. O monitoramento oferece aos pesquisadores de marketing uma fonte abundante de informações autênticas geradas a partir do "rio de notícias"[29] compartilhado organicamente nas redes sociais. Blogs, *sites* de redes sociais e comunidades *online* oferecem um veículo natural para os consumidores que desejam compartilhar suas experiências sobre produtos, marcas e organizações. A diferença entre o monitoramento de mídias sociais e as MROCs (analisadas anteriormente) é que na pesquisa de mídias sociais, os dados (textos, imagens e vídeos) já existem e não são criados pela interação com os pesquisadores. Assim, um ponto forte do monitoramento de mídias sociais é que os pesquisadores conseguem observar as pessoas interagindo umas com as outras sem o estímulo dos entrevistadores e suas perguntas, uma fonte possível de tendenciosidade em suas respostas. Outra vantagem do monitoramento de mídias sociais é que indivíduos que normalmente não responderiam a questionários ou concordariam em participar de grupos focais ainda assim compartilham suas experiências em redes sociais na Internet.

Mas o monitoramento de mídias sociais tem diversos pontos fracos. Por exemplo, atualmente custa milhares de dólares por mês apenas para monitorar algumas palavras-chave bem selecionadas, embora espera-se que o custo diminua no futuro.[30]

**Figura 4.7** **Benefícios e limitações da observação.**

| Benefícios da observação | Limitações da observação |
|---|---|
| Precisão do registro de comportamento real | Dificuldade de generalizar os achados |
| Reduz muitos tipos de erros da coleta de dados | Não pode explicar comportamentos ou eventos, a menos que seja combinada com outro método |
| Fornece dados comportamentais detalhados | Problemas em estabelecer e registrar comportamento(s) ou eventos |

Segundo, muitas das técnicas automatizadas para classificação de dados textuais não são de eficácia comprovada, de modo que o nível de precisão das informações é desconhecido. Terceiro, a amostra de pessoas que interage com a marca, o produto ou a campanha publicitária é autosselecionada e pode não ser representativa das reações dos consumidores no mercado-alvo. Na verdade, diferentes ferramentas de monitoramento de mídias sociais muitas vezes produzem resultados díspares.[31] Por fim, alguns *sites* de mídias sociais não estão disponíveis publicamente para as atividades de mineração dos pesquisadores. Por exemplo, a maior parte do Facebook não é aberta ao público. Com esses problemas, não é surpresa que os analistas sugiram que os programas de monitoramento de mídias sociais sejam considerados no contexto do programa de pesquisa geral da organização.[32] Como avisa um analista do setor: "A pesquisa quantitativa tradicional possui métodos estabelecidos para avaliar a confiabilidade e a validade. Os métodos que avaliam a fidedignidade da pesquisa qualitativa [tradicional] são menos precisos, mas bem estabelecidos. As opiniões sobre a pesquisa de mídias sociais, entretanto, variam muito".[33]

Uma **plataforma de escuta ativa** é uma abordagem integrada ao monitoramento e à análise de fontes de mídia para fornecer *insights* que apoiem a tomada de decisões de marketing. No passado, as grandes empresas muitas vezes pagavam por um serviço que leria e recortaria artigos de jornais e revistas, o chamado *clipping*. As plataformas de escuta ativa são uma versão tecnologicamente aprimorada desse serviço mais antigo. Os motivos para implementar uma plataforma de escuta ativa incluem o monitoramento da imagem de marca *online*, a resolução de reclamações, a descoberta do que os clientes desejam, o acompanhamento de tendências e a determinação do que a concorrência está fazendo.[34] As plataformas de escuta ativa ainda estão dando seus primeiros passos, com um grande potencial de inovações de pesquisa nos próximos anos. Segundo projeções, a oportunidade de mercado para as empresas de pesquisa que coletam e processam dados de mídias sociais e oferecem serviços de escuta ativa chegaria à casa dos bilhões dos dólares em 2014, com praticamente todas as empresas precisando, mais cedo ou mais tarde, de alguma ferramenta de pesquisa de escuta ativa e envolvimento.[35] Algumas empresas de pesquisa combinam os dados minerados em sua plataforma de escuta ativa *online* com dados obtidos *online* e *offline*, como vendas, consciência, medidas de *clickstream* e giro de estoque.

Os dados qualitativos disponibilizados pelo monitoramento de mídias sociais são analisados qualitativa ou quantitativamente, ou de ambas as formas. No momento, a maioria das ferramentas de monitoramento de mídias sociais busca integrar análises qualitativas e quantitativas. A primeira aplicação dos métodos quantitativos é a simples contagem do número de ocorrências de palavras-chave. Outra ferramenta quantitativa emergente, ainda que controversa, é a **análise de sentimentos**, também chamada **mineração de opiniões**. A análise de sentimentos depende do campo emergente do processamento de linguagem natural (PLN), que permite a categorização automática de comentários *online* em categorias positivas ou negativas. As pesquisas iniciais aplicavam as ferramentas de análise de sentimentos a resenhas de produtos, filmes e restaurantes.[36] As medidas quantitativas de sentimentos ainda são limitadas, pois uma grande quantidade de dados permanece inclassificável ou erroneamente classificada com as ferramentas de automação à disposição. Mas ferramentas de análise de sentimentos mais avançadas estão sendo desenvolvidas e vão além do agrupamento por categoria, permitindo a classificação por emoções, como tristeza, felicidade ou raiva.[37] Assim, nos próximos anos, os métodos de análise de sentimentos provavelmente terão melhorias significativas e seu uso se tornará mais disseminado.

Além de métricas quantitativas, as conversas *online* também são uma fonte comum para a mineração de *insights* qualitativos. As conversas *online* sobre o tema de interesse podem ser bem numerosas para que a análise manual seja eficiente. Entretanto, os pesquisadores qualitativos a analisam intensivamente uma amostra dos comentários. A amostragem pode ser aleatória ou envolver superamostragem entre usuários especialmente ativos e conectados na Internet. Além de ser útil enquanto ferramenta independente para fornecer opiniões aprofundadas, a análise qualitativa das conversas fornece categorias relevantes de problemas e oportunidades para serem acompanhadas e quantificadas por ferramentas automatizadas.

Nielsen Buzzmetrics, TNS Cymphony, Zeta Interactive, Radian6 e Trackur são exemplos de empresas que prestam serviços de monitoramento de mídias sociais. A Zeta Interactive analisa mais de 200 milhões de posts *online* em *sites* de mídias sociais, blogs e *sites* de compartilhamento de vídeos, mensurando e categorizando instantaneamente o número de posts gerados sobre um determinado tema. Para destacar seu serviço de monitoramento de mídias sociais, a Zeta publica um relatório anual das campanhas publicitárias que geraram mais *buzz online*. Em 2011, o anúncio da E*TradeFinancial com um bebê sendo medido para um terno ficou no topo da lista.[38] O Buzzmetrics, da Nielsen, oferece aos clientes um painel que apresenta uma análise em tempo real de métricas de marca, junto com comentários qualitativos de consumidores. Um dos serviços do Buzzmetrics é o ThreatTracker, para que as empresas identifiquem e avaliem boatos e ameaças *online*. O ThreatTracker ajudou uma empresa farmacêutica a identificar e responder a boatos iniciais sobre efeitos colaterais de um medicamento durante o lançamento em larga escala do produto. Em resposta, a empresa comunicou informações sobre a experiência incrivelmente positiva dos usuários a importantes líderes de opinião na Internet.[39]

## Netnografia

A **netnografia** é uma técnica de pesquisa observacional que exige envolvimento profundo com uma ou mais comunidades *online*. O que diferencia a netnografia das outras técnicas de pesquisa de mídias sociais é o contato prolongado e a análise de comunidades *online* e o uso da observação participativa. Essas comunidades *online* costumam se organizar ao redor do interesse compartilhado por fatores como setores da economia, produtos, marcas, equipes esportivas ou grupos musicais, e contêm consumidores fanáticos que são "usuários líderes" ou inovadores. Rob Kozinets, que desenvolveu a netnografia, usou a técnica para estudar uma comunidade *online* de malucos por café. Kozinets concluiu que a devoção ao café entre os membros da comunidade era quase religiosa. "O café é emocional, humano, profunda e pessoalmente relevante, e não deve ser transformado em uma "commodity"... ou tratado como só mais um produto".[40]

Na netnografia, os pesquisadores devem (1) conquistar acesso à comunidade, (2) coletar e analisar dados, (3) assegurar-se da interpretação fidedigna e (4) criar oportunidades de *feedback* dos membros da comunidade (ver Capítulo 9 para interpretação e análise de dados qualitativos). Antes de conquistar o acesso, os pesquisadores devem desenvolver perguntas de pesquisa e realizar buscas para identificar os fóruns *online* que fornecerão respostas às perguntas de pesquisa. Em geral, os pesquisadores preferem coletar dados dos fóruns com alto tráfego, grandes quantidades de participantes individuais e mais interação entre os membros.[41]

## PESQUISA DE MARKETING EM AÇÃO

### Utilizando a pesquisa qualitativa para se comunicar com o público latino

Mais de 50,5 milhões de pessoas nos Estados Unidos (16% da população) são classificadas como hispânicas. A população hispânica/latina é diversa, pois advém de muitos países falantes de espanhol de todo o mundo, caracterizados por diferentes níveis de aculturação. Quando os hispânicos se tornam aculturados, eles muitas vezes se identificam fortemente ao mesmo tempo com os Estados Unidos e seu país de origem, um efeito que persiste durante várias gerações. Uma minoria dos hispânicos usa o espanhol como seu primeiro idioma, sendo que a maior parte prefere ser bilíngue em espanhol e inglês. Adriana Waterson, vice-presidente de desenvolvimento de negócios multiculturais da Horowitz Associates, enfatiza que engajar o segmento hispânico "nunca se tratou exclusivamente do idioma, mas sim da relevância cultural".[1] Outros pesquisadores concluíram que, independentemente, do país de origem, os seguintes temas são relevantes para as comunidades falantes de espanhol: família, valores morais, religião, música, culinária, dança e socialização.

Como esses achados influenciam a pesquisa de marketing? Ricardo Lopez, presidente da Hispanic Research, Inc., afirma que a pesquisa qualitativa é especialmente adequada ao mercado hispânico e enfatiza que a população precisa ser abordada de forma diferenciada para que a pesquisa seja frutífera. Os métodos de pesquisa quantitativos são estruturados, lineares e secos, sugerindo pesquisas governamentais e acadêmicas, não uma conexão real. Os latinos, por outro lado, preferem abordagens qualitativas que envolvem digressões, narrativas e um processo expressivo comumente caracterizado como animado. Esse estilo de interação se destaca em especial entre as populações latinas menos aculturadas, mas também é evidente entre os hispânicos aculturados. Os participantes de projetos de pesquisa qualitativos devem ser tratados como um convidado em sua casa, pois é importante formar laços emocionais fortes de modo a facilitar a interação. Grupos focais presenciais, entrevistas em profundidade e etnografia são apropriados ao mercado latino. Quando é possível recrutar a população relevante e esta tem acesso à Internet, entrevistas em profundidade com webcams, grupos focais com quadros de aviso e MROCs também produzem *insights* de alta qualidade sobre populações hispânicas para os clientes.

As MROCs são cada vez mais utilizadas com o público hispânico, incluindo os que preferem participar em espanhol, assim como aqueles que preferem se comunicar em inglês. A Communispace recruta hispânicos de todas as idades, nacionalidades e níveis de aculturação para participar de comunidades de marca em espanhol. Os facilitadores de pesquisa dessas comunidades recomendam uma abordagem diferente para trabalhar com esses consumidores. Os facilitadores permitem que os membros tornem a comunidade um espaço seu, no qual os participantes formam laços mais estreitos, trocando conselhos e compartilhando suas histórias pessoais. Além disso, os participantes devem desenvolver relações pessoais entre si e com os facilitadores, replicando a ideia de família, tão importante na cultura hispânica. Finalmente, as MROCs exigem mais facilitação, não apenas devido ao valor que o segmento dá à ideia de conexão, mas também porque é preciso oferecer mais ajuda em relação a dificuldades técnicas. Com o investimento de mão de obra adicional, os *insights* gerados são extraordinários.

A pesquisa de marketing tradicional entre o público hispânico muitas vezes enfoca demais a classificação do mercado em termos de idioma, aculturação e geração, talvez devido à forte dependência de abordagens de pesquisa quantitativas. Uma vantagem da pesquisa qualitativa é a capacidade de trabalhar questões contextuais, psicológicas e culturais mais profundas. À medida que o mercado latino cresce, os pesquisadores de marketing precisam ajustar sua abordagem de pesquisa, sempre identificando "maneiras culturalmente relevantes de interagir".[2]

## Exercício prático

Usando o material do capítulo e as informações anteriores, responda as seguintes perguntas:

1. Os pesquisadores de marketing que trabalham com o público latino deveriam se concentrar exclusivamente na pesquisa qualitativa? Explique sua resposta.
2. A pesquisa qualitativa serviria para melhorar métodos quantitativos, como os levantamentos? Explique sua resposta.
3. Quais são os desafios enfrentados pelos pesquisadores para conduzir a pesquisa no mercado latino *online*? Como os pesquisadores conseguiriam minimizar os efeitos dessas dificuldades?
4. Pense em uma ou duas culturas ou subculturas que você conhece pelo menos em parte. A pesquisa qualitativa seria especialmente útil no caso dessas culturas? Por quê? Por que não?

Fontes: Sharon R. Ennis, Merarys Rios-Vargas, and Nora G. Albert, "The Hispanic Population: 2010," United States Census Bureau, U.S. Department of Commerce, Economics and Statistics Administration, May 2011; Manila Austin and Josué Jansen, "¿Me Entiende?: Revisiting Acculturation," Communispace.com/UploadedFiles/ResearchInsights/Research_Patterns/MacroTrends_MeEntiendes.pdf, acessado em 16 de janeiro de 2012; Horowitz Associates, "Horowitz Associates Study Reveals That for Many U.S. Latinos Biculturalism Is Key to Self-Identity," July 7, 2011, **www.horowitzassociates.com/press-releases/horowitz-associates-study-reveals-that-for-many-u-s-latinos-biculturalism-is-key-to-self-identity**, acessado em 17 de janeiro de 2012; Ricardo Antonio Lopez, "U.S. Hispanic Market—Qualitative Research Practices and Suggestions," *QRCA Views*, Spring 2008, pp. 44–51; Hispanic Research, Inc., "Online Research," acessado em 16 de janeiro de 2012; Hispanic Research Inc., "Qualitative Research," acessado em 16 de janeiro de 2012; Katrina Lerman, "Spanish-language Facilitators Share Their Best Tips," *MediaPost Blogs*, February 12, 2009, **www.mediapost.com/publications/article/100194/**, acessado em 14 de janeiro de 2012; Thinknow Research, "Communities," Thinknowresearch.com/communities, acessado em 17 de janeiro de 2012.

## Referências bibliográficas


1. Horowitz Associates, "Horowitz Associates Study Reveals that for Many U.S. Latinos Biculturalism Is Key to Self-Identity," July 7, 2011, **www.horowitzassociates.com/press-releases/horowitz-associates-study-reveals-that-for-many-u-s-latinos-biculturalism-is-key-to-self-identity**, acessado em 17 de janeiro de 2012.
2. Manila Austin and Josué Jansen, "¿Me Entiende?: Revisiting Acculturation," Communispace.com/UploadedFiles/ResearchInsights/Research_Patterns/MacroTrends_MeEntiendes.pdf, acessado em 16 de janeiro de 2012, p. 34.


# Resumo

**Identificar as principais diferenças entre pesquisas qualitativas e quantitativas.**
Em situações de problemas de negócios em que as informações secundárias não podem responder as perguntas da gerência por si só, é preciso coletar dados e transformá-los em informações úteis. Os pesquisadores podem escolher entre dois tipos gerais de métodos de coleta de dados: qualitativos e quantitativos. Existem muitas diferenças entre essas duas abordagem com respeito a suas metas e objetivos de pesquisa, tipo de pesquisa, tipo de perguntas, momento de execução, generalizabilidade a populações-alvo, tipo de análise e requisitos de habilidades do pesquisador.

Os métodos qualitativos podem ser usados para gerar ideias exploratórias e preliminares sobre problemas de decisão ou trabalhar as motivações complexas dos consumidores que podem ser difíceis de estudar com pesquisas quantitativas. Os métodos qualitativos também são úteis para entender o impacto da cultura ou subcultura sobre o processo decisório dos consumidores e sondar as motivações inconscientes ou ocultas de difícil acesso com o uso da pesquisa quantitativa. Os pesquisadores qualitativos coletam quantidades detalhadas de dados a partir de amostras relativamente pequenas, questionando ou observando o que as pessoas dizem e fazem. Esses métodos exigem o uso de pesquisadores treinados em comunicação interpessoal, observação e interpretação. Os dados em geral são coletados com perguntas abertas ou semiestruturadas, que permitem a sondagem de atitudes ou padrões de comportamento, ou técnicas de observação, para comportamentos ou eventos correntes. Apesar dos dados qualitativos poderem ser coletados rapidamente (exceto na etnografia), é preciso ter habilidades interpretativas de alto nível para transformar dados em achados úteis. As pequenas amostras não aleatórias que costumam ser usadas tornam questionável a generalização para uma população de interesse maior.

Os métodos quantitativos ou de levantamento, por outro lado, enfatizam o uso de práticas de questionamento formais e estruturadas, nas quais as opções de resposta foram predeterminadas pelo pesquisador. Essas perguntas tendem a ser administradas a grandes quantidades de respondentes. Os métodos quantitativos estão diretamente relacionados aos tipos descritivos e causais de projeto de pesquisa, nos quais os objetivos são a realização de previsões mais precisas sobre os relacionamentos entre comportamentos e fatores de mercado ou a validação da existência de relacionamentos. Os pesquisadores quantitativos são treinados em escalas de mensuração, planejamento de questionário, amostragem e análises estatísticas de dados.

**Entender as entrevistas em profundidade e grupos focais enquanto técnicas de questionamento.**
A entrevista em profundidade é um processo sistemático de fazer uma séria de perguntas de sondagem semiestruturadas ao entrevistado em uma situação presencial. Os grupos focais envolvem a reunião de pequenos grupos de pessoas para conversas interativas e espontâneas sobre um determinado tema ou conceito. Enquanto o sucesso das entrevistas em profundidade depende bastante das habilidades de comunicação interpessoal e sondagem do entrevistador, o sucesso das entrevistas em grupos focais depende mais da dinâmica de grupo dos membros, a disposição dos membros de participar de diálogos interativos e a capacidade do moderador de não deixar a conversa desviar do assunto.

As entrevistas em profundidade e os grupos focais são guiados por objetivos de pesquisa semelhantes: (1) fornecer dados para definir e redefinir situações de problema de marketing; (2) fornecer dados para entender melhor os resultados de levantamentos quantitativos completados anteriormente; (3) revelar e entender as necessidades, os desejos, as atitudes, os sentimentos, os comportamentos, as percepções e os motivos ocultos ou inconscientes dos consumidores em relação a serviço, produtos ou práticas; (4) gerar novas ideias sobre produtos, serviços ou métodos de distribuição; (5) descobrir novos construtos e métodos de mensuração.

**Definir grupos focais e explicar como conduzi-los.**
Um grupo focal presencial é um pequeno grupo de pessoas (8 a 12) reunidas para uma conversa interativa e espontânea. Os grupos focais também podem ser conduzidos *online*. As três fases do estudo de grupo focal são o planejamento do estudo, a condução das conversas do grupo focal em si e a análise e apresentação dos resultados. No planejamento de um grupo focal, é preciso tomar decisões críticas quanto a conduzir o estudo *online* ou presencialmente, quem deve participar, como selecionar e recrutar os participantes apropriados, qual tamanho deve ter o grupo, que incentivos oferecer para encorajar e reforçar a disposição e o compromisso do indivíduo em participar e onde realizar as sessões.

**Discutir comunidades com propósito e comunidades *online* de pesquisa de marketing.**
As comunidades com propósito são redes sociais *online* específicas à pesquisa de marketing, ou então comunidades de marca mais abrangentes voltadas ao marketing, mas que também são fontes de ideias de pesquisa. As comunidades *online* de pesquisa de marketing (MROCs) são comunidades com propósito cuja finalidade principal é a pesquisa. Os clientes e consumidores são recrutados com o objetivo de responder perguntas e interagir com outros participantes da MROC. As amostras de participantes são escolhidas a dedo por representantes do mercado-alvo relevante ou então representam fãs dedicados da marca. As MROCs podem ser de curto ou longo prazo e envolver pequenos ou grandes números de participantes, desde 25 nos menores até 2.000 nos maiores.

**Discutir outros métodos de coleta de dados qualitativos, como etnografia, estudos de caso, técnicas projetivas e ZMET.**
Existem vários métodos de coleta de dados qualitativos úteis além das entrevistas em profundidade e os grupos focais. Tais métodos incluem a etnografia e os estudos de caso, que envolvem contatos prolongados com situações de pesquisa. Os pesquisadores também podem usar técnicas projetivas, como testes de associação de palavras, completamento de orações e a ZMET, que usam técnicas indiretas para acessar os sentimentos, emoções e motivações inconscientes dos consumidores. Essas técnicas são usadas com menos frequência do que os grupos focais, mas ainda são consideradas abordagens úteis.

**Discutir métodos observacionais e explicar como são usados para coletar dados primários.** Os métodos observacionais podem ser usados por pesquisadores em todos os tipos de concepções de pesquisa (exploratória, descritiva, causal). Os principais benefícios da observação são a precisão da coleta de dados sobre comportamentos reais, a redução dos fatores de confusão (como tendenciosidade de entrevistadores e respondentes) e a quantidade de dados comportamentais detalhados que podem ser registrados. As características especiais que sustentam os métodos de coleta de dados observacionais são sua (1) direitura, (2) consciência dos participantes, (3) estrutura e (4) mecanismo observacional. As limitações especiais dos métodos observacionais são a falta de generalizabilidade dos dados, a incapacidade de explicar comportamentos ou eventos correntes e a complexidade de se observar o comportamento.

**Discutir o crescente campo do monitoramento de mídias sociais.** O monitoramento de mídias sociais é a pesquisa baseada na análise de conversas em mídias sociais, como Facebook, Twitter, blogs e *sites* de resenhas de produtos. O monitoramento oferece aos pesquisadores de marketing uma fonte abundante de informações autênticas e conversas orgânicas nas redes sociais. Os dados dessas conversas podem ser analisados qualitativa e quantitativamente. Um ponto forte do monitoramento de mídias sociais é que os pesquisadores conseguem observar as pessoas interagindo umas com as outras sem o estímulo dos entrevistadores e suas perguntas, uma possível fonte de tendenciosidade em suas respostas. Outra vantagem do monitoramento de mídias sociais é que os indivíduos que dificilmente responderiam a questionários ou concordariam em participar de grupos focais ainda assim compartilham suas experiências em redes sociais na Internet. Os pontos fracos incluem as despesas, a precisão da categorização automática e a não representatividade dos posts *online*. Entretanto, projeta-se que as despesas diminuirão no futuro, enquanto a precisão e a profundidade das ferramentas de categorização devem aumentar com o tempo.

## Principais termos e conceitos

Amostragem proposital 88
Amostragem proposital estratificada 88
Amostragem teórica 88
Análise de conteúdo 91
Análise de debriefing 91
Análise de sentimentos/mineração de opiniões 101
Comunidades com propósito 92
Comunidades *Online* de Pesquisa de Marketing (MROCs) 92
Entrevista em profundidade 82
Estudo de caso 94
Etnografia 93
Guia do moderador 89
Moderador de grupo focal 89
Monitoramento de mídias sociais 100
Netnografia 102
Observação mediada por tecnologia 98
Observação participante 93
Painel por escaneamento 98
Pensamento coletivo 92
Pesquisa de grupo focal 84
Pesquisa de observação 97
Pesquisa qualitativa 80
Pesquisa quantitativa 79
Plataforma de escuta ativa, 101
Quadro de avisos 86
Técnica de Indução de Metáforas de Zaltman (ZMET) 95
Técnicas projetivas 94
Teste de associação de palavras 95
Teste de completamento de orações 95

## Questões de revisão

1. Quais são as principais diferenças entre os métodos de pesquisa quantitativos e qualitativos? Que habilidades o pesquisador precisa para desenvolver e implementar cada tipo de concepção?
2. Compare e contraste as características exclusivas, principais objetivos de pesquisa e vantagens e desvantagens das técnicas de entrevista em profundidade e em grupos focais.

3. Explique os prós e os contras de se usar pesquisa qualitativa em cada uma das seguintes situações:
   a. Adicionar carbonação ao Gatorade para vendê-lo como refrigerante de verdade.
   b. Encontrar novas utilizações de consumo para o bicarbonato de sódio Arm & Hammer.
   c. Induzir os clientes que pararam de fazer compras na Sears a voltar à loja.
   d. Aconselhar uma agência de viagens que quer entrar no mercado dos cruzeiros de viagem.
4. Quais são as características de um bom moderador de grupo focal? Qual o objetivo do guia do moderador?
5. Por que é importante ter entre 8 e 12 participantes em um grupo focal? Que obstáculos pode haver para cumprir esse objetivo?
6. Por que as atividades de triagem são tão importantes para a seleção de participantes em grupos focais? Desenvolva um formulário de triagem que lhe permita selecionar participantes para um grupo focal sobre os custos e benefícios de adquirir um carro novo.
7. Quais são as vantagens e desvantagens de entrevistas em grupos focais *online*, em contraposição às entrevistas em grupos presenciais?
8. Quais são as vantagens e desvantagens da etnografia em comparação com outras técnicas qualitativas?
9. Desenvolva um teste de associação de palavras que dê ideias sobre a seguinte pergunta de pesquisa de informação: "Quais são as percepções dos alunos da universidade sobre seu Diretório Acadêmico?"

## Questões para discussão

1. Que tipo de concepção de pesquisa exploratória (observação, técnica projetiva, entrevista em profundidade, grupo focal, estudo de caso, etnografia, netnografia, ZMET) você sugeriria para cada uma das situações abaixo? Por quê?
   a. Um joalheiro quer entender melhor por que os homens compram joias para mulheres e como selecionam o que querem comprar.
   b. O proprietário de um McDonald's está planejando a construção de um parquinho e quer saber que equipamentos são mais interessantes para as crianças.
   c. A Victoria's Secret quer entender melhor a imagem que as mulheres têm de seu corpo.
   d. O engenheiro de design sênior da Ford Motor Company quer identificar mudanças de design significativas a serem integradas ao Ford Taurus 2014.
   e. A Apple quer entender melhor como os adolescentes descobrem e escolhem músicas populares para baixarem.
   f. A Nike quer entender melhor os conceitos de customização e personalização para apoiar os serviços *online* de customização de produtos oferecidos pela NikeID.
2. Desenvolva um guia do moderador que poderia ser usado em entrevistas em grupos focais para investigar a seguinte pergunta: o que "legal" significa para os adolescentes e como decidem que produtos são "legais"?
3. A Apple o contrata para estudar a imagem de marca da empresa junto aos universitários de seu campus. Elabore uma lista de 10 perguntas a serem feitas em um grupo focal. Lembre-se de pensar em maneiras alternativas de fazer as perguntas, em vez de simplesmente formulá-las de modo direto.
4. Pensando sobre como a maioria dos participantes é recrutada para grupos focais, identifique e discuta três problemas éticos que o pesquisador e o tomador de decisão devem considerar ao usar uma concepção de pesquisa com grupos focais para coletar informações e dados primários.
5. Conduza uma entrevista em profundidade e escreva um breve relatório de pesquisa que permita a discussão da seguinte pergunta de decisão: "O que os estudantes querem de sua educação?"
6. A OutBack Steak, Inc. está preocupada com as mudanças de atitude e sentimentos do público em relação ao consumo de carne vermelha. Chris Sullivan, CEO e cofundador da OutBack Steak, Inc., acha que os problemas com "carne vermelha" não são importantes, pois seus restaurantes também servem peixe e frango. Selecione duas técnicas de "entrevista projetiva" que você considere adequadas para

coletar dados para a situação acima. Primeiro, defenda sua escolha de cada uma das técnicas de entrevista projetiva selecionadas. Segundo, descreva em detalhes como cada uma das duas técnicas escolhidas seria aplicada ao problema de pesquisa de Sullivan em pauta.

7. EXPERIMENTE A INTERNET. Visite o *site* QualVu.com e localize informações sobre sua técnica de diário em vídeo (um vídeo está localizado e outras informações se encontram no *site*). Essa técnica é superior aos grupos focais *online* de texto? Por quê? Por que não? Compare o diário *online* com os grupos focais presenciais.
8. EXPERIMENTE A INTERNET. Visite o Context Research Group em **www.contextresearch.com**. Analise um dos estudos que a empresa tem *online*. O tema da pesquisa poderia ter sido trabalhado com levantamentos ou grupos focais? Quais ***insights*** você acredita que os pesquisadores obteriam se tivessem utilizado etnografia em vez de levantamentos ou grupos focais?
9. EXPERIMENTE A INTERNET. Visite a Nielsen *online* (**www.nielsen-online.com**) e leia seus materiais sobre Buzzmetrics. Alguns analistas dizem que a prática de mineração de mídias sociais é semelhante à condução de um grupo focal. A mineração de mídia é mesmo semelhante à condução de um grupo focal? Por quê? Por que não?
10. Visite a Communispace no *site* Communispace.com. Leia as informações sobre o que a empresa faz, além de algumas notícias e históricos de caso. Após revisar o *site*, avalie se e em que medida as MROCs substituirão os grupos focais.

# 5

# Concepções de pesquisa descritivas e causais

**Objetivos de aprendizagem** Após ler este capítulo, você estará apto a:

1. Explicar o objetivo e as vantagens de concepções de pesquisa por levantamento.
2. Descrever os tipos de métodos de levantamento.
3. Discutir os fatores que influenciam a escolha do método de levantamento.
4. Explicar experimentos e tipos de variáveis usados em concepções causais.
5. Definir o teste de mercado e avaliar sua utilidade na pesquisa de marketing.

## O programa de fidelidade do Hotel Magnum

Recentemente, a gerência do Hotel Magnum implementou um novo programa de fidelidade para atrair e reter clientes que realizam viagens de negócios. A característica central era um programa de fidelidade VIP do hotel para clientes em viagens de negócios, oferecendo privilégios que não estavam à disposição dos outros hóspedes, semelhante aos programas de "milhagem" das companhias aéreas. Para tornar-se membro do programa de hóspedes preferenciais, o candidato precisava preencher um formulário por meio de um link exclusivo no *site* do hotel. Não havia custo para participar, nem eram cobradas anuidades dos membros, mas os benefícios aumentavam à medida que os membros se hospedavam com mais frequência no hotel. O banco de dados do Hotel Magnum relativos ao programa indicam que os custos iniciais seriam de aproximadamente 55 mil dólares, e os custos operacionais anuais seriam de cerca de 85 mil. Ao final do terceiro ano do programa, os membros chegavam a 17 mil.

Em uma reunião recente da equipe gerencial, o CEO fez as seguintes perguntas sobre o programa de fidelidade: "O programa de fidelidade está funcionando? Está nos dando uma vantagem competitiva?" "O programa aumentou a participação de mercado do hotel entre pessoas em viagens de negócios?" "A empresa está ganhando dinheiro com o programa?" "O programa está ajudando a criar lealdade entre nossos clientes empresariais?" Surpreendido por essa linha de questionamento, o vice-presidente corporativo de marketing respondeu que essas eram ótimas perguntas, mas que não tinha respostas no momento. Depois de fazer seus assistentes examinarem os registros corporativos, o VP de marketing percebeu que tudo o que tinha era a atual lista de membros e os custos totais do programa até o momento (cerca de 310 mil dólares). A organização não coletara informações sobre as atitudes e os comportamentos dos membros do programa, e sua melhor estimativa de receita era de cerca de 85 mil dólares por ano.

O vice-presidente então contatou Alex Smith, diretor de projetos sênior do Marketing Resource Group (MRG). Após uma reunião, a dupla identificou dois problemas principais:

1. O Hotel Magnum precisava de informações para determinar se a empresa deveria ou não continuar com o programa de fidelidade.
2. Informações atitudinais, comportamentais, motivacionais e demográficas seriam necessárias para planejar estratégias promocionais a fim de atrair novos membros, reter os titulares atuais e aumentar a frequência de estadia em propriedades da rede Magnum.

Antes de realizar um levantamento, eles decidiram conduzir uma pesquisa qualitativa exploratória usando entrevistas em profundidade com os gerentes gerais de diversas propriedades do Hotel Magnum e sessões de grupos focais com membros do programa de fidelidade. Essas informações adicionais geraram as seguintes perguntas de pesquisa:

- Quais são os padrões de uso entre os membros do programa de fidelidade do cartão de hóspede preferencial do Hotel Magnum?
- Qual é o nível de consciência sobre o programa de fidelidade entre as pessoas que viajam a negócios?
- Qual é a importância do programa de fidelidade enquanto fator para selecionar um hotel para fins de negócios?
- Quais características do programa de fidelidade são mais valorizadas? Quais são menos valorizadas?
- O Hotel Magnum deveria cobrar uma anuidade dos titulares do cartão de fidelidade?
- Quais são as diferenças entre usuários frequentes, usuários moderados, usuários ocasionais e não usuários do programa de fidelidade?

A pesquisa qualitativa consegue responder essas perguntas adequadamente, ou seria necessário realizar pesquisas quantitativas?

## O valor das concepções de levantamentos descritivos e causais

Alguns problemas de pesquisa requerem dados primários que só podem ser coletados obtendo-se informações junto a grandes quantidades de respondentes que sejam considerados representativos da população-alvo. O Capítulo 4 cobriu métodos qualitativos baseados em amostras menores. Este capítulo discute métodos quantitativos de coleta de dados primários, geralmente envolvendo amostras muito maiores, incluindo concepções de levantamentos em pesquisas descritivas e causais.

Começamos este capítulo discutindo a relação entre concepções de pesquisa descritivas e métodos de levantamento. A seguir, apresentamos um panorama dos principais objetivos dos métodos de pesquisa por levantamento. A próxima seção examina os diversos tipos de métodos de levantamento e os fatores que influenciam sua seleção. O restante do capítulo revisa concepções de pesquisa causais, incluindo experimentos e testes de mercado.

## Concepções de pesquisa descritivas e levantamentos

Começamos com uma explicação das relações entre concepções de pesquisa descritivas, pesquisa quantitativa e métodos de levantamento. A seleção de uma concepção descritiva baseia-se em três fatores: (1) a natureza do problema ou oportunidade inicial, (2) as perguntas de pesquisa e (3) os objetivos de pesquisa. Quando o problema/oportunidade é descrever as características de situações de mercado existentes ou avaliar as estratégias atuais de mix de marketing, então a concepção descritiva é adequada. Se as perguntas de pesquisa incluírem perguntas como quem, o quê, onde, quando e como para as populações-alvo ou estratégias de marketing, então a concepção descritiva também é a mais adequada. Finalmente, se a tarefa for identificar as relações entre variáveis ou determinar se existem diferenças entre os grupos, então as concepções descritivas são melhores na maioria dos casos.

Duas abordagens gerais são usadas para coletar dados para pesquisas descritivas: perguntas e observação. As concepções descritivas frequentemente usam métodos de coleta de dados que envolvem perguntas estruturadas para respondentes sobre o que pensam, sentem ou fazem. Assim, as concepções de pesquisa descritivas em geral resultam no uso de **métodos de pesquisa por levantamento*** para coletar dados quantitativos de grandes grupos de pessoas por meio do processo de pergunta e resposta. Entretanto, com a emergência de dados de escaneamento e acompanhamento de comportamento na Internet, o uso de observação é cada vez mais comum em concepções descritivas.

O termo "descritivo" às vezes é usado para descrever as pesquisas qualitativas, mas o significado é diferente quando a palavra é usada para descrever pesquisas quantitativas. A pesquisa qualitativa é descritiva no sentido de muitas vezes resultar em descrições textuais vívidas e detalhadas dos consumidores, contextos de consumo e cultura. Os estudos quantitativos são descritivos no sentido de usarem números e estatísticas para resumir demografias, atitudes e comportamentos.

Os métodos de pesquisa por levantamento são uma constante da pesquisa de marketing quantitativa, em geral, associados a concepções de pesquisa descritivas e causais. O principal objetivo dos métodos de levantamento quantitativos é fornecer fatos e estimativas a partir de grandes amostras representativas de respondentes. As vantagens e desvantagens das concepções de levantamento quantitativas estão resumidas na Figura 5.1.

## Tipos de erros em levantamentos

Os erros podem reduzir a precisão e a qualidade dos dados coletados pelos pesquisadores. Os erros em levantamentos são classificados como *erros de amostragem* ou *erros não amostrais.*

### Erro de Amostragem

Qualquer concepção de pesquisa que envolva a coleta de dados a partir de uma amostra conterá algum erro. O erro de amostragem é a diferença entre os achados baseados na amostra e os valores verdadeiros para a população. O erro de amostragem é causado pelo método de amostragem usado e pelo tamanho da amostra, mas pode ser

* N. de E.: Para uma definição completa dos termos em negrito, veja o Glossário ao final do livro.

**Figura 5.1** Vantagens e desvantagens das concepções de levantamento quantitativas.

**Vantagens de métodos de levantamento**

- Podem acomodar amostras grandes para que os resultados possam ser generalizados para a população-alvo
- Produzem estimativas suficientemente precisas para identificar até pequenas diferenças
- Facilidade em administrar e registrar respostas para perguntas estruturadas
- Facilitam análises estatísticas avançadas
- Conceitos e relações que não são mensuráveis diretamente podem ser estudados

**Desvantagens de métodos de levantamento**

- Perguntas que medem precisamente as atitudes e os comportamentos dos respondentes podem ser difíceis de desenvolver
- Dados em profundidade difíceis de obter
- Baixos índices de resposta podem ser problemáticos

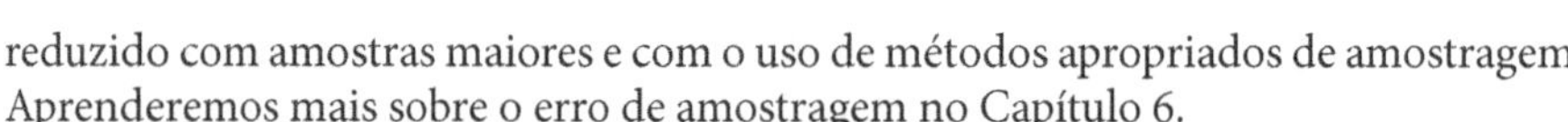
reduzido com amostras maiores e com o uso de métodos apropriados de amostragem. Aprenderemos mais sobre o erro de amostragem no Capítulo 6.

## Erros não amostrais

Os erros que ocorrem em concepções de pesquisa por levantamento que não estão relacionados com a amostragem são chamados de erros não amostais. A maioria dos tipos de erros não amostrais vem de quatro fontes principais: erro de respondente, erro de planejamento de mensuração/questionário, definição incorreta do problema e erro de administração do projeto. Discutiremos os erros dos respondentes aqui e os outros tipos de erro em capítulos posteriores.

Os erros não amostrais têm diversas características. Primeiro, tendem a criar "variação sistemática" ou tendenciosidade nos dados. Segundo, são controláveis, sendo resultado de alguma falha humana na concepção ou execução do levantamento. Terceiro, ao contrário do erro de amostragem aleatória, que pode ser medido estatisticamente, os erros não amostrais não podem ser medidos diretamente. Finalmente, os erros não amostrais podem criar outros erros não amostrais, ou seja, um tipo de erro, como perguntas mal-formuladas, causa erros dos respondentes. Assim, os erros não amostrais reduzem a qualidade dos dados sendo coletados e da informação sendo fornecida ao tomador de decisão.

**Erros dos respondentes** Esse tipo de erro ocorre quando os respondentes não podem ser encontrados, não estão dispostos a participar ou intencional ou acidentalmente respondem as perguntas de modos que não refletem suas respostas verdadeiras. O **erro do respondente** pode ser dividido entre erros por falta de resposta e erros de resposta.

O **erro de não resposta** é uma tendenciosidade sistemática que ocorre quando a amostra final difere da amostra planejada. Os erros de não resposta ocorrem quando uma quantidade suficiente de respondentes prospectivos pré-selecionados na amostra se recusa a participar ou não é encontrada. A falta de resposta pode ser causada por diversos fatores. Algumas pessoas não confiam no patrocinador da pesquisa ou não estão comprometidas em responder,[1] enquanto outras se ressentem do que consideram uma invasão de privacidade. As diferenças entre as pessoas que respondem e não respondem podem ser impressionantes. Por exemplo, algumas pesquisas demonstram que, para levantamentos por correio, os respondentes tendem a ter melhor formação acadêmica do que os não respondentes e maiores índices em variáveis relacionadas, como renda. Além disso, as mulheres têm maior probabilidade de responder do que os homens.[2] Os métodos para melhorar os índices de resposta incluem múltiplas chamadas (ou contatos *online*), correspondência de acompanhamento, incentivos, melhoria da credibilidade do patrocinador da pesquisa, indicando a duração necessária para completar questionários *online* ou de outros tipos, e uso de questionários menores.[3]

Quando os pesquisadores fazem perguntas, os respondentes buscam em sua memória, recuperam pensamentos e os apresentam como respostas. Às vezes os respondentes dão as respostas certas, mas em outras eles dão o que acreditam ser a resposta socialmente desejável (qualquer coisa que os coloque em posição favorável) ou apenas tentam adivinhar. Os respondentes também podem esquecer de fatos aos informar sobre seu comportamento passado, pois a memória humana é uma fonte de erros de resposta. Quando os respondentes têm problemas de memória e não respondem corretamente, usa-se os termos **erro de resposta** ou problema de memória. A memória está sujeita a percepção seletiva (percebemos e lembramos o que queremos) e compressão temporal (lembramos eventos como mais recentes do que de fato foram). Os respondentes às vezes usam médias para resolver os problemas de resgate de memórias, como quando dizem ao entrevistador o que costumam comer nos domingos à noite, não o que consumiram de fato no domingo anterior.

# Tipos de métodos de levantamento

As melhorias na tecnologia da informação e nas telecomunicações criaram novas abordagens de levantamento. Ainda assim, os métodos de levantamento podem ser classificados como presenciais, autoaplicados ou telefônicos. A Figura 5.2 apresenta um panorama dos principais tipos de métodos de levantamento.

## Levantamentos presenciais

**Levantamentos presenciais** são métodos nos quais um entrevistador treinado faz perguntas e registra as respostas do participante. A Figura 5.3 destaca algumas das vantagens e desvantagens associadas aos levantamentos pessoais.

**Entrevistas em domicílio** Uma **entrevista em domicílio** é uma sessão estruturada de perguntas e respostas conduzida no domicílio do respondente. Ocasionalmente, as entrevistas podem ser conduzidas em ambientes de escritório. O método possui diversas vantagens. O entrevistador pode explicar perguntas confusas ou complexas e usar auxílios visuais. Os respondentes podem experimentar novos produtos ou assistir campanhas publicitárias potenciais e avaliá-las. Além disso, os respondentes estão em ambientes confortáveis e familiares, o que aumenta sua disposição a responder as perguntas do levantamento.

A entrevista em domicílio pode ser completada angariando-se respondentes de porta em porta por área geográfica. O processo de angariamento é uma das desvantagens da entrevista em domicílio. Os entrevistadores mal supervisionados podem ignorar casas que consideram ameaçadoras ou mesmo falsificar entrevistas. As entrevistas em domicílios e escritórios são caras e demoradas.

**Figura 5.2** Principais tipos de métodos de pesquisa por levantamento.

| Tipo de pesquisa por levantamento | Descrição |
|---|---|
| **Presenciais** | |
| Entrevista em domicílio | Uma entrevista que ocorre no domicílio do respondente ou, em situações especiais, no ambiente de trabalho do respondente (em escritório). |
| Entrevista de interceptação em shopping center | Os clientes de um shopping center são parados e pede-se *feedback* durante sua visita ao estabelecimento. |
| **Telefônico** | |
| Entrevista telefônica tradicional | A entrevista ocorre por telefone. As entrevistas podem ser conduzidas a partir de uma central telefônica ou do domicílio do entrevistador. |
| Entrevista telefônica assistida por computador (CATI) | Um computador é utilizado para auxiliar a entrevista telefônica. |
| Levantamentos por telefone celular | Telefones celulares são usados para coletar dados. Os levantamentos podem usar texto ou a Internet. |
| **Autoaplicado** | |
| Levantamento por correio | Os questionários são distribuídos e devolvidos por serviço postal ou entregadores. |
| Levantamentos *online* | A Internet é usada para fazer perguntas e registrar respostas. |
| Levantamento por painel postal | Os levantamentos são enviados para uma amostra representativa de indivíduos que concordaram em participar. |
| Levantamento "deixado"* | Os questionários são deixados com os respondentes para serem completados em um momento posterior. A seguir, os levantamentos são recolhidos pelo pesquisador ou devolvidos |

* N. de R. T.: O termo drop-off não é usual no Brasil. Esse tipo de levantamento envolve "deixar" um questionário para ser preenchido e depois buscá-lo. O termo a ser utilizado neste livro será levantamento "deixado".

**Entrevistas de interceptação em shopping center** O custo e as dificuldades das entrevistas em domicílio forçaram muitos pesquisadores a conduzirem seus levantamentos em locais centrais, frequentemente dentro de shopping centers regionais. Uma **entrevista de interceptação em shopping center** é uma entrevista pessoal presencial que ocorre, como seu nome informa, em um shopping center. Os clientes são parados nos corredores e é solicitado que preencham um levantamento. O levantamento pode ocorrer em uma área comum do estabelecimento ou no escritório local do pesquisador.

As entrevistas de interceptação em shopping center têm as mesmas vantagens que as entrevistas em domicílios e escritórios, exceto que o ambiente é menos familiar para o respondente. No entanto, as entrevistas de interceptação em shopping center são mais baratas e convenientes para o pesquisador. Um pesquisador gasta menos tempo e esforços para fazer com que uma pessoa concorde em participar da entrevista, pois ambas já estão em um local comum.

As desvantagens das entrevistas de interceptação em shopping center são semelhantes às das entrevistas em domicílios e escritórios, exceto que o tempo de viagem do entrevistador é menor. Além disso, os clientes do shopping center provavelmente não são representativos da população-alvo, mesmo que passem por um processo de

**Figura 5.3** **Vantagens e desvantagens dos levantamentos presenciais.**

| **Vantagens** | |
|---|---|
| Adaptabilidade | Entrevistadores treinados podem se adaptar rapidamente às diferenças dos respondentes. |
| Conexão | Nem todas as pessoas estão dispostas a falar com estranhos quando se pede que respondam algumas perguntas. Os entrevistadores ajudam a estabelecer uma "zona de conforto" durante o processo e tornam o levantamento mais interessante para os respondentes. |
| *Feedback* | Durante a entrevista, os entrevistadores podem responder as perguntas dos respondentes, aumentar o entendimento sobre as instruções e perguntas e capturar informações verbais e não verbais adicionais. |
| Qualidade das respostas | Os entrevistadores podem ajudar a garantir que os respondentes passaram por uma triagem e representam a população. Os respondentes são mais honestos quando respondem a perguntas frente a uma pessoa, desde que as perguntas não sejam prováveis de causar tendenciosidade por conveniência social. |
| **Desvantagens** | |
| Possível erro de gravação | Os entrevistadores podem registrar incorretamente as respostas às perguntas. |
| Erro de interação entrevistador/respondente | Os respondentes podem interpretar a linguagem corporal, expressão facial ou tom de voz do entrevistador como dica de como responder a uma pergunta. |
| Alto custo | O custo do total da coleta de dados por meio de entrevistadores é maior do que para outros métodos de coleta de dados. |

triagem. Normalmente, as entrevistas de interceptação em shopping center devem usar algum tipo de amostragem não probabilística, o que tem efeito negativo sobre a capacidade de generalizar os resultados do levantamento.

## Levantamentos telefônicos

As **entrevistas telefônicas** são outra fonte de informações de mercado. Em comparação com as entrevistas presenciais, as entrevistas telefônicas são mais baratas, mais rápidas e mais adequadas para coletar dados de grandes quantidades de respondentes. Os entrevistadores que trabalham de suas casas ou de locais centrais usam telefones para fazer perguntas e registrar as respostas.

Os métodos de levantamento telefônico possuem diversas vantagens sobre os presenciais. Uma é que os entrevistadores podem ser supervisionados em mais detalhes se trabalharem em uma central. Os supervisores podem gravar as chamadas e revisá-las posteriormente, ou podem ouvir as chamadas ao vivo. A revisão ou audição dos entrevistadores garante o controle de qualidade e pode identificar necessidades de treinamento.

Apesar de haver o custo adicional da chamada telefônica, elas ainda são mais baratas do que as entrevistas presenciais. As entrevistas telefônicas facilitam as sessões com respondentes espalhados por grandes áreas geográficas e os dados podem ser coletados em relativamente pouco tempo. Outra vantagem dos levantamentos telefônicos é que permitem que os entrevistadores liguem de volta para respondentes que não atenderam o telefone ou que disseram que seria inconveniente dar a entrevista no momento da primeira chamada. O uso do telefone em um momento conveniente para o respondente facilita a coleta de informações de muitos indivíduos que seriam quase impossíveis de entrevistar pessoalmente. A última vantagem é que a discagem aleatória de dígitos pode ser usada para selecionar-se uma amostra aleatória.

O método telefônico possui diversas desvantagens. Uma delas é que imagens ou outros estímulos não sonoros não podem ser apresentados pelo telefone. Recentemente, algumas empresas de pesquisa superaram essa desvantagem usando a Internet para mostrar estímulos visuais durante a entrevista telefônica. Uma segunda desvantagem é que algumas perguntas ficam mais complexas quando são feitas pelo telefone. Por exemplo, imagine um respondente tentando avaliar e ordenar 8-10 produtos pelo telefone, uma tarefa muito mais simples em um levantamento por correio. Terceiro, os levantamentos telefônicos tendem a ser mais curtos que as entrevistas pessoais, pois alguns respondentes desligam o telefone se a entrevista começa a demorar demais. Os levantamentos telefônicos também são limitados, pelo menos em prática, pelas fronteiras nacionais; é raro ver o telefone usado em pesquisas internacionais. Por fim, muita gente não se dispõe a participar de levantamentos telefônicos, de modo que os índices de recusa são altos e aumentaram significativamente nos últimos anos.

Muitas pessoas se incomodam com a pesquisa telefônica porque ela interrompe sua privacidade, seus jantares ou seu tempo de descanso. Além disso, o maior uso do telemarketing e dos atos ilegais e antiéticos conhecidos como "sugging", ou seja, venda disfarçada de pesquisa, contribuíram para a má imagem da entrevista telefônica entre o público.

**Entrevista telefônica assistida por computador (CATI)** A maioria das empresas de pesquisa possui um processo informatizado de entrevista telefônica em uma central. Com computadores rápidos e mais poderosos e *software* barato, mesmo as menores empresas podem usar sistemas de entrevista telefônica assistida por computador (CATI). Os entrevistadores usam aparelhos que deixam as duas mãos livres e sentam-se em frente a um teclado, terminal com tela sensível ao toque ou PC.

A maioria dos sistemas de **entrevista telefônica assistida por computador (CATI)** tem uma pergunta por tela. O entrevistador lê cada pergunta e registra a resposta do participante. O programa pula automaticamente as perguntas irrelevantes para o respondente específico. Os sistemas de CATI superam a maioria dos problemas associados aos sistemas manuais de chamadas de retorno, amostragem por quotas complexas, lógica para pular as perguntas da pesquisa, rotações e randomização.

Apesar da principal vantagem da CATI ser o menor custo por entrevista, também existem outras. Às vezes as pessoas precisam interromper entrevistas no meio, mas estão dispostas a continuar depois. A informática pode enviar chamadas para determinados entrevistadores que sejam "donos" da entrevista e que podem completá-la posteriormente. Além da maior eficiência por chamada, também há economia de custos.

A CATI elimina a necessidade de tarefas separadas de edição e entrada de dados associada a sistemas manuais. A possibilidade de codificação ou erros de entrada de dados é eliminada com a CATI, pois é impossível registrar acidentalmente uma resposta inadequada que não esteja presente em uma pré-lista de respostas estabelecidas para cada pergunta.

Os resultados podem ser tabulados em tempo real a qualquer momento no estudo. Resultados preliminares rápidos podem ser úteis para determinar quando certas perguntas podem ser eliminadas devido à quantidade suficiente de informações obtidas, ou quando perguntas adicionais são necessárias devido a padrões inesperados que se revelam em partes anteriores do processo de entrevista. O uso de sistemas de CATI continua a crescer, pois os tomadores de decisão adoram os aspectos de economia de custos e tempo e controle de qualidade desses sistemas.

**Levantamentos por telefone celular** Em um **levantamento por telefone celular**, os dados são coletados de usuários de telefonia móvel. Esse tipo de levantamento é cada vez mais usado devido à alta porcentagem de uso da telefonia móvel, a disponibilidade de aplicativos (apps) para celulares e a queda rápida da penetração dos telefones fixos. Muitas empresas de pesquisa estão expandindo o uso de levantamentos por telefone celular devido a duas vantagens sobre levantamentos telefônicos e via Internet: imediação e portabilidade. Os levantamentos por telefone celular apresentam imediação no sentido dos consumidores poderem preencher levantamentos junto aos momentos de compras, decisão e consumo. Por exemplo, os levantamentos por telefone celular já foram usados para (1) capturar compras por impulso no momento em que são feitas e consumidas, (2) coletar dados sobre efeitos colaterais em tempo real de pacientes participando de testes farmacológicos e (3) realizar levantamentos entre usuários de telefonia móvel. Uma empresa chamada Kinesis Survey Research oferece aos pesquisadores a opção de incluir um leitor de código de barras em miniatura ao telefone móvel que discretamente coleta e armazena os códigos de barras de produtos adquiridos. Finalmente, os painéis de telefonia móvel são adequados para levantamentos entre adolescentes, pessoas que fazem compras por impulso e primeiros usuários.[4]

Os pesquisadores usam principalmente os formatos de texto e via Internet em seus levantamentos. No formato de serviço de mensagens curtas (SMS), o respondente pode acessar o levantamento e visualizá-lo como mensagens de texto na tela de seu celular. O formato SMS é usado para pesquisas simples e levantamentos curtíssimos. Na Europa, os índices de penetração de telefonia móvel são altos e o uso de SMS é maior do que nos Estados Unidos, então o formato SMS é mais comum que o via Internet.[5]

Nos Estados Unidos, os levantamentos por telefone celular via Internet são mais usados do que o SMS. Em relação ao SMS, a Internet via telefonia móvel facilita uma sessão contínua, sem atrasos entre as perguntas e o recebimento das respostas. Os levantamentos por telefone celular via Internet tendem a ser mais baratos para o destinatário e o administrador do levantamento, além de permitir o uso de algumas funcionalidades associadas a levantamentos CATI e via Internet, incluindo ramificação condicional e visualização de imagens. Quando a capacidade de CATI é acrescentada a levantamentos por telefone celular via Internet, o resultado é conhecido como CAMI, ou entrevista móvel assistida por computador.[6] É possível combinar os levantamentos por telefonia móvel com imagens, clipes de áudio e vídeos produzidos pelos respondentes. As imagens podem ser coletadas e relacionadas com respostas a levantamentos.

Em geral, os pesquisadores de marketing não fazem ligações para usuários de telefonia móvel para solicitar participação em pesquisas como fazem com telefones fixos. Um motivo é que as regulamentações da FCC, a agência regulatória de telecomunicações dos Estados Unidos, proíbem o uso de discagem automática. Assim, todas as chamadas para respondentes potenciais devem ser feitas manualmente. Segundo, os respondentes em telefones celulares têm custos para participar de levantamentos. Terceiro, os respondentes que usam telefonia móvel podem estar em qualquer lugar quando recebem uma ligação, o que significa que provavelmente estarão distraídos por outras atividades e poderão interromper a chamada no meio. A segurança é outro problema, pois os respondentes podem estar dirigindo ao receberem a ligação dos pesquisadores.[7] Em geral, os respondentes são recrutados por meio de solicitações que não envolvam telefonia móvel, como telefones fixos, a Internet, interceptação em shopping center ou dentro de lojas. Os painéis celulares são criados a partir de participantes que escolheram ou concordaram em participar previamente da pesquisa.

Já mencionamos que a imediação é uma vantagem dos levantamentos por telefone celular via Internet. Uma segunda vantagem desse tipo de levantamento é sua capacidade de alcançar domicílios sem telefones fixos, uma demografia em crescimento. Por exemplo, um estudo recente indicou que quase um sexto de todas as residências dos Estados Unidos (15,8%) usava apenas telefonia móvel no final de 2007, um aumento em relação aos 6,1% de 2004. Além disso, em estados como Nova Iorque e Nova Jérsei, a telefonia fixa despencou 50% ou mais desde 2000.[8] Assim, um dos motivos para o uso dos levantamentos por telefone celular no setor de pesquisa de mercado é necessidade de obter amostrar representativas.[9] As residências sem telefone fixo não são representativas em termos de gênero, etnia, renda e idade. Portanto, a utilização de levantamentos por telefone celular junto a outros métodos permite que os pesquisadores alcancem consumidores que não conseguiriam incluir em seus levantamentos de outras maneiras.

Os levantamentos por telefone celular enfrentam diversos desafios. Devido ao espaço limitado na tela, os levantamentos por telefone celular não são adequados para pesquisas que envolvem perguntas e/ou respostas longas e complexas. Segundo, apesar de alguns telefones móveis poderem processar gráficos, sua capacidade ainda é limitada. Terceiro, os painéis celulares hoje possibilitam apenas amostras de tamanho relativamente pequeno. Apesar desses desafios, espera-se que o método cresça durante a próxima década.

## Levantamento autoaplicado

Um **levantamento autoaplicado** é uma técnica de coleta de dados na qual o respondente lê as perguntas e registra suas próprias respostas sem a presença de um entrevistador treinado. As vantagens e as desvantagens dos levantamentos autoaplicados se encontram na Figura 5.4. Discutimos aqui quatro tipos de levantamentos autoaplicados: levantamento por correio, painel postal, "deixado" e via Internet.

**Levantamentos por correio** Os **levantamentos por correio** em geral são enviados aos respondentes por meio do serviço postal. Em levantamentos business-to-business, por exemplo, em que as amostras são muito menores, temos a alternativa de enviar os questionários por entregadores, mas esse sistema de distribuição custa muito mais.

Esse tipo de levantamento é barato de implementar, pois não há custos relativos a entrevistadores, como compensação, treinamento, viagens e seleção. Os custos incluem postagem, impressão e incentivos. Outra vantagem é que os levantamentos por correio podem alcançar até mesmo pessoas difíceis de entrevistar.

Uma de suas maiores desvantagens é que os índices de resposta são menores do que para entrevistas presenciais ou telefônicas, o que cria tendenciosidade por não resposta. Outro problema são as perguntas mal entendidas ou ignoradas. Muitas pessoas simplesmente não entendem uma pergunta e podem marcar respostas que o pesqui-

**Figura 5.4** **Vantagens e desvantagens dos levantamentos autoaplicados.**

| **Vantagens** | |
|---|---|
| Baixo custo por levantamento | Sem necessidade de entrevistador ou aparelho de auxílio computadorizado, os levantamentos autoaplicados são de longe o método mais barato de aquisição de dados. |
| Controle do respondente | Os respondentes estão em controle absoluto de com que velocidade, quando e onde o levantamento é completado, o que permite que crie sua própria zona de conforto. |
| Sem tendenciosidade do entrevistador/respondente | Não há possibilidade de introduzir tendenciosidade do entrevistador ou erro interpretativo com base na linguagem corporal, expressão facial ou tom de voz do entrevistador. |
| Anonimato das respostas | Os respondentes ficam mais confortáveis para dar respostas honestas e inteligentes, pois sua verdadeira identidade não é revelada. |
| **Desvantagens** | |
| Minimiza a flexibilidade | O tipo de dado coletado é limitado às perguntas específicas incluídas no levantamento em um primeiro momento. É impossível obter dados em profundidade adicionais devido à falta de capacidade de sondagem e observação. |
| Altos índices de não resposta | A maioria dos respondentes não completa e devolve o levantamento. |
| Erros de resposta potenciais | O respondente pode não entender completamente uma pergunta do levantamento e fornecer respostas incorretas ou ignorar erroneamente partes do levantamento. Os respondentes também podem cometer erros inconscientemente, acreditando que estão dando respostas precisas. |
| Aquisição de dados lenta | O tempo necessário para obter os dados e salvá-los em um arquivo para análise pode ser significativamente maior do que para outros métodos de coleta de dados. |
| Falta de capacidade de monitoramento | A ausência do entrevistador pode aumentar enganos com perguntas e instruções. |

sador não pretendia. Finalmente, levantamentos por correio são lentos, pois há um atraso significativo entre o momento em que o levantamento foi postado e seu retorno.

**Levantamentos por painel postal** Para superar algumas desvantagens dos levantamentos por correio, o pesquisador pode escolher o método do **levantamento por painel postal**, no qual um questionário é enviado a um grupo de indivíduos que concordou previamente em participar da pesquisa. O painel pode ser testado antes do levantamento para que o pesquisador tenha certeza de sua representatividade. Esse acordo prévio em geral resulta em maiores índices de resposta. Além disso, os levantamentos por painel postal podem ser usados para pesquisas longitudinais, ou seja, as mesmas pessoas podem ser questionadas diversas vezes durante um longo período, o que permite que o pesquisador observe mudanças nas respostas dos membros do painel com o tempo.

A principal desvantagem dos painéis postais é que seus membros costumam não ser representativos da população-alvo em geral. Por exemplo, os indivíduos que concordam em participar do painel podem ter um interesse especial no tema, ou podem simplesmente ter muito tempo disponível.

**Levantamentos "deixados"** Uma técnica combinada popular é o **levantamento "deixado"**. Nesse método, um representante do pesquisador distribui manualmente os formulários aos respondentes. Os formulários completos são devolvidos por correio ou recolhidos pelo representante. As vantagens do levantamento "deixado" incluem disponibilidade de uma pessoa para responder perguntas gerais, filtrar respondentes e criar interesse em completar o questionário. Sua desvantagem é o custo, pois são mais caros do que os levantamentos por correio.

**Métodos de levantamento *online*** O método de levantamento mais usado hoje em dia na pesquisa de marketing é o **levantamento *online***, que coleta dados usando a Internet (ver Figura 5.5). Por que o uso de levantamentos *online* cresceu com tanta velocidade em tão pouco tempo? Por vários motivos. Uma vantagem importante dos levantamentos *online* é que são mais baratos por respondente do que outros métodos. Não há custo para fazer cópias, postar material ou contratar entrevistadores. Os levantamentos são autoaplicados e não é necessário realizar codificação. Assim, os resultados estão prontos para análise estatística quase imediatamente.

A capacidade dos levantamentos via Internet de coletar dados de amostras difíceis de localizar é outro fator importante por trás do crescimento dos levantamentos *online*. Algumas empresas de pesquisa de marketing mantêm grandes painéis de respondentes que podem ser usados para identificar alvos específicos, como médicos ou pacientes com alergias. Um dos maiores painéis *online*, a Harris Interactive, possui um painel mundial com milhões de membros. Seus painéis especializados incluem executivos, adolescentes e membros da comunidade LGBT (lésbicas, gays, bissexuais e transgêneros). O acesso a essas amostras de difícil localização também é possível com *sites* comunitários, blogs e *sites* de redes sociais dedicados a grupos demográficos ou de interesse específicos, como idosos, fãs de *Os Simpsons*, malucos por café e colecionadores de calculadoras da Texas Instruments, só para citar alguns.[10]

Outras vantagens dos levantamentos *online* incluem as capacidades funcionais superiores das tecnologias de Internet em relação a levantamentos com papel e caneta. Uma melhoria funcional é a capacidade de randomizar a ordem das perguntas dentro

**Figura 5.5** Uso de tipos de métodos de levantamento.

| Método | Porcentagem |
|---|---|
| Levantamentos *online* | 58 |
| CATI (Entrevista Telefônica Assistida por Computador) | 17 |
| Interceptação/Presencial | 11 |
| CAPI (Entrevista Pessoal Assistida por Computador) | 4 |
| Monitoramento de Mídias Sociais | 3 |
| Levantamentos por Telefone Celular | 2 |
| Análise Textual | 2 |
| Correio | 1 |
| Outros | 2 |
| Total | 100 |

**Fonte:** *Greenbook Research Industry Trends 2011 Report*, **p. 16, www.greenbook.org, acessado em dezembro de 2011.**

de um grupo, removendo o efeito da ordem das perguntas sobre as respostas. Outra melhoria importante em relação a outros tipos de levantamento é que os dados ausentes podem ser eliminados. Sempre que os respondentes ignoram uma pergunta, é solicitado que a respondam antes de passarem para a próxima tela. Terceiro, as empresas de pesquisa de marketing estão aprendendo a usar as habilidades gráficas e animações da Internet. Métodos de escalonamento que eram difíceis de usar são muito mais simples em um formato *online*. Por exemplo, a Qualtrics possui uma escala deslizante que facilita o uso de escalas de avaliação gráfica, superiores às escalas de Likert tradicionais; além disso, perguntas de ordenamento podem ser completadas por respondentes clicando e arrastando os itens para colocá-los na ordem apropriada. As palavras que descrevem a personalidade do respondente, uma marca, produto ou loja podem ser animadas para se mover da esquerda para a direita, com o respondente clicando sobre as palavras apropriadas. É possível usar vídeos e imagens, mostrando imagens e vídeos tridimensionais do interior de uma loja, produtos, anúncios e resenhas de filmes no contexto do levantamento *online*. As melhorias gráficas na concepção do levantamento tornam as tarefas muito mais realistas e envolventes para os respondentes, ainda que os criadores de levantamentos *online* precisem testar cuidadosamente os elementos gráficos para garantir que não estão influenciando as respostas ou agregando complexidades desnecessárias.

Além de utilizar os painéis *online* criados por empresas de pesquisa de marketing, as empresas podem pesquisar seus próprios clientes com as listas de e-mail existentes para enviar convites para que participem dos levantamentos. Algumas organizações também usam *software* de criação de levantamentos *online* oferecidos por empresas como a **www.qualtrics.com**, **www.surveygizmo.com**, **www.Zoomerang.com** e **www.Surveymonkey.com**. com para criar levantamentos *online* e coletar dados de modo relativamente fácil e barato. Os serviços da Qualtrics são utilizados por diversas universidades e empresas do mundo todo. A Survery Gizmo foi adotada por empresas como Walgreens, Skype e ING para coletar dados de clientes e funcionários. Ambas oferecem documentação de suporte detalhada para o desenvolvimento de levantamentos *online*. Muitas lojas *online* usam concursos de pesquisa para coletar informações e aumentar o envolvimento do cliente com suas empresas. Por exemplo, designers gráficos postam imagens de possíveis camisetas no *site* **www.Threadless.com** e os designs mais votados são produzidos e colocados à venda no *site*.

Apesar de os benefícios dos levantamentos *online* incluírem baixo custo por entrevista completada, coleta rápida de dados e a capacidade de usar estímulos visuais, as amostras da Internet raramente são representativas, e a tendenciosidade por não resposta pode ser alta. Cerca de 70% dos americanos têm acesso à Internet em casa, o que limita a capacidade de generalizar suas respostas para a população geral. É possível utilizar **pontuação de propensão** para ajustar os resultados para que fiquem mais parecidos com aqueles que seriam produzidos por uma amostra representativa, mas a precisão desse procedimento precisa ser avaliada. Com pontuação de propensão, as respostas dos membros subrepresentados na amostra recebem peso maior para compensar a falta de adequação da amostra. Por exemplo, se os respondentes com 65 anos ou mais têm apenas metade da probabilidade de participarem de uma amostra na Internet do que sua incidência populacional indicaria, cada indivíduo idoso seria contado em dobro na amostra. A principal desvantagem da pontuação de propensão é que os respondentes demograficamente semelhantes talvez tenham outros tipos de diferenças entre si.

## Selecionando o método de levantamento adequado

Os pesquisadores precisam considerar fatores situacionais, de tarefa e de respondente ao escolherem um método de levantamento. As seções a seguir descrevem fatores situacionais, de tarefa e de respondente em mais detalhes.

### Características situacionais

Em uma situação ideal, os pesquisadores se concentrariam apenas na coleta de dados precisos. Entretanto, o mundo em que vivemos não é ideal, e os pesquisadores precisam lidar com os objetivos concorrentes de orçamento, tempo e qualidade de dados. Ao escolher o método de levantamento, a meta é produzir dados utilizáveis no menor tempo e ao menor custo possíveis. Mas um fator compensa o outro. É fácil gerar grandes quantidades de dados em pouco tempo e ignorarmos a qualidade. Mas a qualidade excelente de dados em geral exige métodos caros e demorados. Ao selecionar o método de levantamento, o pesquisador em geral considera uma combinação de diversas características situacionais.

**Orçamento** O orçamento inclui todos os recursos disponíveis para o pesquisador. Apesar dos orçamentos costumarem ser pensados em termos de valores monetários, outros recursos, como o tamanho da equipe, também podem limitar os esforços de pesquisa. As determinações de orçamento são frequentemente muito mais arbitrárias que os pesquisadores gostariam que fossem. Mas é raro que o orçamento seja o único fator determinante na escolha do método de levantamento; o mais comum é que o orçamento seja considerado em conjunto com a qualidade dos dados e o tempo na hora de selecionar o método.

**Cronograma de realização** Cronogramas longos dão aos pesquisadores o luxo de selecionar o método que produzirá dados de maior qualidade. Em muitas situações, por outro lado, o cronograma aceitável é muito mais curto do que o desejado, o que força o pesquisador a escolher um método inferior ao ideal. Alguns levantamentos, como entrevistas pessoais ou por mala-direta, requerem cronogramas relativamente longos. Outros métodos, como levantamentos via Internet, telefônicos ou interceptações em shopping centers, podem ser realizados em menos tempo.

**Requisitos de qualidade** A qualidade dos dados é um problema complexo, que envolve questões de escalas de mensuração, planejamento de questionários, plano amostral e análise de dados. Uma breve revisão de três questões principais ajudará a explicar o impacto da qualidade dos dados sobre a seleção de métodos de pesquisa.

*Completude dos dados* Completude se refere à profundidade e à amplitude dos dados. Ter dados completos permite que o pesquisador crie uma imagem total, descrevendo por inteiro as informações de cada respondente. Dados incompletos não incluem parte dos detalhes, o que produz uma imagem parcialmente vaga ou obscura. As entrevistas pessoais e os levantamentos via Internet tendem a ser completos, enquanto os levantamentos por correio podem não ser. Em alguns casos, a profundidade das informações necessárias para se tomar decisões informadas indica que um levantamento pessoal é o método mais adequado.

*Generalizabilidade dos dados* **Dados generalizáveis** são aqueles que representam precisamente a população estudada e podem ser projetados de forma precisa para a população-alvo. Os dados coletados de levantamentos por correio frequentemente são menos generalizáveis do que aqueles coletados de entrevistas telefônicas ou pessoais, devido aos menores índices de resposta. Amostras pequenas limitam a generalizabilidade dos dados coletados, seja qual for a técnica utilizada. A generalizabilidade também costuma ser um problema com levantamentos *online*.

***Precisão dos dados*** "Precisão" se refere a até que ponto os dados são exatos em relação a alguma outra resposta possível. Por exemplo, se uma montadora precisa saber quais tipos de cores são preferidos pelos clientes para seus novos modelos, os respondentes podem indicar que preferem tons mais fortes para seus novos automóveis. Por outro lado, se "vermelho" e "azul" são as duas cores mais pedidas, a montadora precisa saber exatamente isso. Além disso, se vermelho é preferido pelo dobro dos respondentes que preferem azul, o nível de exatidão (precisão) é de 2-por-1. Isso indica que é necessário obter uma medida mais precisa da preferência dos respondentes por "vermelho" em relação a "azul", apesar de ambas as cores serem populares com os respondentes. Os levantamentos por correio e Internet frequentemente produzem resultados precisos, mas nem sempre eles são muito generalizáveis, em geral devido à dificuldade de se obter uma amostra representativa. Os levantamentos por telefone podem ser generalizáveis, mas as perguntas curtas e entrevistas rápidas afetam sua precisão.

## Características da tarefa

Os pesquisadores solicitam aos respondentes que realizem tarefas, e elas exigem tempo e esforço. As características da tarefa incluem: (1) dificuldade da tarefa; (2) estímulos necessários; (3) quantidade de informações solicitadas dos respondentes; e (4) sensibilidade do tema da pesquisa.

**Dificuldade da tarefa** Em alguns levantamentos, responder certos tipos de perguntas pode ser difícil para os respondentes. Por exemplo, o teste de preferência entre produtos ou marcas pode envolver a comparação e a avaliação de muitos produtos semelhantes, o que pode ser trabalhoso para os respondentes. Em geral, ambientes de levantamento mais complexos exigem indivíduos mais bem treinados para conduzir as entrevistas. Seja qual for o nível de dificuldade da tarefa, o pesquisador deve tentar facilitá-la ao máximo para que os respondentes consigam fornecer respostas para as perguntas.

**Estímulos necessários para suscitar respostas** Com frequência, pesquisadores precisam expor respondentes a algum tipo de estímulo para suscitar respostas. Os exemplos mais comuns de estímulos são produtos (como em testes de sabor) e visuais promocionais (como na pesquisa de propaganda). O entrevistador costuma ser necessário em situações nas quais os respondentes precisam tocar ou provar algo. Os levantamentos pessoais e via Internet podem ser usados sempre que os estímulos visuais forem necessários para a pesquisa.

A forma utilizada na entrevista pessoal pode variar. Nem sempre é necessário planejar uma sessão apenas com entrevistador e entrevistado. Por exemplo, os participantes podem se reunir em grupos em uma central de testes de sabor, ou é possível mostrar vídeos a pessoas interceptadas em shopping centers para obter suas opiniões sobre a propaganda.

**Quantidade de informações necessárias do respondente** Em termos gerais, se é necessário obter grandes quantidades de informações detalhadas dos respondentes, a necessidade de interação pessoal com um entrevistador treinado aumenta. Como acontece com qualquer método de levantamento, entretanto, a coleta de mais dados reduz os índices de resposta e aumenta a fadiga dos respondentes. O objetivo do pesquisador deve ser encontrar a melhor combinação entre método de levantamento e quantidade necessária de informações.

**Sensibilidade do tema da pesquisa** Em alguns casos, o problema de pesquisa obriga os pesquisadores a fazerem perguntas social ou pessoalmente sensíveis. A **sensibilidade do tema** é a característica de determinadas perguntas que fazem com que os respondentes forneçam respostas socialmente aceitáveis. Quando são perguntados sobre questões delicadas, alguns respondentes acham que devem dar a resposta socialmente aceitável mesmo quando seus sentimentos ou comportamentos não coincidem com a resposta. A interação telefônica ou presencial aumenta a tendência de informar atitudes e comportamentos socialmente desejáveis. Os comportamentos menos desejáveis, como o fumo, provavelmente são informados menos do que deveriam durante entrevistas pessoais, enquanto comportamentos desejáveis, como a reciclagem, são informados mais do que deveriam. Mesmo comportamentos aparentemente inócuos podem ser informados em excesso ou insuficientemente com base em sua conveniência social. Por exemplo, quando a Quaker Oats conduziu um estudo com dados de levantamentos *online* e de interceptação em shopping centers, a empresa descobriu que a amostra *online* informava significativamente mais lanches rápidos fora do horário das refeições. A Quaker Oats concluiu que os respondentes *online* estavam sendo mais honestos.[11] Além disso, alguns respondentes simplesmente se recusam a responder perguntas que considerem pessoais ou delicadas. Outros podem até mesmo interromper a entrevista nesse momento.

## Características dos respondentes

Como a maioria dos projetos de pesquisa de marketing foca grupos pré-especificados de indivíduos, o terceiro fator principal ao selecionar o método adequado de levantamento é o perfil dos respondentes. O quanto os membros do grupo-alvo de respondentes compartilham de certas características influencia a seleção do método de levantamento.

**Diversidade** A diversidade de respondentes refere-se a até que ponto os respondentes compartilham características. Quanto mais diversos forem, menos semelhanças têm. Quanto menos diversos forem, mais semelhanças têm. Por exemplo, se a população-alvo for definida como pessoas que têm acesso à Internet, então a diversidade é baixa e um levantamento via Internet será um método eficaz e eficiente em termos de custos. Entretanto, se a população-alvo definida não possui acesso conveniente à Internet, esse tipo de levantamento não dará certo.

Em alguns casos, o pesquisador pode presumir que uma dada característica pessoal ou comportamento é compartilhada por muitas pessoas na população-alvo, quando na verdade poucos a possuem. Por exemplo, a proporção de números fora da lista telefônica varia significativamente por área geográfica. Em algumas áreas (por exemplo, cidadezinhas rurais no estado de Illinois), o índice é baixíssimo (< 10%), enquanto em outras (por exemplo, cidades grandes, como Nova Iorque e Los Angeles), é altíssimo (> 50%).

**Índice de incidência** O **índice de incidência** é a porcentagem da população geral analisada por uma pesquisa de mercado. Às vezes, os pesquisadores estão interessados em um segmento da população geral que é relativamente grande, então, o índice de incidência é alto. Por exemplo, o índice de incidência de motoristas é bastante alto na população geral. Por outro lado, se o grupo-alvo definido é pequeno em relação à população geral, o índice de incidência é baixo. O índice de incidência de pilotos de avião na população geral é muito menor do que o de motoristas de automóveis. Normalmente, o índice de incidência é expresso na forma de porcentagem. Assim, um índice de incidência de 5% significa que 5 de cada 100 membros da população geral possuem as características de qualificação para um determinado estudo.

Como complicador para o índice de incidência é o problema persistente de contatar possíveis respondentes. Por exemplo, os pesquisadores tomaram muito cuidado em gerar uma lista de possíveis respondentes para um levantamento telefônico, mas então descobriram que uma parcela significativa deles se mudou, trocou de número ou simplesmente perdeu o número, sem informação adicional, resultando em um índice de incidência muito menor do que se esperava originalmente. Quando os índices de incidência são muito baixos, os pesquisadores precisam investir muito mais tempo e dinheiro para localizar e obter a cooperação de respondentes em quantidade suficiente. Em situações de baixa incidência, os levantamentos de entrevista pessoal seriam usados muito raramente, pois seria caro demais encontrar o indivíduo que se qualifica para ela. Em outros casos, os levantamentos telefônicos são muito eficazes enquanto método de triagem. Os indivíduos que passam por um filtro telefônico poderiam, por exemplo, receber um levantamento pelo correio. Nas pesquisas com levantamentos, os pesquisadores têm por objetivo reduzir o tempo de busca e os custos de qualificação de respondentes em potencial, bem como aumentar a quantidade de dados reais utilizáveis.

**Participação dos respondentes** A participação dos respondentes envolve três componentes: a capacidade do respondente de participar, sua disposição de participar e seu conhecimento. A **capacidade de participar** se refere à capacidade do entrevistador e do respondente de se reunirem para uma troca de perguntas e respostas. A capacidade dos respondentes de compartilhar suas ideias com os entrevistadores é uma consideração importante do processo de seleção. Os pesquisadores ficam frustrados quando encontram respondentes qualificados e dispostos a responder que, por qualquer motivo, não conseguem participar do estudo. Por exemplo, as entrevistas pessoais exigem um período de tempo ininterrupto. Encontrar executivos ocupados com uma hora livre para uma entrevista pode ser um problema difícil para ambas as partes, pesquisadores e executivos. Da mesma forma, alguns compradores querem participar de um levantamento de interceptação em um shopping center, mas estão com pressa para buscar os filhos na escola. Um optometrista pode ter cinco minutos até a próxima consulta. A lista de distrações é infinita. Métodos como o levantamento por correio, nos quais o tempo necessário para completar as perguntas não precisa ser contínuo, se tornam uma alternativa atraente em alguns casos. Como esses exemplos demonstram, o problema de incapacidade de participar é bastante comum. Para contorná-lo, a maioria dos levantamentos telefônicos, por exemplo, permite que os respondentes contatem o entrevistador em um momento mais conveniente, o que ilustra a regra de que os pesquisadores de marketing não poupam esforços quando se trata dos limites de tempo dos respondentes.

O segundo componente da participação em levantamentos é a **disposição de participar** ou a inclinação a compartilhar ideias dos possíveis respondentes. Algumas pessoas respondem simplesmente por estarem interessadas no assunto. Outras não respondem por não estarem interessadas, porque desejam preservar sua privacidade, por serem ocupadas demais ou porque objetam ao tema da pesquisa por algum motivo. Seja como for, sempre ocorre um processo de autosseleção. O tipo de método de levantamento também influencia esse processo. Por exemplo, é muito mais fácil ignorar um levantamento por correio ou desligar o telefone do que rejeitar um indivíduo pessoalmente em uma entrevista de interceptação em um shopping center ou em domicílio.

O **nível de conhecimento** se refere a até que ponto os respondentes selecionados acreditam ter conhecimento ou experiência com relação aos temas do levantamento. Os níveis de conhecimento dos respondentes são críticos para determinar se eles concordarão ou não em participar, impactando diretamente a qualidade dos dados coletados. Por exemplo, um grande fabricante de *software* desejava identificar os principais fatores utilizados por pequenos atacadistas para decidir qual sistema eletrônico de controle de estoque precisariam para melhorar seus serviços de entrega *just-in-time* para varejistas. A empresa decidiu conduzir um levantamento telefônico junto a um grupo seleto de 100 pequenos atacadistas que não usavam um sistema desse tipo. Ao tentar organizar as entrevistas iniciais, os entrevistadores perceberam que cerca de 80% das respostas eram "não estamos interessados". Investigando melhor essa resposta, eles descobriram que a maioria dos respondentes acreditava não estar suficientemente familiarizada com os detalhes desse tipo de sistema para conversar sobre as questões do levantamento. Quanto mais detalhadas forem as informações necessárias, maior deve ser o nível de conhecimento dos respondentes para que eles participem do levantamento.

Com o passar dos anos, os pesquisadores desenvolveram "melhores práticas" para aumentar os níveis de participação. Uma estratégia usada com bastante frequência é a oferta de incentivos, que podem variar desde "presentes" monetários a itens não monetários, como canetas, cupons que podem ser trocados por um produto ou serviço e participação em sorteios. Outra estratégia para aumentar a participação é distribuir pessoalmente o questionário a respondentes em potencial. Em concepções de levantamento que envolvem situações de grupo, os pesquisadores podem utilizar a influência social para aumentar a participação, por exemplo, mencionando que vizinhos ou colegas já participaram. Entretanto, as estratégias de incentivos não devem ser promovidas como "recompensas" pela participação dos respondentes, pois isso muitas vezes cria uma motivação equivocada para as pessoas que decidem participar dos levantamentos.

Em suma, os pesquisadores tentam maximizar a participação para evitar os problemas associados à tendenciosidade por não resposta.

## Concepções de pesquisa causais

As concepções de **pesquisa causal** diferem das concepções exploratórias ou descritivas de diversas maneiras. Primeiro, o foco principal da pesquisa causal é obter dados que permitam aos pesquisadores avaliar as relações de "causa e efeito" entre duas ou mais variáveis. Os dados de concepções exploratórias e levantamentos, por outro lado, permitem que os pesquisadores avaliem relações não causais entre variáveis. O conceito de *causalidade* entre diversas **variáveis independentes** (X) e uma **variável dependente**

(Y) em concepções de pesquisa especifica as relações investigadas em estudos de pesquisa causais e apresentadas em termos de "se X, então Y".

Três condições fundamentais são necessárias para chegar a uma conclusão precisa sobre a existência de uma relação de causa e efeito entre variáveis. Os pesquisadores devem estabelecer que há uma ordem temporal entre as variáveis independente X e dependente Y, tal que a variável X (ou uma mudança em X) deve ocorrer antes da observação ou mensuração da variável Y (ou uma mudança em Y). Segundo, os pesquisadores têm de estabelecer que os dados coletados confirmam alguma espécie de associação significativa entre a variável X e a variável Y. Finalmente, os pesquisadores devem considerar (ou controlar) todas as outras variáveis possíveis além de X que causariam uma alteração na variável Y.

Outra diferença entre a pesquisa causal e a descritiva é que a primeira exige que os pesquisadores coletem dados utilizando concepções experimentais. Um **experimento** envolve procedimentos de coleta de dados cuidadosos nos quais os pesquisadores manipulam uma variável independente causal proposta e observam (mensuram) o efeito proposto sobre uma variável dependente enquanto controlam todas as outras variáveis influenciadoras. As concepções de pesquisa exploratórias e de levantamento normalmente não têm o mecanismo de "controle" das concepções causais. Em geral, os pesquisadores utilizam um ambiente de laboratório controlado, no qual o estudo é conduzido em um ambiente artificial que minimiza o efeito de todas, ou quase todas, as variáveis não controláveis. Em um experimento de campo, os pesquisadores utilizam um ambiente natural semelhante ao contexto do estudo, no qual uma ou mais das variáveis independentes são manipuladas sob condições controladas, valendo-se de todo o cuidado permitido pela situação. Por fim, enquanto as concepções exploratórias e descritivas quase sempre envolvem a coleta de dados por meio de levantamentos, as concepções experimentais coletam dados com uma combinação de levantamentos e observação. Na verdade, uma das concepções experimentais mais executadas nos últimos anos é a pesquisa *online* que observa atividades na Internet para determinar quais variáveis do mix de marketing tendem a influenciar padrões de tráfego de visitantes e, em última análise, a realização de compras.

Uma terceira diferença é o enquadramento das perguntas de pesquisa nas concepções causais. Nas concepções de pesquisa exploratórias e de levantamento, as perguntas de pesquisa iniciais costumam ser enquadradas de forma ampla, com as hipóteses concentradas na magnitude e/ou direção da associação, não na causalidade. Como exemplo de amostra não causal, pense na vice-presidente corporativa de mercadorias da loja de departamentos Macy's, preocupada com a queda das receitas gerada pelas táticas de marketing atual. Diversas perguntas que precisam de respostas são "As táticas de marketing atuais da Macy's (loja, produto, serviço, etc.) precisam ser modificadas para aumentar as receitas e a participação de mercado?" "A qualidade das mercadorias, os preços e a qualidade do serviço impactam significativamente a satisfação do cliente, os padrões de tráfego dentro da loja e a sua fidelidade?" e "A Macy's deveria expandir seu esforços de marketing para incluir uma opção de e-commerce?" Todas essas perguntas sugerem a análise de associações (ou relações amplas) entre variáveis específicas, mas nenhuma delas se concentra em determinar a causalidade das relações. Por consequência, os pesquisadores utilizariam concepções de pesquisa descritivas ou exploratórias.

As perguntas que examinam as relações causais entre variáveis, por outro lado, são elaboradas com foco no impacto (ou influência) específico que uma variável causa em outra. Por exemplo, a VP de mercadorias da Macy's poderia fazer os seguintes tipos de pergunta: "Trocar a política de atendimento ao cliente A (p.ex.: devoluções de mercadorias) pela política de atendimento ao cliente B levaria a um aumento significativo da fidelidade entre os clientes atuais?" "A rentabilidade da linha de vestuário feminino casual melhoraria com um aumento de preço de 18%?" "Reduzir o número de marcas de sapatos atual de oito para quatro reduziria significativamente as vendas no departamento de calçados?" e "Oferecer promoções gerais de 'compre um, leve o segundo pela metade do preço' *versus* '20% de desconto' levaria a um aumento significativo nos padrões de tráfego dentro da loja?" Respostas precisas a essas perguntas são obtidas somente com alguma espécie de concepção de pesquisa causal controlada.

## A natureza da experimentação

As concepções de pesquisa exploratórias e descritivas são úteis para muitos tipos de estudo, mas elas não confirmam as relações causais entre variáveis de marketing. Os experimentos, por outro lado, são concepções de pesquisa causais e podem explicar relações de causa e efeito entre variáveis e determinar por que os eventos ocorrem.

A pesquisa de marketing quase sempre envolve a mensuração de variáveis. Lembre-se que uma **variável** é um elemento observável e mensurável, como a característica de um produto ou serviço ou uma atitude ou comportamento. Em marketing, as variáveis incluem demografia, como idade, gênero e renda; atitudes, como fidelidade à marca e satisfação do cliente; resultados, como vendas e lucro; e comportamentos, como consumo e compra de mídia, tráfego de *sites*, compras e utilização de produtos.

Ao conduzir um experimento, os pesquisadores tentam identificar os relacionamentos entre as variáveis de interesse. Vamos considerar, por exemplo, a seguinte pergunta de pesquisa: "Quanto tempo demora para um cliente receber seu pedido no drive-thru do restaurante de *fast food* Wendy's?" O tempo que demora para receber o pedido é uma variável que pode ser medida quantitativamente, ou seja, os diferentes valores da variável "tempo de demora do pedido" são determinados por algum método de mensuração. Mas quanto tempo demora para que um cliente específico receba seu pedido é uma questão complicada por diversas outras variáveis. Por exemplo, e se há 10 carros na fila? Ou se é meio-dia? Ou se está chovendo? Outros fatores, como número de janelas no drive-thru, o nível de treinamento dos funcionários anotando os pedidos e o número de clientes que estão esperando também são variáveis. Por consequência, todas essas variáveis podem afetar a variável "tempo de demora do pedido".

Outras variáveis incluem o tipo de carro sendo dirigido, o número de pessoas no carro e o tamanho do pedido. As primeiras duas variáveis provavelmente não terão efeito sobre o tempo do pedido, mas é muito mais provável que haja uma relação entre a quantidade de itens no pedido e o tempo de espera. Se é verdade que a quantidade de comida pedida aumenta o tempo de espera do cliente no drive-thru, o pesquisador pode concluir que há uma relação entre quantidade de comida pedida e tempo de espera. Em concepções de pesquisa causais que envolvem experimentos, o foco está em determinar se há uma mudança sistemática em uma variável quando outra muda.

A pesquisa experimental é, antes de mais nada, um método de teste de hipóteses que examina hipóteses sobre relações entre variáveis independentes e dependentes. Os pesquisadores desenvolvem hipóteses e, a seguir, concebem experimentos para testá-las. Para tanto, os pesquisadores devem identificar as variáveis independentes que podem afetar uma ou mais das variáveis dependentes. Os experimentos e outras concepções causais são mais adequados quando o pesquisador quer descobrir por que certos eventos ocorrem e por que ocorrem sob certas condições, mas não sob outras. Os experimentos oferecem evidências mais fortes de relações causais do que as concepções exploratórias ou descritivas devido ao controle possibilitado pelas concepções de pesquisa causais.

Os experimentos permitem que os pesquisadores de marketing controlem a situação de pesquisa para que as relações causais entre as variáveis possam ser examinadas. Em um experimento típico, a variável independente é manipulada (alterada) e seu efeito sobre outra variável (a variável dependente) é mensurado e avaliado. Os pesquisadores tentam medir ou controlar a influência de qualquer variável, que não a independente, que poderia afetar a dependente; essas são as **variáveis de controle**. Se a equipe de pesquisa deseja testar o impacto do design de embalagem nas vendas, ela precisa controlar outros fatores que afetam as vendas, incluindo, por exemplo, preço e nível de publicidade. Qualquer variável que possa afetar o resultado do experimento e que não for medida ou controlada é chamada de **variável estranha**. As variáveis estranhas incluem o humor ou os sentimentos do respondente, a temperatura da sala na qual o experimento ocorre ou mesmo as condições climáticas gerais durante o experimento. Após o experimento, o pesquisador mede a variável dependente para descobrir se ela mudou. Se mudou, o pesquisador conclui que a mudança na variável dependente foi causada pela variável independente. O material da Figura 5.6 oferece uma explicação mais detalhada desses conceitos.

## Preocupações com validade na pesquisa experimental

Em todos os tipos de concepção de pesquisa, mas especialmente nas concepções causais, os pesquisadores precisam entender a *validade* e agir de modo a garanti-la. Em geral, os achados de pesquisa podem ser afetados por inúmeras variáveis incontroláveis, especialmente no caso de achados obtidos com abordagens de concepção experimental. As variáveis incontroláveis podem dificultar a determinação da validade dos resultados experimentais. Ou seja, a mudança na variável dependente foi causada pela independente, ou por algo mais? A **validade** representa até que ponto as conclusões tiradas de uma determinada concepção de pesquisa, como um experimento, são verdadeiras. A questão da validade, especialmente a vaidade externa, se torna importante

**Figura 5.6** Tipos de variáveis utilizadas em concepções de pesquisa experimentais.

| Tipo de variável | Comentários |
|---|---|
| Variável independente | Também chamada variável de *causa*, *preditora* ou de *tratamento* (X). Representa um atributo (ou elemento) de um objeto, ideia ou evento cujos valores são manipulados diretamente pelo pesquisador. Presume-se que a variável independente seja o fator causal em uma relação funcional com a variável dependente. |
| Variável dependente | Também chamada variável de *efeito*, *resultado* ou *critério* (Y). Representa um atributo ou elemento observável que é o resultado de testes específicos, derivado da manipulação da variável ou variáveis independentes. |
| Variáveis de controle | Variável que o pesquisador controla para que não afete a relação funcional entre as variáveis independentes e dependentes incluídas no experimento. |
| Variáveis estranhas | Variável incontroláveis cujo resultado em uma série de experimentos deve alcançar uma média neutra. Se não forem consideradas, tais variáveis podem ter efeito de confusão sobre as medidas de variáveis dependentes que enfraqueceriam ou invalidariam os resultados de um experimento. |

## PAINEL Utilizando choques elétricos para melhorar o atendimento ao cliente

Imagine que você está assistindo a um experimento que examina a relação entre aprendizagem e punição. Você observa um cliente contatar um trainee que recebe instruções específicas sobre como lidar com clientes furiosos fazendo reclamações. O trainee começa a realizar a tarefa, que envolve interpretação de papéis com um exemplo típico de cliente fazendo reclamação. Todas as vezes que o trainee responde incorretamente ou exagera sua reação às reclamações do cliente, um assistente de pesquisa aperta um botão e faz o trainee sofrer um choque elétrico. O pesquisador informa a você que o choque aumenta ligeiramente cada vez, mas sempre permanece dentro de um limite seguro, ainda que desconfortável. As respostas do trainee vão melhorando no início e quase sempre são corretas. Após cerca de dezenas de choques, entretanto, o trainee fica incomodado e começa a temer a possibilidade de um novo choque. Suas mãos estão obviamente trêmulas. A aprendizagem parece estar regredindo em vez de progredir.

Agora imagine que o pesquisador se levanta da cadeira para sair da sala e pede que você, o observador, assuma seu lugar. Você cooperaria com ele e daria choques no trainee após respostas incorretas?

Esse tipo de pesquisa seria útil no treinamento de funcionários que interagem com clientes? Essa pesquisa possui implicações éticas?

no desenvolvimento de concepções de pesquisa experimentais devido a ambientes controlados, à manipulação de variáveis e a considerações sobre mensuração.

**Validade interna** **Validade interna** se refere a até que ponto a concepção de pesquisa identifica corretamente as relações causais. Em outras palavras, a validade interna existe quando o pesquisador pode eliminar explicações concorrentes para as conclusões sobre a relação hipotética. O exemplo a seguir ilustra a importância de eliminar hipóteses concorrentes, estabelecendo assim a validade interna. Uma padaria em White Water, no estado de Wisconsin, queria saber se colocar ou não cobertura extra sobre seus bolos faria com que os clientes gostassem mais do produto. Os pesquisadores usaram o experimento para testar a hipótese de que os clientes preferem cobertura extra sobre seus bolos. No entanto, quando a quantidade de cobertura aumentou, a umidade dos bolos também aumentou. Os clientes reagiram favoravelmente a essa mudança. Mas a reação favorável foi causada pela umidade ou pela cobertura extra? Nesse caso, a umidade é uma variável estranha.

**Validade externa** **Validade externa** significa que os resultados do experimento podem ser generalizados para a população-alvo. Por exemplo, imagine que uma empresa no setor de alimentos quer descobrir se sua nova sobremesa teria sucesso no segmento de mercado de clientes entre 18 e 35 anos. Seria caro demais pedir que cada indivíduo entre 18 e 35 anos no país experimentasse o produto. Entretanto, com o uso de métodos de pesquisas experimentais, a empresa pôde selecionar aleatoriamente indivíduos na população-alvo (18-35 anos) e designá-los para diferentes grupos de tratamento, variando um componente da sobremesa em cada grupo. A seguir, os respondentes em cada grupo de tratamento experimentariam a nova sobremesa. Se 60% dos respondentes indicarem que comprariam o produto, e se 60% da população-alvo realmente comprasse o produto quando ele fosse lançado, então os resultados do estudo seriam considerados tendo validade externa. Em geral, é preciso utilizar a seleção aleatória de membros e a designação aleatória a condições de tratamento para garantir a validade externa, mas as duas condições não são necessariamente suficientes para confirmar que os achados podem ser generalizados.

## Comparando experimentos laboratoriais e de campo

Os pesquisadores de marketing utilizam dois tipos de experimentos: laboratoriais e de campo. Os **experimentos laboratoriais** são conduzidos em situações artificiais. Se o pesquisador recruta participantes para um experimento em que diversos tipos de anúncios são mostrados e pede que os participantes visitem uma instalação de pesquisa para assistir e avaliar os anúncios, este é um experimento laboratorial. O contexto é diferente daquele em que seria natural assistir aos anúncios, ou seja, em casa; portanto, é considerado artificial. Os experimentos laboratoriais permitem que o pesquisador controle a situação e, por consequência, alcance altos níveis de validade interna. Em compensação, os experimentos laboratoriais pecam em termos de validade externa.

Os **experimentos de campo** são realizados em contextos naturais ou "reais", em geral, ambientes de varejo, como shopping centers e supermercados, o que possibilita grandes níveis de realismo, mas isso significa que é difícil controlar as variáveis independentes e estranhas. Os problemas de controle podem surgir de diversas maneiras diferentes. Por exemplo, a condução de um experimento de campo sobre um novo produto em um supermercado requer que o varejista dê sua permissão para colocar o produto na loja. Dada a grande quantidade de lançamentos de novos produtos todos os anos, os varejistas estão hesitando em incluir novos produtos. Mesmo que o lojista coopere, a visualização adequada e o apoio do lojista ainda são necessários para se conduzir o experimento.

Além de realismo e controle, pelo menos três outras questões precisam ser consideradas antes de decidir usar um experimento de campo: cronogramas, custos e reações dos concorrentes. Os experimentos de campo demoram mais para serem completados do que os laboratoriais. A fase de planejamento aumenta ainda mais o tempo necessário para conduzir os experimentos de campo, pois pode incluir a determinação de que cidades usar no teste de mercado e que varejistas abordar com o experimento de produto, aquisição de espaço publicitário e coordenação da distribuição do produto experimental. Os experimentos de campo são mais caros dos que os laboratoriais, pois uma grande quantidade de variáveis independentes precisa ser manipulada. Por exemplo, o custo de uma campanha publicitária por si só pode aumentar o custo do experimento. Outros itens que aumentam o custo dos experimentos de campo são os cupons, o desenvolvimento de embalagens, as promoções comerciais e amostras grátis de produtos. Como os experimentos de campo são realizados em contextos naturais, a concorrência pode descobrir sobre o novo produto quase que ao mesmo tempo em que ele é lançado, e responder com atividades promocionais pesadas que invalidam os resultados do experimento, ou acelerando o lançamento de seus próprios produtos semelhantes. Se for preciso guardar segredo sobre o processo, então os experimentos laboratoriais em geral têm mais sucesso.

## Teste de mercado

O tipo mais comum de experimento de campo é o teste de mercado, um tipo especial de concepção experimental que avalia as atitudes dos clientes em relação a novas ideias de produtos, alternativas de distribuição de serviços ou estratégias de comunicação de marketing. O **teste de mercado** é o uso de experimentos para obter informações sobre indicadores de desempenho do mercado. Por exemplo, as variáveis do mix de marketing (produto, preço, praça e promoção) são manipuladas, e as mudanças nas variáveis dependentes, como volume de vendas e tráfego do *site*, mensuradas.

O teste de mercado, também chamado experimento de campo controlado, possui três aplicações gerais na pesquisa de marketing. Primeiro, o teste de mercado serve para pilotar o lançamento de novos produtos ou modificações em produtos existentes. Essa abordagem testa um produto em pequena escala, em condições de mercado realistas, para determinar se ele terá sucesso em um lançamento nacional. Segundo, o teste de mercado explora diferentes opções dos elementos do mix de marketing. Diferentes planos de marketing, utilizando diferentes variações dos elementos do mix de marketing, são testados e avaliados relativos ao provável sucesso de um determinado produto. Terceiro, os pontos fracos ou fortes de um produto, ou as inconsistências nas estratégias de mercado, são um objeto de estudo frequente dos testes de mercado. Em suma, os principais objetivos dos testes de mercado são prever as vendas, identificar possíveis reações de clientes e antecipar as consequências adversas de programas de marketing. O teste de mercado mensura o potencial de vendas de um produto ou serviço e avalia as variáveis do mix de marketing.

O custo da condução de experimentos de teste de mercado pode ser alto, mas quando consideramos que o fracasso de novos bens de consumo é estimado em 80-90%, muitas empresas acreditam que as despesas relativas à condução desse tipo de teste podem ajudar a evitar os erros muito mais caros de um lançamento fracassado. Leia a seção Painel de Pesquisa de Marketing a seguir e descubra como a Lee Apparel Company utilizou procedimentos de teste de mercado para criar um banco de dados de clientes exclusivo e lançar com sucesso uma nova marca de calça jeans feminina.

## PESQUISA DE MARKETING EM AÇÃO
### Riders inclui novo banco de dados no lançamento da marca

A Lee Apparel Company usou dados de testes de mercado de um experimento de campo para construir um banco de dados de clientes e apoiar o lançamento bem-sucedido de uma nova marca de jeans. Alguns anos atrás, a empresa decidiu lançar uma nova linha de vestuário em jeans sob o nome Riders. A equipe de gestão aproveitou a oportunidade para começar a construir um banco de dados de clientes. Ao contrário do processo típico de construir um banco de dados de clientes ao redor de promoções, mercadorias e esforços publicitários que beneficiam o varejo diretamente, seu objetivo era usar o orçamento de marketing para construir a marca e o banco de dados. Os primeiros momentos da linha Riders foram bons, com lançamentos nos mercados regionais da empresa no Meio-Oeste e Nordeste dos Estados Unidos. A estratégia de posicionamento inicial indicava que os produtos teriam preço ligeiramente maior do que marcas concorrentes e seriam vendidos em grandes varejistas de massa, como Ames, Bradlee's, Caldor, Target e Venture. Durante o primeiro ano, o programa de comunicação enfatizava o "caimento confortável" da linha; em dois anos, o lançamento foi nacional, usando grandes canais de varejo, como a rede Walmart.

A princípio, a Riders utilizou uma promoção de primavera chamada "Easy Money" ("Dinheiro fácil") para gerar primeiras compras e obter nomes, endereços e informações demográficas sobre os primeiros clientes da linha. Esses dados foram coletados por meio de reembolsos e certificados das lojas. Após completar e enviar o cartão de reembolso para a Riders, o cliente recebia um cheque pelo correio. Esse teste de mercado inicial forneceu dados valiosos sobre cada cliente, como o tipo exato de produto adquirido, quanto foi gasto, para quem compraram, onde ouviram falar da marca Riders e seus interesses de estilo de vida. Como parte do teste de mercado, a Riders apoiou os esforços com material de ponto de compra (POP) e promoções em encartes de jornais dominicais. Além disso, a equipe gerencial financiou a promoção e cuidou de todo o processo de desenvolvimento, reembolso e efetuação internamente. Os resultados do primeiro teste de mercado foram: 1,5 milhão de dólares em certificados distribuídos, com índice de resposta de 2,1%, ou pouco mais de 31 mil nomes de clientes. Cerca de 20% dos compradores adquiriram mais de um item.

Outra parte da concepção do teste de mercado era o levantamento telefônico de acompanhamento entre os novos clientes três meses depois da promoção inicial. Dos clientes pesquisados, 62% haviam adquirido produtos Riders. O levantamento forneceu informações detalhadas para vendedores e consumidores. A Riders então repetiu a concepção de teste de mercado, adicionando uma correspondência por cartão-postal para todos os nomes já presentes no banco de dados. O esforço promocional recolheu mais de 40 mil novos nomes de clientes e suas informações para o banco de dados, além de comprovar o índice de resposta dos clientes no banco de dados: 33,8% dos clientes no banco de dados que receberam o cartão-postal promocional vieram à loja fazer uma compra, em contraste com os 2,8% dos anúncios em encartes e ponto de compra.

Para estabelecer um banco de dados de clientes de sucesso a partir de concepções de teste de mercado, o primeiro passo crítico é descobrir o modo mais eficiente de coletar nomes. O segundo passo é decidir como usar as informações com clientes, prospectos e varejistas. O último passo é começar o processo de teste e avaliação dos relacionamentos e aplicar o que aprendeu para construir a fidelidade dos clientes.

## Foco em parcerias de varejo

O principal objetivo do teste de mercado era criar informações valiosas que pudessem ser usadas para construir relacionamentos com consumidores da Riders e com as contas de varejo que a Riders dependia para distribuição. A filosofia crescente dentro da equipe de gestão de marca da Riders era "quanto mais sabemos sobre nossos clientes, melhores serão as decisões que poderemos tomar para lidar com eles e com nossos lojistas". Além disso, informações detalhadas, como os resultados monetários de cada promoção e os perfis demográficos, são compartilhadas com os varejistas, assim como a pesquisa que mostrava os benefícios do comportamento do consumidor. Por exemplo, um estudo de acompanhamento descobriu que a intenção de compra dos clientes no banco de dados era o dobro dos clientes fora do banco de dados para certa área comercial. A consciência de marca sem auxílio também era alta (100%, em contraste com os 16% da população geral), e a consciência sobre a propaganda da Riders era de 53%, em contraste com os 27% do outro grupo.

A equipe Riders tinha tanta confiança em ligar as informações do banco de dados aos esforços promocionais que insistiu que o componente do banco de dados deveria ser parte de qualquer promoção específica das redes. A gerência esperava convencer os lojistas a aumentar suas próprias capacidades de bancos de dados para compartilhar suas informações. Por exemplo, as informações de contas de varejo podem identificar mais oportunidades de produto e promoção. A Riders acreditava que o resultado real viria quando ambos, produtores e vendedores, usassem os dados, seja qual fosse sua origem, para ter mais sucesso em atrair e manter o grande patrimônio para ambos os membros do canal: o cliente. A Riders precisava continuar a convencer os lojistas de que colocar suas mercadorias nas prateleiras iria trazer pessoas para dentro das lojas. Do teste de mercado à criação de bancos de dados completos de clientes, a equipe Riders começou a fazer boa parte de seus investimentos de marketing em estratégias publicitárias que melhoram sua imagem, concentradas na mídia impressa e televisiva.

Por exemplo, eles dizem que "quanto mais sabemos sobre nossos clientes e suas preferências, melhor poderemos ajustar nossas mensagens publicitárias e compras de mídia, identificar que tipo de promoção funciona melhor e compreender quais novos produtos deveríamos desenvolver. À medida que as pressões competitivas continuam a se acumular, a Riders espera que informações detalhadas sobre os clientes sejam ainda mais valiosas em identificar com clareza a posição da marca. Definir a nós mesmos e o diferencial dos produtos Riders será um elemento cada vez mais importante em atrair clientes que têm inúmeras opções nas lojas nas quais a Riders está nas prateleiras. Apesar de ter começado com testes de mercado para orientar o desenvolvimento de um programa completo de bancos de dados de clientes, hoje são os bancos de dados que estão orientando a inclusão de elementos críticos em nossa pesquisa de teste de mercado. O objetivo final da Riders é criar uma ferramenta que tornará os produtos mais atraentes para varejistas e consumidores".

## Exercício prático

Usando seu conhecimento sobre testes de mercado, responda as seguintes perguntas:

1. Qual é o objetivo geral da Lee Apparel Company em conduzir um teste de mercado tão longo de sua nova linha de jeans "Riders"? Em sua opinião, a empresa alcançou seu objetivo? Por quê?
2. Identifique e explique as forças e as fraquezas associadas ao processo de teste de mercado usado pela Lee Apparel Company.
3. Em sua opinião, a empresa deveria considerar o desenvolvimento e a implementação de estratégias de teste de mercado *online*? Por quê?

## Resumo

**Explicar o objetivo e as vantagens de concepções de pesquisa por levantamento.**
As principais vantagens de se usar concepções de levantamento descritivas para coletar dados primários de respondentes são a possibilidade de utilizar maiores tamanhos de amostra; a generalizabilidade dos resultados; a capacidade de distinguir pequenas diferenças entre os diversos grupos amostrados; a facilidade de administração; e a capacidade de identificar e mensurar fatores que não são diretamente mensuráveis (como a satisfação do cliente). Por outro lado, as desvantagens das concepções de pesquisa por levantamento descritivas incluem a dificuldade de desenvolver instrumentos de levantamento precisos, a imprecisão na definição de construtos e escalas de medida e os limites de profundidade dos dados que podem ser coletados.

**Descrever os tipos de métodos de levantamento.**
Os métodos de levantamento em geral se dividem em três tipos genéricos. O primeiro é o levantamento pessoal, no qual existe interação presencial significativa entre entrevistador e respondente. O segundo é o levantamento telefônico, no qual o telefone é usado para condução de sessões de perguntas e respostas. Os computadores são usados de muitas maneiras em entrevistas telefônicas, especialmente no registro de dados e na seleção de números telefônicos. O terceiro tipo é o levantamento autoaplicado, no qual há pouco ou nenhum contato presencial entre o pesquisador e o respondente prospectivo. O respondente lê as perguntas e registra suas próprias respostas. Os levantamentos *online* são o método mais frequente de coleta de dados, sendo que quase 60% de todos os dados são coletados por esse meio.

**Discutir os fatores que influenciam a escolha do método de levantamento.**
Três fatores principais afetam a escolha do método de levantamento: características situacionais, de tarefa e de respondente. Com os fatores situacionais, é preciso considerar elementos como recursos disponíveis, cronograma de realização e requisitos de qualidade de dados. O pesquisador também precisa considerar os requisitos gerais da tarefa e fazer perguntas como "qual a dificuldade das tarefas?", "que estímulos (p.ex.: anúncios ou produtos) serão necessários para suscitar respostas?", "de quanta informação precisamos do respondente?" e "até que ponto as perguntas tocam em temas sensíveis?" Finalmente, os pesquisadores precisam considerar a diversidade dos respondentes prospectivos, seu provável índice de incidência e o grau de participação no levantamento. Maximizar a quantidade e a qualidade dos dados coletados e minimizar os custos e o tempo do levantamento ao mesmo tempo normalmente exige que o pesquisador escolha qual aspecto é mais importante.

**Explicar experimentos e tipos de variáveis usados em concepções causais.**
Os experimentos permitem que os pesquisadores de marketing controlem a situação de pesquisa para que as relações causais entre as variáveis possam ser examinadas. Em um experimento típico, a variável independente é manipulada (alterada) e seu efeito sobre outra variável (a variável dependente) é mensurado e avaliado. Durante o experimento, o pesquisador tenta eliminar ou controlar todas as variáveis que possam impactar a relação sendo medida. Após a manipulação, o pesquisador mede a variável dependente para ver se ela mudou. Se mudou, o pesquisador conclui que a mudança na variável dependente foi causada pela variável independente.

Para conduzir pesquisas causais, o pesquisador precisa entender os quatro tipos de variáveis em concepções experimentais (independente, dependente, estranha e de controle), assim como a função crucial da seleção e designação aleatória dos participantes às condições experimentais. A teoria é importante nas concepções experimentais, pois os pesquisadores devem conceitualizar, com o máximo de clareza, as funções dos quatro tipos de variáveis. O objetivo mais importante de qualquer experimento é determinar quais relações existem entre diferentes variáveis (independentes, dependentes). As relações funcionais (causa e efeito) requerem a mensuração de mudanças sistemáticas em uma variável à medida que outra muda.

**Definir o teste de mercado e avaliar sua utilidade na pesquisa de marketing.**
Os testes de mercado são um tipo específico de experimento de campo, normalmente conduzido em situações naturais. Os dados coletados em testes de mercado fornecem informações valiosíssimas para pesquisadores e praticantes em relação às atitudes, às preferências, aos padrões/hábitos de compras e aos perfis demográficos dos clientes. Essas informações podem ser muito úteis na hora de prever níveis de aceitação de novos produtos ou serviços e a eficácia de imagens e anúncios, além da avaliação das estratégias de mix de marketing atuais.

## Principais termos e conceitos



## Questões de revisão

1. Identifique e discuta as vantagens e as desvantagens de usar concepções de levantamento quantitativas para coletar dados primários na pesquisa de marketing.
2. Quais são os três fatores que afetam a escolha do método de levantamento apropriado? Como esses fatores diferem nos levantamentos presenciais em relação aos autoadministrados?
3. Explique por que as concepções de levantamento que incluem um entrevistador treinado são mais apropriadas do que levantamentos assistidos por computadores em situações em que a dificuldade da tarefa e os estímulos exigidos são maiores.
4. Explique as principais diferenças entre entrevistas em domicílio e interceptações em shopping center. Lembre-se de incluir suas vantagens e desvantagens.
5. Como os erros de mensuração e concepção afetam os erros de respondentes?
6. Desenvolva três recomendações para ajudar os pesquisadores a aumentarem os índices de resposta em levantamentos telefônicos e por mala-direta.
7. O que é uma "não resposta"? Identifique quatro tipos de não respostas encontradas em levantamentos.
8. Quais são as vantagens e as desvantagens associadas a levantamentos *online*?
9. Como um erro de definição enganosa do problema poderia afetar a implantação de um levantamento por correio?
10. Explique a diferença entre validade interna e validade externa.
11. Quais são as vantagens e as desvantagens dos experimentos de campo?

## Questões para discussão

1. Desenvolva uma lista de fatores usados para selecionar concepções de levantamento presenciais, telefônicos, autoaplicados ou assistidos por computador. A seguir, discuta a adequação desses fatores de seleção para cada tipo de concepção de levantamento.
2. Que impactos os avanços em tecnologia terão sobre as práticas de levantamentos? Explique.

3. EXPERIMENTE A INTERNET. Visite o *site* Gallup Poll (**www.gallup.com**) e localize as informações sobre a Gallup World Poll. Após analisar o material, liste os desafios enfrentados por quem deseja conduzir pesquisas de opinião que representem os 6 bilhões de habitantes do planeta.
4. EXPERIMENTE A INTERNET. Visite o *site* da Kinesis Research (**www.kinesissurvey.com**) e visualize o breve vídeo de demonstração de levantamento via telefonia móvel. Quais são as vantagens e desvantagens desse tipo de levantamento?
5. Comente sobre a ética das seguintes situações:
   - **a.** Um pesquisador planeja usar tinta invisível para codificar seus questionários por mala-direta para identificar os respondentes que devolveram o questionário.
   - **b.** Um entrevistador telefônico liga às 22h de um domingo e pede para realizar uma entrevista.
   - **c.** Um fabricante compra 100 mil endereços de e-mail de uma distribuidora nacional e planeja enviar pequenas promoções sob o título de "Queremos Saber Suas Opiniões".
6. O gerente de um minimercado independente local acha que os clientes passariam mais tempo na loja se o sistema de som do local tocasse música lenta e agradável. Depois de pensar um pouco sobre o assunto, o gerente considerou se deveria contratar um pesquisador de marketing para criar um experimento que testasse o ritmo da música sobre o comportamento dos clientes. Responda as seguintes perguntas:
   - **a.** Como você operacionalizaria a variável independente?
   - **b.** Em sua opinião, que variáveis dependentes seriam importantes neste experimento?
   - **c.** Desenvolva uma hipótese para cada uma de suas variáveis dependentes.

# Parte III

# Coletando dados precisos

# 6

# Amostragem: teoria e métodos

**Objetivos de aprendizagem** Após ler este capítulo, você estará apto a:

1. Explicar o papel da amostragem no processo de pesquisa.
2. Diferenciar a amostragem probabilística da não probabilística.
3. Entender os fatores a serem considerados ao determinar o tamanho da amostra.
4. Entender os passos no desenvolvimento de um plano de amostragem.

## A explosão das interações na Internet em celulares

Os dispositivos móveis estão dominando o mundo das telecomunicações, e as interações via Web nos telefones celulares não param de crescer. Dois anos atrás, apenas cerca de 5% dos consumidores haviam usado seus telefones para interações via Web, menos de metade do número que comprava um toque a cada mês. Mas a ComScore diz que o número de americanos que usam interações via Web móveis, incluindo buscas, mais que dobrou, de 11 milhões em janeiro de 2008 para quase 23 milhões no início de 2009. Os usuários estão acessando todos os tipos de conteúdos: notícias, informações, relatórios de bolsas de valores, *sites* de redes sociais e de entretenimento e Blogs. Notícias e informações (como mapas) ainda são o conteúdo mais popular do mundo móvel, com literalmente milhões de usuários diários. E não só cada vez mais pessoas acessam a Internet fora de casa ou do escritório, elas também usam aplicativos móveis para smartphones, como o iPhone, da Apple, e o G1, aparelho Android do Google. Os estudos da Forrester Research indicam que 80% dos profissionais de marketing usam ou planejam usar marketing de busca (SEM, *Search Engine Marketing*), mas menos de um terço dos profissionais de marketing do varejo e metade dos que trabalham com bens/produtos ao consumidor esperam utilizar buscas móveis em seus mixes de marketing. As empresas de mídia são as mais abertas à técnica, sendo que cerca de 70% planeja utilizar buscas móveis em seus mixes promocionais.

Os americanos estão adotando cada vez mais a Internet em celulares à medida que as capacidades dos smartphones aumentam, mas a maioria das pessoas ainda não está disposta a abandonar seus grandes monitores de desktop e seus laptops para ficar exclusivamente com dispositivos móveis. Mas, à medida que a web móvel se torna mais importante (e segura), o acesso à Internet móvel e o normal começarão a se fundir. Dois motivos pelos quais os consumidores resistem às atividades de busca móvel são que (1) buscar em uma tela de celular de 2 polegadas não é uma boa experiência para o usuário e (2) os consumidores erroneamente acreditam que a busca móvel deve ser igual a uma busca na Internet. Os achados de um estudo da UpSNAP, uma empresa de buscas que oferece previsão do tempo, resultados esportivos e conteúdo por assinatura, indicam que os usuários precisam lembrar que a busca móvel não é a Internet em um celular, e que as pessoas precisam pensar nas buscas móveis como uma alternativa para localizar determinados itens rapidamente.

Da perspectiva da pesquisa de marketing, duas perguntas principais podem ser feitas em relação aos estudos de utilização de interações móveis. Primeira: *Que respondentes deveriam ser incluídos em um estudo sobre a aceitação dos consumidores da busca móvel?* Segunda: *Quantos respondentes deveriam ser incluídos em cada estudo?* Essas podem ser perguntas difíceis para empresas sem bons bancos de dados demográficos, atitudinais e comportamentais sobre os clientes. Entretanto, empresas de pesquisa como a Survey Sampling International (SSI). A SSI (**www.ssisamples.com**) possui a tecnologia e a capacidade necessárias para gerar amostras que o público-alvo centradas em consumidores e/ou empresas com base em estilo de vida, interesses e fatores demográficos como idade, presença de crianças no domicílio, profissão, estado civil, formação acadêmica e renda. A empresa é respeitada por suas concepções de pesquisa via Internet, discagem aleatória de dígitos – DAD, telefônicas, B2B e postais. Ao ler este capítulo, você aprenderá sobre a importância de saber de que grupos obter amostras, quantos elementos incluir na amostra e os diferentes métodos que os pesquisadores têm à sua disposição para selecionar amostras confiáveis e de alta qualidade.[1]

# O valor da amostragem na pesquisa de marketing

A amostragem é um conceito que praticamos todos os dias em nossas atividades cotidianas. Considere, por exemplo, uma entrevista de emprego. Dar uma boa impressão durante a entrevista é importante porque, com base na exposição inicial (ou seja, a amostra), são realizadas avaliações sobre o tipo de pessoa que somos. O mesmo vale quando as pessoas sentam na frente da TV com um controle remoto nas mãos e trocam de canal rapidamente, parando alguns segundos em cada um para ter uma amostra do programa até encontrarem um que valha a pena. Da próxima vez que tiver tempo livre, visite uma grande livraria e observe um grande momento da amostragem. Várias pessoas na livraria escolhem um livro ou uma revista, olham sua capa e leem algumas páginas para ter uma ideia do estilo do escritor e do conteúdo do livro antes de decidir se vão comprar o livro ou não. Quando vão comprar automóveis, as pessoas fazem um test-drive de alguns quilômetros para sentir seu desempenho e como se sentem dentro do carro antes de fazer a compra. Um ponto em comum em todas essas situações é que a decisão se baseia no pressuposto de que a porção menor, ou amostra, é representativa da população maior. De um ponto de vista geral, a **amostragem** envolve a seleção de uma quantidade relativamente pequena de elementos a partir de um grupo de elementos específicos maior com a expectativa de que as informações coletadas do grupo menor permitirão avaliações sobre o grupo maior.

## A amostragem como parte do processo de pesquisa

A amostragem sempre é usada quando é impossível ou pouco prático conduzir um censo. Em um **censo**, os dados primários são coletados de todos os membros da população-alvo. O melhor exemplo de censo é o censo nacional norteamericano, que ocorre a cada 10 anos.

É fácil enxergar que a amostragem é menos demorada e mais barata do que a condução de um censo. Por exemplo, imagine que a American Airlines quer descobrir o que as pessoas em viagens de negócios gostam ou não gostam nos voos da empresa. Coletar dados sobre 2.000 passageiros de negócios norte-americanos seria muito mais barato e rápido do que fazer um levantamento com vários milhões. Seja qual for a concepção de pesquisa utilizada para coletar dados, os tomadores de decisão estão preocupados com o tempo e o custo necessários, então projetos mais curtos quase sempre se adaptam melhor aos cronogramas dos tomadores de decisão.

As amostras também têm um papel indireto no planejamento dos questionários. Dependendo do problema de pesquisa e da população-alvo, as decisões de amostragem influenciam o tipo de concepção de pesquisa, o instrumento de pesquisa e o questionário em si. Por exemplo, ter uma ideia geral da população-alvo e das características principais a serem usadas para selecionar uma amostra permite que os pesquisadores customizem o questionário para garantir que ele será do interesse dos respondentes e fornecerá dados de alta qualidade.

## Os elementos básicos da teoria de amostragem

### População

Uma **população*** é um grupo identificável de elementos (por exemplo, pessoas, produtos, organizações) de interesse do pesquisador e pertinentes ao problema informacional. Por exemplo, a Mazda Motor Corporation poderia contratar a J. D. Power and Associates para medir a satisfação dos clientes entre proprietários de automóveis. A população de interesse poderia consistir em todos os proprietários de automóveis, mas a J. D. Power and Associates provavelmente não conseguiria selecionar uma amostra realmente representativa de uma população tão ampla e heterogênea; quaisquer dados coletados provavelmente não poderiam ser aplicados à satisfação do cliente úteis para a Mazda. Infelizmente, essa falta de especificidade é comum na pesquisa de marketing. A maioria das organizações que coleta dados não se preocupa com populações totais, apenas com determinados segmentos. Neste capítulo, usamos uma definição modificada de população: *população-alvo definida*. Uma **população-alvo definida** consiste em um grupo completo de elementos (pessoas ou objetos) identificado para a investigação com base nos objetivos do projeto de pesquisa. É essencial ter uma definição exata da população-alvo, geralmente em termos de elementos, unidades amostrais e cronogramas. As **unidades amostrais** são elementos da população-alvo realmente disponíveis para utilização durante o processo de amostragem. A Figura 6.1 esclarece diversos termos da teoria de amostragem.

### Base de amostragem

Depois de definir a população-alvo, o pesquisador desenvolve uma lista de todas as unidades amostrais qualificadas, chamada de **base de amostragem**. Algumas fontes comuns de bases de amostragem incluem listas de eleitores registrados e listas de clientes de editoras de revistas e empresas de cartão de crédito. Também existem algumas empresas especializadas (por exemplo: Survey Sampling, Inc.; American Business Lists, Inc.; e Scientific Telephone Samples) que vendem bancos de dados com nomes, endereços e telefones de elementos populacionais potenciais. Apesar dos custos de obtenção das listas variarem, o custo normal de obtenção varia entre 150 e 300 dólares por mil nomes.[2]

---

* N. de E.: Para uma definição completa dos termos em negrito, veja o Glossário ao final do livro.

**Figura 6.1** **Exemplos de elementos, unidades amostrais e cronogramas.**

| **Automóveis Mazda** | |
|---|---|
| Elementos | Compradores adultos de automóveis |
| Unidade amostral | Novos compradores de automóveis Mazda |
| Cronograma | 1º de janeiro de 2012 a 30 de setembro de 2013 |

| **Esmalte de unha** | |
|---|---|
| Elementos | Mulheres de 18 a 34 anos que compraram pelo menos uma marca de esmalte de unha nos últimos 30 dias |
| Unidades amostrais | Cidades americanas com população entre 100.000 e 1 milhão de habitantes |
| Cronograma | 1º de junho a 15 de junho de 2013 |

| **Serviços bancários de varejo** | |
|---|---|
| Elementos | Residências com contas-correntes |
| Unidades amostrais | Residências localizadas em um raio de 16 km da sede do Bank of America em Charlotte, Carolina do Norte |
| Cronograma | 1º de janeiro a 30 de abril de 2013 |

Seja qual for a fonte, em geral é difícil e custoso bases de amostragem precisas, representativas e atualizadas. Por exemplo, não é muito provável que uma lista de todos os indivíduos que comeram tacos em um Taco Bell de uma determinada cidade nos últimos seis meses esteja facilmente disponível. Nesse caso, o pesquisador precisa usar um método alternativo, como discagem aleatória de dígitos (se for conduzir entrevistas telefônicas) ou interceptação em shopping center para gerar uma amostra de respondentes prospectivos.

## Os fatores por trás da teoria de amostragem

Para entender a teoria de amostragem, antes é preciso conhecer conceitos relativos à amostragem. Os conceitos e as abordagens de amostragem quase sempre são discutidos como se o pesquisador já conhecesse os principais parâmetros populacionais antes da condução do projeto de pesquisa, mas como a maioria dos ambientes de negócio é complexo e está em mutação constante, os pesquisadores em geral não conhecem tais parâmetros de antemão. Por exemplo, os lojistas que adicionaram alternativas de compras *online* para seus clientes estão trabalhando para identificar e descrever as pessoas que fazem compras pela Internet em vez de visitarem lojas físicas. Os especialistas estimam que a parcela da população mundial *online* ultrapasse 570 milhões de pessoas,[3] mas o número real que faz compras pela Internet é difícil de estimar. Um dos objetivos principais da pesquisa com amostras pequenas, mas ainda assim representativas, de membros de uma população-alvo definida é que os resultados da pesquisa ajudarão a prever ou estimar quais os verdadeiros parâmetros populacionais até certo grau de confiança.

Se os tomadores de decisão possuíssem conhecimento total sobre suas populações-alvo definidas, também teriam informações perfeitas sobre a realidade de suas populações, o que eliminaria a necessidade de conduzir a pesquisa primária. Mais de 95% dos problemas de marketing atuais existem principalmente porque os tomadores de decisão não possuem informações sobre suas situações problemáticas e quem são seus clientes, assim como as atitudes, as preferências e os comportamentos de mercado de seus clientes.

**Teorema do limite central (TLC)** O **teorema do limite central (TLC)** descreve as características teóricas de uma população amostral. O TLC, o sustentáculo teórico da pesquisa por levantamentos, é importante para entender os conceitos de erro de amostragem, significância estatística e tamanhos de amostra. O teorema afirma que para quase todas as populações-alvo definidas, a distribuição amostral da média ($\bar{x}$) ou do valor percentual ($\bar{p}$) derivada de uma amostra aleatória simples terá distribuição aproximadamente normal, desde que o tamanho da amostra seja grande (ou seja, quando n é > ou = 30). Além disso, a média ($\bar{x}$) da amostra aleatória com um erro de amostragem estimado ($S\bar{x}$) flutua em torno da média populacional verdadeira ($\mu$) com um erro padrão de ($\sigma/\sqrt{n}$) e uma distribuição de amostragem aproximadamente normal, independentemente da forma da distribuição de frequência probabilística da população-alvo geral. Em outras palavras, há uma forte probabilidade de que a média de qualquer amostra ($\bar{x}$) extraída da população-alvo será uma aproximação razoável da média verdadeira da população-alvo ($\mu$) conforme o tamanho da amostra (n) aumenta.

Com um entendimento sobre os elementos básicos do teorema do limite central, o pesquisador consegue:

1. Obter amostras representativas de qualquer população-alvo.
2. Obter estatísticas amostrais de uma amostra aleatória que sirvam com estimativas precisas dos parâmetros da população-alvo.
3. Obter uma amostra aleatória, não muitas, reduzindo os custos da coleta de dados.
4. Avaliar mais precisamente a confiabilidade e validade de construtos e escalas de medida.
5. Analisar os dados estatisticamente e transformá-los em informações significativas sobre a população-alvo.

## Ferramentas usadas para avaliar a qualidade das amostras

Existem inúmeras oportunidades para cometer erros que resultam em algum tipo de tendenciosidade nos estudos. Tais tendenciosidades podem ser classificadas como erros de amostragem e erros não amostrais. Os erros de amostragem aleatória poderiam ser detectados com a observação da diferença entre os resultados da amostra e os resultados de um censo conduzido com procedimentos idênticos. As duas dificuldades associadas à detecção de erros de amostragem são que (1) é raro que um censo seja conduzido durante um levantamento e (2) o erro de amostragem só pode ser determinado depois que a amostra foi selecionada e a coleta de dados está completa.

**Erro de amostragem** é qualquer tendenciosidade que resulte de erros no processo de seleção de unidades amostrais prospectivas ou na determinação do tamanho da amostra. Além disso, erros de amostragem aleatória tendem a ocorrer devido a variações acidentais na seleção das unidades. Mesmo que as unidades amostrais sejam selecionadas corretamente, elas ainda não serão uma representação perfeita da população-alvo definida, apesar de normalmente serem estimativas confiáveis. O erro de amostragem ocorre sempre que houver uma discrepância entre a estatística estimada a partir da amostra e o valor real da população. O erro de amostragem pode ser reduzido com aumentos do tamanho da amostra. Na verdade, dobrar o tamanho da amostra pode reduzir o erro de amostragem, mas au-

### Estudo de caso contínuo: Santa Fe Grill

O consultor recomendou um levantamento dos clientes do Santa Fe Grill. Para entrevistar os clientes, o consultor sugeriu diversas abordagens de coleta de dados. Uma delas é pedir que os clientes completem questionários em suas mesas antes ou depois de receberem seus pedidos. Outro é interceptá-los na saída do restaurante e pedir que completem um questionário. A terceira opção seria entregar o questionário e pedir que o completassem em casa e o mandassem pelo correio, e a quarta seria interceptá-los no shopping. Uma quinta é adquirir *software*, escrever um programa que selecionasse clientes aleatoriamente e, quando eles fossem pagar suas contas, dar instruções sobre como visitar um *site* e responder o questionário. A última opção, no entanto, é a mais cara, pois o custo de configurar o levantamento na Internet seria mais elevado do que o de distribuir questionários impressos para os clientes no restaurante.

O consultor tem realizado sessões de *brainstorming* com outros especialistas do setor de restaurantes sobre a melhor maneira de coletar dados. Ele ainda não decidiu quais opções sugerir aos proprietários.

1. Qual das opções de coleta de dados seria a melhor? Por quê?
2. A pesquisa deveria incluir a coleta de dados de clientes de restaurantes concorrentes? Em caso positivo, de que modos seria possível coletar dados sobre seus clientes?

mentos no tamanho da amostra com o objetivo principal de reduzir o erro padrão podem não valer a pena.

O **erro não amostral** ocorre independentemente do uso de amostras ou censos e em qualquer parte do processo de pesquisa. Por exemplo, a população-alvo pode ser definida erroneamente, causando erro de base populacional; medidas de escala/perguntas inapropriadas podem resultar em erros de mensuração; um questionário pode ser mal concebido, causando erro de resposta; ou podem ocorrer outros erros na coleta e no registro de dados ou na codificação e na entrada de dados brutos para análise. Em geral, quanto mais amplo o estudo, maior o potencial para erros não amostrais. Ao contrário dos erros de amostragem, não existe procedimento estatístico que avalie o impacto dos erros não amostrais sobre a qualidade dos dados coletados. Entretanto, a maioria dos pesquisadores reconhece que todas as formas de erros não amostrais reduzem a qualidade geral dos dados, independente do método de coleta utilizado. Os erros não amostrais em geral estão relacionados com a precisão dos dados, enquanto os erros de amostragem estão associados com a representatividade da amostra em relação à população-alvo definida.

## Amostragem probabilística e não probabilística

Existem dois tipos básicos de concepções amostrais: probabilísticas e não probabilísticas. A Figura 6.2 lista os diferentes tipos de ambos os métodos de amostragem.

Com a **amostragem probabilística**, cada unidade amostral na população-alvo definida possui uma probabilidade conhecida de ser selecionada para a amostra. A probabilidade real de seleção para cada unidade amostral pode ou não ser igual, dependendo do tipo de concepção amostral que for usado. As regras específicas para seleção de membros da população para inclusão na amostra são determinadas no começo do estudo para garantir (1) a ausência de tendenciosidade na seleção das unidades amostrais e (2) representação amostral apropriada da população-alvo definida. A amostragem probabilística permite que o pesquisador avalie a confiabilidade e a validade dos dados coletados, cal-

**Figura 6.2** Tipos de métodos de amostragem probabilísticos e não probabilísticos.

| Métodos de amostragem probabilísticos | Métodos de amostragem não probabilísticos |
|---|---|
| Amostragem aleatória simples | Amostragem de conveniência |
| Amostragem aleatória sistemática | Amostragem por julgamento |
| Amostragem aleatória estratificada | Amostragem por quotas |
| Amostragem por conglomerados | Amostragem bola de neve |

culando a probabilidade dos achados da amostra serem diferentes dos da população-alvo definida. A diferença observada pode ser atribuída parcialmente à existência do erro de amostragem. Os resultados obtidos com o uso de concepções probabilísticas podem ser generalizados para a população-alvo dentro de uma margem de erro especificada.

Na **amostragem não probabilística**, a probabilidade de seleção de cada unidade amostral é desconhecida. Portanto, o erro de amostragem é desconhecido. A seleção das unidades amostrais baseia-se na intuição ou no conhecimento do pesquisador. O nível de representatividade da amostra em relação à população-alvo definida depende da abordagem amostral e a qualidade da execução das atividades de seleção depende do pesquisador.

## Concepções amostrais probabilísticas

**Amostragem aleatória simples** A **amostragem aleatória simples** é um procedimento de amostragem probabilística. Com essa abordagem, todas as unidades amostrais possuem uma chance conhecida e igual de serem selecionadas. Por exemplo, o instrutor poderia selecionar uma amostra de 10 alunos de um grupo de 30 em uma turma de pesquisa de marketing. O instrutor escreveria o nome de cada aluno em um pedaço de papel idêntico a todos os outros e colocaria o nome em um saco. Todos os alunos teriam a mesma probabilidade conhecida de seleção. Muitos aplicativos, incluindo o SPSS, possuem a opção de seleção de amostras aleatórias.

**Vantagens e desvantagens** A amostragem aleatória simples possui diversas vantagens. A técnica é fácil de compreender e os resultados do levantamento podem ser generalizado para a população-alvo definida com uma margem de erro pré-especificada. Outra vantagem é que as amostras aleatórias simples produzem estimativas sem viés das características da população. O método garante que todas as unidades amostrais possuam chances conhecidas e iguais de serem selecionadas, independentemente do tamanho da amostra, o que produz uma representação válida da população-alvo. A principal desvantagem da amostragem aleatória simples é a dificuldade de se obter listagens completas e precisas dos elementos da população-alvo. Como a amostragem aleatória simples requer que todas as unidades amostrais sejam identificadas, a técnica funciona melhor em populações pequenas para as quais listas precisas já estão disponíveis.

**Amostragem aleatória sistemática** A **amostragem aleatória sistemática** é parecida com a amostragem aleatória simples, com a diferença de exigir que a população-alvo definida seja ordenada de algum modo, em geral na forma de uma lista de clientes, membros ou contribuintes. Na prática de pesquisa, a amostragem aleatória sistemática é um método popular de seleção de amostras. Em comparação com a amostragem aleatória simples, a amostragem aleatória sistemática é mais barata, pois pode ser realizada de modo relativamente rápido. Quando executada corretamente, a técnica cria uma amostra de respondentes prospectivos ou objetos bastante semelhantes em qualidade às amostras selecionadas por meio da amostragem aleatória simples.

**Amostragem aleatória sistemática** Parecida com a amostragem aleatória simples, com a diferença de exigir que a população-alvo definida seja ordenada de algum modo, em geral na forma de uma lista de clientes, membros ou contribuintes, e selecionada sistematicamente.

Para utilizar a amostragem aleatória sistemática, o pesquisador deve ser capaz de adquirir uma lista completa das unidades amostrais potenciais que compõem a população-alvo definida. Ao contrário da amostragem aleatória simples, não há necessidade de distribuir códigos especiais às unidades amostrais antes da seleção. Em vez disso, as unidades amostrais são selecionadas de acordo com sua posição por meio de um intervalo de salto. O intervalo de salto é determinado pela divisão do número de unidades amostrais potenciais na população-alvo definida pelo número de unidades desejadas na amostra. O intervalo de salto necessário é calculado com a seguinte fórmula:

$$\text{Intervalo de salto} = \frac{\text{População-alvo definida}}{\text{Tamanho da amostra desejada}}$$

Por exemplo, se o pesquisador quer uma amostra de 100 indivíduos de uma população de 1.000, o intervalo de salto seria de 10 (1.000/100). Depois de determinar o intervalo de salto, o pesquisador selecionaria aleatoriamente um ponto de partida e escolheria cada décima unidade até chegar ao fim da lista da população-alvo. A Figura 6.3 mostra os passos que o pesquisador realizaria para selecionar uma amostra aleatória sistemática.

**Vantagens e desvantagens** A amostragem sistemática frequentemente é usada por ser uma forma relativamente fácil de selecionar amostras de modo que garanta a aleatoriedade. A disponibilidade de listas e o menor tempo necessário para selecionar uma amostra em comparação com a amostragem aleatória simples torna a amostragem sistemática um método atraente e econômico para os pesquisadores. A maior fraqueza da amostragem aleatória sistemática é a possibilidade do surgimento de tendenciosidade pela presença de padrões ocultos. Outra dificuldade é que o número de unidades amostrais da população-alvo precisa ser conhecido. Quando o tamanho da população-alvo é grande ou desconhecido, a identificação do número de unidades é difícil e as estimativas podem ser imprecisas.

**Amostragem aleatória estratificada** **A amostragem aleatória estratificada** envolve a divisão da população-alvo em diversos grupos, os chamados estratos, e a seleção de amostras a partir de cada estrato. A técnica estratificada é semelhante à segmentação da população-alvo definida em conjuntos menores e mais homogêneos de elementos.

Para garantir que a amostra manterá a precisão necessária, amostras representativas devem ser selecionadas de cada grupo populacional menor (estrato). A seleção de amostras estratificadas aleatórias envolve três passos básicos:

1. Dividir a população-alvo em subgrupos homogêneos, ou estratos.
2. Selecionar amostras aleatórias de cada estrato.
3. Combinar as amostras de cada estrato em uma única amostra de toda a população-alvo.

**Figura 6.3** **Passos na seleção de uma amostra sistemática.**

**Passo 1** → **Obtenha uma lista de unidades amostrais potenciais que contenha uma base aceitável dos elementos da população-alvo.**
Exemplo: Lista atualizada de alunos (nomes, endereços, telefones) matriculados em sua universidade fornecida pela secretaria da instituição.

**Passo 2** → **Determine o número total de unidades amostrais que compõem a lista de elementos da população-alvo definida e o tamanho de amostra desejado.**
Exemplo: 30.000 nomes de alunos na lista atualizada. Amostra desejada de 1.200 alunos, com nível de confiança de 95%, valor *P* igual a 50% e tolerância de erro de amostragem de ± 2,83 pontos percentuais.

**Passo 3** → **Calcule o intervalo de salto necessário, dividindo o número de unidades amostrais potenciais na lista pelo tamanho de amostra desejado.**
Exemplo: 30.000 nomes de alunos na lista atualizada, amostra desejada de 1.200; logo, o intervalo de salto é de 25 nomes.

**Passo 4** → **Usando um sistema de geração de números aleatórios, determine randomicamente um ponto de partida para começar a selecionar a amostra com a lista de nomes.**
Exemplos: Selecione um número aleatório como página inicial de uma listagem de múltiplas páginas (p. ex.: página 8).
Selecione: Número aleatório para posição do nome na página inicial (p. ex.: Carol V. Clark).

**Passo 5** → **Com Carol V. Clark como primeira unidade amostral, aplique o intervalo de salto para determinar os nomes restantes que devem ser incluídos na amostra de 1.200.**
Exemplos: Clark, Carol V. (Pule 25 nomes.)
Cobert, James W. (Pule 25 nomes.)
Damon, Victoria J. (Pule 25 nomes; repetir processo até que 1.200 nomes sejam selecionados.)

**Observação:** O pesquisador deve visualizar a lista populacional como contínua ou "circular", ou seja, o processo de seleção deve continuar além dos nomes que representam os 'Zs' e incluir os nomes que representam os 'As' e 'Bs' até que a 1.200ª unidade selecionada seja o 25º nome anterior ao primeiro selecionado (ou seja, Carol V. Clark).

## PAINEL Selecionando uma amostra aleatória sistemática para o Santa Fe Grill

Durante os últimos três anos, os proprietários do Santa Fe Grill compilaram uma lista de 1.030 clientes, organizada em ordem alfabética. O objetivo de pesquisa é obter uma amostra sistemática das opiniões de 100 clientes. Tendo se decidido por uma amostra de 100 indivíduos, a serem selecionados da base de amostragem de 1.030 clientes, o proprietário calcula o tamanho do intervalo entre elementos sucessivos da amostra com a conta 1.030/100. O tamanho do intervalo é determinado pela divisão do tamanho da população-alvo (base de amostragem) pelo tamanho da amostra desejada (1.030/100 = 10,3). Em situações como essa, nas quais o valor não é um número inteiro, você deve arredondar o resultado.

Assim, na prática, dividimos a base de amostragem em 100 intervalos de 10 indivíduos. A partir dos números no intervalo de 1 a 10, precisamos então selecionar aleatoriamente um número para identificar o primeiro elemento da amostragem sistemática. Se, por exemplo, esse número é 4, começamos com o quarto elemento da base de amostragem e escolhemos cada décimo elemento subsequente. O ponto de partida inicial é o quarto elemento, sendo que os elementos remanescentes selecionados para a amostra são o 14º, 24º, 34º e assim por diante até a escolha do 1.024º, que é o elemento final. O resultado é uma amostra de 103 clientes a serem entrevistados no levantamento.

Por exemplo, se os pesquisadores estiverem interessados no potencial de mercado para sistemas de segurança doméstica em uma área geográfica específica, eles podem querer dividir os proprietários de residências em diversos estratos diferentes. As subdivisões podem se basear em fatores como valor das propriedades, renda familiar, densidade populacional ou localização (por exemplo, as seções podem ser designadas áreas com alta ou baixa criminalidade).

Dois métodos bastante usados para derivar amostras a partir de estratos: proporcionais e desproporcionais. Na **amostragem estratificada proporcional**, o tamanho de amostra de cada estrato depende do tamanho do estrato em relação à população-alvo definida. Assim, os estratos maiores fornecem mais unidades amostrais, pois representam uma parcela maior da população-alvo. Na **amostragem estratificada desproporcional**, o tamanho da amostra selecionada de cada estrato é independente da proporção do estrato em relação ao total da população-alvo definida. Essa abordagem é usada quando a estratificação da população-alvo produz tamanhos de amostra para subgrupos que diferem em sua importância relativa para o estudo. Por exemplo, a estratificação de indústrias com base no número de funcionários em geral produz um grande segmento com indústrias com até dez funcionários e um grupo bem menor daquelas com, por exemplo, 500 ou mais. A importância econômica das empresas com 500 funcionários ou mais, no entanto, indica que é melhor coletar mais unidades desse estrato e menos do subgrupo com até dez funcionários do que seria indicado pelo método proporcional.

**Vantagens e desvantagens** A divisão da população-alvo em estratos homogêneos possui diversas vantagens, incluindo: (1) a garantia da representatividade da amostra; (2) a oportunidade de estudar cada estrato e compará-los; e (3) a capacidade de realizar estimativas sobre a população-alvo com expectativa de maior precisão e menos erro. A principal dificuldade enfrentada com a amostragem estratificada é a determinação da base para estratificação. O processo baseia-se nas características de interesse da população-alvo. As informações secundárias relevantes para os fatores de estratificação necessários podem não estar prontamente disponíveis, o que força o pesquisador a usar critérios menos desejáveis como fatores na hora de estratificar a população-alvo. Em geral, quanto maior o número de estratos relevantes, mais precisos os resultados. A inclusão de estratos irrelevantes, no entanto, apenas desperdiça tempo e dinheiro, sem oferecer resultados significativos.

**Amostragem por conglomerados** A **amostragem por conglomerados** é semelhante à amostragem aleatória estratificada, com a diferença de que as unidades amostrais são divididas em subpopulações mutuamente exclusivas e coletivamente exaustivas conhecidas como "conglomerados". Parte-se do pressuposto que cada conglomerado é representativo da heterogeneidade da população-alvo. Os exemplos de possíveis divisões para a amostragem por conglomerados incluem clientes que frequentam a loja em um determinado dia, a plateia de uma sessão específica de um filme (por exemplo, a matinê) ou faturas processadas durante uma determinada semana. Depois que o conglomerado foi identificado, as unidades amostrais potenciais são selecionadas para a amostra usando o método de amostragem simples ou simplesmente reunindo todos os elementos (um censo) do conglomerado definido.

Uma forma popular de amostragem por conglomerados é a **amostragem por áreas**. Nessa modalidade, os conglomerados consistem em designações geográficas, como áreas estatísticas metropolitanas (AEMs), cidades, subdivisões e quadras. Qualquer unidade geográfica com fronteiras identificáveis pode ser usada. Ao utilizar a amostragem por áreas, o pesquisador possui duas opções extras: a abordagem em um passo e a em dois passos. Ao decidir usar a abordagem em um passo, o pesquisador precisa de informações prévias sobre os diversos conglomerados geográficos antes que possa acreditar que todos são basicamente idênticos em relação aos fatores específicos que serão usados a princípio para identificação de conglomerados. Ao presumir que todos os conglomerados são idênticos, o pesquisador pode se concentrar em levantamentos das unidades amostrais de um só e generalizar os resultados para o resto da população. O aspecto probabilístico desse método de amostragem é executado pela seleção aleatória de um conglomerado geográfico e a realização de um censo de todas as unidades amostrais do conglomerado.

**Vantagens e desvantagens** A amostragem por conglomerados é bastante usada por ser relativamente barata e fácil de implementar. Em muitos casos, a única base de amostragem representativa disponível para pesquisadores é aquela baseada em conglomerados (por exemplo, estados, municípios, AEMs, documentos de censos). Essas listas de regiões geográficas, números de telefone ou quadras de bairros residenciais são fáceis de compilar, o que reduz a necessidade de compilar listas de todas as unidades amostrais que compõem a população-alvo.

Os métodos de amostragem por conglomerados possuem diversas desvantagens, a principal delas sendo que os conglomerados costumam ser bastante homogê-

## PAINEL Quais são melhores: as amostras estratificadas proporcionais ou desproporcionais?

Os proprietários do Santa Fe Grill possuem uma lista de 3 mil clientes potenciais, divididos por idade. Usando fórmulas estatísticas, decidiram que uma amostra estratificada proporcional de 200 clientes produzirá informações suficientemente precisas para seu processo decisório. O número de elementos a ser escolhido de cada estrato usando uma amostra proporcional baseada em idade se encontra na quarta coluna da tabela. Mas se também acreditam que o tamanho da amostra em cada estrato deve ser proporcional à sua importância financeira e a faixa etária de 18-49 anos inclui os clientes mais frequentes e que mais gastam, então o número de elementos selecionados seria desproporcional ao tamanho do estrato, como vemos na quinta coluna. Os números na coluna desproporcional devem ser determinados com base na avaliação sobre a importância econômica de cada estrato.

O melhor seria usar amostragem proporcional ou desproporcional? Ou seja, a decisão deve se basear em importância econômica, ou algum outro critério?

| | | | Número de elementos selecionados para a amostra | |
|---|---|---|---|---|
| (1) Faixa etária | (2) Número de elementos no estrato | (3) % de elementos no estrato | (4) Tamanho da amostra proporcionais | (5) Tamanho da amostra desproporcionais |
| **18–25** | 600 | 20 | 40 = 20% | 50 = 25% |
| **26–34** | 900 | 30 | 60 = 30% | 50 = 25% |
| **35–49** | 270 | 9 | 18 = 9% | 50 = 25% |
| **50–59** | 1.020 | 34 | 68 = 34% | 30 = 15% |
| **60 anos ou mais** | 210 | 7 | 14 = 7% | 20 = 10% |
| **Total** | **3.000** | **100** | **200** | **200** |

neos. Quanto mais homogêneo o conglomerado, menos precisa a estimativa amostral. O ideal é que os indivíduos no conglomerado sejam tão heterogêneos quanto aqueles da população em geral.

Outra preocupação com a amostragem por conglomerados é a adequação do fator de aglomeração usado para identificar as unidades amostrais dentro de cada uma. A população-alvo definida permanece constante, mas a subdivisão de unidades amostrais pode ser modificada, dependendo da seleção do fator usado para identificar os conglomerados. O resultado é que é preciso tomar muito cuidado ao selecionar o fator para determinar os conglomerados em situações de amostragem por áreas.

## Concepções amostrais não probabilísticas

**Amostragem de conveniência** A **amostragem de conveniência** é um método no qual as amostras são selecionadas apenas com base em sua conveniência. Por exemplo, a entrevista de indivíduos em shopping centers ou outras áreas com bastante tráfego de pedestres é um método comum de geração de amostras de conveniência. O pressuposto é que os indivíduos entrevistados no shopping center são semelhantes à população-alvo geral definida com relação às características estudadas. Na verdade, é difícil avaliar com precisão a representatividade da amostra. Considerando a autosseleção e a natureza voluntária da participação na coleta de dados, os pesquisadores devem levar em conta o impacto do erro por não resposta ao utilizar amostras baseadas exclusivamente em conveniência.

**Vantagens e desvantagens** A amostragem de conveniência permite que grandes quantidades de respondentes sejam entrevistados em relativamente pouco tempo. Assim, ela é bastante usada no começo das pesquisas, incluindo o desenvolvimento de construtos e de escalas de medida e pré-teste de questionários. Mas a utilização de amostras de conveniência para desenvolver construtos e escalas tem seus riscos: por exemplo, imagine que o pesquisador está desenvolvendo uma medida de qualidade de serviço. Na fase preliminar, o pesquisador usa uma amostra de 300 estudantes de Administração. É verdade que os universitários são consumidores de serviços, mas é preciso fazer perguntas sérias sobre sua representatividade em relação à população geral. Se desenvolvemos construtos e escalas com uma amostra de conveniência de universitários, os construtos podem não ser confiáveis quando usados com uma população-alvo mais ampla. Outra grande desvantagem desse tipo de amostra é que os dados não podem ser generalizados para a população-alvo definida. A representatividade da amostra não é medida, pois é impossível estimar o erro de amostragem.

**Amostragem por julgamento** Na **amostragem por julgamento**, também chamada *samostragem proposital*, os respondentes são selecionados porque o pesquisador acredita que atendem aos requisitos do estudo. Por exemplo, é possível entrevistar os vendedores em vez dos clientes para determinar como os desejos e as necessidades dos clientes estão mudando ou para avaliar o desempenho dos serviços e dos produtos da empresa. Do mesmo modo, empresas de bens de consumo, como a Procter & Gamble, podem selecionar amostras de compradores organizacionais para obter informações sobre padrões de consumo e mudanças na demanda por certos produtos, como a pasta de dente Crest ou o detergente Cheer. Nesses casos, o pesquisador parte do pressuposto que a as opiniões de um grupo de especialista representam a população-alvo.

**Vantagens e desvantagens** Se a avaliação do pesquisador for correta, o produto da amostragem por julgamento será melhor do que o da amostragem de conveniência. Como todos os procedimentos de amostragem não probabilísticos, entretanto, é impossível medir a representatividade da amostra. Assim, os dados coletados a partir da amostragem por julgamento devem ser interpretados com bastante cuidado.

**Amostragem por quotas** A **amostragem por quotas** envolve a seleção de participantes prospectivos de acordo com quotas previamente especificadas por características demográficas (idade, etnia, gênero, renda, etc.), atitudes específicas (satisfeito/insatisfeito, gosta/não gosta, ótimo/marginal/sem qualidade) ou comportamentos específicos (cliente fixo/ocasional/raro, usuário/não usuário do produto). O objetivo da amostragem por quotas é garantir que subgrupos pré-especificados da população sejam representados.

**Vantagens e desvantagens** A principal desvantagem da amostragem por quotas é que a amostra produzida contém subgrupos específicos nas proporções desejadas pelos pesquisadores. O uso de quotas garante que os subgrupos desejados sejam identificados e incluídos no levantamento. Além disso, a amostragem por quotas reduz a tendenciosidade dos pesquisadores de campo na hora de selecionar participantes. Uma limitação natural da amostragem por quotas é que o sucesso do estudo depende de decisões subjetivas dos pesquisadores. Como este é um método de amostragem não probabilístico, é impossível medir a representatividade da amostra. Portanto, a generalização dos resultados além dos participantes é de natureza questionável.

**Amostragem bola de neve** A **amostragem bola de neve** envolve a identificação de um conjunto de respondentes que possa ajudar o pesquisador a identificar mais pessoas a serem incluídas no estudo. O método de amostragem também é chamado *amostragem por indicação*, pois os respondentes indicam outros respondentes potenciais. A amostragem bola de neve normalmente é usada em situações nas quais (1) a população-alvo definida é suficientemente pequena e exclusiva e (2) a compilação de uma lista completa de unidades amostrais é muito difícil. Pense, por exemplo, na pesquisa sobre atitudes e comportamentos de voluntários que doam seu tempo para organizações de caridade como a Children's Wish Foundation. Os métodos tradicionais exigem um esforço de pesquisa considerável em termos de tempo e dinheiro para encontrar uma quantidade suficiente de possíveis respondentes, enquanto o método bola de neve produz resultados melhores a um menor custo. Com ele, o pesquisador entrevista um respondente qualificado e pede sua ajuda para identificar outras pessoas com características semelhantes. Apesar de participação nesse tipo de círculo social não ser de conhecimento público, o conhecimento interno do grupo é bastante preciso. A lógica por trás desse método é que grupos de indivíduos raros tendem a formar círculos sociais de natureza singular.

**Vantagens e desvantagens** A amostragem bola de neve é um método razoável de identificação de respondentes que fazem parte de populações-alvo pequenas, difíceis de encontrar e de definição especial. Assim como todos os métodos não probabilísticos, esse tipo de amostragem é mais útil na pesquisa qualitativa. Mas a amostragem bola de neve também abre espaço para que tendenciosidades invadam o estudo. Se houver diferenças significativas entre as pessoas conhecidas em certos círculos sociais e aquelas que não são, a técnica pode ser problemática. Assim como outras abordagens não probabilísticas, a capacidade de generalização dos resultados para os membros da população-alvo é limitada.

### Determinando a concepção amostral adequada

A determinação da melhor concepção amostral envolve a consideração de diversos fatores. A Figura 6.4 apresenta um panorama dos principais fatores a serem considerados. Observe a figura com atenção e revise seu entendimento sobre esses fatores.

## Determinando tamanhos de amostras

A determinação do tamanho da amostra não é tarefa fácil. O pesquisador precisa considerar o nível de precisão das estimativas e quanto tempo e dinheiro estão disponíveis para coletar os dados necessários, pois a coleta costuma ser um dos componentes mais caros de qualquer estudo. A determinação do tamanho da amostra difere entre planos probabilísticos e não probabilísticos.

### Tamanhos de amostras probabilísticas

Três fatores são cruciais para a determinação do tamanho da amostra em concepções probabilísticas:

1. *A variância da população, que é uma medida de dispersão da população, e sua raiz quadrada, chamada desvio-padrão da população.* Quanto maior a variabilidade dos dados sendo estimados, maior a amostra necessária.
2. *O nível de confiança desejado para a estimativa.* A confiança é a certeza de que o valor verdadeiro do que estamos estimando está dentro do intervalo de precisão selecionado. Por exemplo, os pesquisadores de marketing normalmente selecionam um nível de confiança de 90 a 95% para seus projetos. Quanto maior o nível de confiança desejado, maior a amostra necessária.

**Figura 6.4** **Fatores a serem considerados ao selecionar a concepção amostral.**

| Fatores de seleção | Perguntas |
|---|---|
| Objetivos de pesquisa | Os objetivos de pesquisa recomendam o uso de uma concepção de pesquisa qualitativa ou quantitativa? |
| Grau de precisão | A pesquisa requer a realização de previsões ou inferências sobre a população-alvo definida ou apenas a produção de ideias preliminares? |
| Recursos | Existe algum limite orçamentário em relação aos recursos humanos e/ou financeiros que podem ser alocados ao projeto de pesquisa? |
| Cronograma | Até quando o projeto de pesquisa deve ser completado? |
| Conhecimento da população-alvo | Existem listas completas dos elementos da população-alvo definida? Qual é o nível de dificuldade para gerar o arcabouço amostral de respondentes prospectivos? |
| Escopo da pesquisa | A pesquisa será internacional, nacional, regional ou local? |
| Análise estatística das necessidades | Até que ponto são necessárias projeções estatísticas precisas e/ou testes das diferenças hipotéticas nos dados? |

## Estudo de caso contínuo: Santa Fe Grill

O consultor recomendou um levantamento dos clientes. O restaurante abre sete dias por semana para almoço e jantar. O consultor está considerando métodos de amostragem probabilísticos e não probabilísticos para a coleta de dados de clientes.

1. Quais seriam as melhores opções de amostragem para um levantamento dos clientes do Santa Fe Grill? Por quê?
2. Cite alguns dos métodos de amostragem possíveis para se coletar dados de clientes da concorrência.

3. *O grau de precisão desejado na estimativa da característica populacional.* A **precisão** é a quantidade de erro aceitável na estimativa amostral. Por exemplo, se desejamos estimar a probabilidade de voltar ao Santa Fe Grill no futuro (com base em uma escala de sete pontos), uma precisão de ±1 ponto de escala seria aceitável? Quanto maior a precisão desejada para os resultados, ou seja, quanto menor o erro desejado, maior a amostra necessária.

Há sempre um *trade-off* entre o nível de confiança e o de precisão para qualquer tamanho de amostra, de modo que o desejo por confiança e precisão deve ser equilibrado e contraposto. O cliente e o pesquisador de marketing têm de concordar com as duas considerações com base na situação de pesquisa.

Fórmulas baseadas em teorias estatísticas servem para calcular o tamanho da amostra. Por motivos práticos, como limitações orçamentárias e de tempo, muitas vezes são adotados métodos "ad hoc" alternativos. Por exemplo, tamanhos de amostra às vezes são determinados com regras básicas de aproximação, estudos semelhantes anteriores, experiência própria ou simplesmente o que é possível com os recursos à disposição. Independentemente do modo de estabelecer o tamanho da amostra, é essencial que sua dimensão e qualidade sejam suficientes para produzir resultados que tenham credibilidade em termos de precisão e consistência.

Existem fórmulas diferentes para a determinação do tamanho da amostra com base na média populacional prevista e na proporção da população. As fórmulas são usadas em estimativas do tamanho da amostra para amostras aleatórias simples. Quando a situação envolve a estimativa de médias populacionais, a fórmula para cálculo de tamanho de amostra é:

$$n = \left(Z^2_{B,CL}\right)\left(\frac{\sigma^2}{e^2}\right)$$

onde

$Z_{B,CL}$ = O valor z padronizado associado ao nível de confiança

$s_m$ = Estimativa do desvio-padrão da população ($s$) com base em algum tipo de informação anterior

$e$ = Nível de tolerância aceitável de erro (em pontos percentuais)*

* N. de R. T.: O correto não é usar ponto percentual na estimação usando médias, mas sim a diferença máxima permitida entre a média amostral e a média populacional.

Em situações nas quais estimativas de uma proporção da população estão em pauta, a fórmula padronizada para calcular o tamanho da amostra necessária seria:

$$n = \left(Z^2_{B,CL}\right)\left(\frac{[P \times Q]}{e^2}\right)$$

onde

$Z_{B,CL}$ = O valor z padronizado associado ao nível de confiança

$P$ = Estimativa da proporção esperada da população que possui a característica desejada, com base em intuição ou informações anteriores

$Q$ = -[1 - $P$], ou a estimativa da proporção esperada da população que não terá a característica de interesse

$e$ = Nível de tolerância aceitável de erro (em pontos percentuais)*

Quando o tamanho da população-alvo definida em um estudo de consumidores é de 500 elementos ou menos, o pesquisador deve considerar a possibilidade de realizar um censo da população em vez de usar amostras. A lógica aqui baseia-se na noção teórica de que pelo menos 384 unidades amostrais precisariam ser incluídas na maioria dos estudos para produzir um nível de confiança de 95% e erro de amostragem de ± 5%.**

Os tamanhos de amostra em estudos business-to-business apresentam um problema diferente dos estudos de consumidores, cujas populações quase sempre são bastante grandes. Em estudos business-to-business, a população frequentemente não passa de 200-300 indivíduos. Qual seria o tamanho de uma amostra aceitável? Nesses casos, tenta-se realizar um levantamento completo de todos os indivíduos na população. Amostras aceitáveis podem chegar a apenas cerca de 30%, mas a decisão final só pode ser tomada após a análise do perfil dos respondentes. Por exemplo, é possível analisar os cargos dos respondentes para garantir uma amostra transversal que represente todas as categorias relevantes. Provavelmente também será preciso determinar que parcela dos negócios anuais da empresa está representada na amostra para evitar o uso excessivo de empresas ou contas pequenas, pouco representativas de seus clientes. Seja qual for sua abordagem, em última análise é preciso entender bem quem foram os respondentes para poder interpretar corretamente os achados do estudo.

## Amostragem em populações pequenas

Nas fórmulas descritas anteriormente, o tamanho da população não impacta a determinação do tamanho da amostra. Isso sempre é verdadeiro para populações "grandes". Ao trabalhar com populações pequenas, entretanto, o uso dessas fórmulas pode levar a um tamanho de amostra desnecessariamente grande. Se, por exemplo, o tamanho da amostra é maior que 5% da população, o tamanho de amostra calculado será multiplicado pelo seguinte fator de correção:

$$N/(N + n - 1)$$

* N. de R. T.: O correto não é usar ponto percentual na estimação usando médias, mas sim a diferença máxima permitida entre a média amostral e a média populacional.

** N. de R. T.: Considerando o cálculo do tamanho da amostra usando proporções.

onde:

$N$ = Tamanho da população

$n$ = Tamanho de amostra calculado determinado pela fórmula original

Assim, o tamanho da amostra ajustado é:

Tamanho da amostra = (Nível de confiança especificado × Variabilidade/ Precisão desejada)$^2$ × $N/(N + n - 1)$

## Tamanhos de amostras não probabilísticas

As fórmulas de tamanho de amostra não podem ser usadas para amostras não probabilísticas. Em geral, a determinação do tamanho de amostra para as não probabilísticas é uma avaliação subjetiva e intuitiva do pesquisador, realizada com base em estudos anteriores, padrões do setor ou quantidade de recursos disponíveis. Seja qual for o método, os resultados amostrais não podem ser usados para a realização de inferência estatísticas sobre a verdadeira natureza dos parâmetros populacionais. Os pesquisadores vão comparar características específicas da amostra, como idade, renda e escolaridade, e observar que a amostra é semelhante à população, mas o melhor que tais amostras permitem é uma descrição dos achados amostrais.

## Outras abordagens de determinação de tamanhos de amostra

Os tamanhos de amostra muitas vezes são determinados com o uso de abordagens menos formais. Por exemplo, o orçamento quase sempre é uma consideração impor-

### PAINEL Utilizando o SPSS para selecionar uma amostra aleatória

Nosso objetivo de amostragem é obter uma amostra aleatória de 100 clientes dos dois restaurantes mexicanos entrevistados no levantamento. Cada uma das 405 entrevistas representa uma unidade amostral. A base de amostragem é a lista de 405 clientes do Santa Fe Grill e do Jose's Southwestern Café que foram entrevistados no levantamento. A sequência de comandos no aplicativo SPSS para selecionar uma amostra aleatória é: DATA → SELECT CASES → RANDOM SAMPLE OF CASES → SAMPLE → EXACTLY → "100" CASES → FROM THE FIRST "405" CASES → CONTINUE → OK. Na sequência anterior, é preciso clicar em cada uma das opções e colocar "100" na caixa *cases* (casos) e "405" no espaço em branco na caixa *from the first cases* (dos primeiros casos). As entrevistas (casos) não incluídas na amostra aleatória são indicadas pela barra (/) no número de identificação de caso no lado esquerdo de sua tela.

Qualquer análise de dados realizada com a amostra aleatória se baseará apenas na amostra aleatória de 100 entrevistados. Por exemplo, a tabela a seguir mostra o número e a porcentagem de indivíduos na amostra que percorreram diversas distâncias para frequentar os dois restaurantes. Os dados na coluna de frequência indicam que a amostra incluía 27 indivíduos que percorreram menos de 2 km, 37 que dirigiram de 2 a 8 km e 37 que viajaram mais de 8 km, totalizando 100 clientes. A tabela é um exemplo do que é obtido com o *software* SPSS.

| X30: Distância percorrida | Frequência | Porcentagem | Porcentagem acumulada |
|---|---|---|---|
| Menos de 2 km | 27 | 27 | 27 |
| 2–8 km | 37 | 37 | 64 |
| Mais de 8 km | 36 | 36 | 100 |
| Total | 100 | 100 | |

## PAINEL Amostragem e levantamentos na Internet

A coleta de dados *online* está aumentando com rapidez, representando hoje quase 60% da coleta de dados nos Estados Unidos. A seguir há alguns dos problemas associados às técnicas de amostragem que utilizam métodos de coleta de dados *online*:

1. A população da amostragem é difícil de definir e alcançar. A solicitação de participação por e-mail consegue contatar uma amostra transversal geograficamente ampla, mas quem responde de fato? Por exemplo, grupos demográficos mais jovens têm menor probabilidade de utilizar e-mail; é mais fácil contatá-los por mensagens de texto. Da mesma forma, solicitações por e-mail talvez não alcancem respondentes em potencial por serem consideradas spam ou devido a problemas de compatibilidade ou com o navegador.
2. É difícil selecionar amostras aleatórias, talvez até impossível. As listas quase sempre não estão disponíveis ou não são confiáveis.
3. Algumas pesquisas recentes sugerem que amostras obtidas de painéis *online* dos quais os usuários escolhem ativamente participar produzem dados menos precisos, mesmo quando ponderamos os grupos menos representados. Além disso, a menor precisão dos dados de levantamento de painéis via Web não probabilísticos anula as vantagens dos custos menores e da capacidade de realizar levantamentos entre subpopulações com a precisão necessária para estudos de pesquisa complexos. Um estudo sugere que as amostras *online* não devem ser compostas de "voluntários" recrutados na Internet, mas sim desenvolvidas com métodos probabilísticos ligados a contatos telefônicos com linhas fixas ou aparelhos móveis.[4]
4. Se é impossível usar amostras aleatórias, obviamente a generalização dos achados se torna altamente questionável.

Esses problemas nem sempre devem impedir os pesquisadores de usar métodos de coleta de dados *online*. Em vez disso, eles representam questões a serem avaliadas cuidadosamente antes do início da coleta de dados.

---

tante e, nesse caso, o tamanho de amostra é determinado pelo que o cliente pode pagar. Uma abordagem relacionada baseia o tamanho da amostra em estudos semelhantes anteriores vistos como comparáveis e tendo produzido achados confiáveis e válidos.

Muitas vezes os pesquisadores também consideram o número de subgrupos que serão examinados e o tamanho de amostra mínimo por subgrupo necessário para tirar conclusões sobre cada um deles. Alguns pesquisadores sugerem que o tamanho de amostra mínimo por subgrupo deve ser de 100 indivíduos, enquanto muitos acreditam que amostras de aproximadamente 50 são suficientes. Se o tamanho de amostra mínimo por subgrupo é de 50 e se há cinco subgrupos no estudo, o tamanho total da amostra seria 250. Por fim, a regra básica mais utilizada é ter cinco respondentes para cada pergunta realizada. Assim, se o questionário possui 25 perguntas, o tamanho de amostra recomendado é de 125 membros. As decisões sobre quais dessas abordagens (ou combinações delas) utilizar exigem o bom senso e a capacidade de decisão dos gerentes e especialistas em pesquisa para que a melhor alternativa seja selecionada.

## Passos no desenvolvimento de um plano de amostragem

Depois de entender os principais componentes da teoria de amostragem, os métodos de determinação de tamanhos de amostra e as diversas concepções amostrais disponíveis, o pesquisador está pronto para usá-los para desenvolver um **plano de amostragem**. O plano de amostragem é o planejamento detalhado que garante que os dados coletados serão representativos da população-alvo. Um bom plano de amostragem inclui os seguintes passos: (1) definir a população-alvo, (2) selecionar o método de coleta de dados, (3) identificar as bases de amostragem necessárias, (4) selecionar o método de amostragem adequado, (5) determinar os tamanhos de amostra necessários e os índices de contato gerais, (6) criar um plano operacional para seleção de unidades amostrais e (7) executar o plano operacional.

**Passo 1: Definir a população-alvo** Em qualquer plano de amostragem, a primeira tarefa do pesquisador é determinar o grupo de pessoas ou objetos a serem investigados. Usando o problema e os objetivos de pesquisa como diretrizes, as características da população-alvo precisam ser identificadas. O entendimento sobre a população-alvo ajuda o pesquisador a escolher uma amostra representativa.

**Passo 2: Selecionar o método de coleta de dados** Usando a definição do problema, os requisitos de dados e os objetivos de pesquisa, o pesquisador escolhe um método para coletar os dados da população. As opções incluem o tipo de entrevista (por exemplo, presencial ou telefônica), levantamento autoaplicado ou talvez observação. O método de coleta de dados orienta o pesquisador em sua seleção da base de amostragem.

**Passo 3: Identificar as bases de amostragem necessárias** Antes é preciso obter uma lista de unidades amostrais admissíveis. A lista inclui informações sobre as unidades amostrais prospectivas (indivíduos ou objetos) para que o pesquisador possa contatá-los. Bases de amostragem incompletas reduzem a probabilidade de selecionar uma amostra representativa. As listas de amostragem podem ser criadas a partir de diversas fontes diferentes (p. p.ex.: listas de clientes do banco de dados interno da empresa, discagem aleatória de dígitos, lista de membros de uma organização ou listas compradas de fornecedores).

**Passo 4: Selecionar o método de amostragem adequado** O pesquisador escolhe entre métodos probabilísticos e não probabilísticos. Se os achados serão generalizados, os métodos probabilísticos fornecerão informações mais precisas que os não probabilísticos. Como observado anteriormente, o pesquisador deve considerar sete fatores ao determinar o método de amostragem: (1) objetivos de pesquisa, (2) precisão desejada, (3) disponibilidade de recursos, (4) cronograma, (5) conhecimento sobre a população-alvo, (6) escopo da pesquisa e (7) necessidades de análise estatística.

**Passo 5: Determinar os tamanhos de amostra necessários e os índices de contato gerais** Nesse passo do plano de amostragem, o pesquisador decide o nível de precisão necessário para as estimativas e quanto tempo e dinheiro estão disponíveis para coletar os dados. Para determinar o tamanho apropriado da amostra, é preciso tomar decisões considerando (1) a variabilidade da característica populacional em pauta, (2) o nível de confiança desejado para estimativas e (3) a precisão necessária. O pesquisador também deve decidir quantos levantamentos completos são necessários para a análise de dados.

Nesse momento, o pesquisador deve considerar qual é o impacto de utilizar menos questionários do que o desejado originalmente na precisão das estatísticas amostrais. Uma das perguntas mais importantes de se fazer é "quantas unidades amostrais prospectivas precisarão ser contatadas para garantir a obtenção de uma amostra do tamanho estimado e a que custo adicional?"

**Passo 6: Criar um plano operacional para seleção de unidades amostrais** O pesquisador precisa decidir como contatar os respondentes potenciais na amostra. As instruções devem ser elaboradas de modo que os entrevistadores saibam o que fazer e como resolver problemas ao contatá-los. Por exemplo, se os dados do estudo serão coletados com entrevistas de interceptação em shopping center, os pesquisadores precisam ser instruídos sobre como selecionar os respondentes e conduzir entrevistas.

**Passo 7: Executar o plano operacional** Passo semelhante à coleta de dados dos respondentes. A consideração mais importante neste passo é a manutenção da consistência e do controle.

# PESQUISA DE MARKETING EM AÇÃO

## Desenvolvendo um plano de amostragem para um levantamento sobre a iniciativa de um novo menu

Os proprietários do Santa Fe Grill entendem que, para permanecerem competitivos no setor de restaurantes, é preciso introduzir novos itens no menu periodicamente, oferecendo variedade aos clientes atuais e atraindo novos. Assim, os proprietários do Santa Fe Grill acreditam que é preciso trabalhar três problemas por meio da pesquisa de marketing. Primeiro, o menu deve ser alterado para incluir itens que vão além da cozinha típica do sudoeste dos Estados Unidos? Por exemplo, o restaurante deveria acrescentar itens que seriam considerados parte da cozinha típica dos Estados Unidos, da Itália ou da Europa em geral? Segundo, independentemente de qual cozinha será explorada, quantos novos itens (por exemplo, petiscos, entradas ou sobremesas) devem ser incluídos no levantamento? Terceiro, que tipo de plano de amostragem deve ser desenvolvido para selecionar respondentes? Quem devem ser esses respondentes? Clientes atuais, clientes novos e/ou ex-clientes?

## Exercício prático

Sabendo da importância da amostragem e do impacto que teria sobre a validade e a precisão dos resultados de pesquisa, os proprietários perguntaram à universidade local se uma turma de pesquisa de marketing poderia ajudá-los com o projeto. Mais especificamente, os proprietários fizeram as seguintes perguntas:

1. Quantas perguntas o levantamento deve ter para trabalhar adequadamente as possíveis adições ao menu, incluindo a noção de avaliar a atração de novas cozinhas internacionais? Em suma, como determinar que todos os itens necessários serão incluídos em um levantamento sem risco de ignorar itens que seriam desejáveis a clientes potenciais?
2. Como os possíveis respondentes devem ser selecionados para o levantamento? Os clientes devem ser entrevistados enquanto estiverem à mesa? Os entrevistadores devem solicitar sua participação enquanto estiverem saindo do restaurante? Ou o melhor seria usar uma abordagem telefônica ou por correspondência para coletar informações de clientes e de não clientes?

Com base nessas perguntas, sua tarefa é desenvolver um procedimento para trabalhar as seguintes questões:

1. Quantos novos itens de menu devem ser analisados no levantamento? Lembre-se de que todas as possibilidades de menu devem ser avaliadas, e que é preciso ter uma quantidade razoável de perguntas para que o levantamento possa ser realizado a tempo e sem problemas. Mais especificamente, a partir de uma lista de itens possíveis para inclusão no levantamento, qual seria o número ideal de itens de menu a serem incluídos? Existe algum procedimento de amostragem a ser usado para determinar o número máximo de itens de menu para incluir no levantamento?
2. Determine a concepção amostral apropriada. Desenvolva uma proposta de concepção amostral para o Santa Fe Grill que trabalhe as seguintes questões: seria melhor usar amostragem probabilística ou não probabilística? Dependendo de qual for sua resposta, que tipo de método amostral deve ser adotado (aleatório simples, estratificado, conveniência, etc.)? Dada a sugestão de método amostral, como selecionar respondentes potenciais para o estudo? Finalmente, determine o tamanho necessário da amostra e sugira um plano para a seleção de unidades amostrais.

## Resumo

**Explicar o papel da amostragem no processo de pesquisa.**
A amostragem usa uma porção da população para realizar estimativas sobre toda a população. Os princípios básicos da amostragem são usados em muitas de nossas atividades diárias. Por exemplo, assistimos a amostras de programas de TV antes de decidir qual assistir, realizamos *test-drive* antes de decidir que automóvel comprar e provamos um pedacinho da comida para descobrir se está quente demais ou se precisa de mais tempero. O termo população-alvo é usado para identificar o grupo completo de elementos (p.ex.: pessoas ou objetos) identificados para investigação. O pesquisador seleciona unidades amostrais a partir da população-alvo e usa os resultados obtidos com a amostra para tirar conclusões sobre a população-alvo. A amostra deve ser representativa da população-alvo para permitir estimativas precisas sobre parâmetros populacionais.

A amostragem é utilizada com frequência em projetos de pesquisa de marketing no lugar dos censos, pois a técnica reduz significativamente a quantidade de tempo e dinheiro necessários para coletar dados.

**Diferenciar a amostragem probabilística da não probabilística.**
Com a amostragem probabilística, cada unidade amostral na população-alvo definida possui uma probabilidade conhecida de ser selecionada para a amostra. A probabilidade real de seleção para cada unidade amostral pode ou não ser igual, dependendo do tipo de concepção amostral usada. Na amostragem não probabilística, a probabilidade de seleção de cada unidade amostral é desconhecida. A seleção de unidades amostrais baseia-se em alguma forma de avaliação ou conhecimento intuitivo do pesquisador.

A amostragem probabilística permite que o pesquisador avalie a confiabilidade e a validade dos dados coletados, calculando a probabilidade de os achados da amostra serem diferentes dos da população-alvo definida. A diferença observada pode ser atribuída parcialmente à existência do erro de amostragem. Cada método de amostragem probabilística (aleatória simples, aleatória sistemática, estratificada e por conglomerados) possui suas próprias vantagens e desvantagens intrínsecas.

Na amostragem não probabilística, a probabilidade de seleção de cada unidade amostral é desconhecida. Em consequência, o erro de amostragem potencial também não pode ser conhecido com certeza. Apesar de os pesquisadores se sentirem tentados a generalizar os resultados de amostras não probabilísticas para toda a população-alvo definida, a maior parte dos resultados se limita às pessoas que forneceram os dados no levantamento. Todos os métodos de amostragem não probabilísticos (conveniência, julgamento, quota e bola de neve) possuem suas próprias vantagens e desvantagens intrínsecas.

**Entender os fatores a serem considerados ao determinar o tamanho da amostra.**
Os pesquisadores consideram diversos fatores ao determinar o tamanho apropriado da amostra. A quantidade de tempo e dinheiro disponível frequentemente afeta a decisão. Em geral, quanto maior a amostra, maior a quantidade de recursos necessários para coletar os dados. Os três fatores mais importantes para determinar o tamanho da amostra são (1) a variabilidade da característica populacional em pauta, (2) o nível de confiança desejado para a estimativa e (3) o grau de precisão desejado ao estimar a característica populacional. Quanto maior a variabilidade da característica em pauta, maior o nível de confiança necessário. Do mesmo modo, quanto mais precisos precisarem ser os resultados da amostra, maior ela precisa ser.

Fórmulas estatísticas são usadas para determinar o tamanho de amostra necessário na amostragem probabilística. Em concepções amostrais não probabilísticas, os tamanhos de amostra são determinados por métodos subjetivos, como padrões do setor, estudos anteriores e avaliações intuitivas por parte do pesquisador. O tamanho da população-alvo definida não afeta o tamanho da amostra necessária, a menos que a população seja grande em relação ao tamanho da amostra.

**Entender os passos no desenvolvimento de um plano de amostragem.**
O plano de amostragem é o planejamento detalhado que garante que os dados coletados serão representativos da população-alvo. Bons planos de amostragem incluem os seguintes passos: (1) definir a população-alvo, (2) selecionar o método de coleta de dados, (3) identificar as bases de amostragem necessárias, (4) selecionar o método de amostragem adequado, (5) determinar os tamanhos de amostra necessários e os índices de contato gerais, (6) criar um plano operacional para a seleção de unidades amostrais e (7) executar o plano operacional.

## Principais termos e conceitos

Amostragem 141
Amostragem aleatória estratificada 147
Amostragem aleatória simples 146
Amostragem aleatória sistemática 146
Amostragem bola de neve 152
Amostragem de conveniência 151
Amostragem estratificada desproporcional 149
Amostragem estratificada proporcional 149
Amostragem não probabilística 146
Amostragem por áreas 149
Amostragem por conglomerados 149
Amostragem por julgamento 151
Amostragem por quotas 152
Amostragem probabilística 145
Base de amostragem 142
Censo 141
Erro de amostragem 144
Erro não amostral 145
Plano de amostragem 157
População 142
População-alvo definida 142
Precisão 154
Teorema do limite central (TLC) 144
Unidades amostrais 142

## Questões de revisão

1. Por que tantas pesquisas enfatizam a definição correta da população-alvo em vez da população total?
2. Explique a relação entre tamanho de amostra e erro de amostragem. Como o erro de amostragem ocorre em pesquisas por levantamento?
3. O vice-presidente de operações do parque Busch Gardens sabe que 70% dos clientes gosta das montanhas-russas. Ele quer uma margem de erro aceitável máxima de ±2% e confiança de 95% em relação a atitudes quanto à montanha-russa "Gwazi". Qual é o tamanho da amostra necessária para um estudo com entrevistas pessoais entre os visitantes no local?

## Questões para discussão

1. Resuma por que a lista telefônica atualizada não é uma boa fonte com a qual desenvolver uma base de amostragem para a maior parte dos estudos.
2. EXPERIMENTE A INTERNET. Vá ao *site* **www.surveysampling.com** e selecione o menu *the frame*. Depois, selecione *archive*, escolha um ano específico (p.ex.: 2012) e leia os artigos disponíveis sobre o tema amostragem. Selecione dois artigos e escreva um breve resumo sobre como a amostragem afeta a capacidade de realizar uma pesquisa de mercado precisa.

# 7

# Mensuração e escalonamento

**Objetivos de aprendizagem** Após ler este capítulo, você estará apto a:

1. Entender o papel da mensuração na pesquisa de marketing.
2. Explicar os quatro níveis básicos das escalas.
3. Descrever o desenvolvimento de escalas e sua importância na coleta de dados primários.
4. Discutir escalas comparativas e não comparativas.

## Restaurante mexicano Santa Fe Grill: prevendo a fidelidade do cliente

Cerca de 18 meses depois de abrir seu primeiro restaurante no Cumberland Mall em Dallas, Texas, os proprietários do restaurante mexicano Santa Fe Grill concluíram que, apesar de haver um concorrente com tema mexicano nas proximidades (Jose's Southwestern Café), havia muito mais concorrentes no setor de restaurantes informais em um raio de 5km. A concorrência incluía diversas cadeias nacionais estabelecidas, como Chili's, Applebee's, T.G.I. Friday's e Ruby Tuesday, que também contavam com alguns itens de comida mexicana. Preocupados com o cultivo de uma clientela mais forte em um ambiente altamente competitivo para restaurantes, inicialmente os proprietários enfocaram apenas a imagem de oferecer a melhor comida mexicana possível, com os ingredientes mais frescos e sempre "preparada do zero", na esperança de criar satisfação entre os clientes. Os resultados de diversos levantamentos de satisfação entre os clientes atuais indicaram que muitos tinham uma experiência satisfatória em suas refeições, mas as intenções de voltar regularmente ao restaurante eram baixas. Depois de ler um artigo popular sobre fidelidade do cliente, os proprietários decidiram que queriam entender melhor os fatores que levavam à fidelidade do cliente. Em outras palavras: o que motivaria os clientes a voltarem ao restaurante com mais frequência?

Para entender melhor a fidelidade do cliente, os proprietários do Santa Fe Grill contataram a divisão de satisfação do cliente da Burke (**www.burke.com**). A organização avaliou diversas alternativas, incluindo mensurar a fidelidade dos clientes, a intenção de recomendar e voltar ao restaurante e o nível de vendas. Os representantes da Burke indicaram que a fidelidade do cliente influencia diretamente a precisão das estimativas de vendas potenciais, que a densidade de tráfego é um indicador melhor de vendas do que a demografia e que os clientes muitas vezes preferem locais nos quais diversos restaurantes informais estão localizados em proximidade, pois assim têm mais opções a seu dispor. Ao final da reunião, os proprietários perceberam que a fidelidade do cliente é um comportamento complexo, difícil de prever.

A experiência do Santa Fe Grill proporciona diversos *insights* sobre a importância do desenvolvimento de construtos e medidas. Primeiro, desconhecer os elementos críticos que influenciam a fidelidade dos clientes a restaurantes talvez leve a adivinhações e previsões de vendas pouco confiáveis. Segundo, desenvolver clientes fiéis exige a identificação e a definição precisa de construtos que preveem a fidelidade (ou seja, atitudes dos clientes, emoções, fatores comportamentais). Quando você terminar este capítulo, leia a seção Pesquisa de Marketing em Ação para ver como a Burke define e mensura a fidelidade do cliente.

## O valor da mensuração na pesquisa de informações

A mensuração é uma parte intrínseca do mundo moderno, mas as origens da mensuração se encontram em um passado longínquo. Antes que o fazendeiro pudesse vender seu milho, suas batatas ou suas maçãs, ele e o comprador precisavam decidir qual unidade de medida usar. Com o tempo, essa unidade se tornou conhecida como alqueire ou, mais precisamente, 35,239 litros. No começo, a mensuração era realizada com um simples cesto ou recipiente de tamanho padrão que todos concordavam representar um alqueire.

Partindo de elementos simples e comuns, como o cesto de alqueire, progredimos tanto nas ciências físicas que somos capazes de medir a rotação de estrelas distantes, a altitude de um satélite em micrômetros e o tempo em picossegundos (1 trilionésimo de segundo). Hoje, instrumentos de mensuração física precisos são críticos para pilotos de avião atravessando neblinas e médicos realizando cirurgias a laser.

Entretanto, na maioria das situações de marketing, as mensurações são aplicadas a elementos muito mais abstratos que a altitude ou o tempo. Por exemplo, a maioria dos tomadores de decisão diria que é importante ter informações sobre o quanto os clientes da empresa vão gostar ou não de um novo produto ou serviço antes de seu lançamento. Em muitos casos, tais informações são a diferença entre o sucesso e o fracasso no mundo dos negócios. Ainda assim, diferentemente do tempo ou da altitude, as preferências das pessoas podem ser bem difíceis de se mensurar precisamente. A Coca-Cola Company lançou a New Coke depois de um processo incompleto de conceitualização e mensuração das preferências de seus clientes; a consequência foi um prejuízo considerável para a empresa.

Como a mensuração precisa é essencial para decisões de sucesso, este capítulo apresenta informações básicas sobre a importância de medir as atitudes e os comportamentos de clientes e outros fenômenos de mercado. Descrevemos aqui o processo de mensuração e as regras de decisão para o desenvolvimento de escalas de medida. O foco está em questões de medição, desenvolvimento de construtos e escalas de medida. O capítulo também discute escalas populares que medem atitudes e comportamento.

## Panorama do processo de mensuração

A **mensuração*** é o processo de desenvolver métodos para caracterizar ou quantificar sistematicamente as informações sobre pessoas, eventos, ideias ou objetos de interesse. Como parte do processo de mensuração, os pesquisadores designam números ou

* N. de E.: Para uma definição completa dos termos em negrito, veja o Glossário ao final do livro.

rótulos para os fenômenos que medem. Por exemplo, ao coletar dados sobre consumidores que compram carros *online*, o pesquisador pode coletar informações sobre suas atitudes, percepções, comportamentos de compra anteriores e características demográficas. A seguir, os números são usados para representar como os indivíduos responderam às perguntas em cada uma dessas áreas.

O *processo de mensuração* consiste em duas tarefas: seleção/desenvolvimento de construtos e escalas de medida. Para coletar dados precisos, os pesquisadores precisam compreender o que estão tentando medir antes de escolher as escalas de medida adequadas. O objetivo do processo de desenvolvimento de construtos é identificar e definir precisamente o que será medido. Por sua vez, o processo de escalas de medida determina exatamente como cada construto será medido. Por exemplo, uma escala de 10 pontos resulta em uma medida mais precisa do que uma escala de 2 pontos. Começaremos com o desenvolvimento de construtos e depois passaremos para escalas de medida.

## O que é um construto?

Um construto é uma ideia ou conceito abstrato formado na mente de um indivíduo. Essa ideia é uma combinação de diversas características semelhantes do construto. As características são as variáveis que, coletivamente, definem o conceito e possibilitam sua mensuração. Por exemplo, as variáveis listadas a seguir mensuram o conceito de "interação com o cliente".[1]

- Foi fácil conversar com esse cliente.
- Esse cliente gostou mesmo do meu serviço.
- Esse cliente gosta de conversar com pessoas.
- Esse cliente estava interessado em socializar.
- Esse cliente era simpático.
- Esse cliente tentou estabelecer uma relação pessoal.
- Esse cliente parecia interessado em mim enquanto pessoa, não apenas enquanto vendedor.

Com o uso de escalas Concordo-Discordo para obter escores sobre cada uma das variáveis, é possível medir o conceito geral de interação com o cliente. Os escores individuais são então combinados em um único escore geral, de acordo com um conjunto de regras predefinidas. O escore resultante costuma ser chamado escala, índice, ou avaliação somada. No exemplo, sobre a interação com o cliente, as variáveis individuais (itens) são avaliadas em uma escala de cinco pontos na qual 1 = Discordo totalmente e 5 = Concordo totalmente.

Imagine que o objetivo de pesquisa é identificar as características (variáveis) associadas a um construto de satisfação com um restaurante. O pesquisador provavelmente analisará a literatura sobre satisfação, conduzirá entrevistas formais e informais e utilizará suas próprias experiências para identificar variáveis como qualidade da comida, qualidade do serviço e relação custo-benefício como componentes importantes de um construto de satisfação com um restaurante. A combinação lógica dessas características gera um arcabouço teórico que representa o construto de satisfação e permite que o pesquisador faça uma investigação empírica do conceito de satisfação com um restaurante.

### Desenvolvimento de construtos

Os construtos de marketing precisam ser definidos com clareza. Lembre-se que o **construto** é um conceito inobservável, medido indiretamente por um grupo de variáveis relacionadas. Assim, os construtos são compostos de uma combinação de diversas variáveis indicadoras relacionadas que definem o conceito por seu conjunto. Cada indicador específico possui uma escala de medida. O construto estudado é medido indiretamente pela obtenção de escalas de medida sobre cada indicador seguida de sua compilação em um escore final. Por exemplo, a satisfação do cliente é um construto, enquanto os sentimentos positivos (ou negativos) dos indivíduos sobre determinados aspectos de suas experiências de compra, como atitudes em relação aos vendedores, são variáveis indicadoras.

O desenvolvimento de construtos começa com a definição precisa do objetivo do estudo e do problema de pesquisa. Sem um entendimento inicial claro do problema de pesquisa, o pesquisador provavelmente coletará dados irrelevantes ou imprecisos, desperdiçando bastante tempo, energia e dinheiro. O **desenvolvimento de construtos** é o processo pelo qual os pesquisadores identificam características que definem o conceito sendo estudado pelo pesquisador. Depois que as características são identificadas, o pesquisador precisa desenvolver um método para mensurar o conceito indiretamente.

A parte principal do desenvolvimento de construtos é a necessidade de determinar exatamente o que será mensurado. Os objetos relevantes para o problema de pesquisa são os primeiros a serem identificados. A seguir, são especificadas as propriedades objetivas e subjetivas de cada objeto. Quando são necessários dados apenas sobre um tema concreto, o foco da pesquisa se restringe a medir as propriedades objetivas do objeto. Mas quando são precisos dados sobre suas propriedades subjetivas (abstratas), o pesquisador precisa identificar subcomponentes mensuráveis que possam ser usados como indicadores das propriedades subjetivas do objeto. A Figura 7.1 mostra exemplos de objetos e de suas propriedades concretas e abstratas. Uma boa regra prática é que, se a característica do objeto pode ser mensurada por meio de suas propriedades físicas, tal característica é uma variável concreta, não um construto abstrato. Os construtos abstratos precisam ser medidos indiretamente, pois não são características físicas. O Painel de Pesquisa de Marketing demonstra a importância de utilizar o conjunto apropriado de respondentes no desenvolvimento de construtos.

## Escalas de medida

A qualidade das respostas associadas a qualquer técnica de observação ou realização de perguntas depende diretamente das escalas de medida usadas pelo pesquisador. As **escalas de medida** envolvem a designação de um conjunto de descritores de escala para representar uma gama de respostas possíveis a uma pergunta sobre um objeto ou construto específico. Os *descritores de escala* são uma combinação de rótulos (como "Concordo totalmente" ou "Discordo totalmente") e números (como 1-7) designados por uma série de regras.

As escalas de medida designam graus de intensidade às respostas. Os graus de intensidade são mais conhecidos como **pontos de escala**. Por exemplo, o lojista pode querer descobrir a importância de um conjunto preestabelecido de características de

**Figura 7.1** **Exemplos de recursos concretos e construtos abstratos de objetos.**

| **Objetos** | |
|---|---|
| Consumidor | **Propriedades concretas:** idade, gênero, estado civil, renda, última marca adquirida, valor da compra em dólares, tipos de produtos adquiridos, cor dos olhos e do cabelo |
| | **Propriedades abstratas:** atitudes em relação a um produto, lealdade à marca, compras de alto envolvimento, emoções (amor, medo, ansiedade), inteligência, personalidade |
| Organização | **Propriedades concretas:** nome da empresa, número de funcionários, número de lojas, bens totais, posição na lista Fortune 500, capacidade de informática, tipos e números de produtos e serviços oferecidos |
| | **Propriedades abstratas:** competência dos funcionários, controle de qualidade, poder do canal, vantagens competitivas, imagem da empresa, práticas orientadas aos consumidores |
| **Construtos de marketing** | |
| **Lealdade à marca** | **Propriedades concretas:** número de vezes que uma determinada marca é comprada, frequência de compras de marca específica, quantias gastas |
| | **Propriedades abstratas:** gostar/desgostar de uma marca, grau de satisfação com a marca, atitude geral em relação à marca |
| **Satisfação do cliente** | **Propriedades concretas:** atributos identificáveis que compõem um produto, serviço ou experiência |
| | **Propriedades abstratas:** gostar/desgostar de atributos individuais que compõem o produto, sentimentos positivos em relação ao produto |
| **Qualidade de serviço** | **Propriedades concretas:** atributos identificáveis de uma ocasião de serviço, por exemplo, quantidade de interação, comunicação pessoal, conhecimento do prestador de serviço |
| | **Propriedades abstratas:** expectativas relativas a cada atributo identificável, avaliação de desempenho |
| **Lembrança de propaganda** | **Propriedades concretas:** propriedades factuais do anúncio (por exemplo, mensagem, símbolos, movimento, modelos, texto), lembrança das propriedades do anúncio com e sem auxílio |
| | **Propriedades abstratas:** avaliações favoráveis/desfavoráveis, atitude em relação ao anúncio |

serviço ou da loja para os consumidores na hora de decidir onde comprar. O nível de importância dado a cada característica de serviço ou da loja seria determinado pela designação de descritores de intensidade (pontos de escala) para representar os possíveis graus de importância associados com cada característica. Se os rótulos são usados como pontos de escala para corresponder a perguntas, eles também podem incluir, por exemplo: definitivamente importante, relativamente importante, levemente importante e nada importante. Se os números forem usados como pontos de escala, então 10 pode significar "muito importante" e 1 "nada importante".

Todas as escalas de medida podem ser classificadas em um de quatro níveis básicos de escalas: nominais, ordinais, intervalares e de razão. Cada um desses níveis de escala é discutido a seguir.

## PAINEL Entendendo as dimensões da qualidade dos serviços bancários

O Hibernia National Bank precisa identificar as áreas que os clientes utilizariam para avaliar a qualidade do serviço bancário. Devido a limitações orçamentárias e com base no desejo de trabalhar com o professor de marketing de uma universidade local, foram conduzidos diversos grupos focais com os alunos de graduação de um curso de marketing básico e os alunos de pós-graduação em administração de marketing. O objetivo era identificar as atividades de serviço e ofertas que poderiam representar a qualidade do serviço. O pesquisador decidiu usar esses grupos porque os alunos tinham experiência com a condução de transações bancárias, eram consumidores e obter sua participação seria conveniente. Os resultados dos grupos focais revelaram que os estudantes utilizavam quatro dimensões para avaliar a qualidade do serviço de um banco: (1) habilidades interpessoais da equipe do banco, (2) confiabilidade de saldos e extratos, (3) conveniência dos caixas eletrônicos e (4) acesso a funções bancárias via Internet fácil de usar.

Um mês depois, o pesquisador conduziu grupos focais entre os clientes atuais de um dos maiores bancos da mesma área de mercado que a universidade. Os resultados sugeriam que esses clientes usam seis dimensões para avaliar a qualidade de serviço de um banco: (1) capacidade de saber ouvir dos funcionários do banco; (2) entendimento de necessidades bancárias; (3) empatia; (4) respostas a perguntas ou problemas dos clientes; (5) competência tecnológica em processar transações bancárias; e (6) habilidades interpessoais da equipe de contato.

O pesquisador não tinha certeza se os clientes viam a qualidade do serviço bancário tendo quatro ou seis componentes ou se um conjunto combinado de dimensões deveria ser utilizado. Qual dos dois conjuntos de grupos focais deveria ser utilizado para entender o construto de qualidade do serviço bancário? O que você faria para entender melhor o construto de qualidade do serviço bancário? Como você definiria qualidade do serviço bancário?

### Escalas nominais

A **escala nominal** é a concepção de escala mais básica e menos forte. Nas escalas nominais, as perguntas exigem que os respondentes informem algum tipo de descritor como resposta, mas as respostas não contêm níveis de intensidade, o que impede o ordenamento das respostas. As escalas nominais permitem que o pesquisador categorize as respostas em subconjuntos mutuamente exclusivos, sem distâncias entre si, e nada mais. Assim, o único cálculo matemático possível é contar o número de respostas em cada categoria e informar a moda. A Figura 7.2 apresenta alguns exemplos de escalas nominais.

### Escalas ordinais

As **escalas ordinais** são mais poderosas que as nominais, pois permitem que os respondentes expressem a magnitude relativa entre as respostas para cada pergunta, o que permite que as respostas sejam ordenadas em padrões hierárquicos. Assim, é possível determinar as relações entre respostas como "maior/menor que", "mais/menos frequentemente", "mais/menos importante" ou "mais/menos favorável". Os cálculos matemáticos que podem ser aplicados a escalas ordinais incluem a moda, a mediana, distribuições de frequência e amplitudes. As escalas ordinais não podem ser usadas para determinar a diferença absoluta entre os ordenamentos. Por exemplo, os respondentes podem indicar que preferem a Coca-Cola à Pepsi, mas os pesquisadores não têm como determinar o quanto os respondentes gostam mais da Coca. A Figura 7.3 oferece diversos exemplos de escalas ordinais.

**Figura 7.2 Exemplos de escalas nominais.**

**Exemplo 1:**

Por favor indique seu estado civil.

___ Casado ___ Solteiro ___ Separado ___ Divorciado ___ Viúvo

---

**Exemplo 2:**

Você gosta ou não de sorvete de chocolate?

___ Gosto ___ Não gosto

---

**Exemplo 3:**

Em quais dos supermercados abaixo você fez compras nos últimos 30 dias? Marque todos os que visitou.

___ Albertson's ___ Winn-Dixie ___ Publix ___ Safeway ___ Walmart

---

**Exemplo 4:**

Indique seu gênero

___ Feminino ___ Masculino ___ Transgênero

---

**Figura 7.3 Exemplos de escalas ordinais.**

**Exemplo 1:**

Gostaríamos de saber suas preferências pelo uso de diferentes métodos bancários. Entre os métodos listados a seguir, indique suas três preferências principais. Use "1" para indicar sua primeira escolha, "2" para sua segunda preferência e "3" para seu terceiro método favorito. Anote os números no espaço ao lado de seus métodos selecionados. Não dê o mesmo número a dois métodos diferentes.

___ Dentro do banco

___ Drive-thru

___ Caixa eletrônico

___ Cartão de débito

___ Banco por correio

___ Banco por telefone

___ Banco via Internet

---

**Exemplo 2:**

Qual frase descreve sua opinião sobre a qualidade de um processador Intel PC? (Marque apenas uma.)

___ Maior do que um processador da AMD

___ Semelhante a um processador da AMD

___ Menor que um processador da AMD

---

**Exemplo 3:**

Para cada par de lojas de descontos, circule aquela na qual você teria maior probabilidade de fazer compras.

___ Kmart ou Target

___ Target ou Walmart

___ Walmart ou Kmart

---

## Escalas intervalares

As **escalas intervalares** medem diferenças absolutas entre pontos de escala, ou seja, os intervalos entre os números da escala informam a distância dos objetos mensurados com relação a um determinado atributo. Por exemplo, o nível de satisfação dos clientes com o Santa Fe Grill e o Jose Southwestern Café foi medida por meio de uma escala intervalar de sete pontos, na qual as extremidades eram 1 = Discordo totalmente e 7 = Concordo totalmente. Assim, como uma escala intervalar, conseguimos afirmar que os clientes do Santa Fe Grill estão mais satisfeitos do que os clientes do Jose Southwestern Café.

Além da moda e da mediana, é possível calcular a média e o desvio-padrão das respostas em escalas intervalares, assim, os pesquisadores conseguem informar achados sobre as diferenças absolutas entre os dados, bem como as diferenças hierárquicas (melhor ou pior). A Figura 7.4 apresenta diversos exemplos de escalas intervalares.

## Escalas de razão

As **escalas de razão** são as escalas de nível mais elevado, pois permitem que o pesquisador faça comparações absolutas entre as respostas, além de identificar diferenças absolutas entre cada ponto de escala. Por exemplo, ao coletar de dados sobre quantos carros cada domicílio possui em Atlanta, no estado da Geórgia, um pesquisador sabe que a diferença entre um carro e três carros sempre será igual a dois. Além disso, ao comparar uma família com um carro e uma com três, o pesquisador pode presumir

**Figura 7.4** **Exemplos de escalas intervalares.**

**Exemplo 1:**
Qual é a probabilidade de você recomendar o Santa Fe Grill a um amigo?

| Definitivamente não recomendará | | | | Definitivamente recomendará | | |
|---|---|---|---|---|---|---|
| 1 | 2 | 3 | 4 | 5 | 6 | 7 |

**Exemplo 2:**
Usando uma escala de 0 a 10, onde "10" é Muito Satisfeito e "0" é Nada Satisfeito, qual é seu nível de satisfação com os serviços bancários que recebe atualmente de (nome de seu banco principal):
Resposta: ___

**Exemplo 3:**
Indique com que frequência você usa diferentes métodos bancários. Para cada um dos métodos listados a seguir, circule o número que melhor descreve a frequência com a qual geralmente você o utiliza.

| **Métodos de serviço bancário** | **Nunca usa** | | | | | | | | | **Usa bastante** |
|---|---|---|---|---|---|---|---|---|---|---|
| Dentro do banco | 0 | 1 | 2 | 3 | 4 | 5 | 6 | 7 | 8 | 9 | 10 |
| Drive-thru | 0 | 1 | 2 | 3 | 4 | 5 | 6 | 7 | 8 | 9 | 10 |
| Caixa eletrônico 24 horas | 0 | 1 | 2 | 3 | 4 | 5 | 6 | 7 | 8 | 9 | 10 |
| Cartão de débito | 0 | 1 | 2 | 3 | 4 | 5 | 6 | 7 | 8 | 9 | 10 |
| Banco por correio | 0 | 1 | 2 | 3 | 4 | 5 | 6 | 7 | 8 | 9 | 10 |
| Banco por telefone | 0 | 1 | 2 | 3 | 4 | 5 | 6 | 7 | 8 | 9 | 10 |
| Banco via Internet | 0 | 1 | 2 | 3 | 4 | 5 | 6 | 7 | 8 | 9 | 10 |

que a família com três carros pagará significativamente mais por seguro automobilístico e por manutenção em oficinas mecânicas do que a família com um só.

As escalas de razão são projetadas para permitir que uma resposta "zero natural verdadeiro" ou "estado nulo verdadeiro" seja válida para perguntas. Em geral, as escalas de razão pedem que os respondentes forneçam valores numéricos específicos em suas repostas, independentemente do uso ou não de pontos de escala. Além da moda, mediana, média e desvio padrão, é possível fazer comparações entre níveis. Assim, se você está medindo peso, uma escala de razão conhecida, é possível dizer que uma pessoa que pesa 90 quilos tem o dobro do peso de uma com 45 quilos. A Figura 7.5 mostra exemplos de escalas de razão.

# Avaliando escalas de mensuração

Todas as escalas de mensuração devem ter sua confiabilidade e validade avaliadas. Os parágrafos a seguir explicam como fazê-lo.

## Confiabilidade de escalas

A *confiabilidade da escala* se refere a até que ponto a escala pode reproduzir resultados iguais ou semelhantes em diversos testes. Assim, a confiabilidade é uma medida da consistência de uma medida. O erro aleatório produz inconsistências nas escalas de medida, levando a um menor nível de confiabilidade, mas os pesquisadores podem melhorar a confiabilidade com a concepção cuidadosa do escalonamento. Duas das técnicas que ajudam os pesquisadores a avaliar a confiabilidade das escalas são o teste-reteste e a forma equivalente.

Primeiro, a técnica de *teste-reteste* envolve repetir a medida de escala com a mesma amostra de respondentes em dois momentos diferentes ou duas amostras diferentes de respondentes, extraídas da mesma população-alvo definida, sob condições tão idênticas quanto possível. A ideia por trás dessa abordagem é que, se houver variações aleatórias, estas serão reveladas pelas variações nos escores entre as duas medidas amostrais. Se houver poucas diferenças entre a primeira e a segunda administração da escala, esta é considerada estável e, logo, confiável. Por exemplo, imagine que determinar a eficácia pedagógica de seu curso de pesquisa de marketing envolva o uso de uma

**Figura 7.5** **Exemplos de escalas de razão.**

**Exemplo 1:**

Por favor, marque o número de pessoas com menos de 18 anos que moram em seu domicílio.

0 1 2 3 4 5 6 7 Mais de 7, por favor, especifique: ____

**Exemplo 2:**

Nos últimos sete dias, quantas vezes você fez compras em um shopping center?

____ vezes

**Exemplo 3:**

Qual é a sua idade atual, em anos?

____ anos

escala de 28 perguntas para mensurar quanto os respondentes concordam ou discordam com cada pergunta (afirmação). Para coletar dados sobre a eficácia pedagógica, seu professor administra essa escala à turma após a 6ª semana do semestre e então a repete após a 12ª. Usando um procedimento de análise de média nas perguntas de cada período de mensuração, o professor então realiza uma análise de correlação com os valores médios. Se a correlação entre as medidas de valor médio dos dois períodos de avaliação possuem um índice de correlação alto, o professor conclui que a confiabilidade da escala de 28 perguntas é alta.

A abordagem de teste-reteste tem diversos problemas. Primeiro, alguns dos alunos que completaram a escala na primeira vez talvez estejam ausentes durante a segunda administração. Segundo, os alunos podem ficar sensibilizados à escala de medida e, logo, alterarem suas respostas na segunda mensuração. Terceiro, fatores ambientais ou pessoais talvez se alterem durante as duas administrações, causando mudanças nas respostas dos alunos na segunda ocasião.

Alguns pesquisadores acreditam que os problemas associados à técnica de confiabilidade de teste-reteste são evitados por meio da técnica de *forma equivalente*. Nessa técnica, os pesquisadores criam duas escalas de medida semelhantes, mas diferentes (ou seja, equivalentes) para um determinado construto (p.ex.: eficácia pedagógica) e administram ambas para a mesma amostra de respondentes ou então para duas amostras de respondentes extraídas da mesma população-alvo definida. No exemplo da "eficácia pedagógica" do curso de pesquisa de marketing, o professor construiria duas escalas de 28 perguntas cuja principal diferença estaria no vocabulário usado nas perguntas ou afirmações, não nos pontos de escala Concordo/Discordo. Apesar de fraseologia específica ser alterada, presume-se que seu significado permaneça constante. Após administrar cada uma das escalas de medida, o professor calcula os valores médios de cada pergunta e então realiza uma análise de correlação. A confiabilidade por forma equivalente é avaliada pela mensuração das correlações entre os escores das duas escalas de medida. Altos valores de correlação são interpretados tendo altos níveis de confiabilidade para a escala de medida.

A técnica de confiabilidade de forma equivalente possui duas desvantagens potenciais. Primeiro, mesmo que versões equivalentes da escala sejam desenvolvidas, pode não valer o esforço, tempo e custo determinar que duas escalas semelhantes, mas diferentes, sirvam para mensurar o mesmo construto. Segundo, é difícil, talvez até impossível, criar duas escalas totalmente equivalentes. Assim, surgem dúvidas quanto a qual escala seria a mais apropriada para a mensuração da eficácia pedagógica.

As abordagens anteriores à análise da confiabilidade são difíceis de completar de uma maneira rápida e precisa. Por consequência, os pesquisadores de marketing muitas vezes utilizam a confiabilidade por consistência interna. A *consistência interna* é o grau de correlação entre as perguntas individuais de um construto. Em outras palavras, o conjunto de perguntas que compõe a escala deve ser internamente consistente.

Duas técnicas populares para avaliar a consistência interna são: o teste de metades partidas e o coeficiente alfa (também chamado alfa de Cronbach). Em um *teste de metades partidas*, as perguntas da escala são divididas em duas metades (pares e ímpares, ou aleatoriamente) e os escores das metades resultantes são correlacionados entre si. Correlações altas entre as metades indicam níveis bons (ou aceitáveis) de consistência interna. Um *coeficiente alfa* calcula a média de todas as medidas possíveis de metades partidas resultantes de diferentes modos de dividir as perguntas da escala. O valor do coeficiente varia de 0 a 1; na maioria dos casos, valores abaixo de 0,7 indicam níveis entre marginais e baixos (insatisfatórios) de consistência interna.

Os pesquisadores precisam lembrar que o simples fato de suas concepções de escalas de medida serem confiáveis não significa necessariamente que os dados coletados são válidos. É preciso realizar avaliações de validade independentes dos construtos sendo mensurados.

## Validade

Como escalas confiáveis não são necessariamente válidas, os pesquisadores também precisam se preocupar com a validade. A *validade da escala* avalia se a escala mede o que deve medir. Assim, a validade é uma medida da precisão da mensuração. Por exemplo, se você deseja saber a renda disponível de uma família, esse valor é diferente da renda total do domicílio. Você pode começar com perguntas sobre a renda familiar total para chegar à renda disponível, mas o primeiro valor em si não é um indicador válido da renda disponível. Um construto com validade perfeita contém zero erros de mensuração. Uma medida fácil de validade seria comparar a mensuração observada à mensuração verdadeira, mas o problema é que raramente conhecemos a medida verdadeira.

Em geral, a validação determina a adequação das perguntas (afirmações) escolhidas para representar o construto. Uma abordagem para avaliar a validade de escalas é examinar a validade aparente. A *validade aparente** baseia-se na avaliação por parte do pesquisador se as afirmações parecem ou não medir o que devem medir. Estabelecer a validade aparente de uma escala envolve uma avaliação sistemática, ainda que subjetiva, da capacidade da escala de medir aquilo que deveria. Assim, os pesquisadores usam sua avaliação especializada para determinar a validade aparente.

Uma medida semelhante de validade é a *validade de conteúdo*, uma medida de quanto o construto representa todas as dimensões relevantes. A validade de conteúdo requer uma avaliação estatística mais rigorosa do que a validade aparente, que exige apenas avaliações intuitivas. Como exemplo de validade de conteúdo, considere o construto de satisfação no trabalho. Uma escala e mensurando esse construto precisa incluir perguntas sobre remuneração, condições de trabalho, comunicação, relacionamentos com colegas, estilo do supervisor, autonomia, oportunidades de promoção e assim por diante. Se alguma dessas áreas principais não for medida por alguma pergunta, então a escala não terá validade de conteúdo.

A validade de conteúdo é avaliada antes da coleta de dados na tentativa de garantir que o construto (escala) inclua itens que representam todas as áreas relevantes. Em geral, a avaliação é executada no desenvolvimento ou na revisão das escalas. A validade aparente, por outro lado, é uma afirmação *post hoc* sobre escalas existentes de que os itens representam os construtos sendo mensurados. Diversos outros tipos de validade costumam ser examinados após a coleta dos dados, em especial quando se utiliza escalas múltiplas. Por exemplo, a *validade convergente* é avaliada com escalas múltiplas e representa uma situação em que os múltiplos itens que medem o mesmo construto possuem uma alta proporção de variância, em geral acima de 50%. Da mesma forma, a *validade discriminante* representa quanto um único construto difere de todos os outros e representa um construto especial. A obtenção

---

* N. de R. T.: Também conhecida por "validade de face".

de dados para determinar a validade normalmente segue uma de duas abordagens. Se houver recursos suficientes à disposição, é conduzido um estudo piloto com 100-200 respondentes considerados representativos da população-alvo definida. Quando menos recursos estão disponíveis, os pesquisadores avaliam apenas a validade de conteúdo com o auxílio de um painel de especialistas.

## Desenvolvendo escalas de mensuração

A concepção de escalas de medida requer (1) o entendimento do problema de pesquisa, (2) o estabelecimento de requisitos de dados detalhados, (3) a identificação e o desenvolvimento de construtos e (4) a seleção da escala de medida apropriada. Assim, depois de entender os requisitos de dados e o problema, o pesquisador deve desenvolver os construtos e então selecionar um formato adequado para a escala (nominal, ordinal, intervalar ou de razão). Se o problema requer dados intervalares, mas o pesquisador usar uma escala nominal, o resultado será a coleta de dados em nível errôneo; por consequência, os achados podem não ser úteis para entender e explicar o problema de pesquisa.

### Critérios para o desenvolvimento de escalas

As perguntas devem ser elaboradas com cuidado para produzir dados precisos. Para tanto, o pesquisador precisa desenvolver descritores de escalas adequados para uso como pontos de escala.

**Entendimento das perguntas** O pesquisador deve considerar a capacidade intelectual e interpretativa dos indivíduos que responderão às escalas. Os pesquisadores não devem automaticamente presumir que os respondentes entendem as perguntas e as possíveis respostas. É preciso usar um linguajar adequado nas perguntas e nas respostas. O entendimento melhora bastante com a construção de perguntas simples e diretas e o uso de linguajar claro. Todas as perguntas com escalas devem passar por pré-teste para avaliar seu nível de entendimento. Respondentes com ensino médio completo ou equivalente não têm dificuldades para entender e responder a escalas de 7 pontos e, na maioria dos casos, escalas de 10 e 100 pontos também.

**Poder discriminatório de descritores de escalas** O **poder discriminatório** dos descritores de escala representa a capacidade da escala de diferenciar entre as respostas da escala. Os pesquisadores devem decidir quantos pontos de escala são necessários para representar as magnitudes relativas de uma escala de respostas. Quanto mais pontos de escala, maior seu poder discriminatório.

Não existe uma regra fixa sobre o número de pontos de escala a serem usados em sua criação. Para alguns respondentes, as escalas não devem ter mais de cinco pontos, pois pode ser difícil escolher entre eles quando o número de níveis cresce além de cinco. Esse fato é especialmente válido quando se trata de respondentes com menor nível educacional e menor experiência com escalas. Quanto mais pontos de escala os pesquisadores utilizam, maior a variabilidade dos dados, uma consideração importante em sua análise estatística. Na verdade, como vimos anteriormente, escalas de 10 ou até 100 pontos funcionam muito bem com respondentes com maior escolaridade. Escalas publicadas anteriormente baseadas em sistemas de cinco pontos quase sempre devem ser estendidas para agregar mais pontos a fim de tornar as respostas mais precisas.

**Escalas balanceadas *versus* não balanceadas** Os pesquisadores devem considerar o uso de escalas balanceadas ou não balanceadas. A *escala balanceada* possui o mesmo número de alternativas positivas (favoráveis) e negativas (desfavoráveis). Eis um exemplo de escala balanceada:

Com base em suas experiências de uso de seu novo carro, quanto você está satisfeito ou insatisfeito com o desempenho geral do veículo? Marque apenas uma resposta.

____ Completamente satisfeito (sem insatisfação)
____ Satisfeito de modo geral
____ Levemente satisfeito (alguma satisfação)
____ Levemente insatisfeito (alguma insatisfação)
____ Insatisfeito de modo geral
____ Completamente insatisfeito (sem satisfação)

Uma *escala não balanceada* possui um número maior de opções em um dos lados, positivo ou negativo. Na maioria das situações de pesquisa, recomenda-se o uso de escalas balanceadas, pois as não balanceadas quase sempre induzem a tendenciosidade por parte dos respondentes. A única exceção é quando os respondentes provavelmente estarão predominantemente em um lado da escala, seja ele positivo ou negativo. Quando essa situação é esperada, os pesquisadores normalmente usam escalas não balanceadas. Por exemplo, quando os respondentes precisam opinar sobre a importância de critérios de avaliação ao escolher uma determinada empresa com a qual trabalhar, todos os critérios listados acabam avaliados como "muito importantes". Eis um exemplo de escala não balanceada:

Com base em suas experiências de uso de seu novo carro, quanto você está satisfeito com o desempenho geral do veículo? Marque apenas uma resposta.

____ Completamente satisfeito
____ Bastante satisfeito
____ Satisfeito de modo geral
____ Levemente satisfeito
____ Insatisfeito

**Escalas de escolha forçada ou não forçada** Escalas que não possuem um descritor neutro que divida as respostas positivas das negativas são chamadas de *escalas de escolha forçada*. O nome vem do fato dos respondentes só poderem selecionar respostas negativas ou positivas, nunca neutras. As escalas que incluem respostas neutras centrais, por outro lado, são chamadas de *escolha não forçada*, ou *escalas de escolha livre*. A Figura 7.6 apresenta diversos exemplos de escalas "de escolha forçada, pontos pares" e "de escolha não forçada, pontos ímpares".

Alguns pesquisadores acreditam que as escalas devem ser escalas de "pontos ímpares, escolha não forçada"[2], pois nem todos os respondentes terão conhecimento ou experiência suficiente com o tema para serem capazes de avaliar corretamente suas ideias e sentimentos. Se os respondentes forem forçados a escolher, a escala poderá produzir dados de qualidade inferior. Com escalas de escolha não forçada, entretanto, o ponto neutro permite que os respondentes expressem suas opiniões com facilidade.

Muitos pesquisadores acreditam que não existem atitudes ou sentimentos neutros, ou seja, esses aspectos mentais quase sempre possuem alguma orientação posi-

**Figura 7.6** Exemplos de descritores de escalas de escolha forçada e não forçada

**Descritores de escalas de avaliação de escolha forçada, pontos pares**

**Intenção de compra (Comprará/Não Comprará)**

| Definitivamente não comprará | Provavelmente não comprará | Provavelmente comprará | Definitivamente comprará |
|---|---|---|---|
| ______ | ______ | ______ | ______ |

**Crenças/opiniões pessoais (Concordância/Discordância)**

| Discordo totalmente | Discordo parcialmente | Concordo parcialmente | Concordo totalmente |
|---|---|---|---|
| ______ | ______ | ______ | ______ |

**Custo (Barato/Caro)**

| Extremamente barato | Muito barato | Um pouco barato | Um pouco caro | Muito caro | Extremamente caro |
|---|---|---|---|---|---|
| ______ | ______ | ______ | ______ | ______ | ______ |

**Descritores de escalas de avaliação de escolha não forçada, pontos ímpares**

**Intenção de compra (Comprará/Não Comprará)**

| Definitivamente não comprará | Provavelmente não comprará | Não vai comprar ou deixar de comprar | Provavelmente comprará | Definitivamente comprará |
|---|---|---|---|---|
| ______ | ______ | ______ | ______ | ______ |

**Crenças/opiniões pessoais (Concordância/Discordância)**

| Discordo totalmente | Discordo parcialmente | Nem concordo nem discordo | Concordo parcialmente | Concordo totalmente |
|---|---|---|---|---|
| ______ | ______ | ______ | ______ | ______ |

**Custo (Barato/Caro)**

| Muito barato | Um pouco barato | Nem caro nem barato | Um pouco caro | Muito caro |
|---|---|---|---|---|
| ______ | ______ | ______ | ______ | ______ |

tiva ou negativa. As pessoas ou têm ou não têm atitudes em relação a um objeto. Do mesmo modo, as pessoas ou têm ou não têm certos sentimentos. Uma abordagem alternativa para trabalhar as situações nas quais os respondentes sentem desconforto com a expressão de suas ideias ou sentimentos sobre um objeto por falta de conhecimento ou experiência seria a incorporação da opção "Não se aplica" à escala.

**Frases com formulações negativas** Tradicionalmente, as diretrizes de desenvolvimento de escalas sugeriam a inclusão de frases com formulações negativas para confirmar que os respondentes estão lendo as perguntas. Em mais de 40 anos desenvolvendo perguntas com escalas, os autores chegaram à conclusão de que as frases com formulações negativas quase sempre criam problemas para os respondentes na coleta de dados. Além disso, com base em estudos piloto, as frases com formulações negativas foram removidas dos questionários em mais de 90% das ocasiões. O resultado é que a inclusão de frases com formulações negativas deve ser minimizada e, mesmo então, sempre usada com cautela.

**Medidas de tendência central e dispersão desejadas** O tipo de análises estatísticas que podem ser realizadas com os dados coletados depende de seus níveis, ou seja, nominais, ordinais, intervalares ou de razão. Nos Capítulos 11 e 12, discutimos como o nível dos dados coletados influencia o tipo de análise. Nesta seção, nos concentramos no modo como o nível da escala afeta a escolha de como medimos tendências centrais e dispersão. As *medidas de tendência central* localizam o centro de uma distribuição de respostas e são estatísticas de resumo básicas. A média, a mediana e a moda medem a tendência central segundo critérios diferentes. A média é a média aritmética de todas as respostas. A mediana é a estatística que divide os dados de modo que metade do conjunto fica abaixo da mediana e metade acima. A moda é o valor mais informado entre todas as respostas.

As *medidas de dispersão* descrevem como os dados se dispersam ao redor de um valor central. Essas estatísticas permitem que o pesquisador informe a variabilidade das respostas em uma escala específica. As medidas de dispersão incluem a distribuição de frequência, a amplitude e o desvio-padrão estimado. Uma *distribuição de frequência* é um resumo de quantas vezes cada resposta possível a um sistema de perguntas e respostas foi registrada pelo grupo total de respondentes. Essa distribuição pode ser facilmente convertida em porcentuais ou histogramas. A *amplitude* representa a distância entre as respostas maiores e menores. O desvio-padrão é o valor estatístico que especifica o grau de variação nas respostas. Essas medidas são explicadas em mais detalhes no Capítulo 11.

Dada a importância dessas estatísticas na análise de dados, a compreensão de como diferentes níveis de escala influenciam o uso de cada estatística é de suma importância na concepção de escalas. A Figura 7.7 apresenta essas relações. As escalas nominais são analisadas somente com o uso de distribuições da frequência e da moda. As escalas ordinais são analisadas com medianas e amplitudes, além de modas e distribuições de frequência. Para escalas intervalares ou de razão, as médias e os desvios-padrão são as estatísticas mais adequadas. Além disso, os dados intervalares e de razão são analisados com o uso de modas, medianas, distribuições de frequência e amplitudes.

## Adaptando escalas existentes

O campo do marketing possui literalmente centenas de escalas publicadas, cujas fontes mais relevantes são: William Bearden, Richard Netemeyer, and Kelly Haws,

**Figura 7.7** Relações entre níveis de escala e medidas de tendência central e dispersão.

| | Níveis básicos de escalas | | | |
|---|---|---|---|---|
| **Mensurações** | **Nominal** | **Ordinal** | **Intervalar** | **Razão** |
| **Tendência central** | | | | |
| Moda | **Adequado** | Adequado | Adequado | Adequado |
| Mediana | Inadequado | **Mais adequado** | Adequado | Adequado |
| Média | Inadequado | Inadequado | **O mais adequado** | **O mais adequado** |
| **Dispersão** | | | | |
| Distribuição de frequência | **Adequado** | Adequado | Adequado | Adequado |
| Amplitude | Inadequado | **Mais adequado** | Adequado | Adequado |
| Desvio-padrão estimado | Inadequado | Inadequado | **O mais adequado** | **O mais adequado** |

*Handbook of Marketing Scales*, 3rd ed., Sage Publications, 2011; Gordon Bruner, *Marketing Scales Handbook*, 3rd ed., Chicago, IL, American Marketing Association, 2006; e Measures Toolchest, um recurso *online* da Academy of Management disponível no endereço **http://measures.kammeyer-uf.com/wiki/Main_Page**. Algumas das escalas descritas nessas fontes podem ser utilizadas em sua forma publicada para a coleta de dados, mas a maioria precisaria ser adaptada para atender as normas psicométricas atuais. Por exemplo, muitas escalas incluem perguntas de duplo propósito (analisadas no Capítulo 8). Nesses casos, as perguntas precisam ser adaptadas com a separação de cada uma em duas. Além disso, a maioria das escalas foi desenvolvida antes das abordagens de coleta de dados *online* e usavam escalas de Likert de 5 pontos. Como vimos anteriormente, o uso de mais pontos de escala cria maior variabilidade nas respostas, uma característica desejável na análise estatística. Assim, escalas desenvolvidas no passado devem quase sempre ser adaptadas pela conversão das escalas de 5 pontos em escalas de 7, 10 ou até 100 pontos. Além disso, em muitos casos o formato de escala de Likert tem de ser convertido em escala de avaliação gráfica (descrita na próxima seção), que oferece respostas mais precisas para perguntas com escalas.

## Escalas para medir atitudes e comportamentos

Agora que já apresentamos os princípios básicos do desenvolvimento de construtos e as regras para o desenvolvimento de escalas de medida, estamos prontos para discutir as escalas atitudinais e comportamentais empregadas pelos pesquisadores de marketing em diversos contextos.

As escalas são as "réguas" que medem as atitudes, os comportamentos e as intenções dos clientes. As escalas bem planejadas produzem mensurações melhores de fenômenos de mercado, fornecendo informações mais precisas para os tomadores de decisão de marketing. Diversos tipos de escalas são úteis em várias situações diferentes. Esta seção discute três formatos de escala: *escalas de Likert, escalas de diferencial semântico* e *escalas de intenção comportamental*. A Figura 7.8 mostra os passos gerais do processo de desenvolvimento de construtos/escala de medidas. Os passos são seguidos no desenvolvimento da maioria dos tipos de escala, incluindo as três discutidas aqui.

**Figura 7.8** **Processo de desenvolvimento de construtos/escalas**

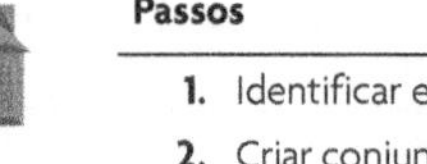

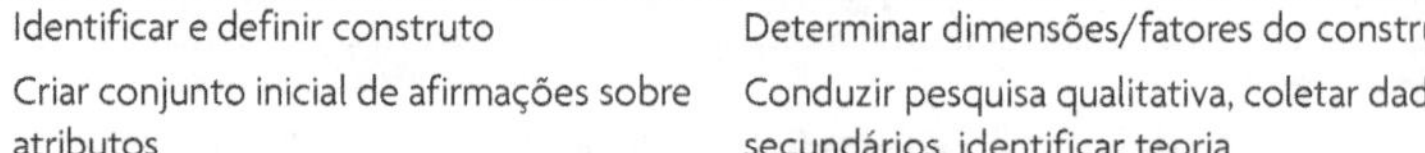

| Passos | Atividades |
|---|---|
| **1.** Identificar e definir construto | Determinar dimensões/fatores do construto |
| **2.** Criar conjunto inicial de afirmações sobre atributos | Conduzir pesquisa qualitativa, coletar dados secundários, identificar teoria |
| **3.** Avaliar e selecionar conjunto reduzido de itens/afirmações | Usar avaliação qualitativa e análise de itens |
| **4.** Projetar escalas e realizar pré-teste | Coletar dados do pré-teste |
| **5.** Realizar análise estatística | Avaliar confiabilidade e validade |
| **6.** Refinar e purificar escalas | Eliminar afirmações mal elaboradas |
| **7.** Completar avaliação final da escala | Em geral avaliação qualitativa, mas pode envolver testes posteriores de confiabilidade e validade |

## Escala de Likert

Uma **escala de Likert** pede que os respondentes indiquem o quanto concordam ou discordam de uma série de afirmações sobre um tema. Em geral, o formato da escala é balanceado entre descritores favoráveis e desfavoráveis. Inventada por Rensis Likert, a escala inicialmente usava cinco descritores: "concordo fortemente", "concordo", "nem concordo nem discordo", "discordo" e "discordo fortemente". A escala de Likert em geral é expandida com o acréscimo de mais dois pontos, criando uma escala de sete pontos. A maioria dos pesquisadores a trata como uma escala intervalar. As escalas de Likert são mais apropriadas para concepções de pesquisa que usam levantamentos autoaplicados, entrevistas pessoais ou levantamentos *online*. A Figura 7.9 apresenta um exemplo de escala de Likert de seis pontos em um levantamento autoaplicado.

A interpretação dos resultados produzidos por escalas de Likert apresenta algumas dificuldades. Considere a última afirmação da Figura 7.9 (*Nunca* sou influenciado por propagandas). As palavras-chave dessa afirmação são *nunca* e *influenciado*. Se os respondentes marcam "Concordo totalmente", a resposta não significa necessariamente que os respondentes são bastante influenciados por propagandas.

## Escala de diferencial semântico

Outra escala de avaliação muito vista na pesquisa de marketing é a **escala de diferencial semântico**. A escala é especial, pois usa adjetivos bipolares (bom/ ruim, gosta/desgosta, competitivo/não competitivo, útil/inútil, alta qualidade/baixa qualidade, confiável/não confiável) como pontos finais em um contínuo. Apenas os pontos finais da escala são rotulados. Em geral, usa-se um objeto e um conjunto relacionado de atributos, cada um dos quais com seu próprio conjunto de adjetivos bipolares. Na maioria dos casos, as escalas de diferencial semântico usam cinco ou sete pontos de escala.

As médias para cada atributo são calculadas e mapeadas em um diagrama contendo os diversos atributos listados, criando um "perfil de imagem perceptual" do objeto. As escalas de diferencial semântico servem para desenvolver e comparar perfis

**Figura 7.9** Exemplo de escala de Likert.

Para cada uma das afirmações listadas abaixo, marque a resposta que melhor expressa o quanto você concorda ou discorda com elas.

| Afirmações | Discordo totalmente | Discordo parcialmente | Discordo um pouco | Concordo um pouco | Concordo parcialmente | Concordo totalmente |
|---|---|---|---|---|---|---|
| Compro muitas coisas com cartão de crédito. | ____ | ____ | ____ | ____ | ____ | ____ |
| Gostaria que tivéssemos muito mais dinheiro. | ____ | ____ | ____ | ____ | ____ | ____ |
| Meus amigos costumam me pedir conselhos. | ____ | ____ | ____ | ____ | ____ | ____ |
| Nunca sou influenciado por propagandas. | ____ | ____ | ____ | ____ | ____ | ____ |

de diferentes empresas, marcas ou produtos. Os respondentes também podem indicar como avaliariam um produto ideal, o que permite que os pesquisadores comparem produtos ideais e reais.

Para exemplificar as escalas de diferencial semântico, presuma que o pesquisador queira avaliar a credibilidade de Tiger Woods enquanto garoto-propaganda em anúncios para produtos de higiene pessoal da marca Nike. O construto de credibilidade consiste em três dimensões: (1) conhecimento, (2) fidedignidade e (3) apelo. Cada dimensão é medida com cinco escalas bipolares (ver as medidas de duas das dimensões na Figura 7.10).

**Descritores não bipolares** Um problema enfrentado com as escalas de diferencial semântico é o uso de expressões narrativas inadequadas de descritores. Em escalas de diferencial semântico bem pensadas, as escalas individuais são realmente bipolares. Às vezes, os pesquisadores usam um descritor de polo negativo que não é o verdadeiro oposto exato do positivo. O resultado é uma escala de difícil interpretação para o respondente. Pense, por exemplo, na escala "especialista/não é especialista" na dimensão "conhecimento". Apesar de a escala ser dicotômica, as palavras "não é especialista" não permitem que o respondente interprete qualquer outro ponto da escala como tendo magnitudes relativas da expressão. Além do ponto descrito como "não é especialista", todos os outros pontos da escala representariam algum nível de concordância com "especialista", o que faz a escala ser tendenciosa em direção ao polo positivo.

Os pesquisadores devem ter cuidado ao selecionar descritores dicotômicos para garantir que as palavras ou expressões são mesmo polos opostos extremos e permitem o desenvolvimento de escalas simétricas. Por exemplo, o pesquisador poderia usar descritores como "especialista completo" e "novato completo" para corrigir o problema de descritor de escala descrito no parágrafo anterior.

**Figura 7.10** **Exemplo de formato de escala de diferencial semântico para Tiger Woods enquanto garoto-propaganda com credibilidade[3].**

Gostaríamos de ouvir o que você tem a dizer sobre o conhecimento, a fidedignidade e o apelo que considera que Tiger Woods dê aos anúncios da Nike. Cada uma das dimensões abaixo possui cinco fatores que podem ou não representar sua opinião. Para cada item listado, marque o espaço que melhor expressa sua opinião sobre o item.

**Conhecimento:**

| | | | | | | | | |
|---|---|---|---|---|---|---|---|---|
| Bem informado | ____ | ____ | ____ | ____ | ____ | ____ | ____ | Mal informado |
| Especialista | ____ | ____ | ____ | ____ | ____ | ____ | ____ | Não é especialista |
| Habilidoso | ____ | ____ | ____ | ____ | ____ | ____ | ____ | Não habilidoso |
| Qualificado | ____ | ____ | ____ | ____ | ____ | ____ | ____ | Não qualificado |
| Experiente | ____ | ____ | ____ | ____ | ____ | ____ | ____ | Inexperiente |

**Fidedignidade:**

| | | | | | | | | |
|---|---|---|---|---|---|---|---|---|
| Confiável | ____ | ____ | ____ | ____ | ____ | ____ | ____ | Não é confiável |
| Sincero | ____ | ____ | ____ | ____ | ____ | ____ | ____ | Não é sincero |
| Fidedigno | ____ | ____ | ____ | ____ | ____ | ____ | ____ | Não fidedigno |
| Seguro | ____ | ____ | ____ | ____ | ____ | ____ | ____ | Inseguro |
| Honesto | ____ | ____ | ____ | ____ | ____ | ____ | ____ | Desonesto |

A Figura 7.11 mostra uma escala de diferencial semântico usada pela Midas Auto Systems para coletar dados atitudinais sobre desempenho. A mesma escala pode ser usada para coletar dados sobre prestadores de serviços automobilísticos concorrentes, o que permitiria que todos os perfis de diferenciais semânticos fossem mostrados ao mesmo tempo.

## Escala de intenção comportamental

Um dos formatos de escala mais usados na pesquisa de marketing é a **escala de intenção comportamental**. O objetivo desse tipo de escala é avaliar a probabilidade de que as pessoas se comportarão de algum modo em relação a um produto ou serviço. Por exemplo, os pesquisadores de mercado podem mensurar intenção de compra, participação, procura ou utilização. Em geral, as escalas de intenção comportamental se mostraram razoavelmente capazes de prever as escolhas dos consumidores em relação a bens de consumo duráveis e os comprados com alta frequência.[4]

**Figura 7.11** **Exemplo de escala de diferencial semântico para a Midas Auto Systems.**

A partir de sua experiência pessoal com os representantes de serviço da Midas Auto System, avalie o desempenho da Midas com base nas características listadas abaixo. Cada característica tem sua própria escala, variando de um (1) a seis (6). Marque o número que melhor corresponde ao desempenho da Midas naquela característica. Para características que você considera irrelevantes para sua avaliação, marque o código "N/A" (Não se aplica).

| | | | | | | | | | |
|---|---|---|---|---|---|---|---|---|---|
| Custo de consertos/ manutenção | (N/A) | Extremamente alto | 6 | 5 | 4 | 3 | 2 | 1 | Baixíssimo, quase de graça |
| Aparência das instalações | (N/A) | Muito profissional | 6 | 5 | 4 | 3 | 2 | 1 | Nada profissional |
| Satisfação do cliente | (N/A) | Totalmente insatisfeito | 6 | 5 | 4 | 3 | 2 | 1 | Totalmente satisfeito |
| Velocidade de prestação do serviço | (N/A) | Lentidão inaceitável | 6 | 5 | 4 | 3 | 2 | 1 | Rapidez impressionante |
| Qualidade dos serviços | (N/A) | Absolutamente terrível | 6 | 5 | 4 | 3 | 2 | 1 | Absolutamente excepcional |
| Entende as necessidades do cliente | (N/A) | Entende de verdade | 6 | 5 | 4 | 3 | 2 | 1 | Não faz ideia |
| Credibilidade da Midas | (N/A) | Altíssima credibilidade | 6 | 5 | 4 | 3 | 2 | 1 | Nada confiável |
| Cumprimento de promessas da Midas | (N/A) | Muito fidedigna | 6 | 5 | 4 | 3 | 2 | 1 | Muito enganosa |
| Variedade de serviços da Midas | (N/A) | Serviço realmente completo | 6 | 5 | 4 | 3 | 2 | 1 | Apenas serviços básicos |
| Preços/taxas/valores de serviços | (N/A) | Altos demais | 6 | 5 | 4 | 3 | 2 | 1 | Preços ótimos |
| Competência do pessoal de serviço | (N/A) | Muito competente | 6 | 5 | 4 | 3 | 2 | 1 | Totalmente incompetente |
| Habilidades sociais pessoais do funcionário | (N/A) | Muito grosseiro | 6 | 5 | 4 | 3 | 2 | 1 | Muito simpático |
| Horário de funcionamento da Midas | (N/A) | Extremamente flexível | 6 | 5 | 4 | 3 | 2 | 1 | Extremamente limitado |
| Conveniência dos locais da Midas | (N/A) | Muito fácil de chegar | 6 | 5 | 4 | 3 | 2 | 1 | Muito difícil de chegar |

As escalas de intenção comportamental são fáceis de construir. Os consumidores precisam fazer avaliações subjetivas sobre sua probabilidade de adquirir produtos ou serviços ou de agir de maneiras específicas. Exemplos de descritores de escala usados nesse tipo incluem "definitivamente irei", "provavelmente irei", "não tenho certeza", "provavelmente não irei" e "definitivamente não irei". Ao criar uma escala de intenção comportamental, é preciso incluir um prazo específico nas instruções para o respondente. Sem o prazo expressado, é provável que os respondentes tendam a responder em direção às categorias positivas ("definitivamente iria" ou "provavelmente iria") dentro da escala.

As intenções comportamentais costumam ser uma variável de interesse importante em estudos de pesquisa de marketing. Para tornar os pontos de escala mais específicos, os pesquisadores podem usar descritores que indiquem a probabilidade de que comprarão certo produto ou agirão de certo modo. O seguinte conjunto de pontos de escala seria usado: "definitivamente irei (90-100% de chance)"; "provavelmente irei (50-89%)"; "provavelmente não irei (10-49% de chance)"; e "definitivamente não irei (menos de 10% de chance)". A Figura 7.12 mostra como seria uma escala de intenção de compra.

Independentemente do tipo de escala usada para descobrir as atitudes e os comportamentos das pessoas, quase nunca há uma abordagem obviamente melhor ou totalmente segura. Apesar de existirem escalas de medida para obtenção dos componentes que formam as atitudes e as intenções comportamentais dos respondentes, os dados fornecidos por tais escalas de medidas não devem ser interpretados como previsões absolutamente corretas sobre comportamentos. Infelizmente, o conhecimento sobre as atitudes de indivíduos talvez não preveja os comportamentos reais. As intenções são melhores que as atitudes na hora de prever comportamentos, mas o melhor indicador de comportamento futuro é o comportamento passado.

**Figura 7.12** **Varejo: escala de intenção de compras para vestuário casual.**

Ao comprar vestuário casual para si ou para terceiros, qual a sua probabilidade de comprar nos seguintes tipos de lojas de varejo? (Marque apenas uma resposta para cada tipo de loja.)

| Tipo de loja de varejo | Certamente compraria (90-100% de chance) | Provavelmente compraria (50-89% de chance) | Provavelmente não compraria (10-49% de chance) | Certamente não compraria (menos de 10% de chance) |
|---|---|---|---|---|
| **Lojas de departamento** (p.ex.: Macy's, Dillard's) | ❑ | ❑ | ❑ | ❑ |
| **Lojas de departamento populares** (p.ex.: Walmart, Kmart, Target) | ❑ | ❑ | ❑ | ❑ |
| **Lojas de roupas especializadas** (p.ex.: Wolf Brothers, Surrey's George Ltd.) | ❑ | ❑ | ❑ | ❑ |
| **Lojas de roupas para o cotidiano** (p.ex.: The Gap, Banana Republic, Aca Joe's) | ❑ | ❑ | ❑ | ❑ |

## Escalas de avaliação comparativas e não comparativas

Usamos **escalas de avaliação não comparativas** quando o objetivo é que o respondente expresse suas atitudes, comportamentos ou intenções em relação a um objeto específico (p. p.ex.: uma pessoa ou um fenômeno) ou seus atributos, sem fazer referência a outro objeto ou seus atributos. As **escalas de avaliação comparativas**, por outro lado, são usadas quando o objetivo é que o respondente expresse suas atitudes, sentimentos ou comportamentos em relação a um objeto ou seus atributos com base em algum outro objeto ou seus atributos. A Figura 7.13 mostra diversos exemplos de formatos de escalas de avaliação gráfica, um dos tipos mais usados de escalas não comparativas.

As **escalas de avaliação gráfica** usam um formato de descritor de escala que apresenta uma linha contínua ao respondente como conjunto de respostas possíveis a uma pergunta. Por exemplo, a primeira escala de avaliação gráfica da Figura 7.13 é usada em situações nas quais o pesquisador quer coletar dados de "comportamento de utilização" sobre um objeto. Por exemplo, imagine que o Yahoo! quer determinar o nível de satisfação dos usuários da Internet com seu mecanismo de busca sem fazer referência a outras alternativas do mercado, como o Google. Ao usar esse tipo de escala, os respondentes simplesmente colocam um "X" em algum ponto da linha, marcada com descritores narrativos extremos (nesse caso "Nada satisfeito" e "Muito satisfeito"), junto a descritores numéricos, 0 e 100. O restante da linha é dividido em intervalos numéricos de tamanhos semelhantes.

Outro tipo popular de descritor em escalas de avaliação gráfica utiliza rostos sorridentes. Os rostos sorridentes são ordenados em um contínuo de "muito feliz" a "muito triste", sem qualquer descritor narrativo nas posições extremas. A avaliação gráfica visual pode ser usada para coletar uma gama de dados atitudinais e emocionais, sendo mais usada na coleta de dados de crianças. As escalas de avaliação gráficas podem ser construídas facilmente e são fáceis de usar.

Passando agora para as escalas de avaliação não comparativas, a Figura 7.14 mostra os formatos de escala de ordenamento e de soma constante. Uma caracterís-

**Figura 7.13** Exemplos de escalas de avaliação gráfica.

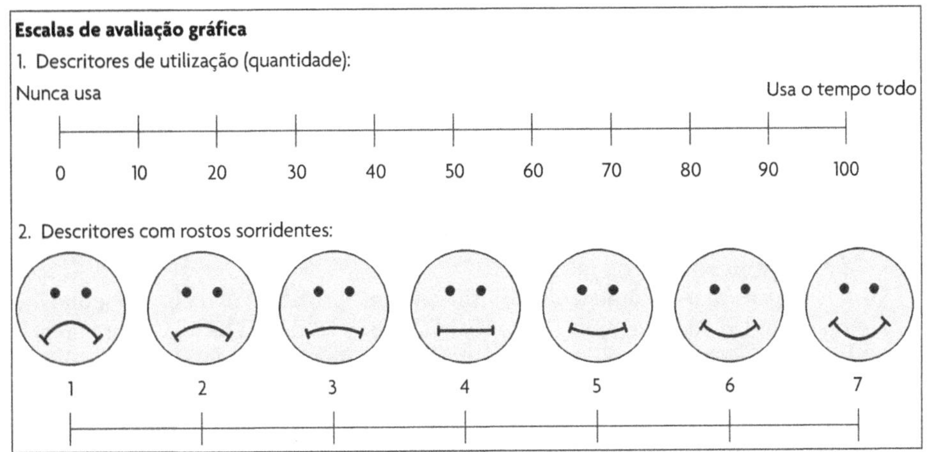

**Figura 7.14** Exemplos de escalas de avaliação comparativas.

**Escala de ordenamento**

Pense em diferentes tipos de música. A seguir, liste os seus tipos de música preferidos, anotando sua primeira, segunda e terceira escolhas nas linhas abaixo.

Primeira preferência: ________________________
Segunda preferência: ________________________
Terceira preferência: ________________________

**Escala de soma constante**

A lista abaixo apresenta sete características bancárias. Distribua 100 pontos entre as características. Sua alocação deve representar a importância de cada característica na hora de selecionar o "seu" banco. Quanto mais pontos você dá a uma característica, maior a importância dela em seu processo de seleção. Se a característica não é "nada importante" em seu processo, não aloque nenhum ponto a ela. Ao terminar, some seus pontos novamente para garantir que o total é exatamente 100.

| **Características bancárias** | **Número de pontos** |
|---|---|
| Conveniência/localização | _____ |
| Horário bancário | _____ |
| Boas taxas de serviço | _____ |
| Os juros sobre empréstimos | _____ |
| A reputação do banco | _____ |
| Os juros da poupança | _____ |
| Propagandas do banco | _____ |
| | 100 pontos |

**Escala de comparação pareada**

A lista a seguir apresenta diversos pares de traços associados às atividades de trabalho de vendedores. Para cada par, circule "a" ou "b" junto ao traço que você acredita ser mais importante para que o vendedor tenha sucesso no trabalho.

| | |
|---|---|
| a. confiança | b. competência |
| a. habilidades de comunicação | b. confiança |
| a. confiança | b. habilidades sociais pessoais |
| a. habilidades de comunicação | b. competência |
| a. competência | b. habilidades sociais pessoais |
| a. habilidades sociais pessoais | b. habilidades de comunicação |

*Observação:* Para evitar uma possível tendenciosidade de ordem, os pesquisadores listam aleatoriamente a ordem dessas comparações pareadas.

tica comum das escalas comparativas é que elas podem ser usadas para identificar e comparar diretamente as semelhanças e as diferenças entre atributos de produtos, produtos ou serviços ou marcas.

As **escalas de ordenamento** utilizam um formato que dá aos respondentes a oportunidade de comparar objetos com a indicação de sua ordem de preferência ou opção, do primeiro ao último. As escalas de ordenamento são fáceis de usar, desde que os respondentes não precisem ordenar itens demais. O uso de escalas de ordenamento em entrevistas telefônicas tradicionais ou assistidas por computador pode ser difícil, mas não impossível, desde que o número de itens sendo comparados não passe de quatro ou cinco. Quando os respondentes precisam ordenar objetos ou atributos de objetos, é possível que haja problemas quando seus objetos ou atributos favoritos não se encontram na lista. Outra limitação é que as escalas de ordenamento fornecem apenas dados ordinais.

As **escalas de soma constante** pedem aos respondentes que distribuam um certo número de pontos. Em geral, os pontos são alocados com base na importância das características do produto para os respondentes. Os respondentes precisam determinar o valor de cada característica individual em relação a todas as características listadas. Os valores resultantes indicam a magnitude relativa da importância de cada característica para o respondente. Esse formato de escalonamento geralmente exige que a soma dos valores individuais seja 100. Considere, por exemplo, a escala de soma constante da Figura 7.14. O Bank of America poderia adotar esse tipo de escala para identificar quais atributos bancários são mais importantes para os clientes na hora de influenciar sua decisão sobre escolha de bancos. O pesquisador não deve usar mais de 5-7 atributos, pois a alocação e a soma corretas de pontos fica difícil para o respondente.

## Outras questões das escalas de medida

A atenção a questões relativas a escalas de medida aumenta a utilidade dos resultados da pesquisa. A seguir, revisamos diversas questões relativas ao planejamento de escalas de medida.

### Escalas de item único e de múltiplos itens

As **escalas de item único** envolvem a coleta de dados apenas sobre um atributo do objeto ou construto sendo investigado. Um exemplo de escala itemizada seria a idade. O respondente responde a uma única pergunta sobre sua idade e fornece a única resposta possível à pergunta. Por outro lado, muitos projetos de pesquisa de marketing que envolvem a coleta de dados atitudinais, emocionais e comportamentais usam alguma forma de escala de múltiplos itens. As **escalas de múltiplos itens** são aquelas que incluem diversas afirmações relativas ao objeto ou construto em pauta. Cada afirmação possui uma escala de avaliação correspondente; o pesquisador normalmente soma os valores definidos para cada afirmação específica para obter uma avaliação geral do objeto ou construto.

A decisão de utilizar escalas de item único *versus* as de múltiplos itens é tomada durante o desenvolvimento do construto. Dois fatores principais influenciam significativamente o processo: o número de dimensões do construto e sua validade e confiabilidade. Em primeiro lugar, o pesquisador deve avaliar os diversos fatores ou dimensões que compõem o construto investigado. Por exemplo, os estudos sobre qualidade de serviço em geral medem cinco dimensões: empatia, confiabilidade, capacidade de resposta, segurança e tangíveis. Se o construto possui diversas dimensões especiais, o pesquisador precisa medir todos esses subcomponentes. Segundo, os pesquisadores devem considerar questões de confiabilidade e validade. Em geral, escalas de múltiplos itens são mais confiáveis e mais válidas, tornando-as mais favoráveis do que as escalas de item único.

### Linguajar claro

Ao elaborar a pergunta inicial da escala, use linguajar claro e evite ambiguidades. Evite usar palavras ou expressões que "conduzam" o respondente em qualquer pergunta de escala de medida. Seja qual for o método de coleta de dados utilizado (levantamentos *online*, pessoais, telefônicos ou assistidos por computador), todas as instruções necessárias para o respondente e para o entrevistador são parte do desenvolvimento da escala de medida. Todas as instruções têm de ser simples e claras. Ao determinar o conjunto adequado de descritores de pontos de escala, verifique se os descritores são relevantes para o tipo de dados desejados. Os descritores de escala devem ter poder discriminatório adequado, ser mutuamente exclusivos e fazer sentido para o respondente. Utilize apenas descritores e formatos de escala testados e avaliados para confirmar a confiabilidade e validade da escala. A Figura 7.15 oferece uma lista de itens para avaliar a adequação da concepção de escala. As diretrizes também são úteis para o desenvolvimento e a avaliação das perguntas usadas em questionários, discutidas no Capítulo 8.

**Figura 7.15** **Diretrizes para avaliação da adequação da concepção de escalas e perguntas.**

1. Configurações/perguntas de escala devem ser *simples* e *diretas*.
2. Configurações/perguntas de escala devem ser *expressas com clareza*.
3. Configurações/perguntas de escala devem evitar *expressões qualificadoras* ou *referências estranhas*, a menos que utilizadas para filtrar tipos específicos de respondentes.
4. A configuração/pergunta de escala, as afirmações sobre atributos e as categorias de respostas de dados devem utilizar expressões singulares (ou unidimensionais), exceto quando for necessário utilizar *configurações/perguntas de escala de múltiplas respostas*.
5. As categorias de resposta (pontos de escala) devem ser *mutuamente exclusivas*.
6. As configurações/perguntas de escala e categorias de resposta devem ter *significado para o respondente*.
7. Os formatos de perguntas e medidas de escala devem evitar o *ordenamento* de categorias de resposta de modo a *induzir* as respostas dos respondentes.
8. Configurações/perguntas de escala devem evitar dar *ênfase indevida* a determinadas palavras.
9. Configurações/perguntas de escala devem evitar o uso de *negativas duplas*.
10. As perguntas e medidas de escala devem evitar o *linguajar técnico* ou *sofisticado*.
11. Configurações/perguntas de escala devem ser elaboradas em um *contexto realista*.
12. As configurações/perguntas de escala e medidas de escala devem ser *lógicas*.
13. As configurações/perguntas de escala e medidas de escala não devem ter *itens com duplo propósito*.

## PESQUISA DE MARKETING EM AÇÃO

### O que você pode aprender com um índice de fidelidade do cliente?

A ideia de que clientes fieis são especialmente valiosos não é novidade. Os clientes fiéis compram produtos ou serviços repetidamente. Eles recomendam a empresa a outros e permanecem com o negócio no longo prazo. Os clientes fiéis fazem valer a pena um esforço especial para mantê-los. Mas como dar esse tratamento especial quando você não conhece seus clientes e como conquistar ou perder sua fidelidade?

Para entender o conceito de fidelidade do cliente, antes é preciso definir o que a fidelidade do cliente não é. A fidelidade do cliente não é o mesmo que satisfação do cliente. A satisfação é um componente necessário de ter clientes fiéis ou seguros. Entretanto, só porque os clientes estão satisfeitos com sua empresa não significa que continuarão a trabalhar com você no futuro.

A fidelidade do cliente não é uma resposta a ofertas temporárias ou incentivos. Os clientes que respondem a incentivos ou ofertas especiais também podem responder aos incentivos de seus concorrentes.

A fidelidade do cliente não é o mesmo que alta participação de mercado. Muitas empresas veem seus números de vendas e participação de mercado e pensam "não teríamos um nível tão alto de participação de mercado se nossos clientes não nos amassem", mas isso pode não ser verdade. Muitos outro fatores podem elevar a participação de mercado, incluindo o mau desempenho da concorrência e questões de precificação.

A fidelidade do cliente também não significa compras repetidas ou habituais. Muitos clientes habituais podem estar escolhendo seus produtos ou serviços por uma questão de conveniência ou hábito. Entretanto, se descobrirem um concorrente que pareça mais barato ou de melhor qualidade, podem trocar de fornecedores rapidamente.

Mas então o que significa fidelidade do cliente? A fidelidade do cliente é uma mistura de diversas qualidades. A fidelidade é impulsionada pela satisfação do cliente, mas também envolve o compromisso de investir em longo prazo em uma relação contínua com uma marca ou empresa. Finalmente, a fidelidade do cliente se reflete em uma combinação de atitudes e comportamentos. Tais atitudes incluem:

- A intenção de comprar novamente e/ou comprar produtos e serviços adicionais da mesma empresa.
- Disposição de recomendar a empresa a outras pessoas.
- O compromisso com a empresa demonstrado pela resistência em trocar para um concorrente.

Os comportamentos do cliente que refletem lealdade incluem:

- Compras repetidas de produtos ou serviços.
- Adquirir maiores quantidades e variedades de produtos ou serviços da mesma empresa.
- Recomendar a empresa a outras pessoas.

A Burke, Inc. (**www.burke.com**) desenvolveu o Secure Customer Index® (SCI®, ou Índice de Clientes Seguros), combinando escores de três componentes de lealdade do cliente.[5] As perguntas incluem "em geral, qual sua satisfação com a visita ao restaurante?" Para examinar probabilidade de recomendações, o questionário pergunta "qual sua probabilidade de recomendar o restaurante a um amigo ou colega?" E, finalmente, para examinar a probabilidade de compras repetidas, a pergunta é "qual sua probabilidade de voltar ao restaurante?"

Com esses três componentes e as escalas adequadas para cada um, os "clientes seguros" são definidos como aqueles que dão respostas majoritariamente positivas nos três componentes. Todos os outros clientes seriam considerados vulneráveis ou sob risco de desertar para concorrentes.

Figura 7.16 O Secure Customer Index® (ou seja, o Índice de Fidelidade do Cliente).

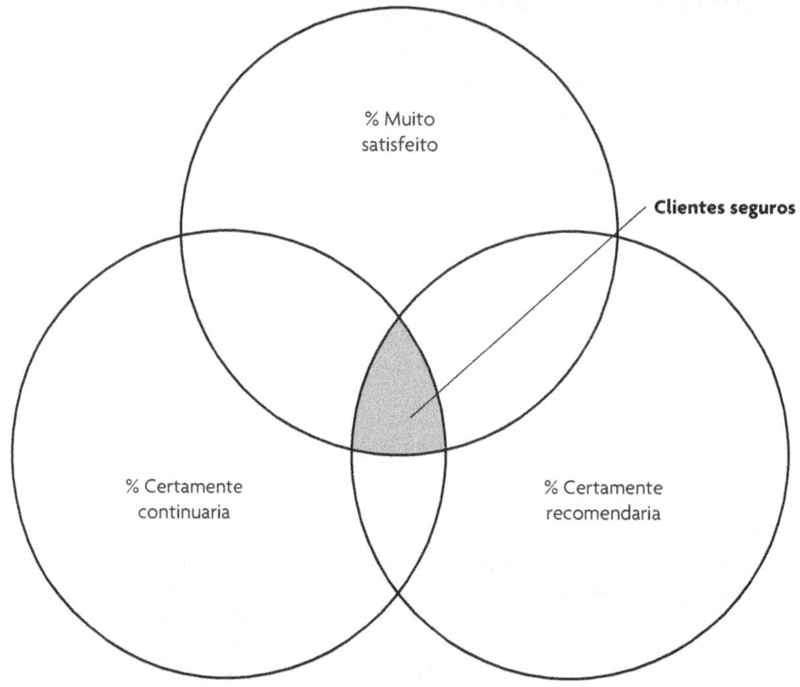


**Fonte:** Da Burke, Inc. Reproduzido com permissão.

As empresas são cada vez mais capazes de ligar a satisfação e a fidelidade do cliente a benefícios financeiros diretos. O exame de comportamentos de clientes ao longo do tempo e sua comparação a escores de SCI® indica uma forte relação entre clientes seguros e a aquisição repetida de produtos ou serviços. Ao comparar casos de diversos tipos de clientes e setores, a Burke descobriu outros exemplos que indicam uma relação entre os escores do índice e desempenho financeiro ou de mercado.

O uso do índice de fidelidade do cliente ajuda as empresas a entender melhor seus clientes. Ao ouvir seus clientes, implementar mudanças e monitorar continuamente os resultados, as empresas podem concentrar seus esforços de melhoria no objetivo de conquistar e manter clientes.

## Exercício prático

Usando o material do capítulo e as informações anteriores, responda as seguintes perguntas:

1. Em sua opinião, qual nível de concepção de escala é mais adequado para a criação das escalas de medida necessárias para coleta de dados sobre cada construto?
2. Para cada construto, crie um exemplo de escala de medida real que a Burke, Inc., poderia usar para coletar os dados.
3. Quais são os pontos fracos associados ao modo como a Burke, Inc., mede seu Secure Customer Index® (SCI®)? Lembre-se de identificar claramente cada um deles e explicar por que você acha que são pontos fracos.

4. Se você fosse o pesquisador principal, que tipos de escalas de medida teria usado para coletar os dados necessários para calcular o SCI®? Por quê? Descreva algumas das escalas de medida que usaria.
5. Você concorda ou discorda com a interpretação da Burke, Inc., sobre o valor que prestam aos seus clientes com o uso do Índice de Lealdade do Cliente? Argumente sua resposta.

Fonte: **www.burke.com**. Reproduzido com permissão.

# Resumo

**Entender o papel da mensuração na pesquisa de marketing.**
A mensuração é o processo de desenvolver métodos para caracterizar ou quantificar sistematicamente as informações sobre pessoas, eventos, ideias ou objetos de interesse. Como parte do processo de mensuração, os pesquisadores designam números ou rótulos para os fenômenos que medem. O processo de mensuração consiste em duas tarefas: seleção/desenvolvimento de construtos e escalas de medida. Um construto é um conceito inobservável medido por um grupo de variáveis relacionadas. Assim, os construtos são compostos de uma combinação de diversas variáveis indicadoras relacionadas que definem o conceito por seu conjunto. O desenvolvimento de construtos é o processo pelo qual os pesquisadores identificam as características que definem o conceito sendo estudado pelo pesquisador.

Ao desenvolver construtos, os pesquisadores devem considerar sua abstração e dimensionalidade, além da confiabilidade e da validade. Depois que as características são identificadas, o pesquisador deve desenvolver um método de mensuração indireta do conceito. A escala de medida é o processo de designar descritores para representar uma gama de possíveis respostas a uma pergunta sobre certo objeto ou construto.

**Explicar os quatro níveis básicos das escalas.**
Os quatro níveis básicos das escalas são as nominais, ordinais, intervalares e de razão. As escalas nominais são as mais básicas e as que fornecem a menor quantidade de dados. Elas alocam rótulos a objetos/respondentes, mas não indicam as magnitudes relativas entre si. As escalas nominais perguntam aos respondentes sobre sua religião, gênero, tipo de moradia, profissão, última marca de cereais comprada e assim por diante. Os pesquisadores usam modas e distribuições de frequência para analisar dados nominais. As escalas ordinais fazem com que os respondentes expressem magnitudes relativas sobre um tema. As escalas ordinais permitem que os pesquisadores criem um padrão hierárquico entre as respostas (ou pontos de escala) que indiquem relações de "maior/menor". Os dados derivados de escalas de medida ordinais incluem medianas e amplitudes, além de modas e distribuições de frequência. Um exemplo de uma escala ordinal seria "conhecimento completo", "bom conhecimento", "conhecimento básico", "pouco conhecimento" e "nenhum conhecimento". As escalas ordinais determinam posição relativa, mas não podem determinar quão mais ou menos um item está posicionado em relação ao outro, pois não medem diferenças absolutas. As escalas intervalares permitem que os pesquisadores mostrem as diferenças absolutas entre os pontos de escala. Com dados intervalares, é possível calcular médias e desvios padrão, além de modas, medianas, distribuição de frequência e amplitude. As escalas de razão permitem que os pesquisadores identifiquem diferenças absolutas entre pontos de escala e façam comparações absolutas entre as respostas dos respondentes. As perguntas de razão são criadas para permitir respostas com "zero natural verdadeiro" ou "estado nulo verdadeiro". As escalas de razão também permitem o desenvolvimento de médias, desvios padrão e outras medidas de tendência central e variação.

**Descrever o desenvolvimento de escalas e sua importância na coleta de dados primários.**
As escalas de medida possuem três componentes principais: (1) conjunto de perguntas e respostas; (2) dimensões do objeto, construto ou comportamento; e (3) descritores dos pontos de escala. Alguns dos critérios para o desenvolvimento de escalas são a inteligibilidade das perguntas, a adequação dos descritores principais e o poder discriminatório dos descritores de escala. As escalas de Likert usam descritores de concordância/discordância para descobrir as atitudes das pessoas em relação a um objeto ou comportamento. As escalas de diferencial semântico são usadas para obter perfis de imagem perceptual de objetos ou comportamentos. Tal formato de escala possui a característica exclu-

siva de usar escalas bipolares para medir diversos atributos diferentes de objetos ou comportamentos. As escalas de intenção comportamental medem a probabilidade de adquirir um objeto ou serviço ou de visitar uma loja. As escalas de intenção usam descritores de pontos de escala como "certamente irei", "provavelmente irei", "provavelmente não irei" e "certamente não irei".

**Discutir escalas comparativas e não comparativas.**
Nas escalas comparativas, os respondentes precisam fazer comparações diretas entre dois produtos ou serviços, enquanto as avaliações de produtos ou serviços nas não comparativas são realizadas independentemente. Os dados das escalas comparativas são interpretados em termos relativos. Ambos os tipos de escala costumam ser considerados intervalares ou de razão e permitem o uso de procedimentos estatísticos mais avançados*. Um dos benefícios das escalas comparativas é que permitem que os pesquisadores identifiquem pequenas diferenças entre atributos, construtos ou objetos. Além disso, as escalas comparativas exigem menos pressupostos teóricos e são mais fáceis de compreender e responder do que as não comparativas.

## Principais termos e conceitos



## Questões de revisão

1. O que é mensuração?
2. Entre os quatro níveis básicos das escalas, qual fornece mais informações ao pesquisador?
3. Explique as principais diferenças entre escalas de medida intervalar e de razão.
4. Quais são as principais diferenças entre escalas ordinais e intervalares? Inclua exemplos de ambos os tipos de escala em sua resposta.
5. Explique as principais diferenças entre escalas de avaliação e de ordenamento. Qual técnica de escala de medida é melhor para a coleta de dados atitudinais sobre o desempenho da equipe de vendas em uma empresa que vende impressoras a laser comerciais? Por quê?
6. Quais são as vantagens e desvantagens das escalas de medida comparativas? Crie uma escala de ordem hierárquica que permita a determinação da preferência de marca entre as cervejas Bud Light, Miller Lite, Coors Light e Old Milwaukee Light.

## Questões para discussão

1. Desenvolva uma escala de diferencial semântico que identifique as diferenças de perfil perceptual entre os restaurantes Outback Steakhouse e Longhorn Steakhouse.
2. Crie uma escala de intenção comportamental que possa responder a seguinte pergunta: "qual é a probabilidade de os universitários comprarem um carro novo até seis meses depois de se formarem?" Discuta os possíveis problemas de sua concepção de escala.

* N. de R. T.: Com exceção da escala de ordenamento, que geralmente produz dados ordinais.

3. Para cada uma das escalas (A, B e C), responda as seguintes perguntas:
   a. Que tipo de dado está sendo coletado?
   b. Que tipo de escala de medida está sendo usada?
   c. Qual é a medida de tendência central mais adequada?
   d. Qual é a medida de dispersão mais apropriada?
   e. A escala tem pontos fracos? Quais?

A. Como você paga por seus gastos de viagem?

| | |
|---|---|
| ____ Dinheiro | ____ Débito corporativo |
| ____ Cheque | ____ Débito pessoal |
| ____ Cartão de crédito | ____ Outros ________ |

B. Com que frequência você viaja a negócios ou por lazer?

| **Por negócios** | **Por lazer** |
|---|---|
| ____ 0–1 vez por mês | ____ 0–1 vez por ano |
| ____ 2–3 vezes por mês | ____ 2–3 vezes por ano |
| ____ 4–5 vezes por mês | ____ 4–5 vezes por ano |
| ____ 6 vezes ou mais por ano | ____ 6 vezes ou mais por mês |

C. Marque qual categoria é a melhor estimativa de sua renda familiar anual bruta. (Marque apenas uma categoria.)

______ Menos de $10.000
______ $10.000–$20.000
______ $20.001–$30.000
______ $30.001–$40.000
______ $40.001–$50.000
______ $50.001–$60.000
______ $60.001–$70.000
______ $70.001–$100.000
______ Mais de $100.000

4. Para cada um dos conceitos ou objetos listados, crie uma escala de medida que lhe permitiria coletar dados sobre o conceito ou objeto.
   a. Um excelente fundista.*
   b. O restaurante mexicano favorito de um indivíduo.
   c. Tamanho da audiência de uma estação de rádio de música country popular.
   d. Atitudes dos consumidores em relação ao time de beisebol Colorado Rockies.
   e. A satisfação de um indivíduo em relação a seu automóvel.
   f. Intenções de compra de uma nova raquete de tênis.
5. Identifique e discuta as principais questões que o pesquisador deve considerar ao escolher uma escala para capturar as expressões de satisfação dos clientes.
6. A AT&T está interessada em descobrir a opinião dos consumidores sobre seus novos serviços de telefonia móvel. Determine e justifique que atributos de serviço deveriam ser utilizados para descobrir o *desempenho* do serviço de telefonia móvel. Crie duas escalas de medida que permitiriam que a AT&T coletasse os dados com precisão.
7. A concessionária Ford local está interessada em coletar dados para responder a seguinte pergunta de pesquisa: "Qual é a probabilidade de jovens adultos adquirirem um novo automóvel até um ano depois de se formarem na universidade?" Crie escalas de medida nominais, ordinais, intervalares e de razão que permitam que a concessionária colete os dados necessários. Em sua opinião, qual de suas concepções seria a mais útil para a concessionária? Por quê?

* N. de R. T.: Atleta que participa de provas de longa distância.

# 8

# Planejando o questionário

**Objetivos de aprendizagem** Após ler este capítulo, você estará apto a:

1. Descrever os passos no planejamento de questionários.
2. Discutir o processo de desenvolvimento de questionários.
3. Resumir as características dos bons questionários.
4. Entender o papel das cartas de apresentação.
5. Explicar a importância de outros documentos usados com questionários.

## Os levantamentos podem ser usados para desenvolver os planos de vida residente da universidade?

Os administradores da universidade implementaram um programa de "vida residente" para identificar os fatores que provavelmente enriquecem as experiências acadêmicas e sociais dos alunos que moram no campus. Os objetivos principais são garantir que a universidade ofereça experiência de vida no campus de alta qualidade, com instalações e programas que atraiam novos alunos para a universidade, aumentando o índice de ocupação dos alojamentos e melhorando os níveis de retenção de alunos, o que aumenta a probabilidade de que os alunos renovem seus contratos de domicílio universitário por vários anos. A MPC Consulting Group, Inc., empresa norte-americana especializada em programas de alojamentos universitários, foi contratada para supervisionar o projeto; ela possui uma excelente reputação, mas raramente conduz pesquisas de marketing primárias.

Após esclarecer os objetivos do projeto, a MPC determinou que um instrumento de pesquisa autoaplicado seria usado para obter informações, atitudes e sentimentos dos alunos em relação às suas experiência de moradia no campus. O levantamento seria administrado por meio do novo sistema de gerenciamento eletrônico da aprendizagem "Blackboard", adquirido recentemente pela universidade. O motivo para o uso desse método é que os 43 mil alunos tinham acesso ao sistema, o que economizaria tempo e dinheiro. A equipe de consultoria da MPC elaborou uma lista de 59 perguntas a serem feitas para estudantes regularmente matriculados que moram dentro e fora do campus. O questionário começava perguntando sobre características demográficas pessoais, seguidas por questões sobre a moradia atual do aluno e pedindo que avaliassem as condições do local. A seção seguinte perguntava sobre a importância de uma lista pré-selecionada de características de moradia. Depois havia questões sobre as intenções dos alunos de morar nos alojamentos do campus ou em outros locais e os motivos para tanto. A seguir, o questionário perguntava sobre estado civil e filhos, passando para a desejabilidade de tipos de estruturas de alojamento e amenidades. O levantamento terminava perguntando sobre opiniões pessoais quanto à necessidade de serviços de creche.

Depois de colocado no sistema "Blackboard" para ser acessado, o questionário usava 24 telas e seis questões-filtro, forçando os respondentes a alternarem entre telas, dependendo de como respondiam às questões-filtro. Após três semanas à disposição, apenas 17 alunos responderam ao questionário, sendo que oito destes levantamentos não foram completados. A administração ficou decepcionada com o índice de respostas e fez três perguntas à MPC, simples e cruciais: (1) "Por que o índice de resposta foi tão baixo?"; (2) "O levantamento era um bom ou mau instrumento para a obtenção das informações necessárias?"; e (3) "Qual era o valor dos dados para avaliar os objetivos em pauta?"

Com base em seu conhecimento e entendimento das práticas de pesquisa até o momento, responda as três perguntas. Quais possíveis problemas (pontos fracos) foram criados pelo processo da MPC descrito anteriormente?

## O valor dos questionários na pesquisa de marketing

Este capítulo concentra-se na importância do planejamento de questionários e no processo que deve ser realizado para o desenvolvimento de instrumentos de coleta de dados. O entendimento do processo exigirá a integração de muitos dos conceitos discutidos em capítulos anteriores.

A maioria dos levantamentos é projetada como descritivos ou preditivos. As concepções de pesquisa descritivas usam questionários para coletar dados que podem ser transformados em conhecimento sobre uma pessoa, objeto ou questão. Por exemplo, o U.S. Census Bureau usa questionários em levantamentos descritivos para coletar atributos e dados comportamentais que se traduzem em fatos sobre a população norte-americana (p. p.ex.: níveis de renda, estado civil, idade, profissão, tamanho da família, índices de utilização, quantidades de consumo). Os questionários de levantamentos preditivos, por outro lado, exigem que o pesquisador colete uma gama de dados mais ampla, usados na previsão de mudanças de atitude e comportamento, além detestes de hipóteses.

Talvez você nunca planeje um questionário, mas provavelmente estará em uma situação em que precisará determinar se um levantamento é bom ou ruim. Assim, é preciso conhecer as atividades e os princípios envolvidos no projeto de bons questionários para levantamentos. Um **questionário*** é um documento composto por uma série de perguntas e escalas, usado para coletar dados primários. Os bons questionários permitem que os pesquisadores coletem informações válidas e confiáveis. Os avanços nas tecnologias de comunicação, Internet e *software* influenciaram o modo como as perguntas são feitas e registradas, mas os princípios de como projetar questionários praticamente não mudaram. Não importa se o levantamento em desenvolvimento será *online* ou *offline*, os passos que os pesquisadores seguem ao projetar questionários são semelhantes.

## Planejamento de questionários

Os pesquisadores seguem uma abordagem sistemática quando projetam questionários. A Figura 8.1 lista os passos seguidos durante o processo de desenvolvimento de

* N. de E.: Para uma definição completa dos termos em negrito, veja o Glossário ao final do livro.

**Figura 8.1** **Passos no planejamento de questionários.**

Passo 1: Confirmar objetivos de pesquisa
Passo 2: Selecionar o método de coleta de dados adequado
Passo 3: Desenvolver perguntas e escalonamento
Passo 4: Determinar o layout e avaliar o questionário
Passo 5: Obter aprovação inicial do cliente
Passo 6: Realizar pré-teste, revisar e finalizar o questionário
Passo 7: Implementar o levantamento

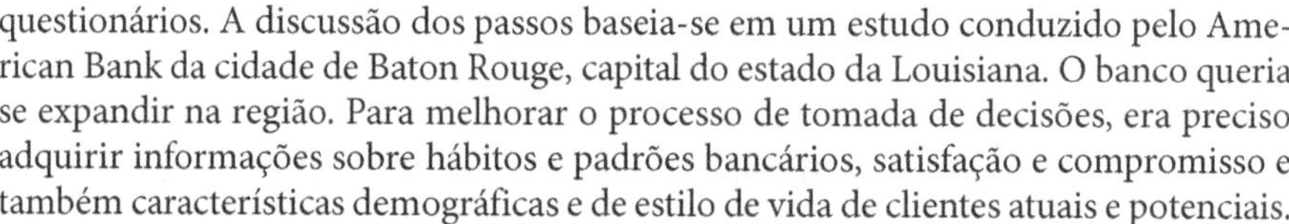

questionários. A discussão dos passos baseia-se em um estudo conduzido pelo American Bank da cidade de Baton Rouge, capital do estado da Louisiana. O banco queria se expandir na região. Para melhorar o processo de tomada de decisões, era preciso adquirir informações sobre hábitos e padrões bancários, satisfação e compromisso e também características demográficas e de estilo de vida de clientes atuais e potenciais.

## Passo 1: confirmar objetivos de pesquisa

Na fase inicial do processo de desenvolvimento, o pesquisador e a gerência do banco chegaram a um acordo sobre os objetivos de pesquisa. Eles estão listados a seguir:

1. Coletar dados sobre características demográficas específicas que possam ser usados para criar um perfil dos clientes atuais do American Bank e de clientes futuros em potencial.
2. Coletar dados sobre dimensões de estilo de vida específicas que possam ser usados para compreender melhor os clientes atuais do American Bank e seus hábitos bancários, assim como o de clientes potenciais.
3. Identificar serviços bancários favoritos, assim como atitudes e sentimentos em relação a tais serviços.
4. Identificar características demográficas e de estilo de vida de segmentos de mercado, assim como satisfação e compromisso com as atuais relações bancárias primárias.

## Passo 2: selecionar o método de coleta de dados adequado

Para selecionar o método de coleta de dados, o pesquisador antes precisa determinar os requisitos de dados para alcançar os objetivos, além do tipo de informação demográfica desejada dos respondentes. Para tanto, o pesquisador deve partir do geral em direção ao específico. O fluxo e os requisitos de dados para o estudo do American Bank são descritos a seguir.

### Seção I: serviços bancários

a. Os bancos mais frequentados pelos clientes, ou seja, a relação bancária primária.
b. As características bancárias percebidas como importantes na hora de selecionar um banco (conveniência e localização, horário bancário, boas taxas de serviço, juros da poupança, conhecer funcionário do banco, reputação do banco, propagandas do banco, juros sobre empréstimos e serviços bancários via Internet).

c. Poupanças de membros do domicílio em diversos tipos de instituições financeiras.
d. As preferências e a utilização de determinados métodos bancários (dentro do banco, drive-thru, caixa eletrônico 24 horas, banco eletrônico, banco por correio, banco por telefone).

**Seção II: Dimensões de estilo de vida** A seção inclui afirmações sobre opiniões que classificam os estilos de vida dos clientes do banco em termos de segmentos como otimista financeiro, financeiramente insatisfeito, compartilhador de informações, usuário de cartões de crédito e débito, orientado à família, atento a preços, etc.

**Seção III: Relações bancárias** A seção inclui perguntas para examinar a satisfação e o compromisso com a relação bancária primária atual.

**Seção IV: Características demográficas** A seção inclui características como gênero, tempo de moradia na área e na residência atual, status empregatício, estado civil, status empregatício atual de esposo(a) ou parceiro(a), número de dependentes, formação acadêmica, idade, profissão, renda e código postal.

O pesquisador considerou diversas abordagens à coleta de dados, incluindo ligações telefônicas aleatórias e levantamentos *online*. Com base nos objetivos de pesquisa, requisitos informacionais e o desejo de obter uma amostra aleatória de clientes do banco, a gerência e o pesquisador decidiram que o melhor método de coleta de dados seria realizar uma ligação telefônica inicial, seguida de um levantamento por mala-direta para clientes atuais, com um levantamento telefônico coletando dados de clientes potenciais.

## Passo 3: desenvolver perguntas e escalonamento

O planejamento de questionários é um processo sistemático que inclui uma série de atividades lógicas. Os pesquisadores selecionam escalas adequadas e projetam formatos de questionários que atendam os requisitos de dados. O pesquisador decide o formato das perguntas (estruturadas ou não estruturadas), o linguajar e as instruções para responder às perguntas e escalas e o tipo de dados necessários (nominais, ordinais, intervalares ou de razão). Nessas decisões, os pesquisadores devem considerar como os dados serão coletados. Por exemplo, perguntas e escalas apropriadas muitas vezes diferem entre levantamentos *online*, por correio e telefônicos. Os construtos e o escalonamento foram discutidos no capítulo anterior. Os outros assuntos são discutidos nas seções seguintes.

**Formato da pergunta** As **perguntas não estruturadas** são perguntas abertas que permitem que os respondentes usem suas próprias palavras ao responder, sem fornecer uma lista predeterminada de respostas para auxiliar ou limitar suas respostas. As perguntas abertas são mais difíceis de codificar para análise. Acima de tudo, essas perguntas exigem maiores esforços e raciocínio por parte dos respondentes, logo, os levantamentos quantitativos raramente usam mais do que algumas poucas perguntas abertas. A menos que sejam interessantes para os respondentes, as perguntas abertas costumam ser ignoradas.

As **perguntas estruturadas** são perguntas fechadas que exigem que o respondente escolha a partir de um conjunto de respostas ou pontos de escala predeterminado. Os formatos estruturados reduzem a quantidade de energia e raciocínio necessários por parte dos respondentes, acelerando o tempo de resposta. Em levantamentos quantitativos, as perguntas estruturadas são usadas com muito mais frequência que as não estruturadas. Elas são mais fáceis de preencher (para os respondentes) e de codificar (para os pesquisadores) do que as não estruturadas. A Figura 8.2 apresenta exemplos de perguntas estruturadas.

**Linguajar** Os pesquisadores devem ser cuidadosos ao considerar as palavras que usarão para criar as perguntas e escalas. As palavras e expressões ambíguas e o vocabulário de difícil compreensão devem ser evitados. Por exemplo, fazer uma pergunta como "Com que frequência você come na pizzaria Domino's?" e utilizar uma escala de 7 pontos que vai de "Muito Frequentemente" a "Muito Infrequentemente" resultaria em respostas imprecisas. O que uma pessoa considera muito frequente não é o mesmo para outra. Da mesma forma, palavras familiares para o pesquisador talvez sejam estranhas para os respondentes. Por exemplo, os questionários muitas vezes perguntam a etnia do respondente e listam uma das alternativas como "caucasiano", mas muita gente não sabe que essa palavra significa "branco". Os pesquisadores têm de selecionar seus termos com cautela para garantir que os respondentes conhecem as palavras utilizadas; quando não tiverem certeza, os termos questionáveis precisam ser analisados em um pré-teste.

**Figura 8.2** Exemplos de perguntas estruturadas.

**Entrevista pessoal**

**ENTREGUE O CARTÃO PARA OS RESPONDENTES.** Leia o cartão e aponte as letras que indicam quais coberturas além de queijo você normalmente pede para sua pizza quando faz uma encomenda no Pizza Hut. Entrevistador: registre todas as coberturas mencionadas, circulando as letras abaixo. Lembre-se de perguntar sobre outras coberturas.

| | | |
|---|---|---|
| [a] anchovas | [b] bacon | [c] carne de churrasco |
| [d] azeitona preta | [e] queijo extra | [f] azeitona verde |
| [g] pimenta-verde | [h] carne moída | [i] presunto |
| [j] pimenta-malagueta | [k] cogumelo | [l] cebola |
| [m] pepperoni | [n] salsicha | [o] alguma outra cobertura: ________ |

**Entrevista telefônica (tradicional ou assistida por computador)**

Vou ler para você uma lista de coberturas de pizza. A cada cobertura, você me diz se você normalmente escolhe essa quando faz uma encomenda no Pizza Hut. Entrevistador: Leia cada categoria de cobertura lentamente e registre todas as coberturas mencionadas, circulando as letras abaixo. Lembre-se de perguntar sobre outras coberturas.

| | | |
|---|---|---|
| [a] anchovas | [b] bacon | [c] carne de churrasco |
| [d] azeitona preta | [e] queijo extra | [f] azeitona verde |
| [g] pimenta-verde | [h] carne moída | [i] presunto |
| [j] pimenta-malagueta | [k] cogumelo | [l] cebola |
| [m] pepperoni | [n] salsicha | [o] alguma outra cobertura: ________ |

**Levantamento autoaplicado (*online* ou *offline*)**

Entre as coberturas de pizza abaixo, quais você normalmente pede além de queijo quando faz uma encomenda no Pizza Hut? Marque todas as que você pede ou deixe em branco se não pede nenhuma.

| | | |
|---|---|---|
| ❑ anchovas | ❑ bacon | ❑ carne de churrasco |
| ❑ azeitona preta | ❑ queijo extra | ❑ azeitona verde |
| ❑ pimenta-verde | ❑ carne moída | ❑ presunto |
| ❑ pimenta-malagueta | ❑ cogumelo | ❑ cebola |
| ❑ pepperoni | ❑ salsicha | ❑ alguma outra cobertura: ________ |

Palavras e expressões podem influenciar as respostas dos respondentes. Por exemplo, pequenas mudanças nas orações podem produzir respostas bastante diferentes às perguntas. Observe o exemplo a seguir:

1. Você acha que algo *poderia* ser feito para deixar mais conveniente para os alunos o modo como eles se matriculam em disciplinas em sua universidade ou faculdade?
2. Você acha que algo *deveria* ser feito para deixar mais conveniente para os alunos o modo como eles se matriculam em disciplinas em sua universidade ou faculdade?
3. Você acha que algo *será* feito para deixar mais conveniente para os alunos o modo como eles se matriculam em disciplinas em sua universidade ou faculdade?

Alguns tópicos de pergunta são considerados sensíveis e têm de ser estruturados com cuidado para aumentar os índices de resposta. Os exemplos de **perguntas sensíveis** incluem renda, crenças ou comportamentos sexuais, problemas médicos, dificuldades financeiras, consumo de álcool e assim por diante. Esses tipos de comportamentos são comuns, mas talvez sejam considerados socialmente inaceitáveis. Veja, por exemplo, a pergunta a seguir:

> Você já consumiu mais de cinco drinques em uma mesma ocasião? Para os fins deste estudo, um drinque é definido como uma garrafa de cerveja, uma taça de vinho, uma garrafa de vinho gaseificado, uma dose de destilado, um coquetel ou uma bebida alcoólica assemelhada.
> _____ Sim    _____ Não

Os pesquisadores provavelmente obterão um alto índice de resposta com essa pergunta. Mas qual será o nível de precisão das respostas? Qual é a definição de "uma mesma ocasião"? Além disso, o tamanho da bebida em mililitros não está claro. Contudo, uma abordagem pior ainda ao mesmo assunto seria utilizar a seguinte pergunta.

> O "episódio alcoólico" é definido como o consumo de cinco ou mais bebidas em uma mesma ocasião. Você já consumiu álcool de um modo que atenda essa definição?
> _____ Sim    _____ Não

Essa definição de episódio alcoólico foi desenvolvida pela Harvard School of Public Health, mas iniciar a pergunta com a definição faz muito pouca gente responder positivamente, apesar de muitos indivíduos que assistem a programas esportivos ou outras atividades já terem consumido cinco bebidas.

As diretrizes sobre como fazer perguntas sensíveis começam pelo princípio de não fazê-las a menos que sejam obrigatórias para cumprir seus objetivos de pesquisa. Se elas forem necessárias, garanta aos respondentes que suas respostas serão mantidas no mais absoluto sigilo. Outra orientação é indicar que o comportamento não é incomum. Por exemplo, se estiver perguntando sobre problemas financeiros, antes de fazer sua pergunta, diga algo como "muitos indivíduos têm problemas financeiros" para que os respondentes não se sintam as únicas pessoas do mundo com esses problemas. Outra abordagem é elaborar perguntas de modo que se refiram a outras pessoas na tentativa de obter respostas gerais, e não específicas. Por exemplo, "Você acha que a maioria dos alunos de faculdade usa drogas? Explique sua resposta". As respostas sobre o comportamento alheio muitas vezes refletem o comportamento do próprio respondente.

**Perguntas e escalonamento** As perguntas e o formato da escala impactam diretamente a concepção do levantamento. Para coletar dados precisos, os pesquisadores devem criar boas perguntas e selecionar o tipo correto de escala. Diversos tipos de escalas foram discutidos no capítulo anterior. Sempre que possível, é preferível usar escalas métricas. Além disso, os pesquisadores devem ter cuidado para manter a consistência nas escalas usadas e na codificação de modo a minimizar a confusão entre os respondentes ao responder às perguntas.

Depois que uma pergunta ou escala específica é selecionada, o pesquisador deve garantir que ela será apresentada adequadamente e que será fácil de responder corretamente. As **perguntas ruins** impedem ou distorcem a comunicação entre pesquisador e respondente. Se o respondente não pode responder uma pergunta de modo significativo, a pergunta é ruim. Exemplos incluem perguntas:

1. *Impossíveis de responder*, seja porque o respondente não tem acesso às informações necessárias ou porque nenhuma das alternativas se aplica a ele. Exemplos incluem: "Qual era a renda líquida anual de seus pais dois anos atrás?" e "Quanto você gastou com comida no último mês?" Em geral, os respondentes não sabem a resposta desse tipo de pergunta, mas ainda tentam respondê-la. Eles "chutam" com base no que acham ser a resposta certa. Alguns pesquisadores acreditam que oferecer alternativas de respostas é uma boa solução, mas isso também introduz um problema de tendenciosidade. Quando são apresentadas amplitudes, os respondentes tendem a selecionar um montante médio com base na amplitude apresentada. Assim, se a amplitude é de 200 a 500 dólares, o valor selecionado será menor do que se a amplitude fosse de 400 a 600 dólares. Normalmente, perguntas abertas são a melhor alternativa para situações desse tipo.
2. *Tendenciosas (ou carregadas)* na medida em que o respondente é conduzido em direção a uma resposta que normalmente não daria se todas as categorias ou conceitos possíveis de resposta fossem apresentados, ou se todos os fatos sobre a situação fossem apresentados. Um exemplo seria: "Nos importamos muito com o serviço que você recebe de nossa empresa. Como você avaliaria a qualidade do serviço que recebeu?" Outro exemplo seria fazer uma pergunta iniciando da seguinte maneira: "A maioria dos americanos é contra o aumento de impostos. Você é a favor do aumento de impostos?"
3. *Com duplo propósito*, na medida em que pedem que o respondente responda a duas questões ao mesmo tempo. Um exemplo seria: "Você bebe Pepsi no seu café da manhã, almoço e jantar?" ou "Você concorda ou discorda que os funcionários do Home Depot são simpáticos e prestativos?"

Ao criar perguntas e escalas específicas, os pesquisadores precisam agir como se fossem duas pessoas diferentes: uma pensa como o pesquisador técnico e sistemático, a outra como o respondente. As perguntas e escalas têm de ser apresentadas em uma ordem lógica. Após selecionar um título para o questionário, o pesquisador inclui uma breve seção introdutória e instruções gerais antes de fazer a primeira pergunta. As perguntas devem ser feitas em uma ordem natural, do geral para o específico, para reduzir o potencial de tendenciosidade por sequência. Além disso, quaisquer perguntas sensíveis ou difíceis têm de ser colocadas no fim do questionário, depois do ponto em que o respondente se sente envolvido com o processo de preenchê-lo.

Alguns questionários têm perguntas ramificadas ou condicionais. As **perguntas ramificadas** podem aparecer em qualquer ponto do questionário e são usadas se a próxima pergunta, ou conjunto de perguntas, deve ser respondida somente se o respondente se encaixa em uma condição específica. Um modo simples de expressar esse tipo de instrução seria "se respondeu 'sim' à Pergunta 5, pule para a Pergunta 9". As perguntas ramificadas ajudam a garantir que apenas respondentes especificamente qualificados responderão a certos itens, e devem ser comunicadas com clareza ao respondente ou ao entrevistador. Se o levantamento ocorre *online*, as perguntas ramificadas são fáceis de usar e a ramificação é processada automaticamente.

Os respondentes têm de ser conscientizados sobre o tempo necessário para completar o questionário e de quanto já avançaram durante o processo. O processo começa na seção introdutória, na qual o respondente é informado sobre quanto tempo levará para completar o questionário, mas se estende pelo resto do trabalho. Nos levantamentos *online*, isso é fácil de fazer, e a maioria possui um ícone ou outro indicador do número de perguntas remanescentes ou da porcentagem completada. Outra abordagem é utilizar uma frase semelhante à seguinte no começo da seção demográfica: "A pesquisa já está quase acabando. Essas são as últimas perguntas." Essa "frase de transição" tem dois objetivos. Primeiro, comunicar aos respondentes que seu processo de raciocínio está prestes a mudar. Eles podem limpar a mente antes de começarem a pensar sobre seus dados pessoais. Segundo, a frase indica que a tarefa de completar o questionário está quase no fim. O questionário usado no levantamento bancário se encontra na Figura 8.3.

Antes de desenvolver o layout do questionário, o pesquisador precisa avaliar a confiabilidade e a validade das escalas, como os itens na "Seção II: Opiniões gerais" da Figura 8.3. Ao final, o foco passa para a preparação de instruções e a realização das revisões necessárias. O Capítulo 7 analisa como realizar avaliações de confiabilidade e validade.

## PAINEL "Enquadrar" as perguntas pode deixá-las tendenciosas!

Em uma manhã de sábado de primavera, um dos autores deste livro estava fazendo uma atividade no jardim de casa. Um grupo de jovens saiu de uma van e começou a bater nas portas da vizinhança, pedindo que os moradores participassem de um levantamento sobre temas relacionados a exercícios físicos. Eram alunos de uma faculdade local, fazendo um trabalho de aula para uma academia de ginástica. Os estudantes foram simpáticos e bem-educados ao solicitarem a participação e começavam a fazer as perguntas do levantamento assim que recebiam o consentimento dos participantes. Depois de cerca de metade do questionário, um dos entrevistadores fez a seguinte pergunta:

"No passado, 90% das pessoas responderam 'Sim' a essa pergunta. Você acha que estar matriculado em uma academia de ginástica motiva as pessoas a se exercitarem? Sim ou não?"

O autor se recusou a respondê-la e imediatamente informou o aluno-entrevistador que a pergunta não pedia se ele acreditava que estar matriculado em uma academia motivava as pessoas a se exercitarem. Na prática, ela perguntava: "Você está disposto a dar uma resposta que difere de 90% das outras pessoas que responderam essa pergunta no passado?" Os alunos ficaram chocados, mas não perderam a simpatia. O autor então informou-os de que, se gostariam de aprender a criar questionários válidos, deveriam se inscrever no curso de métodos de pesquisa na universidade local, ministrado por ele.

**Figura 8.3** **Pesquisa de opinião de consumidores de serviços bancários.**

Obrigado por participar deste estudo. Sua participação nos ajudará a determinar o que as pessoas pensam dos produtos e serviços oferecidos pelos bancos. Os resultados nos darão ideias sobre como atender melhor os clientes dos bancos. Suas atitudes e opiniões são importantes para este estudo. Todas as suas respostas serão estritamente confidenciais.

**INSTRUÇÕES: LEIA CADA PERGUNTA CUIDADOSAMENTE. RESPONDA AS PERGUNTAS PREENCHENDO OS QUADRADOS APROPRIADOS QUE REPRESENTAM SUAS RESPOSTAS.**

**SEÇÃO I: HÁBITOS BANCÁRIOS GERAIS**

1. Qual dos seguintes bancos você usa com mais frequência para realizar suas transações bancárias ou financeiras? Marque apenas uma opção.

❑ American Bank ❑ Capital Bank ❑ Hibernia National Bank

❑ Baton Rouge Bank ❑ City National Bank ❑ Louisiana National Bank

❑ Outro banco; por favor, especifique: ______________________________

2. Qual é a importância de cada um dos fatores abaixo quando você selecionou o banco mencionado na pergunta 1 acima? Marque apenas uma resposta para cada fator.

| Fator | Extremamente importante | Importante | Parcialmente importante | Nada importante |
|---|---|---|---|---|
| Locais convenientes | ❑ | ❑ | ❑ | ❑ |
| Horário bancário | ❑ | ❑ | ❑ | ❑ |
| Taxas de serviço razoáveis | ❑ | ❑ | ❑ | ❑ |
| Juros da poupança | ❑ | ❑ | ❑ | ❑ |
| Conhece alguém no banco pessoalmente | ❑ | ❑ | ❑ | ❑ |
| Reputação do banco | ❑ | ❑ | ❑ | ❑ |
| Propagandas do banco | ❑ | ❑ | ❑ | ❑ |
| Juros sobre empréstimos | ❑ | ❑ | ❑ | ❑ |
| Serviços bancários via Internet | ❑ | ❑ | ❑ | ❑ |

Se existe outro motivo (fator) que você considerou importante ao selecionar o banco mencionado na pergunta 1, especifique: ______________________________

3. Em quais das seguintes instituições financeiras você ou outro membro de seu domicílio possuem contas de poupança? Marque todas as que se aplicam.

| Instituição Financeira | Você e outro membro | Outro membro | Você mesmo |
|---|---|---|---|
| Cooperativa de crédito | ❑ | ❑ | ❑ |
| American Bank | ❑ | ❑ | ❑ |
| Baton Rouge Bank | ❑ | ❑ | ❑ |
| City National Bank | ❑ | ❑ | ❑ |
| Hibernia National Bank | ❑ | ❑ | ❑ |
| Louisiana National Bank | ❑ | ❑ | ❑ |

Outra instituição; por favor, especifique: ______________________________

**Figura 8.3** **Pesquisa de opinião de consumidores de serviços bancários. (*continuação*)**

**4.** Gostaríamos de saber o que você acha sobre cada um dos seguintes métodos bancários. Para cada método bancário listado, marque a resposta que melhor descreve sua preferência sobre o uso do método. Marque apenas uma resposta para cada método bancário.

| Métodos de serviço bancário | Definitivamente gosto de usar | Gosto de usar em parte | Não gosto de usar em parte | Definitivamente não gosto de usar |
|---|---|---|---|---|
| Dentro do banco | ❑ | ❑ | ❑ | ❑ |
| Drive-thru | | | ❑ | ❑ |
| Caixa eletrônico 24 horas | ❑ | ❑ | ❑ | |
| Banco por telefone | ❑ | ❑ | ❑ | ❑ |
| Banco por correio | ❑ | ❑ | ❑ | ❑ |
| Banco *online* | ❑ | ❑ | ❑ | ❑ |

**5.** Agora queremos saber o quanto você realmente usa cada um dos seguintes métodos bancários. Marque apenas uma resposta para cada método bancário.

| Métodos de serviço bancário | Geralmente | Ocasionalmente | Raramente | Nunca |
|---|---|---|---|---|
| Dentro do banco | ❑ | ❑ | ❑ | ❑ |
| Drive-thru | ❑ | ❑ | ❑ | ❑ |
| Caixa eletrônico 24 horas | ❑ | ❑ | ❑ | ❑ |
| Banco por telefone | ❑ | ❑ | ❑ | ❑ |
| Banco por correio | ❑ | ❑ | ❑ | ❑ |
| Banco *online* | ❑ | ❑ | ❑ | ❑ |

**SEÇÃO II: OPINIÕES GERAIS**

Esta seção apresenta uma lista de afirmações gerais. Não existe resposta certa ou errada, estamos apenas interessados nas suas opiniões.

**6.** Junto a cada afirmação, marque a resposta que melhor expressa o quanto você concorda ou discorda com cada afirmação. Lembre-se de que não existem respostas certas, queremos apenas saber a sua opinião.

| Afirmações | Concordo totalmente | Concordo parcialmente | Nem concordo nem discordo | Discordo parcialmente | Discordo totalmente |
|---|---|---|---|---|---|
| Costumo pedir conselhos para meus amigos sobre muitas coisas diferentes. | ❑ | ❑ | ❑ | ❑ | ❑ |
| Compro muitas coisas com cartão de crédito. | ❑ | ❑ | ❑ | ❑ | ❑ |
| Gostaria que tivéssemos muito mais dinheiro. | ❑ | ❑ | ❑ | ❑ | ❑ |
| Coloco a segurança acima de tudo. | ❑ | ❑ | ❑ | ❑ | ❑ |
| Sou bastante influenciado por propagandas. | ❑ | ❑ | ❑ | ❑ | ❑ |
| Gosto de pagar tudo que compro com dinheiro. | ❑ | ❑ | ❑ | ❑ | ❑ |

(*continua*)

**Figura 8.3** **Pesquisa de opinião de consumidores de serviços bancários.** (*continuação*)

| **Afirmações** | **Concordo totalmente** | **Concordo parcialmente** | **Nem concordo nem discordo** | **Discordo parcialmente** | **Discordo totalmente** |
|---|---|---|---|---|---|
| Meus vizinhos ou amigos costumam me pedir conselhos sobre muitos assuntos diferentes. | ❑ | ❑ | ❑ | ❑ | ❑ |
| É bom ter cartões de débito. | ❑ | ❑ | ❑ | ❑ | ❑ |
| Provavelmente terei mais dinheiro para gastar ano que vem do que tenho agora. | ❑ | ❑ | ❑ | ❑ | ❑ |
| É possível economizar bastante com a pesquisa de preços. | ❑ | ❑ | ❑ | ❑ | ❑ |
| Na maioria dos casos, experimento os produtos ou serviços mais populares. | ❑ | ❑ | ❑ | ❑ | ❑ |
| Situações inesperadas costumam me surpreender com pouco dinheiro no bolso. | ❑ | ❑ | ❑ | ❑ | ❑ |
| Em cinco anos, minha renda provavelmente será muito maior do que é agora. | ❑ | ❑ | ❑ | ❑ | ❑ |

**SEÇÃO III: RELAÇÕES BANCÁRIAS**

Por favor, indique sua opinião sobre cada uma das seguintes perguntas. Marque a opção que melhor representa seus sentimentos.

| | **Não muito satisfeito** | | | | **Muito satisfeito** |
|---|---|---|---|---|---|
| **7.** Qual é seu nível de satisfação com o banco com o qual mais trabalha (ou seja, sua relação bancária principal)? | ❑ | ❑ | ❑ | ❑ | ❑ |

| | **Não muito provável** | | | | **Muito provável** |
|---|---|---|---|---|---|
| **8.** Qual é a probabilidade de você continuar a trabalhar com seu banco principal? | ❑ | ❑ | ❑ | ❑ | ❑ |
| **9.** Qual é a probabilidade de você recomendar seu banco principal a um amigo? | ❑ | ❑ | ❑ | ❑ | ❑ |

**SEÇÃO IV: DADOS DE CLASSIFICAÇÃO**

As perguntas seguintes pedem suas informações demográficas. Fazemos essas perguntas para podermos generalizar corretamente os resultados do levantamento para a população em geral. Suas respostas nos ajudam a garantir que entrevistamos um grupo suficientemente diverso de pessoas.

**10.** Qual é o seu gênero? ❑ Feminino ❑ Masculino

**Figura 8.3** **Pesquisa de opinião de consumidores de serviços bancários. (*continuação*)**

**11.** Há aproximadamente quanto tempo você mora em seu endereço atual?

❑ Menos de 1 ano ❑ 4 a 6 anos ❑ 11 a 20 anos

❑ 1 a 3 anos ❑ 7 a 10 anos ❑ Mais de 20 anos

**12.** Qual é seu status empregatício atual?

❑ Emprego de turno integral ❑ Emprego de meio turno ❑ Desempregado

❑ Aposentado

**13.** Qual é seu estado civil?

❑ Casado

❑ Solteiro (nunca casou)

❑ Solteiro (viúvo, divorciado ou separado)

**14.** SE VOCÊ É CASADO, por favor, indique o status empregatício atual de seu(ua) cônjuge.

❑ Emprego de turno integral

❑ Emprego de meio turno

❑ Desempregado

❑ Aposentado

**15.** SE VOCÊ TIVER FILHOS, marque o número de pessoas com menos de 18 anos que moram em seu domicílio.

| 0 | 1 | 2 | 3 | 4 | 5 | 6 | 7 | 8 | Mais de 8; por favor, especifique: ________ |
|---|---|---|---|---|---|---|---|---|---|
| ❑ | ❑ | ❑ | ❑ | ❑ | ❑ | ❑ | ❑ | ❑ | |

**16.** Quais das categorias abaixo melhor representa seu mais alto nível de formação acadêmica?

❑ Doutorado ❑ Segundo grau completo

❑ Mestrado ❑ Segundo grau incompleto

❑ Terceiro grau completo (curso de 4 anos ou mais) ❑ Primeiro grau completo

❑ Terceiro grau incompleto ❑ Primeiro grau incompleto

**17.** Qual é a sua idade atual?

❑ Menos de 18 anos ❑ 26 a 35 anos ❑ 46 a 55 anos ❑ 66 a 70 anos

❑ 18 a 25 anos ❑ 36 a 45 anos ❑ 56 a 65 anos ❑ Mais de 70 anos

**18.** Qual das categorias abaixo melhor descreve o seu trabalho?

❑ Governo (federal, estadual, municipal) ❑ Jurídico ❑ Financeiro ❑ Seguros

❑ Petroquímica ❑ Indústria ❑ Transporte ❑ Consultoria

❑ Educação ❑ Medicina ❑ Varejo ❑ Atacado

❑ Outra área. Por favor, especifique:

**19.** Quais das categorias abaixo inclui sua renda familiar anual bruta?

❑ Menos de $10.000 ❑ $30.001 a $50.000

❑ $10.000 a $15.000 ❑ $50.001 a $75.000

❑ $15.001 a $20.000 ❑ $75.001 a $100.000

❑ $20.001 a $30.000 ❑ Acima de $100.000

**20.** Qual é o CEP de seu endereço residencial? ❑ ❑ ❑ ❑ ❑

**MUITO OBRIGADO POR PARTICIPAR DESTE ESTUDO!**
**AGRADECEMOS SEU TEMPO E SUAS OPINIÕES.**

## Passo 4: determinar o layout e avaliar o questionário

Em questionários bem planejados, as perguntas fluem das informações mais gerais para as mais específicas e terminam com dados demográficos. Os questionários começam com uma **seção introdutória**, apresentando um panorama da pesquisa para o respondente. A seção começa com uma afirmação para estabelecer a legitimidade do questionário. Por exemplo, a empresa de pesquisa é identificada e o respondente recebe garantias de que suas respostas serão anônimas. A seguir, normalmente encontramos as **questões-filtro** (também chamadas *filtros* ou *perguntas-filtro*) usadas na maioria dos questionários. Sua finalidade é identificar respondentes potenciais qualificados e impedir a inclusão dos não qualificados no estudo. As questões-filtro são difíceis de usar na maioria dos questionários autoadministrados, exceto em levantamentos assistidos por computadores. As questões-filtro são completadas antes do início da porção principal do questionário, que inclui as perguntas de pesquisa. A seção também contém instruções gerais sobre como preencher o levantamento.

A segunda seção do questionário enfoca as perguntas de pesquisa. É a chamada **seção de perguntas de pesquisa**, e sua sequência é organizada das perguntas mais gerais para as mais específicas com base nos objetivos de pesquisa. Se o estudo possui múltiplos objetivos de pesquisa, as perguntas elaboradas para obter informações sobre cada um dos objetivos também têm de ser ordenadas das mais gerais para as mais específicas. Uma exceção seria quando duas seções de um questionário possuem perguntas relacionadas. Nessa situação, o pesquisador normalmente separa as duas seções (inserindo um conjunto de perguntas não relacionadas) para minimizar a probabilidade de que as respostas de um conjunto influenciarão as respostas do outro. Finalmente, quaisquer perguntas difíceis ou sensíveis devem ser colocadas ao final de cada seção.

A última seção inclui perguntas demográficas para os respondentes. As perguntas demográficas são colocadas no final do questionários porque pedem informações pessoais, informações que muitas pessoas hesitam em informar a estranhos. Até que a "zona de conforto" seja estabelecida entre entrevistador e respondente, a realização de perguntas pessoais pode facilmente acabar com o processo de entrevista. O questionário termina com um agradecimento.

Os questionários são elaborados de modo a eliminar, ou pelo menos minimizar, a tendenciosidade de ordem das respostas. A **tendenciosidade de ordem das respostas** ocorre quando a ordem das perguntas, ou das respostas fechadas de uma determinada pergunta, influencia a resposta dada. As respostas que aparecem no início ou no fim de uma lista tendem a ser selecionadas com mais frequência. Com alternativas numéricas (preços ou quantidades), os respondentes tendem a selecionar os valores centrais. Nos levantamentos *online*, isso não é problema, pois a ordem de apresentação é randomizada. O problema também é menor nos levantamentos por correio, pois o respondente consegue enxergar todas as respostas possíveis. Outra maneira de reduzir a tendenciosidade de ordem das respostas com levantamentos pelo correio ou autoadministrados é preparar formulários diferentes para o mesmo questionário, com ordens diferentes, e calcular a média das respostas. Os levantamentos por telefone são os que mais sofrem com oportunidades de tendenciosidade de ordem das respostas.

Recentemente, alguns pesquisadores expressaram preocupação com a possibilidade das concepções de questionários resultarem na variância de métodos comuns acabar embutida nos dados de respondentes coletados com levantamentos. A **variância de métodos comuns (VMC)** é a variância tendenciosa que resulta do método de mensuração utilizado no questionário e não nas escalas empregadas para obter os dados. A VMC está presente em respostas de levantamentos nas quais as informações dadas pelos respondentes às perguntas sobre variáveis dependentes e independentes possuem uma correlação falsa. A tendenciosidade introduzida pela VMC tende a ocorrer quando o mesmo respondente responde ao mesmo tempo perguntas de maneira perceptual sobre variáveis dependentes e independentes, e o respondente reconhece uma relação entre elas. Um exemplo de situação envolvendo a VMC seria quando o respondente é solicitado a avaliar "se gostaram da comida" ou "se gostaram da atmosfera do restaurante" (variáveis independentes e perguntas sobre percepções) na seção inicial de um questionário de um restaurante. Mais tarde, em uma seção posterior do mesmo questionário, o respondente encontra a pergunta "Você ficou satisfeito com sua experiência no Santa Fe Grill?" (variável dependente e pergunta sobre percepções).

Muitos pesquisadores acreditam que a prevalência da VMC nos levantamentos é exagerada. Se o pesquisador está preocupado com a possível presença de VMC nos dados, uma abordagem para reduzir sua probabilidade é coletar os dados sobre as variáveis dependentes e independentes em momentos diferentes, ou de fontes diferentes (p.p.ex.: investigar a relação entre ambiente de trabalho e desempenho com a obtenção das percepções sobre o primeiro fator entre os funcionários e sobre o segundo com avaliações realizadas por supervisores). Infelizmente, muitas vezes isso seria impossível nos estudos de marketing. Outras abordagens que reduzem a possível presença de VMC incluem adotar mais de um tipo de escala no questionário (p.ex.: usar os formatos de diferencial semântico e avaliação gráfica) ou usar escalas com um número diferente de pontos de escala (por exemplo, conceber um questionário de modo que escalas de 10 pontos servem para responder a perguntas sobre as variáveis independentes, e escalas de 100 pontos para responder a perguntas sobre as variáveis dependentes).

A formatação e o layout do questionário devem facilitar a vida do respondente na hora de ler o material e seguir instruções. Se o pesquisador deixar de considerar o

## PAINEL Os questionários inteligentes estão revolucionando os levantamentos

Os questionários "inteligentes" representam o estado da arte nos levantamentos de pesquisa de marketing. Os questionários são estruturados com o uso de lógica matemática, permitindo que o computador customize-os para cada respondente à medida que a entrevista avança. Com o uso de *software* interativo, o computador avalia constantemente as novas informações e personaliza as perguntas do levantamento. Com base nas respostas, perguntas mais específicas tentam sondar e esclarecer os motivos de cada respondente e entender o que está por trás de suas respostas iniciais. Assim, com questionários inteligentes, respondentes diferentes que realizam o mesmo questionário respondem conjuntos diferentes de perguntas, cada uma delas adaptada individualmente para disponibilizar os dados mais relevantes.

Para grandes multinacionais com linhas de produtos diversificadas, os questionários computadorizados fornecem informações relativas a cada linha. Antes dos questionários computadorizados, as empresas dependiam de dados de levantamentos que utilizavam perguntas roteirizadas fixas que muitas vezes não geravam dados relevantes. Com os questionários inteligentes, entretanto, as informações obtidas são relevantes às necessidades específicas da organização.

As vantagens mais importantes dos questionários inteligentes em relação aos levantamentos estruturados tradicionais são maior facilidade de participação, menor requisito de tempo e menos recursos necessários para conduzir os levantamentos, o que, por sua vez, reduz o custo total de administração. Para muitas empresas, os questionários inteligentes são cada vez mais a escolha lógica para a coleta de dados.

layout do questionário, a qualidade dos dados cairá significativamente. O valor de um questionário bem elaborado é difícil de estimar. A principal função do questionário é obter as verdadeiras opiniões e sentimentos dos indivíduos sobre questões ou objetos. Os dados coletados com o uso de questionários devem aperfeiçoar o entendimento do problema ou oportunidade que motivou a pesquisa. Por outro lado, os maus questionários podem ser custosos em termos de tempo, esforços e dinheiro sem produzir bons resultados.

Depois de preparar o questionário, mas antes de enviá-lo ao cliente para aprovação, o pesquisador deve revisar o documento com cuidado. O foco está em determinar se todas as perguntas são necessárias e se o tamanho geral é aceitável. Além disso, o pesquisador verifica o material para se certificar que o levantamento atende os objetivos de pesquisa, as instruções e o formato da escala funcionam e as perguntas vão do mais geral para o mais específico. Se o levantamento é *online*, ele tem de ser visualizado na tela da mesma maneira que o respondente o verá. Se o levantamento é por correio ou "deixado", ele precisa ser inspecionado fisicamente. Todos os formulários dos questionários autoaplicados devem ter aparência profissional e ser visualmente atraentes. As principais considerações sobre o planejamento de questionários estão resumidas na Figura 8.4.

**Considerações sobre levantamentos *online*** A concepção de levantamentos *online* envolve planejamento adicional. A métrica principal dos métodos tradicionais de coleta de dados é o índice de resposta. Para determinar os índices de resposta, o pesquisador precisa conhecer o número de tentativas de contato com respondentes e preenchimento de questionários. Com levantamentos por correio e telefônicos, a tarefa é relativamente fácil. Nos levantamentos *online*, os pesquisadores precisam trabalhar com o serviço de campo de coleta de dados *online* para planejar como os respondentes serão abordados. Se o serviço de coleta de dados envia um convite geral pedindo que os usuários completem o levantamento, é impossível medir os índices de resposta. Mesmo que um convite para o levantamento seja enviado a um painel de respondentes organizado, o cálculo dos índices de resposta talvez seja problemático. O motivo

**Figura 8.4** **Considerações sobre o planejamento de questionários.**

1. Confirme os objetivos de pesquisa antes de começar a planejar o questionário.
2. Determine os requisitos de dados para alcançar cada objetivo de pesquisa.
3. A seção de introdução deve incluir uma descrição geral do estudo.
4. As instruções devem ser expressas com clareza.
5. As perguntas e escalas de medida devem seguir uma ordem lógica, ou seja, uma ordem que pareça lógica para o respondente, não para o pesquisador ou praticante.
6. Comece a entrevista ou questionário com perguntas simples e fáceis de responder, avançando gradualmente em direção a perguntas mais difíceis. Use uma sequência de temas e perguntas que vão dos mais gerais aos mais específicos.
7. Faça perguntas pessoais ao final da entrevista ou levantamento.
8. Faça perguntas sobre opiniões, atitudes e crenças pessoais ao final da entrevista ou levantamento, mas antes das demográficas.
9. Evite fazer perguntas com formatos de mensuração diferentes na mesma seção do questionário.
10. Termine a entrevista ou levantamento com um agradecimento.

é que os painéis podem envolver milhões de indivíduos, com critérios amplos usados para descrevê-los. Por consequência, um levantamento enfocado em homens de 18 a 35 anos pode ser enviado a um grupo com características demográficas muito mais abrangentes. Outro desafio está no recrutamento de participantes. Se indivíduos são convidados a participar e se recusam, eles devem ser incluídos na métrica de índice de resposta? Ou a métrica tem de se basear apenas nos indivíduos que afirmam estar qualificados e concordam em responder, independentemente de responderem ou não? Para superar esses problemas, os pesquisadores precisam trabalhar em conjunto com os fornecedores de coleta de dados para identificar, enfocar e solicitar a participação de grupos específicos a fim de calcular índices de resposta precisos. Além disso, um bom entendimento de como os indivíduos são recrutados para os levantamentos *online* é necessário antes do início da coleta de dados.

Um problema relacionado no cálculo da métrica de índice de resposta *online* é a possibilidade de recrutamento de participantes fora da abrangência do fornecedor oficial de coleta de dados *online*. Por exemplo, é comum que um indivíduo incluído no convite oficial de participação recrute amigos na Internet e sugira que eles participem. Os amigos recrutados então visitam o *site* de coleta de dados e respondem, pois estão interessados no tema do levantamento. Mecanismos de controle eficazes, como um identificador exclusivo a ser inserido antes do preenchimento do questionário, têm de ser adotados de antemão para prevenir respostas não solicitadas desse tipo.

Outro problema com os levantamentos *online* é o tempo necessário para que alguns respondentes completem o levantamento. Não raro, alguns respondentes voam por um questionário em 5 minutos, quando normalmente precisariam de 15 para completá-lo. Mas, também é comum que indivíduos demorem uma hora ou duas para completar o mesmo questionário de 15 minutos. Para enfrentar esse problema com fornecedores de coleta de dados *online*, o primeiro passo é garantir que o"tempo de preenchimento" seja uma métrica mensurada. Se você não coletar essa informação, é impossível lidar com o problema. Ao revisar essa métrica depois do encerramento da coleta de dados, sugerimos que os pesquisadores adotem a abordagem que costuma ser usada para eliminar valores anômalos no cálculo da média. Em outras palavras, aplique a abordagem de "média aparada", na qual as caudas de 5% de ambos os lados da curva (tempos de resposta muito curtos e muito longos) são removidos da amostra. A técnica elimina as observações anômalas extremas e reduz a probabilidade de incluir respostas tendenciosas na análise de dados.

As empresas de pesquisa apenas começaram a analisar as questões envolvidas com a concepção de questionários *online*. Três questões específicas já trabalhadas são (1) o efeito do tamanho da caixa de texto no comprimento da resposta dada em perguntas abertas, (2) o uso de botões de opção *versus* caixas de combinação para respostas e (3) o emprego apropriado de elementos visuais. Com relação ao tamanho da caixa de texto, os respondentes escrevem mais quando as caixas são maiores. Para lidar com esse problema, algumas empresas de pesquisa oferecem aos respondentes a escolha entre caixas pequenas, médias e grandes para que o tamanho da caixa não afete sua resposta. Quanto ao segundo problema, o uso de caixas de combinação, se a resposta fica imediatamente visível no alto da caixa, ela é selecionada com mais frequência do que se for simplesmente mais uma na lista. Assim, se você optar por caixas de combinação, a primeira opção deve ser "selecione um". Em geral, os botões de opção devem ser utilizados sempre que possível. Terceiro, o emprego de elementos visuais afeta os respondentes. Por exemplo, uma versão de uma pergunta sobre assistir a um jogo de beisebol incluía um estádio lotado, enquanto outra tinha um estádio pequeno com pouco público. Os respondentes tinham maior probabilidade de dizer que frequentaram mais eventos esportivos no ano anterior quando a pergunta era acompanhada por um estádio lotado do que quando o questionário apresentava um estádio pequeno e com pouco público.[1]

Os formatos *online* facilitam o uso de escalas de ordenamento e avaliação, além de gráficos e animações detalhadas. Por exemplo, a Qualtrics permite que os pesquisadores obtenham respostas por meio de sua escala deslizante que melhora a precisão da resposta. Por exemplo, a escala deslizante é uma medida métrica verdadeira das respostas e facilita o uso de escalas de 10 e 100 pontos. Programar levantamentos no ambiente *online* oferece a oportunidade de usar gráficos e escalas de novas maneiras, algumas das quais são úteis e outras não. Assim como ocorre com métodos tradicionais de coleta de dados e concepções de questionários, a melhor diretriz a ser adotada é o teste KISS (*Keep It Simple and Short!*, Mantenha Tudo Simples e Curto). Concepções ou formatos complexos correm o risco de produzir achados tendenciosos e devem ser evitados.

## Passo 5: obter aprovação inicial do cliente

Todos os envolvidos com o projeto devem receber cópias do questionário. Essa é a oportunidade do cliente de dar sugestões de temas que foram ignorados ou de fazer perguntas. Os pesquisadores precisam obter aprovação final do questionário antes da realização do pré-teste. Se for preciso fazer mudanças, esse é o momento. Mudanças posteriores podem ser caras demais, ou até mesmo impossíveis.

## Passo 6: realizar pré-teste, revisar e finalizar o questionário

A avaliação final do questionário é obtida com um pré-teste. Nos pré-testes, os questionários são distribuídos a pequenos grupos representativos de respondentes, que o preenchem e oferecem *feedback* aos pesquisadores. O número de respondentes normalmente varia entre 20 e 30 indivíduos. No pré-teste, os respondentes precisam prestar atenção em palavras, expressões, instruções e sequência de perguntas. Eles devem indicar qualquer pergunta difícil de entender ou acompanhar. Os questionários devolvidos são analisados em busca de sinais de tédio e cansaço por parte dos respondentes. Tais sinais incluem perguntas ignoradas e marcação da mesma resposta para todas as perguntas no mesmo grupo.

O pré-teste ajuda o pesquisador a determinar quanto tempo os respondentes precisarão para completar o levantamento, se é preciso adicionar ou revisar instruções e o que dizer na carta de apresentação. Se o pré-teste revelar problemas ou preocupações, as modificações devem ser realizadas e aprovadas pelo cliente antes de passar ao passo seguinte.

## Passo 7: implementar o levantamento

O foco aqui está no processo seguido para coletar dados usando o questionário aprovado. O processo varia de acordo com o questionário, sendo diferente entre os autoaplicados e aqueles preenchidos pelos entrevistadores. Por exemplo, os questionários autoaplicados devem ser distribuídos aos respondentes e o pesquisador precisa utilizar métodos que aumentem o índice de respostas. Do mesmo modo, com levantamentos via Internet, o formato, a sequência, as ramificações e as instruções devem ser verificados minuciosamente antes que o questionário seja postado *online*. Assim, a implementação envolve o acompanhamento para garantir que todas as decisões anteriores foram implementadas corretamente.

## O papel de uma carta de apresentação

A **carta de apresentação** é usada com questionários autoaplicados. Sua função principal é obter a cooperação e disposição do respondente de participar no projeto de pesquisa. Em entrevistas pessoais ou telefônicas, os entrevistadores usam declarações verbais que incluem muitos dos pontos cobertos por uma carta de apresentação enviada pelo correio ou "deixada" com o respondente. Os levantamentos autoaplicados normalmente possuem baixos índices de resposta (25% ou menos). As boas cartas de apresentação aumentam os índices de resposta. A Figura 8.5 apresenta diretrizes para o desenvolvimento de cartas de apresentação.

## Outras considerações na coleta de dados

Quando os dados são coletados, é preciso desenvolver instruções para supervisores e entrevistadores, além de questões-filtro e folhas de registro de chamadas. Esses mecanismos asseguram que o processo de coleta de dados terá sucesso. Alguns deles são necessários para entrevistas, outros para questionários autoadministrados. Nesta seção, resumimos cada um desses mecanismos.

**Figura 8.5** Diretrizes para o desenvolvimento de cartas de apresentação.

| Fatores | Descrição |
|---|---|
| 1. Personalização | As cartas de apresentação devem ser endereçadas ao respondente prospectivo usando o papel timbrado oficial da empresa de pesquisa. |
| 2. Identificação da organização | Identificação clara do nome da empresa de pesquisa realizando a entrevista ou levantamento. Em geral, usa-se uma abordagem disfarçada, mas também é possível usar abordagens não disfarçadas, que revelam o verdadeiro cliente (ou patrocinador) do estudo. |
| 3. Declaração clara sobre objetivo e importância do estudo | Descreva o tema geral da pesquisa e enfatize sua importância para o respondente prospectivo. |
| 4. Anonimato e confidencialidade | Garanta ao respondente potencial que seu nome não será revelado. Explique como ele foi escolhido e sublinhe que suas opiniões são importantes para o sucesso do estudo. |
| 5. Cronograma geral de realização do estudo | Comunique o período de tempo geral do levantamento ou estudo. |
| 6. Reforce a importância da participação do respondente | Comunique a importância da participação do respondente potencial. |
| 7. Reconheça motivos para não participação no levantamento ou na entrevista | Reconheça os motivos "falta de tempo livre", "questionários classificados como correspondência indesejada" e "esqueci do levantamento" para não participação e se contraponha a eles. |
| 8. Requisitos de tempo e incentivos | Informe uma estimativa do tempo necessário para completar o levantamento. Discuta os incentivos, se houver. |
| 9. Data de realização e onde e como o levantamento deve ser devolvido | Informe ao respondente potencial todas as instruções para a devolução do questionário completo. |
| 10. Agradeça-o de antemão pela disposição em participar | Agradeça ao respondente prospectivo por sua cooperação. |

## Instruções para o supervisor

Muitos pesquisadores coletam dados usando entrevistas conduzidas por empresas de entrevista de campo. O **formulário de instruções para o supervisor** serve como plano de treinamento sobre como completar o processo de entrevista de maneira consistente. As instruções descrevem o processo para condução do estudo em linhas gerais e são importantes para qualquer projeto de pesquisa que usa entrevistas telefônicas ou pessoais. Elas incluem informações detalhadas sobre a natureza do estudo, prazos de começo e finalização, instruções de amostragem, número de entrevistadores necessários, necessidades de equipamentos e instalações, formulários de comunicação, quotas e procedimentos de validação. A Figura 8.6 exibe uma página de amostra de um conjunto de instruções de supervisores para um estudo de restaurantes.

## Instruções para os entrevistadores

As **instruções para os entrevistadores** servem para treinar entrevistadores a fim de selecionar corretamente um respondente prospectivo para inclusão no estudo, selecionar

**Figura 8.6** Instruções para supervisores de estudo sobre restaurantes usando entrevistas pessoais.

| | |
|---|---|
| Objetivo: | Determinar os padrões de refeições em restaurantes dos universitários e suas atitudes em relação a certos restaurantes localizados a dois quilômetros do campus. |
| Número de entrevistadores: | Total de 90 entrevistadores universitários treinados (30 entrevistadores por turma, três turmas). |
| Local das entrevistas: | As entrevistas serão conduzidas durante um período de duas semanas, de 10 a 24 de março, das 8h às 21h, de segunda a sexta. Os locais das entrevistas serão fora dos alojamentos do campus das 14 faculdades que compõem a universidade, além da biblioteca e do centro acadêmico. Os entrevistadores trabalharão em três turnos, com 30 entrevistadores por turnos. Os turnos serão 8h-12h, 12h-17h e 17h-21h. |
| Quota: | Cada entrevistador conduzirá e completará 30 entrevistas, com no máximo 5 entrevistas completas para cada um dos seguintes restaurantes: Mellow Mushroom, Pizza Hut, Domino's Pizza, Chili's, Outback Steakhouse e quaisquer outros cinco "restaurantes locais". Todas as entrevistas completas devem ser realizadas no local e período especificados. Para cada turno de 30 entrevistadores, espera-se um mínimo de 150 entrevistas completas para cada um dos cinco restaurantes no estudo e um máximo de 150 entrevistas completas que representem o conjunto "restaurantes locais". |
| Materiais do projeto: | Para este estudo, você receberá os seguintes materiais: 2.701 questionários pessoais; 91 formulários de filtro/instruções/quotas; 91 conjuntos de "Cartões de avaliação", cada conjunto composto de seis cartões de avaliação diferentes; 91 formulários de "Verificação de entrevista"; e 1 formulário de cronograma de entrevistadores. |
| Preparação: | Usando seu material, revise tudo para garantir entendimento completo da tarefa. Estabeleça um período de duas horas para treinar seus 90 entrevistadores em como selecionar respondentes prospectivos, garantir sua qualificação e conduzir entrevistas. Assegure-se que todos os entrevistadores compreendem as instruções inclusas nas perguntas que compõem o questionário. Além disso, aloque cada entrevistador a um local e tempo específico para condução de entrevistas. Garanta que todos os tempos e locais serão cobertos. Prepare um plano de emergência para problemas que podem ser antecipados. |

apenas respondentes qualificados e conduzir adequadamente a entrevista em si. As instruções incluem informações detalhadas sobre a natureza do estudo, prazos de começo e finalização, instruções de amostragem, procedimentos de filtragem, quotas, número de entrevistas necessárias, diretrizes para realização de perguntas, uso de cartões de avaliação, registro de respostas, formulários de comunicação e procedimentos para verificação de formulários.

## Questões-filtro

As **questões-filtro** garantem que os respondentes incluídos no estudo são representativos da população-alvo definida. As questões-filtro são usadas para confirmar a qualificação de um respondente potencial para inclusão no levantamento e garantir que certos tipos de respondentes não serão incluídos no estudo, o que ocorre mais frequentemente quando a profissão do indivíduo ou de um familiar em um setor específico da economia o desqualifica. Por exemplo, estudos sobre a percepção da qualidade dos automóveis fabricados pela Ford Motor Company excluiriam pessoas que trabalham para a Ford Motor Company ou concessionários que vendem veículos da Ford. Também é comum excluir da participação em estudos os indivíduos que trabalhem para empresas de pesquisa de marketing ou agência de publicidade e propaganda.

## Quotas

As **quotas** são utilizadas para garantir que os dados são coletados dos respondentes corretos. Quando a quota para um determinado subgrupo de respondentes é preenchida, os questionários daquele subgrupo não são mais completados. Se são usados entrevistadores, eles registram as informações da quota e as tabulam para saber quando as entrevistas para os grupos estudados foram completadas. Se o levantamento é realizado *online*, o computador mantém um registro dos questionários completados para garantir que as quotas de cada grupo foram atendidas. No exemplo de bancos de varejo, cada entrevistador realizou 30 entrevistas, cada um entrevistando cinco clientes de seis bancos diferentes: Bank of America, SunTrust Bank, Citicorp, Chase, First Union e "outros". Depois que a quota de um banco é preenchida, como o Chase, qualquer respondente prospectivo que indicar o Chase como seu banco principal será excluído de participação no levantamento.

## Registros de chamada ou contato

Os **registros de chamada**, também chamados de abordagens de acompanhamento ou de relatório, são usadas para estimar a eficiência das entrevistas. Os registros normalmente coletam as informações sobre o número de tentativas de contatar respondentes potenciais por parte de cada entrevistador e os resultados das tentativas. Os registros de chamada e contato são comuns em métodos de coleta de dados com entrevistadores, mas também aparecem com levantamentos *online*. As informações coletadas com registros de contato incluem números de chamadas ou contatos por hora, número de contatos por entrevista completada, duração da entrevista, entrevistas completas por categoria de quota, número de entrevistas interrompidas, motivos para interrupções e número de tentativas de chamadas.

Seu entendimento das atividades necessárias para desenvolver um instrumento de pesquisa completa a terceira fase do processo de pesquisa, a coleta de dados precisos, e prepara-o para a última fase, a preparação e análise de dados. O Capítulo 9 discute a codificação, edição e preparação dos dados para análise.

## PESQUISA DE MARKETING EM AÇÃO

### Planejando um questionário para realizar um levantamento entre os clientes do Santa Fe Grill

A ilustração estende a discussão do capítulo sobre o planejamento de questionários. Leia o exemplo e use as questões-filtro (Figura 8.7) e questionário (Figura 8.8) reais para responder as perguntas ao final.

No início de 2013, dois jovens recém-formados em Administração (um com ênfase em Finanças, o outro em Gestão) se reuniram para criar um novo conceito de restaurante para uma experiência informal no Sudoeste americano, destacando a temática mexicana com uma ampla variedade de bons pratos, feitos com ingredientes frescos, e uma atmosfera agradável e orientada a famílias. Após vários meses de planejamento e criação de planos de marketing e negócios detalhados, os dois empreendedores conseguiram reunir o capital necessário para construir e abrir seu próprio restaurante, o Santa Fe Grill.

Após os primeiros seis meses de sucesso, a dupla notou que a receita, o fluxo de clientes e as vendas estavam caindo e percebeu que sabia apenas informações básicas sobre seus clientes. Nenhum dos dois havia feito disciplinas de marketing além das mais introdutórias na faculdade, então procuraram um amigo que trabalhava em marketing, que os aconselhou a contratar uma empresa de pesquisa de marketing para coletar dados primários sobre hábitos e padrões de visitas a restaurantes. Havia uma empresa de marketing no mesmo shopping que o restaurante, então eles a contrataram para criar um levantamento autoadministrado para coletar os dados necessários. Os seis objetivos de pesquisa a seguir orientaram a concepção do instrumento de pesquisa apresentado na Figura 8.8.

1. Identificar os fatores que as pessoas consideram importantes ao decidir onde fazer refeições informais.
2. Determinar as características que os clientes usam para descrever o Santa Fe Grill e seu concorrente, o Jose's Southwestern Café.
3. Desenvolver um perfil psicográfico e demográfico da clientela do restaurante.
4. Determinar os padrões de visita e comunicação boca a boca positiva dos clientes do restaurante.
5. Avaliar a disposição dos clientes de voltar ao restaurante no futuro.
6. Avaliar o quanto os clientes estão satisfeitos com suas experiências em restaurantes mexicanos.

**Figura 8.7** **Questões-filtro e conexão para estudo do restaurante mexicano**

Olá. Meu nome é ________ e eu trabalho para a DSS Research. Estamos realizando entrevistas sobre o hábito de comer em restaurantes.

1. "Você vai com frequência a restaurantes informais?" ____ Sim ____ Não
2. "Você comeu em outros restaurantes mexicanos nos últimos seis meses?" ____ Sim ____ Não
3. "Sua renda familiar bruta anual é de 20 mil dólares ou mais?" ____ Sim ____ Não
4. Em qual dos restaurantes mexicanos a seguir você comeu mais recentemente?
   a. Primeira resposta é Santa Fe Grill – Sim, continuar.
   b. Primeira resposta é Jose's Southwestern Café – Sim, continuar.
   c. Primeira resposta é Outro Restaurante – agradecer a participação e encerrar a entrevista.

Se o respondente disser "sim" às três primeiras perguntas e também indicar o Santa Fe Grill ou o Jose's Southwestern Café, diga:

Gostaríamos de fazer algumas perguntas sobre você mesmo e suas experiências recentes no restaurante ____. As perguntas vão demorar apenas alguns minutos e nos ajudarão a atender melhor nossos clientes.

**Figura 8.8** **Questionário de restaurante mexicano sobre jantar fora.**

Por favor, leia todas as perguntas com cuidado. Se não entender alguma pergunta, peça ajuda ao entrevistador. A primeira seção lista diversas afirmações sobre seus interesses e opiniões. Usando uma escala de 1 a 7, na qual 7 é "Concordo totalmente" e 1 é "Discordo totalmente", indique o quanto você concorda ou discorda com cada afirmação em relação à sua própria opinião. Marque apenas um número para cada afirmação.

**Seção 1: Perguntas sobre estilo de vida**

| | Discordo totalmente | | | | | | Concordo totalmente |
|---|---|---|---|---|---|---|---|
| 1. Costumo experimentar coisas novas e diferentes. | 1 | 2 | 3 | 4 | 5 | 6 | 7 |
| 2. Gosto de festas com música e bastante conversa. | 1 | 2 | 3 | 4 | 5 | 6 | 7 |
| 3. As pessoas me procuram mais para informações sobre produtos do que eu as procuro. | 1 | 2 | 3 | 4 | 5 | 6 | 7 |
| 4. Tento evitar comidas fritas. | 1 | 2 | 3 | 4 | 5 | 6 | 7 |
| 5. Gosto de sair e socializar com as pessoas. | 1 | 2 | 3 | 4 | 5 | 6 | 7 |
| 6. Os amigos e vizinhos me pedem conselhos com frequência sobre produtos e marcas. | 1 | 2 | 3 | 4 | 5 | 6 | 7 |

*(continua)*

**Figura 8.8** **Questionário de restaurante mexicano sobre jantar fora. (*continuação*)**

| | Discordo totalmente | | | | | | Concordo totalmente |
|---|---|---|---|---|---|---|---|
| **7.** Sou autoconfiante em relação a mim mesmo e a meu futuro. | 1 | 2 | 3 | 4 | 5 | 6 | 7 |
| **8.** Em geral, como refeições equilibradas e nutritivas. | 1 | 2 | 3 | 4 | 5 | 6 | 7 |
| **9.** Costumo comprar novos produtos quando os vejo nas lojas. | 1 | 2 | 3 | 4 | 5 | 6 | 7 |
| **10.** Tomo cuidado com o que como. | 1 | 2 | 3 | 4 | 5 | 6 | 7 |
| **11.** Costumo experimentar novas marcas antes de meus amigos e vizinhos. | 1 | 2 | 3 | 4 | 5 | 6 | 7 |

**Seção 2: Medidas de percepção**

A seguir listamos um conjunto de características que poderiam ser usadas para descrever o restaurante mexicano no qual você comeu recentemente. Usando uma escala de 1 a 7, na qual 7 é "Concordo totalmente" e 1 é "Discordo totalmente", até que ponto você concorda ou discorda que o restaurante ________:

| | Discordo totalmente | | | | | | Concordo totalmente |
|---|---|---|---|---|---|---|---|
| **12.** tem funcionários simpáticos. | 1 | 2 | 3 | 4 | 5 | 6 | 7 |
| **13.** é um lugar divertido para se comer. | 1 | 2 | 3 | 4 | 5 | 6 | 7 |
| **14.** tem porções grandes. | 1 | 2 | 3 | 4 | 5 | 6 | 7 |
| **15.** tem comida fresca. | 1 | 2 | 3 | 4 | 5 | 6 | 7 |
| **16.** tem preços razoáveis. | 1 | 2 | 3 | 4 | 5 | 6 | 7 |
| **17.** tem um interior atraente. | 1 | 2 | 3 | 4 | 5 | 6 | 7 |
| **18.** tem comida de gosto excelente. | 1 | 2 | 3 | 4 | 5 | 6 | 7 |

**Figura 8.8** **Questionário de restaurante mexicano sobre jantar fora.** (*continuação*)

| | | Discordo totalmente | | | | | | Concordo totalmente |
|---|---|---|---|---|---|---|---|---|
| **19.** | tem funcionários com bom nível de conhecimento. | 1 | 2 | 3 | 4 | 5 | 6 | 7 |
| **20.** | serve comida à temperatura adequada. | 1 | 2 | 3 | 4 | 5 | 6 | 7 |
| **21.** | tem serviço rápido. | 1 | 2 | 3 | 4 | 5 | 6 | 7 |

**Seção 3: Medidas de relacionamento**

**Por favor, indique sua opinião sobre cada uma das seguintes perguntas:**

| | | Discordo totalmente | | | | | | Concordo totalmente |
|---|---|---|---|---|---|---|---|---|
| **22.** | Qual é seu nível de satisfação com ___________? | 1 | 2 | 3 | 4 | 5 | 6 | 7 |
| **23.** | Qual é a probabilidade de você voltar ao ___________ no futuro? | 1 | 2 | 3 | 4 | 5 | 6 | 7 |
| **24.** | Qual é a probabilidade de você recomendar ___________ a um amigo? | 1 | 2 | 3 | 4 | 5 | 6 | 7 |

**25.** Com que frequência você come no ____?"

1 = Muito infrequentemente
2 = Infrequentemente
3 = Ocasionalmente
4 = Frequentemente
5 = Muito frequentemente

**Seção 4: Fatores de seleção**

Abaixo listamos alguns dos motivos pelos quais muitas pessoas selecionam o restaurante onde querem jantar. Pense em suas visitas a restaurantes informais nos últimos três meses e ordene cada atributo de 1 a 4, com 1 sendo o motivo mais importante para selecionar o restaurante e 4 o menos importante. Não pode haver empates, então lembre-se de dar um número diferente para cada atributo.

| **Atributo** | **Classificação** |
|---|---|
| **26.** Preços | |
| **27.** Qualidade da comida | |
| **28.** Atmosfera | |
| **29.** Serviço | |

*(continua)*

**Figura 8.8** **Questionário de restaurante mexicano sobre jantar fora. (*continuação*)**

**Seção 5: Perguntas de classificação**

Por favor, marque o número que melhor o representa.

| | | |
|---|---|---|
| **30.** De que distância você veio para chegar ao restaurante? | 1 | Menos de 2 km |
| | 2 | 2–8 km |
| | 3 | Mais de 8 km |
| **31.** Você lembra de ter visto anúncios do ___________ nos últimos 60 dias? | 0 | Não |
| | 1 | Sim |
| **32.** Qual é o seu gênero? | 0 | Masculino |
| | 1 | Feminino |
| **33.** Quantos filhos com menos de 18 anos moram em seu domicílio? | 1 | Nenhum |
| | 2 | 1–2 |
| | 3 | Mais de 2 crianças em casa |
| **34.** Qual é sua idade em anos? | 1 | 18–25 |
| | 2 | 26–34 |
| | 3 | 35–49 |
| | 4 | 50–59 |
| | 5 | 60 anos ou mais |
| **35.** Qual é sua renda familiar anual total? | Por favor, especifique: ___________ | |

Muito obrigado por sua ajuda. Por favor devolva o questionário ao entrevistador.

---

**Entrevistador:** Verifique as respostas para as perguntas 22, 23 e 24. Se o respondente marcar 1, 2 ou 3, faça as seguintes perguntas:

Você indicou que não está satisfeito com o Santa Fe Grill. Poderia nos dizer por quê?

Escreva sua resposta aqui: ___________

Você indicou que provavelmente não voltará ao Santa Fe Grill. Poderia nos dizer por quê?

Escreva sua resposta aqui: ___________

Você indicou que provavelmente não recomendará o Santa Fe Grill. Poderia nos informar por quê?

Escreva sua resposta aqui: ___________

Pode me informar seu nome e número de telefone para fins de comprovação?

___________ ___________

Nome Telefone

Venho por meio desta afirmar que o conteúdo desta entrevista é verdadeiro, honesto e completo salvo melhor juízo. Garanto que todas as informações relativas a esta entrevista serão mantidas em estrita confidencialidade.

___________ ___________

Assinatura do entrevistador Data e hora final

## Exercício prático

1. Com base nos objetivos de pesquisa, o questionário autoaplicado, em sua forma atual, ilustra corretamente os princípios de como projetar questionários corretamente? Explique o porquê.
2. Em geral, o formato atual do questionário consegue capturar os dados necessários para atender todos os objetivos de pesquisa? Por quê? Se mudanças forem necessárias, como você mudaria o formato do questionário?
3. Avalie a questão-filtro usada para qualificar os respondentes. É preciso realizar alguma mudança? Por quê (não)?
4. Reescreva as perguntas 26-29 do questionário com uma escala de avaliação que permita a obtenção do "grau de importância" que o cliente pode dar a cada um dos quatro atributos listados para seleção de restaurantes onde comer.

## Resumo

**Descrever os passos no planejamento de questionários.**
Os pesquisadores seguem uma abordagem sistemática ao projetar questionários. Os passos incluem: confirmar objetivos de pesquisa; selecionar o método de coleta de dados adequado; desenvolver perguntas e escalonamento; determinar layout e avaliar o questionário; obter aprovação inicial do cliente; realizar pré-teste, revisar e finalizar o questionário; e implementar o levantamento.

**Discutir o processo de desenvolvimento de questionários.**
Diversas considerações e regras de lógica se aplicam ao processo de desenvolvimento de questionários. O processo exige conhecimento de planos de amostragem, desenvolvimento de construtos, escalas de medida e tipos de dados. Questionários são séries de perguntas/escalas projetadas para coletar dados e gerar informações para ajudar tomadores de decisão a resolver problemas de negócios. Os bons questionários permitem que pesquisadores obtenham informações reais sobre as atitudes, preferências, crenças, sentimentos, intenções comportamentais e ações dos respondentes. Com o uso de perguntas bem elaboradas e instruções claras, o pesquisador adquire a capacidade de concentrar as ideias do respondente e garantir a obtenção de respostas que representam fielmente as atitudes, crenças, intenções e conhecimento do respondente. Ao entender os princípios da boa comunicação, os pesquisadores podem evitar perguntas ruins que levariam a solicitações de informações pouco realistas, perguntas que não podem ser respondidas ou perguntas tendenciosas que limitam ou distorcem as respostas obtidas.

**Resumir as características dos bons questionários.**
Os requisitos informacionais dos levantamentos têm uma função crucial no desenvolvimento de questionários. O pesquisador precisa escolher os tipos de formato de escala (nominal, ordinal, intervalar ou de razão), formatos de pergunta (abertas ou fechadas) e escalonamento adequado para cada objetivo. Os pesquisadores precisam estar cientes do impacto que diferentes métodos de coleta de dados (pessoais, telefônicos, autoaplicados, assistidos por computador) têm sobre o modo como as perguntas e opções de resposta são expressadas. Nos bons questionários, as perguntas são simples, claras, lógicas e significativas para o respondente, partindo dos tópicos mais genéricos para os mais específicos.

**Entender o papel das cartas de apresentação.**
A função principal da carta de apresentação deve ser obter a cooperação e disposição do respondente de participar do projeto; 10 fatores devem ser examinados no desenvolvimento de cartas de apresentação. A observação de tais diretrizes aumentará o índice de respostas.

**Explicar a importância de outros documentos usados com questionários.**
Quando os dados são coletados por meio de entrevistas, é preciso desenvolver instruções para supervisores e entrevistadores, além de formulários de filtro e folhas de registro de chamadas. Esses documentos asseguram que o processo de coleta de dados terá sucesso. As instruções para supervisores mostram como treinar pessoas para completar o processo de entrevista de modo consistente. As instruções descrevem o processo para condução do estudo em linhas gerais e são importantes para

qualquer projeto de pesquisa que usa entrevistas telefônicas ou pessoais. As instruções para entrevistadores são usadas para treinar entrevistadores sobre como selecionar respondentes prospectivos corretamente para inclusão no estudo, filtrar respondentes sem qualificações e conduzir corretamente a entrevista em si. Os formulários de filtro são um conjunto de perguntas preliminares usado para confirmar a qualificação de um respondente potencial para inclusão no levantamento. As folhas de quotas são formulários de acompanhamento que permitem que o entrevistador colete dados do tipo certo de respondentes. Todos esses documentos ajudam a melhorar a coleta de dados e a precisão.

## Principais termos e conceitos

Carta de apresentação 209
Formulário de instruções para o supervisor 210
Instruções para os entrevistadores 210
Perguntas estruturadas 195
Perguntas não estruturadas 195
Perguntas ramificadas 199
Perguntas ruins 198
Perguntas sensíveis 197
Questionário 193
Questões-filtro 211
Quotas 211
Registros de chamada 211
Seção de perguntas de pesquisa 204
Seção introdutória 204
Tendenciosidade de ordem das respostas 204
Variância de métodos comuns (VMC) 204

## Questões de revisão

1. Discuta as vantagens e desvantagens de usar perguntas não estruturadas (abertas) e estruturadas (fechadas) no desenvolvimento de um instrumento de pesquisa *online* autoaplicado.
2. Explique o papel do questionário no processo de pesquisa. Qual deve ser o papel do cliente durante o processo de desenvolvimento de questionários?
3. Quais são as diretrizes para decidir o formato e o layout de um questionário?
4. O que torna uma pergunta ruim? Desenvolva três exemplos de perguntas ruins. Reescreva seus exemplos para que possam ser consideradas perguntas boas.
5. Discuta o valor de um bom projeto de questionário.
6. Discuta os principais benefícios de se incluir uma breve seção introdutória no questionário.
7. A menos que necessárias para fins de filtragem, por que as perguntas demográficas não devem ser realizadas no começo dos questionários?

## Questões para discussão

1. Imagine que você está realizando uma pesquisa exploratória para descobrir as opiniões dos alunos sobre a compra de um novo tocador de música digital. Quais informações você precisaria coletar? Quais tipos de perguntas usaria? Sugira de seis a oito perguntas e indique em que sequência elas seriam apresentadas. Faça o pré-teste das perguntas em uma amostra de alunos de sua turma.
2. Imagine que você está conduzindo um estudo para determinar a importância de marcas e recursos de telefones de mão para dispositivos móveis. Que tipos de perguntas você usaria? Abertas, fechadas, de escala? Por quê? Sugira de seis a oito perguntas e indique em que sequência elas seriam apresentadas. Faça o pré-teste das perguntas em uma amostra de alunos de sua turma.
3. Discuta as diretrizes para o desenvolvimento de cartas de apresentação. Quais são algumas das vantagens do desenvolvimento de boas cartas de apresentação? Quais alguns dos custos das cartas de apresentação mal-elaboradas?
4. Utilizando as perguntas feitas para avaliar o planejamento de questionários (ver Figura 8.4), avalie o questionário do restaurante Santa Fe Grill. Escreva uma avaliação de uma página.
5. Quais são as questões críticas envolvidas no pré-teste de questionários?

# Parte IV

# Preparação e análise de dados e apresentação de resultados

# 9

# Análise de dados qualitativos

**Objetivos de aprendizagem** Após ler este capítulo, você estará apto a:

1. Contrastar as análises de dados qualitativos e quantitativos.
2. Explicar os passos da análise de dados qualitativos.
3. Descrever os processos de categorização e codificação de dados e desenvolvimento de teorias.
4. Esclarecer como a credibilidade é estabelecida em análise de dados qualitativos.
5. Discutir os passos envolvidos na elaboração de um relatório de pesquisa qualitativa.

## O impacto da comunicação sem fio sobre o comportamento social

A telefonia móvel costumava ser puramente empresarial, mas hoje está dentro da vida familiar. Um levantamento recente de norte-americanos entre 18 e 64 anos realizado pela Knowledge Networks, uma empresa de pesquisa de mercado de Cranford, no estado de Nova Jérsei, revelou que a maioria dos respondentes escolhe "família" como principal motivo para usar a comunicação sem fio. Os respondentes mais jovens, em proporção maior que os mais velhos, citam "falar com amigos" como segundo motivo principal para usar telefones celulares, com "chamadas de trabalho" sendo o terceiro motivo mais importante no geral. O levantamento também apresentou algumas informações descritivas interessantes. Por exemplo, os homens tendem a fazer mais ligações por dia de seus celulares (8,3) que as mulheres (5,5). Apesar de ambos colocarem a família em primeiro lugar, as mulheres têm maior probabilidade de ligar para amigos, enquanto homens são três vezes mais prováveis de usar seus telefones por motivos de trabalho. Além disso, 65% dos afro-americanos tinham celulares, em contraste com 62% dos caucasianos. Os hispânicos continuam atrasados em termos de uso de telefonia móvel, com penetração de apenas 54%.

Embora as informações acima descrevam o tipo de dado que resulta da condução de levantamentos tradicionais, seus achados se limitam a significados e interpretações descritivos agregados. A pesquisa qualitativa sobre o uso de telefonia móvel, por outro lado, oferece maiores oportunidades de aprofundar seu entendimento sobre o que está além dos números descritivos. Por exemplo, com mais de 190 milhões de proprietários de telefones celulares nos Estados Unidos, os celulares estão em muito mais partes de nossa vida. Eles estão começando a criar uma impressão mais profunda na mentalidade americana. Assim como outros etnógrafos, Robbie Blinkoof, antropólogo chefe e sócio diretor do Context-Based Research Group, de Baltimore, no Estado de Maryland, acredita que a comunicação sem fio está começando a ter um impacto marcante sobre o comportamento social dos americanos, uma impressão que pode ter efeitos de longo prazo sobre a sociedade e o mundo ao nosso redor. Por exemplo, estudos etnográficos recentes revelaram sugestões significativas sobre os hábitos comunicacionais dos usuários de telefones celulares. Em geral, as mudanças observadas têm ligação com o modo como os clientes formam relações e definem seu sentido de tempo e espaço. Em um estudo, os pesquisadores observaram usuários recentes da tecnologia e descobriram que se tornam mais acessíveis a suas redes sociais. Assim, a telefonia móvel apoia a comunicação contínua dentro de redes. Os proprietários de telefones celulares ganharam em flexibilidade no modo como organizavam seu dia e, gradualmente, começaram a falar mais no telefone em público, sustentando laços sociais apenas por seu valor psicológico e emocional. Em outro estudo etnográfico, os pesquisadores que trabalham com contextos observaram mudanças no modo como os usuários se relacionam com a vida móvel. Os participantes tinham probabilidade muito maior de considerar o telefone celular uma ferramenta facilitadora e não um brinquedo. Os usuários aprendiam as funções necessárias e ignoravam o resto.

Outros achados interpretativos revelam que os telefones móveis dão novas oportunidade de espontaneidade, pois as pessoas podem mudar de planos na última hora com mais facilidade e podem ligar para amigos e colegas para avisar sobre atrasos. Além disso, a telefonia móvel aumenta a flexibilidade, pois flexibiliza os parâmetros temporais, permitindo que as pessoas apenas sugiram horários e locais de encontro a princípio, fixando-os mais perto do momento do encontro em si.

## A natureza da análise de dados qualitativos

Neste capítulo, você vai aprender os processos usados por pesquisadores para interpretar dados qualitativos e formar ideias sobre seu significado. Costumamos pensar na análise de dados como algo que envolve números, mas os dados qualitativos que analisam consistem em textos (e, às vezes, imagens), não números. Alguns pesquisadores criticam a pesquisa qualitativa como "fraca" e sem rigor, o que a tornaria inferior. Mas a mensuração e a análise estatística não significam que a pesquisa é útil ou precisa. O que aumenta a probabilidade da pesquisa ser boa é a abordagem cuidadosa, inteligente e bem pensada ao uso de métodos qualitativos ou quantitativos. Apesar de a confiabilidade e a validade da análise quantitativa serem medidas numericamente, a fidedignidade da análise qualitativa depende fundamentalmente do rigor do processo empregado para coletar e analisar dados.

Como explicamos no Capítulo 4, quando as magnitudes da resposta e da projetabilidade estatística são importantes, é preciso usar pesquisas quantitativas para verificar e estender os achados qualitativos. Mas quando o objetivo de um projeto de pesquisa é entender melhor algum fenômeno psicoanalítico ou cultural, a pesquisa quantitativa pode não permitir que o pesquisador se aprofunde ou descubra muita coisa sobre o tema. Nesses casos, a pesquisa e a análise qualitativa costumam ser superiores à pesquisa quantitativa em termos de fornecer conhecimento útil para tomadores de decisão.

Este capítulo descreve um processo a ser seguido para garantir que as análises de dados qualitativos serão cuidadosas e rigorosas. Primeiro, comparamos a análise qualitativa e a quantitativa. A seguir, descrevemos os passos envolvidos na análise de dados qualitativos e explicamos a categorização, codificação e avaliação de credibilidade ou fidedignidade. O capítulo conclui com a apresentação de diretrizes sobre a elaboração de relatórios de pesquisas qualitativas.

## Análises qualitativas *versus* quantitativas

Todos os pesquisadores de marketing constroem histórias baseadas nos dados que coletaram. O objetivos dessas histórias, sejam elas baseadas em dados qualitativos ou quantitativos, é fornecer respostas acionáveis a perguntas de pesquisa. Entretanto, existem muitas diferenças entre os processos de análise e interpretação de dados qualitativos e quantitativos. A diferença mais óbvia está na natureza dos dados em si. Os dados qualitativos são textuais (e, às vezes, visuais), não numéricos. Enquanto o objetivo da análise quantitativa é a quantificação da magnitude das variáveis e relações, ou a explicação de relações causais, o da qualitativa é o *entendimento*. Um segundo contraste entre os dois tipos de análise é que as qualitativas tendem a ser mais contínuas e iterativas, isto é, os dados são analisados à medida que são coletados, o que pode afetar esforços posteriores de coleta de dados em termos de quem participa da amostra e quais perguntas são feitas. Outra diferença entre os métodos é que as análises quantitativas são completamente orientadas pelos pesquisadores, enquanto os bons pesquisadores qualitativos usam a **confirmação com membros***, ou seja, procuram informantes importantes para que leiam o relatório dos pesquisadores e confirmem que a história sendo contada sobre a situação ou problema focal é correta.

A análise de dados qualitativos é, em grande parte, um processo indutivo. As categorias, os temas e os padrões que os analistas descrevem em seus relatórios emergem a partir dos dados, em vez de serem definidos antes da coleta, como é o caso nas análises quantitativas. Como os pesquisadores usam um processo indutivo, a teoria costuma ser chamada de "*teoria fundamentada nos dados*" *(grounded theory)*[1]. As categorias e os códigos correspondentes são desenvolvidos à medida que os pesquisadores analisam os textos e as imagens e descobrem seu conteúdo. Claro que é raro que o desenvolvimento de categorias e teorias seja completamente indutivo. Os pesquisadores trazem consigo conhecimentos, teorias e treinamentos que sugerem categorias, temas e teorias que possam existir nos dados que coletaram.

Não existe um único processo para analisar dados qualitativos, mas o processo em três passos descrito neste capítulo foi considerado útil por muitos pesquisadores qualitativos. Alguns preferem abordagens mais impressionistas à análise qualitativa, sem o mesmo nível de minuciosidade em relação a transcrições e outros documentos, como sugerimos aqui. Ainda assim, "a análise cuidadosa e deliberada continua crítica para a pesquisa qualitativa confiável".[2]

Os pesquisadores qualitativos diferem em suas crenças sobre a utilidade de quantificar seus dados. Alguns creem que a quantificação é totalmente inútil e provavelmente enganosa, mas outros acham que a quantificação pode ser útil na contagem de respostas e no desenvolvimento de modelos.[3] Discutimos a tabulação (contagem) em uma parte posterior deste capítulo.

Os pesquisadores qualitativos usam técnicas diferentes para a coleta de dados. Tais diferenças afetam os tipos de análises que podem ser realizadas com os dados. Os analistas usam dados textuais coletados e transcritos para desenvolver temas, categorias e relações entre variáveis. As categorias normalmente são desenvolvidas enquanto os pesquisadores revisam as transcrições e imagens. As categorias recebem códigos, que por sua vez são usados para marcar as porções do texto (ou das imagens) nas quais a categoria é mencionada.

---

* N. de E.: Para uma definição completa dos termos em negrito, veja o Glossário ao final do livro.

Neste capítulo, revisamos o processo de análise de dados qualitativos. Explicamos os processos de redução e visualização de dados e realização/verificação de conclusões. Também explicamos como pesquisadores qualitativos desenvolvem análises com credibilidade, ou seja, autênticas e críveis. Finalmente, explicamos como escrever relatórios de pesquisas qualitativas.

# O processo de análise de dados qualitativos

Depois que os dados são coletados, os pesquisadores se envolvem em um processo de análise em três passos: redução de dados, visualização de dados e realização/verificação de conclusões.[4] Os três passos, os relacionamentos entre os passos e os esforços de coleta de dados se encontram na Figura 9.1.

## Administrando o esforço de coleta de dados

Independentemente do método de coleta usar grupos focais ou entrevistas em profundidade, os dados serão transcritos para análise futura. Os dados de grupos focais *online*, comunidades *online* de pesquisa de marketing (MROCs) e *sites* de mídias sociais são coletados em um banco de dados central para facilitar a análise. Ocasionalmente, solicita-se que os participantes escrevam histórias ou respondam a perguntas abertas, e suas respostas escritas se tornam o conjunto de dados. O projeto da seção Pesquisa de Marketing em Ação no final deste capítulo adota essa técnica.

Os pesquisadores qualitativos muitas vezes inserem suas reflexões temporárias no banco de dados. As anotações de campo (observações escritas durante o esforço de coleta de dados) também se tornam parte do conjunto de dados. Finalmente, os participantes são solicitados a avaliar a versão inicial do trabalho dos pesquisadores e esse *feedback* também passa a integrar o conjunto de dados oficial.

**Figura 9.1** **Componentes da análise de dados: um modelo interativo.**

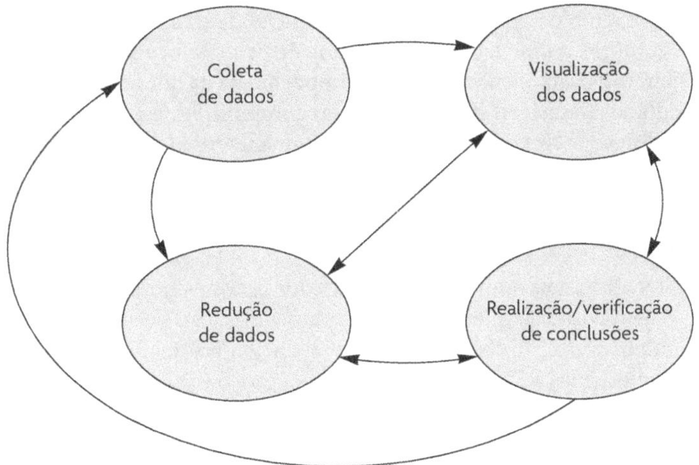


**Fonte: Matthew B. Miles and A. Michael Huberman,** Qualitative Data Analysis: An Expanded Sourcebook (Thousand Oaks, CA: Sage Publications, 1994), p. 12. Reproduzido com permissão da Sage Publications via Copyright Clearance Center.

## Passo 1: redução de dados

A quantidade de dados coletados em estudos qualitativos pode ser bastante grande. Os pesquisadores precisam tomar decisões sobre como categorizar e representar os dados, o que leva à **redução de dados**. O método mais sistemático de análise é ler todas as transcrições e desenvolver categorias para representar os dados. Quando temas semelhantes são encontrados, o mesmo código é utilizado. Os pesquisadores podem simplesmente anotar os códigos nas margens de suas transcrições, mas programas como QSR NVIVO e Atlas/ti são cada vez mais usados para rastrear as passagens sendo codificadas. A codificação eletrônica permite que os pesquisadores visualizem todas as passagens com códigos semelhantes ao mesmo tempo, o que facilita a comparação e a codificação mais profunda. A codificação eletrônica também facilita o estudo das relações nos dados. A redução de dados é composta de diversos processos relacionados: categorização e codificação; desenvolvimento de teorias; e iteração e análise de caso negativo.

**Redução de dados: Categorização e codificação** O primeiro passo na redução de dados é a **categorização.** Os pesquisadores dividem seções da transcrição em categorias e as rotulam com nomes e, às vezes, números. Algumas categorias podem ser determinadas antes do estudo devido ao conhecimento e à experiência atuais do pesquisador, mas o mais comum é que os códigos sejam desenvolvidos indutivamente à medida que os pesquisadores analisam as transcrições e descobrem novos temas de interesse e codificam novos casos de categorias que já foram descobertas. As seções codificadas variam de uma palavra a diversas páginas e a mesma seção pode receber diversos códigos ao mesmo tempo. Se uma passagem se refere a diversos temas que foram identificados pelos pesquisadores, a passagem será codificada para todos os temas relevantes. Algumas porções das transcrições não conterão informações relevantes para a análise e não receberão código algum.[5] A **folha de codificação** é um papel que contém todos os códigos (ver Figura 9.2 para exemplo de estudo sobre adoção da Internet entre idosos). Os dados codificados podem ser digitalizados, mas a primeira rodada de codificação geralmente ocorre nas margens (Figura 9.3). Os **códigos** são palavras ou números que se referem a categorias na folha de codificação.

Os exemplos do processo de codificação de dados a seguir vêm de um estudo sobre compras *online* baseado em dados de grupos focais *online* e *offline*. Um tema que apareceu bastante nos dados foi a importância da liberdade e do controle enquanto resultados desejáveis da realização das compras *online*.[6] As seguintes passagens foram codificadas como representantes do tema liberdade e controle:

- "[*Online*] não é o mesmo compromisso. Você não dirigiu até lá e estacionou o carro e andou de um lado para o outro, então tem um pouco mais de flexibilidade e dá para fazer tudo mais rápido".
- "Quando vou numa loja e o vendedor está me ajudando há um tempão e não é bem o que eu queria... Eu fico grato a eles, eles gastaram todo esse tempo comigo... mas... *online*, eu sei que vou chegar ao final e estar pronto para fazer o pedido, mas sei que não sou obrigado, posso voltar sempre quando quiser".
- "Dá pra ficar sentado e comer enquanto fazemos compras. Dá até pra fazer compras pelado!"
- "Para mim, olhar os produtos *online* é parecido [com fazer o mesmo *offline*], mas eu sinto mais liberdade. Posso entrar em lojas nas quais não entraria *offli-*

**Figura 9.2** **Folha de codificação inicial, estudo de adoção da Internet entre idosos.**

**I. Antecedentes**
- **A.** Observabilidade
  - **1.** Ver outros usarem a Internet
  - **2.** Ter uma experiência "arrá!"
  - **3.** Influências de marketing
- **B.** Experimentabilidade
  - **1.** Família
  - **2.** Centros comunitários
  - **3.** Amigos
  - **4.** Trabalho
- **C.** Complexidade
  - **1.** Desafios físicos
  - **2.** Desafios de aprendizagem
  - **3.** Medo inicial
- **D.** Vantagem relativa
  - **1.** Atualidade cultural
  - **2.** Habilidade de se envolver com hobbies
  - **3.** Encontrar informações
  - **4.** Comunicação
  - **5.** Criatividade
- **E.** Compatibilidade
  - **1.** Abertura a experiências/envolvimento de vida
  - **2.** Otimismo tecnológico
  - **3.** Autoeficácia/enfrentamento proativo
  - **4.** Recursos financeiros
  - **5.** Tempo de aposentadoria
  - **6.** Experiência anterior com computação

**II. Processos**
- **A.** Assistir aulas formais
- **B.** Consultar fontes publicadas
- **C.** Mentores
- **D.** Bricolagem (aprendizagem na prática)
- **E.** Sistemas acessórios (p.ex.: anotações à mão)
- **F.** Fluxo
- **G.** Multitarefa

**III. Usos**
- **A.** Comunicação (e-mail, piadas, grupos de apoio)
- **B.** Coletar informações
  - **1.** saúde
  - **2.** hobbies
  - **3.** locais
  - **4.** notícias
  - **5.** financeiro
  - **6.** produto
  - **7.** viagem
- **C.** Bancos
- **D.** Compras seletivas
- **E.** Usos de últimos anos de vida (mantenedor de significado, generatividade, integridade)
- **F.** Usos pretendidos
- **G.** Agir como intermediário/procurador
- **H.** Entretenimento
- **I.** Processamento de texto, etc.
- **J.** Criatividade

**IV. Resultados**
- **1.** Sentimento de ligação
  - **a.** Companheirismo
  - **b.** Apoio social
  - **c.** Ligação com lugares visitados ou de antiga moradia
- **2.** Autoeficácia/independência
- **3.** Atualidade cultural
  - **a.** Conhecimento de informática
  - **b.** Maior conhecimento
- **4.** Animação
- **5.** Evangelismo
- **6.** Diversão
- **7.** Autoextensão

**V. Estratégias de enfrentamento**
- **A.** Segurança: informações pessoais
- **B.** Proteção da privacidade
- **C.** Fluxo/limitação do fluxo
- **D.** Facilidade
- **E.** Satisfação

**Códigos para características de idosos**

| | |
|---|---|
| B = Banda larga | A = Autoadoção |
| M = Modem | O = Outra forma de adoção |
| IV = Idoso velho mais de 75 | AA = Autoajuda |
| J = Idoso jovem 65-74 | |

**Figura 9.3** **Codificação das transcrições nas margens.**

Moderador: Como é uma sessão típica? Você senta na frente do computador e...

III 1

Nisreen: Eu sento na frente do computador e entro nos meus e-mails. Eu olhos meus e-mails e
III 2D respondo. Depois quero pesquisar sobre certas coisas, depois leio sobre elas e vou ler o noticiário
III 2C internacional. Depois disso vou nos vários países que me interessam, depois vou para os jornais. Ando lendo sobre o Paquistão agora. Vou para a Ásia e depois para o Paquistão e depois leio as notícias, acho que antes dos meus parentes do Paquistão. Leio as notícias antes deles. Não é maravilhoso?

Moderador: Sim. É mesmo. É incrível.

IV A I

Nisreen: Meu primo na Austrália... antes de ele achar que estava saindo de Sydney eu já sabia de tudo, é mais rápido do que um telegrama. É maravilhoso. É quase como sentar num tapete voador. Eu aperto
IV D um botão e deu, cheguei.

IV F Moderador: Interessante. Ler o jornal é o suficiente para você se sentir como se estivesse lá.

III 2D

Nisreen: E depois quero os pontos de vista de vários jornais, então vou em vários países, Índia,
III 2C Bangladesh ou Paquistão ou o Oriente Médio. No Oriente Médio eu costumava ser voluntária da Perspective, a única revista feminina do Oriente Médio. Naquela época, a Jordânia era um lugar muito
IV A calmo. O resto do mundo estava todo agitado. Então, veja bem, sinto que estou ligada com todo o mundo. É um sentimento maravilhoso, na minha idade, estar com contato com o mundo. Quero cada vez
IV C2 mais... porque acho que, no futuro próximo, tudo vai ser assim.

*ne*... tipo a Victoria's Secret... e posso entrar em lojas chiques que me deixariam intimidada *offline*... quando você é uma vovó gordinha de 51 anos, a loja *online* da Victoria's Secret é mais confortável".

As categorias podem ser modificadas e combinadas à medida que a análise dos dados continua. O entendimento do pesquisador evolui durante a fase de análise de dados e quase sempre leva a revisões, recodificação e recategorização dos dados.

**Redução de dados: comparação** A **comparação** de diferenças e semelhanças é um processo fundamental na análise de dados qualitativos. O processo pode ser comparado a concepções experimentais, nas quais diversas condições ou manipulações (por exemplo, níveis de preço, apelos de anúncios) são comparadas entre si ou a um grupo de controle. A comparação ocorre antes de mais nada enquanto os pesquisadores identificam categorias. Cada novo caso potencial de categoria ou tema é comparado a uma instância já codificada para determinar se o novo caso pertence à categoria existente. Quando todas as transcrições foram codificadas e as categorias e os temas importantes foram identificados, os casos dentro de cada categoria são analisados minuciosamente para que o tema seja definido e explicado em mais detalhes. Por exemplo, em um estudo de reações de funcionários à propaganda de suas próprias empresas, a categoria "eficácia da propaganda com consumidores" foi um tema recorrente. Devido à importância da eficácia da propaganda em determinar as reações dos funcionários ao anúncio, as opiniões dos funcionários sobre o que tornava os anúncios mais eficazes foram comparadas. Os funcionários associavam as seguintes qualidades mais comumente a anúncios organizacionais de sucesso entre consumidores: (1) probabilidade de resultar em vendas no curto prazo, (2) apelo para público-

-alvo, (3) chamativo, (4) facilidade de compreensão e (5) representa a organização e seu produtos com autenticidade.[7]

Os processos de comparação também servem para entender melhor as diferenças e semelhanças entre dois construtos de interesse. No estudo sobre compras *online*, dois tipos de motivações para compras emergiram a partir da análise das transcrições: comportamento orientado por objetivos (compras para comprar ou encontrar informações sobre determinados produtos) e comportamento orientado por experiências (compras pelo prazer de fazer compras). A comparação entre as motivações, descrições e resultados desejados dos compradores revelam que o comportamento de compras *online* dos consumidores varia dependendo da ocasião ser orientada por objetivos ou por experiências[8]

É possível realizar comparações entre diferentes tipos de informantes. Em um estudo sobre atividades de lazer de alto risco, foram entrevistados praticantes de *skydiving* com diferentes níveis de experiência. Em consequência da comparação de praticantes mais e menos experientes, os pesquisadores puderam demonstrar como as motivações mudam e evoluem: por exemplo, de emoções intensas, a prazer e a fluxo, à medida que os praticantes continuam com sua participação no esporte.[9] Do mesmo modo, em um estudo de mulheres da Europa Oriental pós-socialismo recém expostas a cosméticos e marcas de cosméticos, os pesquisadores compararam mulheres que aceitaram os cosméticos com aquelas que eram ambivalentes ou rejeitavam os produtos.[10]

**Redução de dados: construção de teorias** A **integração** é o processo pelo qual os pesquisadores constroem teorias fundamentadas ou baseadas nos dados coletados. A ideia é passar da identificação de temas e categorias para o desenvolvimento de teorias.

Na pesquisa qualitativa, as relações podem ou não ser conceitualizadas e retratadas de um modo parecido com o modelo causal tradicional empregado por pesquisadores quantitativos. Por exemplo, as relações podem ser apresentadas como circulares ou **recursivas**. Em relações recursivas, as variáveis podem ser causa e consequência da mesma variável. Um bom exemplo é a relação entre satisfação no trabalho e compensação financeira. A satisfação tende a aumentar o desempenho (e, logo, a compensação), o que, por sua vez, aumenta a satisfação.

Os pesquisadores qualitativos analisam uma categoria ou tema principal para construir sua narrativa ao redor, um processo chamado **codificação seletiva**. Todas as outras categorias são relacionadas ou fundidas com essa grande categoria ou tema central. A codificação seletiva fica evidente nos seguintes estudos, todos os quais possuem uma estrutura ou ponto de vista maior:

- Um estudo de *sites* pessoais descobriu que a postagem de materiais na Internet é uma extensão digital imaginária do eu.
- Um estudo *online* de usuários do Newton (um PDA da Apple que não é mais fabricado) descobriu diversos elementos de devoção religiosa na comunidade.
- Um estudo do comportamento de consumidores hispânicos nos Estados Unidos usa a metáfora da travessia da fronteira para explorar as compras e o consumo da população hispânica.[11]

Considerando seu papel enquanto conceito integrante, não é surpresa que a codificação seletiva normalmente ocorra nos estágios posteriores da análise de dados.

Depois que um tema maior é desenvolvido, os pesquisadores revisam todos os seus códigos e casos para entender melhor como se relacionam com a categoria maior ou a narrativa central que surge a partir dos dados.

**Redução de dados: Iteração e análise de caso negativo** **Iteração** significa trabalhar com os dados de um modo que permita que as primeiras ideias e análises sejam modificadas pela escolha de casos e questões nos dados que permitirão análises mais profundas dos dados. O processo iterativo consegue descobrir questões que os dados já coletados não resolvem. Nesse caso, o pesquisador coletará dados de mais informantes ou talvez escolha tipos específicos de informantes que acredita que responderão a perguntas que surgiram durante o processo iterativo. O procedimento iterativo também ocorre após uma tentativa original de integração. Todas as entrevistas (ou textos ou imagens) podem ser revisadas para descobrir se apoiam ou não a teoria maior que foi desenvolvida. O processo iterativo pode resultar na revisão e no aprofundamento dos construtos, assim como a teoria maior baseada nas relações entre construtos.

Um elemento importante da análise iterativa é a anotação, ou ***memoing***. Os pesquisadores devem anotar seus pensamentos e reações assim que possível após cada entrevista, grupo focal ou visita. Os pesquisadores podem querer anotar mais do que os participantes dizem que sentem e incluírem se o que dizem tem ou não credibilidade.

Acima de tudo, durante o processo iterativo, os pesquisadores utilizam a **análise de caso negativo**, isto é, procuram propositalmente casos e ocasiões que contradigam as ideias e teorias que estão desenvolvendo. A análise de caso negativo ajuda a estabelecer limites e condições para a teoria que está sendo desenvolvida pelo pesquisador qualitativo. A posição geral dos pesquisadores qualitativos deve ser a de ceticismo em relação às ideias e à teoria que criaram com base nos dados que coletaram.[12] Caso contrário, provavelmente começarão a procurar evidências que confirmem suas opiniões e análises prévias. Ao fazer isso, podem ser identificadas importantes conceitualizações alternativas que estão legitimamente presentes nos dados antes completamente ignorados.

As análises iterativas e de caso negativo começam na fase de redução de dados, mas continuam nas fases de visualização de dados e realização/verificação de conclusões. À medida que a análise continua no projeto, as visualizações dos dados são alteradas. Em fases posteriores do projeto, a análise iterativa e a de caso negativo verificam e qualificam os temas e teorias desenvolvidos durante a fase de redução de dados da pesquisa.

**Redução de dados: a função da tabulação** O uso de tabulação em análise qualitativa é controverso. Alguns analistas consideram que qualquer tipo de tabulação será enganosa: afinal, os dados coletados não são como dados de levantamentos, nos quais todas as perguntas são feitas exatamente do mesmo modo a todos os respondentes. Cada grupo focal ou entrevista em profundidade faz perguntas levemente diferentes entre si de inúmeras maneiras. Além disso, a frequência de menções não é sempre uma boa indicação da importância da pesquisa. Uma resposta isolada de um entrevistado rebelde pode valer sua atenção por ser consistente com outras interpretações e análises, ou por sugerir condições limítrofes para teorias e achados.[13]

A Figura 9.4 mostra a tabulação de um estudo sobre a adoção da Internet entre idosos. A resposta codificada com mais frequência foi "comunicação", seguida por "comportamento e valores autodirigidos". Apesar de os resultados parecerem significativos, uma medida melhor da importância da comunicação para idosos na Internet pode ser encontrada com levantamentos. No entanto, o resultado oferece algumas

**Figura 9.4** **Tabulação de categorias mais frequentes em estudo de adoção da Internet entre idosos.**

| **Temas** | **Passagens** | **Documentos (participantes)** |
|---|---|---|
| Comunicação: usos | 149 | 27 |
| Comportamento e valores autodirigidos | 107 | 23 |
| Compras/condução de negócios: usos | 66 | 24 |
| Coleta de informação: usos | 65 | 25 |
| Aulas para aprender a usar a Internet | 64 | 22 |
| Usos futuros pretendidos | 63 | 20 |
| Mentores/professores para ajudar a aprender | 55 | 20 |
| Dificuldade de aprendizagem | 50 | 20 |
| Autoeficácia/enfrentamento proativo: resultado | 46 | 16 |
| Usos de partes posteriores do ciclo de vida (p.ex.: genealogia) | 45 | 19 |
| Entretenimento: usos | 43 | 24 |
| Animação com a Internet | 40 | 14 |
| Adoção para facilitar hobbies | 40 | 15 |
| Otimismo tecnológico | 40 | 18 |
| Enfrentamento proativo | 38 | 19 |
| Informações de saúde na Internet: usos | 34 | 19 |
| Bricolagem (aprendizagem sobre a Internet na prática) | 34 | 20 |

orientações. Os 27 participantes no estudo mencionaram o uso da Internet para comunicação, então, os pesquisadores provavelmente investigarão esse tema em sua análise mesmo que o relatório final não inclua as tabulações. Observe que os pesquisadores qualitativos quase nunca informam porcentagens. Por exemplo, é raro que informem que quatro entrevistados de 10 tiveram atitudes positivas em relação a um conceito de produto na forma de "40%". O uso de porcentagens passaria uma impressão errônea de que os resultados podem ser projetados estatisticamente para populações maiores de consumidores.

A tabulação também pode ajudar a garantir a honestidade dos pesquisadores. Por exemplo, os pesquisadores envolvidos com o estudo sobre adoção da Internet entre idosos a princípio se impressionaram com informantes que decidiram adotar a Internet rápida e drasticamente quando alguém lhes mostrou uma função da Internet que ampliava um interesse ou hobby anterior (código: "arrá!"). Mas o código só apareceu três vezes entre os 27 participantes do estudo. Apesar dos pesquisadores considerarem o tema como digno de menção em seu relatório, seria difícil que defendessem que os momentos "arrá!" têm importância central no processo de decisão de adoção entre idosos. A contagem de respostas pode ajudar a garantir a honestidade dos pesquisadores na medida em que se contrapõe à tendenciosidade que podem trazer para a análise.[14]

Outro uso da tabulação é a análise de ocorrência conjunta de temas no estudo. A Figura 9.5 mostra o número de vezes que certos conceitos foram mencionados em conjunto na mesma passagem codificada. Na figura, as categorias ou temas mais mencionados em conjunto com a curiosidade são otimismo tecnológico, habilidades de enfrentamento proativo ("eu me viro mesmo que às vezes me sinta um idiota") e

**Figura 9.5** **Relações entre categorias: menções conjuntas de construtos específicos em estudo de adoção da Internet entre idosos.**

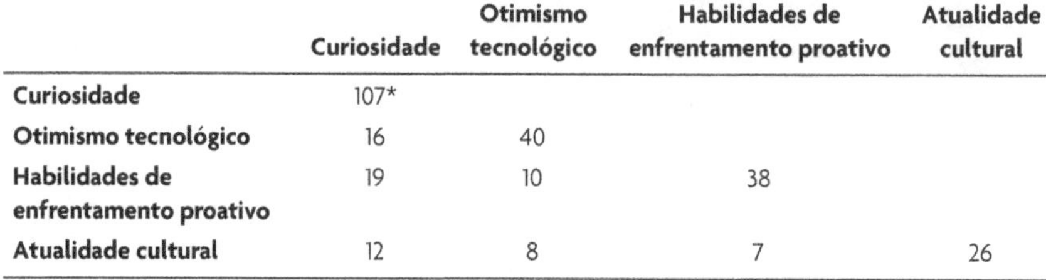

| | Curiosidade | Otimismo tecnológico | Habilidades de enfrentamento proativo | Atualidade cultural |
|---|---|---|---|---|
| **Curiosidade** | 107* | | | |
| **Otimismo tecnológico** | 16 | 40 | | |
| **Habilidades de enfrentamento proativo** | 19 | 10 | 38 | |
| **Atualidade cultural** | 12 | 8 | 7 | 26 |

*A diagonal contém o número total de menções de cada conceito.

atualidade cultural (adoção para acompanhar os tempos). As menções conjuntas com a curiosidade sugerem que os analistas qualitativos deveriam considerar a ideia de que pessoas curiosas têm maior probabilidade de ser otimistas em relação à tecnologia, de se interessarem em acompanhar os tempos e terem forte capacidade de enfrentamento proativo. Mas seria arriscado interpretar esses números de modo excessivamente literal. Análises iterativas adicionais são necessárias para desenvolver essas ideias conceituais e apoiar (ou refutar) sua credibilidade. Sempre que a magnitude de um achado é importante para os tomadores de decisão, estudos quantitativos bem elaborados provavelmente fornecem mensurações mais corretas do que estudos qualitativos.

Alguns pesquisadores sugerem um meio-termo para a apresentação de tabulações de dados qualitativos. Eles sugerem o uso de "qualificadores numéricos difusos", como "frequentemente", "normalmente" ou "poucos" em seus relatórios.[15] Os pesquisadores de marketing normalmente incluem uma seção em seus relatórios sobre as limitações de sua pesquisa. Avisos de cuidado com a impossibilidade de se estimar magnitudes com base em pesquisas qualitativas também costumam ser incluídos na seção do relatório sobre limitações. Assim, ao lerem sobre achados qualitativos, os leitores são avisados que qualquer achado numérico apresentado não deve ser interpretado literalmente.

## Passo 2: visualização dos dados

Os pesquisadores qualitativos normalmente utilizam recursos visuais para resumir os dados. Os recursos visuais são importantes porque ajudam a reduzir e resumir as grandes quantidades de dados textuais coletadas no estudo, de modo que resuma as ideias principais. Não existe um único modo de visualizar e apresentar os dados na análise qualitativa. Qualquer leitura de relatórios qualitativos mostra uma ampla variedade de formatos, cada um desenvolvido em resposta a uma combinação de problema de pesquisa, foco da análise e metodologia (etnografia, estudo de caso, grupo focal ou entrevista em profundidade, por exemplo). A invenção de ideias sobre modos úteis de visualizar os dados é uma tarefa criativa que pode ser ao mesmo tempo divertida e recompensadora. Alguns modos de visualização de dados apresentam análises provisórias e, assim, devem ser excluídos do relatório final. Seja qual for o caso, a visualização provavelmente mudará ao longo do curso da análise à medida que os pesquisadores interpretam e releem seus dados e modificam e qualificam suas primeiras impressões. A visualização também evolui à medida que os pesquisadores buscam modos melhores de apresentar seus achados.

A visualização pode conter tabelas ou figuras. As tabelas podem ter linhas ou linhas e colunas que cruzam temas e/ou informantes. Já as figuras incluem diagramas de fluxo, diagramas causais tradicionais de caixas e flechas (em geral associados a pesquisas quantitativas); diagramas que representam relações circulares ou recursivas; árvores que mostram as taxonomias dos consumidores para produtos, marcas ou outros conceitos; mapas de consenso, que representam as ligações coletivas que os informantes fazem entre conceitos ou ideias; e listas que mostram todos os informantes e indicam se possuem, por exemplo, atitudes, valores, comportamentos, ideologias ou funções específicos. Apesar de os achados qualitativos serem representados de modos muito diversos, alguns dos tipos mais comuns incluem:

- Uma tabela que explica os temas centrais do estudo. Por exemplo, um estudo de produtos tecnológicos revelou oito temas que representam paradoxos ou questões relativos ao uso e à adoção de tecnologia (ver Figura 9.6).

**Figura 9.6** **Oito paradoxos centrais dos produtos tecnológicos.**

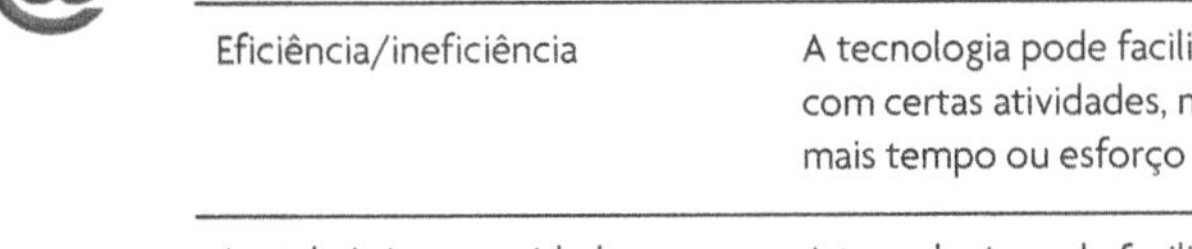

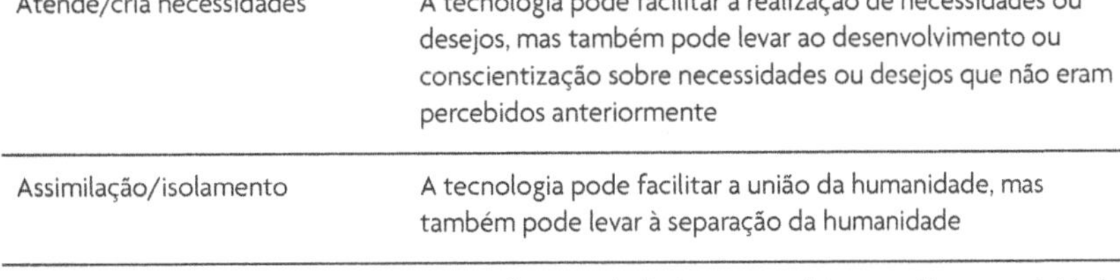

| Paradoxo | Descrição |
|---|---|
| Controle/caos | A tecnologia pode facilitar a regulação ou a ordem, mas também pode levar a caos ou desordem |
| Liberdade/escravidão | A tecnologia pode facilitar a independência ou a redução das limitações, mas também pode levar a dependência e mais limitações |
| Novo/obsoleto | Novas tecnologias dão aos usuários os benefícios mais recentes do conhecimento científico, mas as novas tecnologias já estão defasadas quando chegam no mercado, ou logo vão ficar |
| Competência/incompetência | A tecnologia pode facilitar a sensação de inteligência ou eficácia, mas também pode levar a sentimentos de ignorância ou incapacidade |
| Eficiência/ineficiência | A tecnologia pode facilitar menos tempo ou energia gastos com certas atividades, mas também pode levar ao gasto de mais tempo ou esforço em certas atividades |
| Atende/cria necessidades | A tecnologia pode facilitar a realização de necessidades ou desejos, mas também pode levar ao desenvolvimento ou conscientização sobre necessidades ou desejos que não eram percebidos anteriormente |
| Assimilação/isolamento | A tecnologia pode facilitar a união da humanidade, mas também pode levar à separação da humanidade |
| Envolvimento/desligamento | A tecnologia pode facilitar o envolvimento, fluxo ou atividade, mas também pode levar a desligamento, interrupções ou passividade |

**Fonte:** David Glen Mick and Susan Fournier, "Paradoxes of Technology: Consumer Cognizance, Emotions and Coping Strategies," *Journal of Consumer Research* 25 (September 1998), p. 126. 

- Um diagrama que sugere relações entre variáveis. Um exemplo de diagrama que represente relações entre temas aparece no estudo mencionado anteriormente sobre *skydiving* (ver Figura 9.7). O diagrama mostra como três conjuntos de motivações evoluem com o tempo à medida que os praticantes ficam mais experientes. As flechas são bidirecionais porque o movimento em direção a níveis superiores não é completo, pois os praticantes revisitam e sentem as motivações dos níveis inferiores.
- Uma matriz que inclua citações sobre diversos temas de informantes representativos, como o exemplo na tabela mencionada anteriormente sobre o envolvimento com cosméticos e atitudes de marca na Europa pós-socialismo, que mostra as atitudes de mulheres com ambivalência em relação a cosméticos (ver Figura 9.8). Outras tabelas incluídas no estudo contêm transcrições literais paralelas de mulheres que adotaram e rejeitaram os cosméticos.

**Figura 9.7** **Evolução dos motivos para consumo de alto risco em relação à experiência e à aculturação a riscos.**

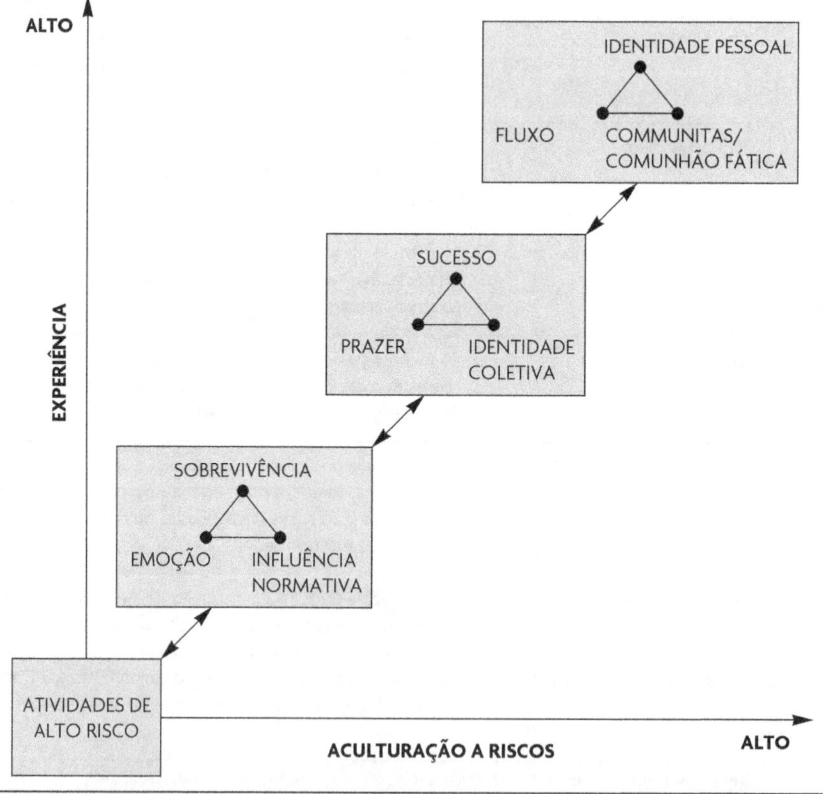


**Fonte:** Richard L. Celsi, Randy L. Rose, and Tom W. Leigh, "An Exploration of High Risk Leisure Consumption through *Skydiving*," Journal of Consumer Research 20 (June 1993), p. 14. Copyright 1993 by the University of Chicago Press. Reproduzido com permissão.

**Figura 9.8** **Envolvimento de mulheres da Europa Oriental pós-socialismo com produtos e comprometimento de marca: informantes ambivalentes em relação a cosméticos.**

| | **Alexandra** | **Laura** |
|---|---|---|
| Uso e envolvimento com cosméticos | 3.1: Normalmente, lavo meu cabelo duas vezes por semana. Mas... eu sabia que íamos nos encontrar, então lavei ontem. Depende do meu humor. Uso base e corretivo no inverno quando não estou tão bronzeada, mas no verão... é nojento. Se vou no cinema, não uso. Então, sempre digo, "olha, é preciso ficar bonita, mas não precisa se preparar para um concurso de beleza todas as manhãs". | 3.8: Só não me preocupo com minha aparência se aconteceu algo ruim, um desastre. Sempre uso rímel, pó de arroz no rosto todos os dias. Eu gosto... Rímel eu coloco sozinha, mas não consigo colocar maquiagem. Sei dar conselhos, mas não sei como passar em mim mesma. Se estou estressada, não consigo o efeito que quero. Me sinto melhor sem maquiagem. |
| O consumidor como intérprete | 3.2: Quando eu for avó vai ser bom para os pais, porque terei mudado minha forma de pensar. Vou dar para as crianças. | 3.9: Eu compro coisas que não preciso de verdade. Sei que não preciso, mas, e depois me sinto mal... Essas coisas podem esperar. |
| Ideologias e intermediários culturais | 3.3: Quer dizer, durante o regime comunista socialista, ninguém tinha escolha. Ninguém pensava em cosméticos. A única coisa que importava era ter onde trabalhar e atender as exigências do homem e da mulher socialista. | 3.10: As mulheres romenas estão mais atraentes do que há cinco anos, porque agora elas conseguem descobrir coisas novas na TV e nas revistas, como usar maquiagem, como se vestir. Por exemplo, minha mãe não cuida de si mesma... Dá para ver que não aprendemos a usar cosméticos com ela. Foi assistindo TV, lendo livros. Minha mãe não me contou nada. |
| Contexto local e redes sociais | 3.4: Tem uma edição em húngaro da *Cosmopolitan*, mas não é boa que nem a em inglês. É menor, e só tem propaganda e fala de sexo e só isso. Tenho sorte porque temos um professor de inglês na universidade e eles assinam a revista, então eu consigo ler. E tem modelos também e dicas de cozinha e tal. Então é bem melhor. | 3.11: Elas colocam a aparência em primeiro lugar. Mesmo no emprego, as mulheres discutem... e então você também tem que comprar, porque quer ficar no mesmo nível. Eu vi isso, e depois que compram os produtos elas se exibem. Olha o que eu tenho. Quem não pode comprar sofre, mesmo que não admita. Dói... Acho que começou depois da Revolução, com os jeans. |
| Posições ideológicas | 3.5: Precisamos esquecer o comunismo e mudar o jeito que a gente pensa, mas é muito, muito difícil mudar o modo de pensar de todo um país. | 3.12: Se você é bonita, arranja um cara legal, um emprego legal, mesmo que não seja muito esperta. Mas muitas têm problemas por causa disso... é arriscado ser bonita demais. Todo mundo quer ser mais bonito que os outros. Elas acham que se você se vestir com a última moda, todo mundo vai achar que você tem dinheiro e uma vida boa. |

(continua)

**Figura 9.8** **Envolvimento de mulheres da Europa Oriental pós-socialismo com produtos e comprometimento de marca: informantes ambivalentes em relação a cosméticos. (*continuação*)**

| | **Alexandra** | **Laura** |
|---|---|---|
| Envolvimento com produtos de marca | 3.6: Se tenho dinheiro, compro cosméticos na farmácia. Se não tenho dinheiro, vou no mercadinho. Normalmente, [os farmacêuticos] têm cremes que eles mesmo fazem. São bons, porque eles sabem o que usaram, mas não têm nome. E são mais baratos... O nome não é importante para mim, o importante é a qualidade. Se encontro um produto desconhecido que é bom para mim, compro... E não confio nesses [produtos]... seria mais barato comprá-los, mas nunca ouvi falar neles. Não confio. | 3.13: Vi muitas mulheres que querem usar produtos de marca, não porque sabem que é bom, mas porque viram num comercial, ou porque querem se exibir. Elas não acham que o produto pode não ser para elas, que os produtos de marca podem não ser para elas. Uma vez tínhamos xampus Pantene. Todos os intervalos tinham uma propaganda da Pantene. Eu não queria comprar. Ganhei de presente e usei, mas não me agradou. Não gostei. Podia ser uma marca boa, mas não era para mim, então marca não é o suficiente. |
| Compromisso e experimentação com marcas | 3.7: Essa é minha favorita. Acabei de descobrir... É nova. Experimentei Wash & Go. Tem bastante propaganda e todo mundo correu para as lojas para comprar. Mas eu disse: "Tudo bem, é bem popular, mas não é para mim, [meus cabelos ficaram engrenhados]" | 3.14: Prefiro L'Oréal, e a Avon e a Oriflame tem uma loção corporal boa. Também gosto de experimentar outras coisas. Gosto de experimentar apenas coisas de que ouvi falar. |

**Fonte:** Robin A. Coulter, Linda L. Price, and Lawrence Feick, "Rethinking the Origins of Involvement and Brand Commitment: Insights from Postsocialist Europe," *Journal of Consumer Research* 30 (September 2003), p. 159. © 2003 by JOURNAL OF CONSUMER RESEARCH, Inc.

## Passo 3: realização/verificação de conclusões

O processo iterativo e a análise de caso negativo continuam durante a fase de verificação do projeto. O processo inclui a busca de tendenciosidades comuns que possam afetar as conclusões dos pesquisadores. As tendenciosidades mais comuns estão listadas na Figura 9.9. Além de considerar ativamente a hipótese de tendenciosidade em suas análises, os pesquisadores devem estabelecer a credibilidade de seus achados. A credibilidade é explicada a seguir.

**Figura 9.9** **Ameaças à realização de conclusões de alta credibilidade na análise qualitativa.**

- Saliência de primeiras impressões ou de observações de incidentes dramáticos ou altamente concretos.
- Seletividade que leva a excesso de confiança com alguns dados, especialmente ao tentar confirmar achados mais importantes.
- Ocorrências conjuntas interpretadas como correlações ou mesmo como relações causais.
- Extrapolação de frequência para a população a partir dos casos observados.
- Não levar em conta que as informações de algumas fontes podem não ser confiáveis.

**Fonte:** Adaptado de Matthew B. Miles and A. Michael Huberman, *Handbook of Qualitative Research, An Expanded Sourcebook* (Thousand Oaks, CA: Sage Publications, 1994), p. 438.

**Realização/verificação de conclusões: Credibilidade em pesquisa qualitativa** Os pesquisadores quantitativos estabelecem a credibilidade na análise de dados demonstrando que seus achados são confiáveis (mensuração e achados são estáveis e podem ser repetidos e generalizados) e válidos (a pesquisa mede o que pretendia medir). A credibilidade da análise de dados qualitativos, por outro lado, baseia-se no vigor das "estratégias usadas para coleta, codificação, análise e apresentação dos dados ao gerar a teoria".[16] A pergunta mais importante para o desenvolvimento de credibilidade na pesquisa qualitativa é: "como o pesquisador pode convencer seu público de que os achados da pesquisa valem sua atenção?"[17]

Os termos *validade* e *confiabilidade* precisam ser redefinidos na pesquisa qualitativa. Por exemplo, na pesquisa qualitativa, o termo **validade êmica** significa que a análise apresentada no relatório encontra eco com as pessoas dentro da cultura ou subcultura estudada, uma forma de validade estabelecida por meio da confirmação com membros. Do mesmo modo, a **confiabilidade entre pesquisadores** significa que o texto e as imagens são codificados de modos semelhantes entre múltiplos pesquisadores. Entretanto, muitos pesquisadores qualitativos preferem termos como "qualidade", "rigor", "confiança", "capacidade de transferência" e "fidedignidade" aos termos "validade" e "confiabilidade", mais tradicionais da pesquisa quantitativa. Além disso, alguns pesquisadores qualitativos rejeitam completamente qualquer noção de validade ou confiabilidade, acreditando que não exista um único modo "correto" de interpretar dados qualitativos[18] Neste capítulo, usamos o termo **credibilidade** para descrever o rigor e a confiança estabelecidos na análise qualitativa.

A **triangulação** é a técnica mais associada à credibilidade na pesquisa qualitativa.[19] Na triangulação, a pergunta de pesquisa deve ser abordada de múltiplas perspectivas. É possível utilizar diversas formas de triangulação:

- Múltiplos métodos de coleta e análise de dados.
- Múltiplos conjuntos de dados.
- Múltiplos pesquisadores analisam os dados, especialmente se têm formações ou perspectivas de pesquisa diferentes.
- Coleta de dados em diversos períodos de tempo.
- O uso de amplitudes seletas de informantes para que diversos tipos de grupos relevantes com perspectivas diferentes e relevantes sejam incluídos na pesquisa.

A credibilidade também aumenta quando os informantes mais importantes e outros pesquisadores qualitativos revisam as análises. Como mencionamos anteriormente, a solicitação de *feedback* de informantes importantes ou confirmação com membros fortalece a credibilidade da análise qualitativa. A busca de *feedback* de críticos que sejam especialistas externos, a chamada **revisão por pares**, fortalece a credibilidade. Os informantes mais importantes e especialistas externos sobre metodologia qualitativa e sobre a área do tema da pesquisa costumam questionar as análises, forçando os pesquisadores a esclarecerem seu raciocínio e, às vezes, mudarem partes importantes de sua interpretação da pesquisa. Quando a confirmação com membros e a revisão por pares aparecem em concepções qualitativas, elas são informadas na seção do relatório sobre metodologia.

## Escrevendo o relatório

Os pesquisadores devem manter em mente que os relatórios de pesquisa provavelmente serão lidos por pessoas na empresa que não conhecem bem o estudo. Além disso, o estudo poderá ser revisado anos mais tarde por indivíduos que não trabalhavam na empresa na época em que a pesquisa foi conduzida. Assim, os objetivos e procedimentos de pesquisa devem ser bem explicados para tomadores de decisão presentes e futuros. Os relatórios de pesquisa qualitativa normalmente contêm três seções:[20]

1. Introdução
   a. Objetivos de pesquisa
   b. Perguntas da pesquisa
   c. Descrição dos métodos da pesquisa
2. Análise dos dados/achados
   a. Revisão da literatura e os dados secundários relevantes
   b. Visualização dos dados
   c. Interpretação e resumo dos achados
3. Conclusões e recomendações

A porção introdutória do relatório deve apresentar o problema de pesquisa, os objetivos da pesquisa e a metodologia utilizada. Assim como os pesquisadores quantitativos, os qualitativos informam os procedimentos que utilizaram para coletar e analisar os dados. A seção de metodologia do relatório qualitativo normalmente contém:

- Os temas cobertos nas perguntas e outros materiais usados para questionar informantes.
- Se foram usados métodos observacionais, os locais, as datas, os horários e os contextos das observações.
- O número de pesquisadores envolvidos e seu nível de envolvimento com o estudo. Qualquer diversidade de formação ou treinamento dos pesquisadores pode ser destacada como ponto positivo para o estudo, pois significa que múltiplos pontos de vista foram utilizados na análise.
- Os procedimentos de escolha de informantes.
- A quantidade e as características dos informantes, como idade, gênero, local e nível de experiência com o produto ou serviço. Essas informações normalmente são resumidas em tabelas.
- A quantidade de grupos focais, entrevistas ou transcrições.
- A quantidade total de páginas de transcrições, número de fotos e vídeos e quantidade e tamanho dos memorandos dos pesquisadores.
- Qualquer procedimento usado para garantir que a coleta e a análise de dados foram sistemáticas, como a codificação e a análise iterativa das transcrições, a confirmação com membros, a revisão por pares, etc.
- Os procedimentos usados para análises de casos negativos e o modo como a interpretação foi modificada.
- As limitações da metodologia qualitativa em geral e qualquer limitação específica ao método qualitativo específico usado.

Apresentamos dois exemplos de explicação sobre as limitações gerais da metodologia qualitativa:

> "É preciso avisar o leitor que os achados aqui informados são de natureza qualitativa, não quantitativa. O estudo foi concebido para explorar *como* os respondentes se sentem e se comportam, não para determinar *quantos* deles pensam ou agem de determinadas maneiras".
>
> "Os respondentes representam uma amostra não aleatória e pequena da população de consumidores. Assim, não são estatisticamente representativos do universo do qual foram selecionados".[21]

## Análise dos dados/achados

A sequência dos achados informados deve ser escrita de modo lógico e convincente. Dados secundários podem ser trazidos para a análise para ajudar a contextualizar os achados. Por exemplo, no estudo sobre adoção da Internet entre idosos, a demografia dos idosos que adotam a Internet foi incluída no relatório para contextualizar os achados qualitativos. Além disso, temas mais gerais vêm antes dos mais específicos. Por exemplo, uma discussão sobre os achados relativos às atitudes gerais dos idosos em relação à tecnologia e sua adoção vem antes da discussão sobre a adoção da Internet entre idosos.

A visualização dos dados que resume, esclarece ou apresenta evidências para declarações deve ser incluída nos relatórios. Os **verbatins**, citações de participantes, são muito utilizados no texto do relatório e na visualização dos dados. Quando são bem escolhidos, os verbatins são um modo especialmente poderoso de destacar pontos importantes, pois expressam os pontos de vista dos clientes com suas próprias vozes. Os verbatins em vídeo podem ser usados em apresentações ao vivo. É claro que o poder dos verbatins também pode ser uma faca de dois gumes. Verbatins interessantes e curiosos nem sempre defendem ideias que se baseiam corretamente no conjunto de dados coletados. Os pesquisadores precisam ter cuidado para não selecionar, analisar e apresentar verbatins que são apenas memoráveis, em vez de revelar padrões em seus dados.

## Conclusões e recomendações

Os pesquisadores devem fornecer as informações relevantes para o problema de pesquisa articulado pelo cliente. Como afirmaram dois pesquisadores qualitativos, "uma interpretação psicoanaliticamente rica de produtos de higiene pessoal e desodorantes não tem muito valor para o cliente se não puder ser relacionada com uma série de implicações de marketing acionáveis, como posicionamentos que reflitam diretamente as motivações do consumidor ou novos produtos direcionados a necessidades que não foram atendidas".[22] Como ocorre com a pesquisa quantitativa, o conhecimento sobre o mercado e o negócio do cliente é útil para traduzir os achados da pesquisa em implicações gerenciais.

Quando a magnitude da resposta do consumidor é importante para o cliente, os pesquisadores provavelmente informam o que descobriram e sugerem pesquisas de seguimento. Mesmo assim, a pesquisa qualitativa deve ser apresentada de um modo que reflita um nível adequado de confiança nos achados. A Figura 9.10 lista três exemplos de recomendações baseadas em pesquisas qualitativas que são fortes sem perder seu realismo.

**Figura 9.10** **Fazendo recomendações com base em pesquisas qualitativas quando a magnitude é importante.**

- "Os achados qualitativos justificam o otimismo sobre o interesse do mercado no novo conceito de produto... Assim, recomendamos que o conceito seja desenvolvido e que execuções formais sejam testadas".
- "Apesar de a demanda real do mercado não passar necessariamente pelo teste de rentabilidade, os dados aqui informados sugerem que há bastante interesse pelo novo dispositivo".

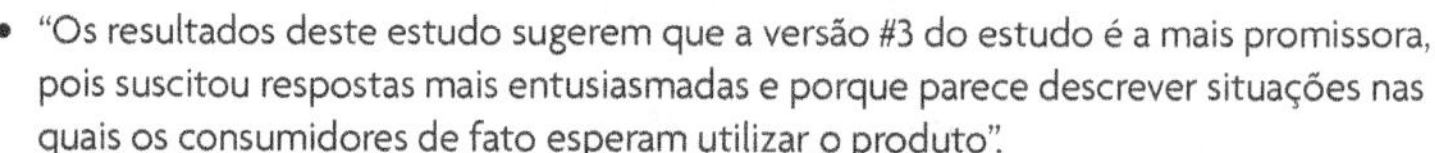

- "Os resultados deste estudo sugerem que a versão #3 do estudo é a mais promissora, pois suscitou respostas mais entusiasmadas e porque parece descrever situações nas quais os consumidores de fato esperam utilizar o produto".

**Fonte:** Alfred E. Goldman and Susan Schwartz McDonald, *The Group Depth Interview* (Englewood Cliffs, N J: Prentice Hall, 1987), p. 176.

Uma amostra de relatório qualitativo aparece no Apêndice 9A. A amostra é um resumo de um relatório mais longo. No caso, um relatório mais longo explicaria cada tema de forma mais detalhada e incluiria verbatins de participantes.

## Estudo de caso contínuo: Santa Fe Grill: usando pesquisa qualitativa

O consultor de negócios contratado pelos proprietários do Santa Fe Grill recomendou um levantamento quantitativo de clientes de almoço e jantar, mas não recomendou qualquer pesquisa qualitativa. Os proprietários não são especialistas em métodos de pesquisa, mas sabem a diferença entre pesquisas quantitativas e qualitativas. Eles imaginam que talvez alguma abordagem qualitativa seria melhor para ajudá-los a entender os desafios à sua frente. Ou talvez fosse melhor realizar pesquisas qualitativas e quantitativas ao mesmo tempo?

1. A pesquisa de observação poderia ser utilizada para coletar informações qualitativas?
2. Em caso positivo, quando e como a observação poderia ser usada?
3. Existe algum tema que seria mais bem explorado com o uso de grupos focais?
4. Em caso positivo, sugira temas a serem usados em estudos de grupos focais.

## PESQUISA DE MARKETING EM AÇÃO
### Uma abordagem qualitativa à insatisfação com um produto

A insatisfação com um produto tem consequências negativas importantes para as empresas. Neste trabalho, você investigará a natureza da insatisfação com um produto qualitativamente. O instrutor formará grupos de três a quatro alunos. Em seu grupo, você conduzirá um projeto qualitativo em pequena escala sobre a natureza da insatisfação com um produto. Esta seção divide o projeto em sete tarefas, uma estrutura que vai guiá-lo pelo processo de análise qualitativa. Enquanto realiza as tarefas, você analisa dados textuais. Seu instrutor pode solicitar que você apresente seus achados após cada passo ou apenas depois de completar todos os passos.

**Tarefa 1** Escreva um resumo de duas páginas sobre uma ocasião recente em que comprou um produto ou serviço com o qual ficou insatisfeito. Em seu ensaio narrativo, inclua: (1) o produto ou serviço; (2) suas expectativas ao comprar o produto ou serviço; (3) quaisquer interações com vendedores ou serviço de atendimento ao cliente antes, durante ou depois da compra; (4) as sensações ou emoções que acompanharam sua insatisfação; e (5) as consequências de sua insatisfação. Insira outros detalhes dos quais se lembrar.

A narrativa deve ser postada no grupo de discussão da turma. Outra opção é que cada aluno traga cinco cópias do texto para a sala de aula. Durante a aula, o instrutor ajudará seu grupo a solicitar 10 resumos de insatisfação com um produto ou serviço de alunos de fora do grupo. A ideia é formar um conjunto de dados textuais que você analisará nos passos subsequentes.

**Tarefa 2** Com seus colegas de grupo, analise coletivamente três das narrativas sobre insatisfação, anotando códigos nas margens das narrativas para representar categorias ou temas. À medida que avança, anote os códigos diretamente nas narrativas e crie uma folha de códigos separada. Você provavelmente precisará criar novos códigos enquanto avança pela narrativa, mas o número de novos códigos necessários será menor conforme mais narrativas são codificadas. Observe a amostra de folha de códigos da Figura 9.2 e uma seção codificada de uma transcrição na Figura 9.3. A figura usa números, mas provavelmente é mais fácil rotular os dados com o nome da categoria. Por exemplo, você pode escrever "emoção: decepção" na margem sempre que encontrar um caso de decepção. *Dica:* Na codificação, as categorias relevantes para esse projeto seriam (1) fatores que levaram à insatisfação (p.ex.: má qualidade do produto), (2) emoções e pensamentos relativos à insatisfação (p.ex.: decepção e frustração) e (3) resultados da insatisfação (p.ex.: devolver o produto, contar a amigos). Suas categorias talvez precisem ser divididas em subcategorias. Por exemplo, pode haver diversos resultados de insatisfação, cada um dos quais é uma subcategoria de "resultados", que é a categoria mais geral.

Você provavelmente descobrirá categorias e códigos que não aqueles sugeridos à medida que lê as transcrições. Trabalhe com os dados sempre que possível para desenvolver suas categorias. Sugerimos algumas categorias para você iniciar o trabalho.

Depois que o grupo terminou de codificar as três narrativas, as sete remanescentes serão divididas entre os membros para o resto da codificação. Ainda pode ser necessário adicionar alguns códigos à folha de codificação à medida que cada membro do grupo analisa suas respectivas narrativas. Quaisquer novos códigos devem ser adicionados à folha de códigos mestre utilizada pelos membros do grupo. O resultado será 10 narrativas codificadas e uma folha de códigos mestre.

**Tarefa 3** Agora que seu grupo leu e codificou as 10 narrativas, você já está familiarizado com o conjunto de dados. Reúna o grupo e faça uma lista das semelhanças entre os casos. A seguir, liste as diferenças entre os casos. Suas listas sugerem temas que merecem investigações adicionais por meio de pesquisa qualitativa? Se sim, faça uma lista desses temas. O que você aprendeu com o processo de comparação que o ajuda a entender melhor a insatisfação com um produto? A experiência de insatisfação com um produto é semelhante entre as narrativas, ou há diferenças?

**Tarefa 4** Crie uma visualização dos dados que resuma seus achados de maneira útil para a plateia. As Figuras 9.6 a 9.8 contêm alguns exemplos de visualizações. *Dica:* Neste caso, provavelmente seria mais fácil criar uma lista de seus temas, acompanhados de verbatins representativos e/ou um diagrama conceitual mostrando variáveis que levam à insatisfação com produtos, e os resultados (ideias, emoções e comportamentos) resultantes da insatisfação. O resultado será uma visualização que fará parte de sua apresentação dos resultados.

**Tarefa 5** Para pesquisadores novatos, uma das tarefas mais difíceis é elaborar um conceito abrangente que integre as categorias. Releia a seção sobre integração de seu texto. Em grupo, invente uma ideia ou conceito que integre todos os seus temas em um grande tema abrangente.

**Tarefa 6** Se seu grupo refinasse mais a análise, quais técnicas você utilizaria para ajudar a garantir a credibilidade do trabalho? Anote suas escolhas e explique brevemente por que cada uma melhoraria a credibilidade da análise.

**Tarefa 7** Com base na análise de seu grupo nas tarefas 1-6, faça uma apresentação para a turma, incluindo slides que tratem de metodologia, achados (incluindo verbatins relevantes e suas visualizações de dados), limitações da pesquisa e conclusões e recomendações. Seus achados gerarão uma teoria da insatisfação com produtos baseada em seu conjunto de dados e informada pelas análises dos passos 1-6. As recomendações de seu grupo devem fluir dessas análises e ser úteis para empresas que desejam reduzir a insatisfação com produtos e gerenciar o fenômeno depois que ele ocorre.

Entregue uma cópia de sua apresentação junto com as narrativas codificadas e sua folha de códigos mestre.

# Resumo

**Contrastar as análises de dados qualitativos e quantitativos.**
As análises de dados qualitativos e quantitativos são muito diferentes entre si. Os dados analisados na pesquisa qualitativa inclui textos e imagens, não números. Na pesquisa quantitativa, o objetivo é quantificar a magnitude das variáveis e relações ou explicar as relações causais. Na análise qualitativa, o objetivo da pesquisa é aprofundar o entendimento. Uma segunda diferença é que a análise qualitativa é iterativa, com os pesquisadores revendo dados e esclarecendo seu raciocínio durante cada iteração. Terceiro, a análise quantitativa é realizada completamente por pesquisadores, enquanto a boa pesquisa qualitativa utiliza confirmação com membros, ou seja, pedir que informantes importantes confirmem a precisão dos relatórios de pesquisa. Por último, a análise de dados qualitativos é indutiva, o que significa que a teoria nasce do processo de pesquisa, não antes dele, como é o caso na análise quantitativa.

**Explicar os passos da análise de dados qualitativos.**
Após a coleta de dados, a análise de dados qualitativos consiste em três passos. Os pesquisadores vão e voltam entre os passos, iterativamente, em vez de realizá-los um de cada vez, linearmente. Os passos são redução de dados, construção de visualização de dados e realização/verificação de conclusões. O processo de redução de dados consiste em diversos passos relacionados: categorização e codificação, desenvolvimento de teorias e iteração e análise de caso negativo. A categorização é o processo de codificação e rotulação de seções de transcrições ou imagens em diferentes temas. A seguir, as categorias podem ser integradas a uma teoria por meio da análise iterativa dos dados. As visualizações de dados são o segundo passo, no qual os achados são representados em tabelas ou imagens para que sejam mais facilmente digeridos e comunicados. Após rigoroso processo iterativo, os pesquisadores tiram conclusões e verificam seus achados. Durante a fase de realização de conclusões/verificação, os pesqui-

sadores trabalham para estabelecer a credibilidade de sua análise dos dados.

**Descrever os processos de categorização e codificação de dados e desenvolvimento de teorias.**
Durante a fase de categorização, os pesquisadores desenvolvem categorias baseadas tanto em teorias anteriores quanto nas categorias que surgem a partir dos dados. A codificação dos dados é realizada nas margens, enquanto os pesquisadores desenvolvem folhas de códigos que mostram os diversos rótulos em desenvolvimento. Os códigos são revisados e revistos à medida que a teoria é desenvolvida. A comparação das diferenças e das semelhanças entre os casos de uma categoria, entre categorias relacionadas e entre os diversos participantes é especialmente útil na hora de definir os construtos e refinar a teoria.

A integração é o processo de passar da identificação de temas e categorias para a investigação das relações entre categorias. Na codificação seletiva, os pesquisadores desenvolvem uma categoria ou tema geral sobre o qual constroem sua narrativa.

**Esclarecer como a credibilidade é estabelecida em análise de dados qualitativos.**
A credibilidade é estabelecida na análise de dados por meio de (1) análise iterativa cuidadosa na categorização e no desenvolvimento de teoria, (2) uso de análise de caso negativo e (3) triangulação. Na análise de caso negativo, os pesquisadores fazem buscas sistemáticas nos dados atrás de informações que não se encaixem com sua teoria, o que ajuda a estabelecer a credibilidade da análise e identificar as condições limítrofes de sua teoria. A triangulação é especialmente importante para o desenvolvimento de credibilidade em análises de dados qualitativos. Existem diversas formas de triangulação, incluindo múltiplos métodos de coleta e análise de dados, múltiplos conjuntos de dados, múltiplos pesquisadores ou períodos de coleta ou informantes com diferentes perspectivas e experiências. A credibilidade também é fortalecida pela confirmação com membros, ou seja, a solicitação de *feedback* sobre a precisão da análise por parte de informantes importantes. Na revisão por pares, especialistas em metodologia qualitativa criticam o relatório qualitativo.

**Discutir os passos envolvidos na elaboração de um relatório de pesquisa qualitativa.**
Os relatórios qualitativos possuem três seções: (1) Introdução, (2) Análise dos dados/achados e (3) Conclusões e Recomendações. Na porção introdutória do relatório, explicam-se os objetivos da pesquisa e a metodologia. Na seção de análise de dados, informam-se os achados de modo lógico e convincente. É possível usar visualizações de dados e verbatins para fortalecer a comunicação dos achados. A Conclusão inclui a seção de implicações de marketing. Nessa parte do relatório, os pesquisadores apresentam informações relevantes ao problema de pesquisa articulado pelo cliente.

## Principais termos e conceitos

Análise de caso negativo 228
Categorização 224
Codificação seletiva 227
Códigos 224
Comparação 226
Confiabilidade entre pesquisadores 235
Confirmação com membros 222
Credibilidade 235
Folha de codificação 224
Integração 227
Iteração 228
*Memoing* 228
Recursiva 227
Redução de dados 224
Revisão por pares 235
Triangulação 235
Validade êmica 235
Verbatins 237

## Questões de revisão

1. Quais são as diferenças entre as análises de dados quantitativos e qualitativos?
2. Descreva os três passos da análise de dados qualitativos e explique como e por que tais passos são iterativos.
3. Quais são os passos inter-relacionados da redução de dados?
4. Como se constrói uma teoria na análise qualitativa?

5. O que é uma análise de caso negativo e por que ela é importante para a credibilidade da análise qualitativa?
6. Dê alguns exemplos específicos de visualização de dados e explique como utilizá-los na análise de dados qualitativos.
7. Quais são algumas das ameaças à realização de conclusões de alta credibilidade na análise de dados qualitativos?
8. O que é triangulação e qual é a sua função na análise qualitativa?
9. Quais são os diversos modos de estabelecer credibilidade na análise qualitativa?

## Questões para discussão

1. Compare e contraste confiabilidade e validade na análise quantitativa com o conceito de credibilidade, usado em análise qualitativa. Você acha que os conceitos são parecidos? Por quê?
2. Digamos que sua faculdade tem por objetivo aumentar a participação em atividades estudantis no campus. Para ajudar a alcançar esse objetivo, você está realizando um estudo etnográfico para entender melhor por que os estudantes participam ou não nas atividades estudantis. Como você planejaria a triangulação nesse caso?
3. EXPERIMENTE A INTERNET. Peça permissão de três pessoas para analisar o conteúdo de suas páginas no Facebook ou *site* semelhante (é claro que você precisa prometer anonimato). Se os *sites* forem muito grandes, pode ser preciso planejar a amostragem de uma porção do *site* (pelo menos 5-10 páginas representativas). Enquanto navega pelos *sites*, desenvolva uma folha de codificação. O que você aprendeu sobre *sites* de redes sociais durante sua codificação? Que categorias de conteúdo ocorrem com mais frequência? O que você conclui com base no fato de que tais categorias ocorrem com maior frequência nesses *sites*? Seus achados têm alguma consequência para anunciantes que estiverem considerando colocar anúncios em *sites* de redes sociais?
4. Uma professora de antropologia de mais de 50 anos de idade tirou uma licença de um ano e passou todo o tempo disfarçada de aluna em sua faculdade. Ela não assistiu às aulas em seu próprio departamento; em vez disso, se matriculou e assistiu às aulas, fez provas e escreveu trabalhos como qualquer outra caloura. Ela morou no dormitório durante um ano. Ao fim do período, escreveu um livro chamado *My Freshman Year*[23] ("Meu ano de caloura"), detalhando seus achados. Ao informar a metodologia de pesquisa de seu estudo, que pontos fortes e fracos a professora de antropologia deveria discutir?
5. Realize 3-4 entrevistas em profundidade com universitários que não estudem administração. Você conduzirá uma investigação das associações que universitários fazem com a palavra *marketing*. Peça aos estudantes que tragam 5-10 imagens de qualquer tipo (desenhos, recortes de revista) que mais essencialmente representem o que imaginam que seja o marketing. Você também pode realizar exercícios de associação de palavras com os estudantes. Durante a entrevista, você pode dizer aos informantes que é uma alienígena que nunca ouviu falar de marketing, por exemplo. Com base em suas entrevistas, desenvolva um diagrama que mostre os conceitos que os estudantes relacionam com o marketing. Circule as conexões de ocorrência mais frequentes em seu diagrama. O que você descobriu sobre o modo como os universitários veem o marketing?

# Apêndice A

# Amostra de relatório de pesquisa qualitativa

## O segundo público da propaganda: reações dos funcionários a comunicações organizacionais

A propaganda consiste em afirmações especializadas que, acima de tudo, representam tentativas por parte da organização de criar situações nas quais os consumidores e outros indivíduos serão motivados a realizar ações favoráveis para tal organização. Ainda assim, os funcionários são um "segundo público" potencialmente muito importante. A propaganda é uma ferramenta de comunicação, motivação e capacitação dos funcionários.

Neste estudo, analisamos os efeitos, positivos e negativos, da propaganda entre funcionários organizacionais. Também sugerimos maneiras de os gerentes de propaganda incluirem esse público interno em seu processo de tomada de decisão.

## Metodologia

Foi utilizada uma concepção de pesquisa qualitativa, pois a pesquisa até o momento não é suficientemente rica para elaborar um modelo dos possíveis efeitos. Assim, o estudo foi concebido não para testar hipóteses específicas, mas para descobrir todos os efeitos possíveis dos resultados da propaganda organizacional entre os funcionários. Quatro empresas foram recrutadas entre os membros do Marketing Science Institute (MSI) para participarem do estudo.

Conduzimos entrevistas e grupos focais com funcionários, gerentes de marketing e publicidade e gerentes de relações humanas em quatro empresas. Dois métodos de coleta de dados foram empregados em cada empresa participante. Primeiro, foram conduzidas entrevistas em profundidade com tomadores de decisões publicitárias e contatos de agências de publicidade (n = 19). Todas as entrevistas individuais foram gravadas em vídeo e transcritas para análise. A segunda fonte de dados foi o uso de grupos focais com funcionários. Quatro a cinco grupos focais foram recrutados de diversas categorias de funcionários dentro da organização. No total, 151 indivíduos participaram da coleta de dados com grupos focais.

## Como os funcionários avaliam os anúncios?

Descobrimos que os funcionários não avaliam apenas a precisão da propaganda organizacional, mas também consideram sua eficácia e adequação. Os funcionários querem que sua organização tenha sucesso e veem anúncios eficazes como um componente importante disso. Os funcionários se veem, e são vistos por amigos e familiares, como representantes organizacionais. Assim, eles com frequência são questionados e precisam "explicar" as ações de sua empresa, incluindo a publicidade veiculada. Logo, eles querem que os anúncios reflitam adequadamente seus valores e sua imagem da empresa.

Diversos fatores afetam a intensidade das reações dos funcionários à propaganda organizacional. O principal é se o funcionário ocupa um cargo de contato com o cliente, aumentando sua probabilidade de sentir os efeitos de comentários e pedidos de clientes. Independentemente de os funcionários terem contato com os clientes, no entanto, a comunicação organizacional relativa a campanhas publicitárias — sua estratégia, metas e propósito — afeta a recepção da campanha entre a equipe. É importante observar que os funcionários que mais se identificam com a organização, e que expressam mais lealdade a ela, também tinham maior investimento psíquico nos anúncios.

## Lacunas entre tomadores de decisão e funcionários

O estudo identificou quatro lacunas em potencial entre as percepções de tomadores de decisão e funcionários sobre a publicidade organizacional:

1. Lacuna de conhecimento: Os tomadores de decisão possuem mais conhecimento sobre o campo da propaganda em geral e sobre a estratégia da empresa em específico; os funcionários possuem mais conhecimento sobre as funções concretas e o desempenho dos funcionários.
2. Lacuna de função dos funcionários: Os tomadores de decisão não têm conhecimento sobre como os funcionários veem suas próprias funções e seus papéis enquanto representantes organizacionais em suas redes pessoais.
3. Lacuna de prioridades: As prioridades dos tomadores de decisão são criar anúncios persuasivos e eficazes; os funcionários acreditam que os anúncios devem refletir sua visão da empresa e seus valores.
4. Lacuna de critérios de avaliação: Os tomadores de decisão avaliam a publicidade com base em metas e objetivos específicos; os funcionários avaliam os anúncios comparando-os com anúncios passados e de concorrentes.

As estratégias para eliminar essas lacunas incluem:

- Explicar estratégias e resultados publicitários para os funcionários em comunicações internas e estreias (no mínimo, os anúncios devem receber uma estreia junto ao pessoal de contato com o cliente).
- Pré-testar anúncios em que apareçam funcionários ou suas funções junto aos próprios funcionários.
- Entender a visão e os valores dos funcionários com relação à organização.
- Na comunicação com os funcionários, posicionar o anúncio com respeito ao quadro de referências dos funcionários.

As lacunas e as estratégias para eliminá-las estão resumidas na Figura 9.11.

## Conclusão

O estudo indica que os tomadores de decisões publicitárias estão subestimando a importância do público interno para seus anúncios. Dado que os funcionários serão influenciados pelos anúncios, é importante que as empresas se esforcem ao máximo para garantir que essa influência seja positiva ou, pelo menos, para evitar a possível influência negativa dos anúncios. Os tomadores de decisão têm de reconhecer que os funcionários são pessoas "de dentro" e querem ser informados de antemão sobre comunicações de marketing.

Se for possível identificar que certas mensagens e temas têm efeitos positivos entre os funcionários e não apenas entre os clientes, tais mensagens devem ser incorporadas a campanhas publicitárias que contribuem para o comprometimento dos membros da equipe com a organização. Por sua vez, o comprometimento dos funcionários aumenta a qualidade dos produtos e serviços da organização.

**Fonte:** Relatório adaptado de Mary C. Gilly and Mary Wolfinbarger, "Advertising's Second Audience: Employee Reactions to Organizational Communications," Working Paper Series, Report Summary #96-116, Marketing Science Institute, 1996.

**Figura 9.11** **Percepções sobre propaganda de tomadores de decisão e funcionários.**

| Lacuna | Fonte | Solução |
|---|---|---|
| Lacuna de conhecimento | Os funcionários não entendem a estratégia. | Explique a estratégia da empresa nas comunicações internas. |
| | Os tomadores de decisão não sabem sobre a função do funcionário retratado. | Pré-teste quaisquer anúncios que incluam funcionários ou suas funções junto aos próprios funcionários. |
| | Os funcionários não têm conhecimento sobre publicidade enquanto área de conhecimento. | Comunique-se com os funcionários sobre os benefícios da abordagem específica adotada na publicidade atual. |
| Lacuna de função dos funcionários | Os tomadores de decisão não entendem o papel próprio dos funcionários. | Se funcionários são apresentados, é preciso tentar corresponder com papel próprio do grupo de funcionários. Não ignorar pessoal de suporte. |
| | Os tomadores de decisão não entendem que os outros veem os funcionários como representantes da empresa. | "Vender" propaganda e novos produtos para os funcionários. |
| Lacuna de prioridades | Os tomadores de decisão precisam criar anúncios eficazes e criativos. | Explicar como imprecisões menores foram toleradas em troca de impacto; os funcionários entendem a necessidade de impacto. |
| | Os funcionários querem que os anúncios reflitam sua visão da empresa e seus valores. | Pesquisar a visão e os valores dos funcionários; comunicar que eles foram ouvidos. |
| Lacuna de critérios de avaliação | Os tomadores de decisão avaliam os anúncios em termos da conquista de objetivos. | Comunicar aos funcionários como os anúncios estão ajudando a empresa a cumprir objetivos. |
| | Os funcionários avaliam os anúncios comparando-os com anúncios passados e de concorrentes. | Descobrir como os funcionários "enquadram" suas avaliações, posicionar os anúncios da organização dentro desse enquadramento. |

**Fonte:** Mary C. Gilly and Mary Wolfinbarger (1996), "Advertising's Second Audience: Employee Reactions to Organizational Communications," Working Paper Series, Report Summary #96-116, Marketing Science Institute. Reproduzido com permissão.

# 10

# Preparando dados para análise quantitativa

**Objetivos de aprendizagem** Após ler este capítulo, você estará apto a:

1. Descrever o processo de preparação e análise de dados.
2. Discutir a validação, edição e codificação de dados de levantamentos.
3. Explicar procedimentos de entradas de dados e detecção de erros.
4. Descrever abordagens de tabulação e análise de dados.

## Os dados de escaneamento ajudam a entender o comportamento de compra

Quando você compra algumas coisa em uma farmácia, mercadinho ou praticamente qualquer outra loja, o item que comprou é escaneado e registrado em um computador. O código de barras permite que cada loja saiba exatamente quais produtos estão sendo vendidos, quanto e a que preço. Os gerentes também conseguem manter o controle exato do estoque, facilitando o processo de encomendar produtos em falta. O Walmart é um dos líderes no uso de dados de escaneamento. O Walmart não é dono da maioria dos produtos em suas prateleiras. Em vez disso, os fabricantes contratam com a empresa para colocar os itens em suas prateleiras, mas continuam proprietários dos produtos. Com seu sistema escaneamento, o Walmart sempre sabe o que está nas prateleiras, onde cada item foi colocado na loja, quais produtos estão vendendo bem e quais precisam ser encomendados e re-estocados. Os dados de escaneamento permitem que o Walmart e outros varejistas construam e administrem estoques muito maiores do que seria possível até alguns anos atrás.

Os escâneres também são utilizados com cartões com códigos de barras distribuídos aos clientes, associando os clientes individuais com suas compras e os dados armazenados em um banco de dados central. O processo demora um segundo ou dois por transação e exige apenas que o cliente apresente o cartão no momento da compra. A tecnologia de escaneamento é comum no setor de pesquisa de marketing. É possível preparar questionários com o uso de processadores de texto e impressoras a laser. Os respondentes completam o questionário com qualquer tipo de instrumento de escrita. Com o *software* e o dispositivo de escaneamento adequados, os pesquisadores escaneiam questionários completos e os dados são verificados, categorizados e armazenados em uma questão de segundos. As lojas muitas vezes coletam 400-500 questionários completos em apenas uma semana. Assim, a tecnologia de escaneamento oferece diversos benefícios para a coleta de dados a um custo bem razoável.[1]

## O valor de preparar dados para análise

Os dados coletados por meio de métodos tradicionais (ou seja: entrevistas pessoais, entrevistas telefônicas, CATI, mala-direta e levantamentos "deixados") precisam ser convertidos para um formato eletrônico antes da análise de dados. Os dados de levantamentos via Internet ou Web, PCs portáteis, bancos de dados de escaneamento e depósitos de dados corporativos já estão em formato eletrônico, mas também precisam de preparação. Por exemplo, os dados obtidos em formato Excel talvez precisem ser convertidos para formato SPSS; ou dados coletados com perguntas abertas terão de ser codificados para análise. O processo de converter as informações de levantamentos ou outras fontes de dados para utilização em análises estatísticas é chamado *preparação de dados*.

O processo de preparação de dados normalmente segue uma abordagem de quatro passos, começando com a *validação de dados*, depois a *edição* e *codificação*, seguida pela *entrada* e pela *tabulação de dados*. A preparação é essencial para converter dados brutos em dados codificados utilizáveis na análise. Mas a preparação de dados também tem um papel importante ao avaliar e controlar a *integridade dos dados* e garantir a *qualidade dos dados* pela detecção de possíveis tendenciosidades de resposta e não resposta criadas por erros do entrevistador e/ou dos respondentes, além de possíveis erros de codificação e entrada de dados. A preparação de dados também é importante no caso de dados inconsistentes vindos de diversas fontes ou na conversão de dados em múltiplos formatos para um formato único a ser analisado com um *software* de estatística.

Com os métodos de coleta de dados tradicionais, o processo de preparação de dados começa depois que as entrevistas, os questionários ou os formulários de observação foram completados e devolvidos ao supervisor de campo ou pesquisador. As novas tecnologias associadas aos levantamentos *online* e os métodos de coleta de dados envolvendo escâneres e terminais portáteis permitem que os pesquisadores completem parte das tarefas de preparação em tempo real e eliminem os erros de coleta de dados. Na verdade, os avanços tecnológicos estão reduzindo e, em alguns casos, eliminando a necessidade de codificar, verificar e inserir manualmente os dados durante a criação de arquivos eletrônicos.

As fases de preparação e de análise de dados estão na Figura 10.1. Alguns métodos de coleta de dados exigem atividades em todas as fases, enquanto outros envolvem atividades limitadas de preparação. Por exemplo, os levantamentos *online* já estão em formato eletrônico e não precisam da fase de entrada de dados, a menos que algumas perguntas sejam abertas. Este capítulo discute o processo de preparação de dados, enquanto os Capítulos 11 e 12 apresentam um panorama da análise de dados na pesquisa quantitativa.

## Validação

O objetivo da validação de dados é determinar se os levantamentos, as entrevistas ou as observações foram conduzidos corretamente e sem tendenciosidade, e se dados de outras fontes são precisos e consistentes. A coleta de dados não costuma ser fácil de monitorar. Para facilitar a coleta precisa de dados, é preciso registrar nome, endereço, CEP, número de telefone, e-mail ou outras informações semelhantes de todos os respondentes. Da mesma forma, para validar dados de outras fontes, como dados internos de um depósito central da empresa, é preciso registrar quando e onde os dados

**Figura 10.1** Resumo da preparação e da análise de dados.

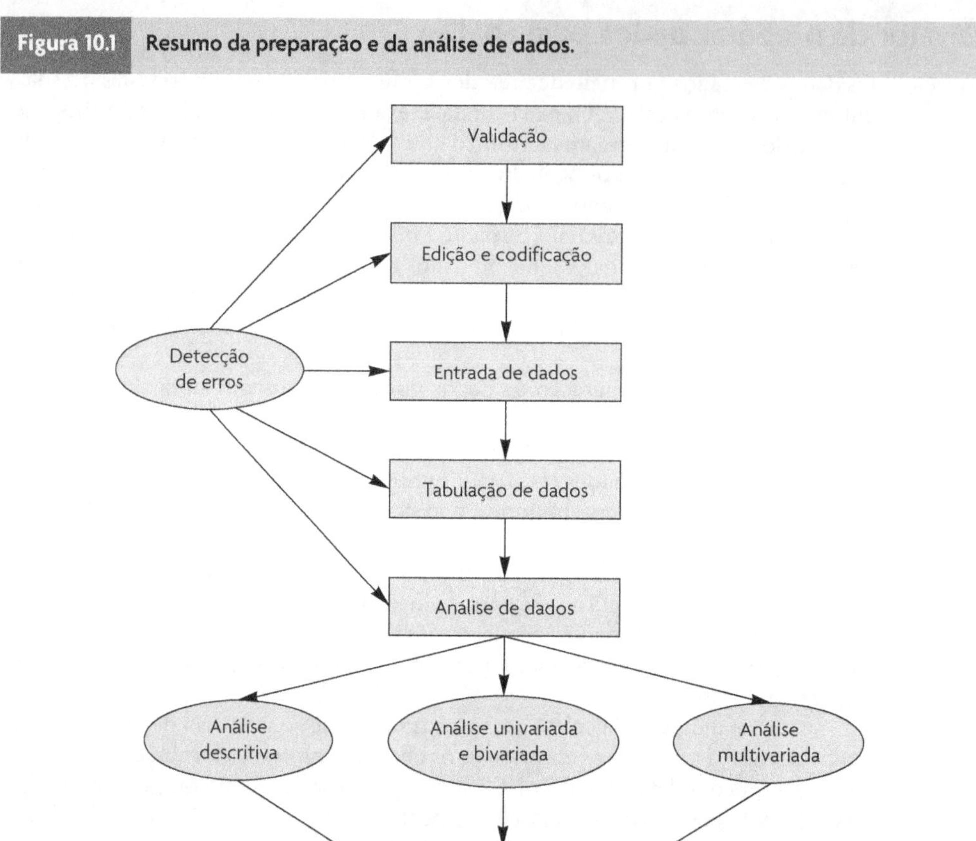


foram obtidos, quais manipulações foram realizadas e assim por diante. Apesar de as informações sobre respondentes ou fontes e a natureza dos dados internos não serem usadas para análise, elas permitem a realização do processo de validação.

A preocupação inicial dos pesquisadores com relação a levantamentos é determinar se os questionários ou métodos de observação utilizados foram completos e válidos. O propósito da **validação de dados*** é determinar se os levantamentos, as entrevistas e as observações foram conduzidos corretamente e sem erros. Quando a coleta de dados envolve entrevistadores treinados que obtêm dados de respondentes, a validação costuma enfocar os erros dos entrevistadores ou o desvio das instruções. Se a coleta de dados envolve levantamentos *online*, a validação muitas vezes envolve verificar se as instruções foram seguidas corretamente. Por exemplo, se foram especificadas quotas como 70% de respondentes do sexo masculino, 80% em uma faixa de idade específica ou apenas entrevistar cidadãos americanos, as diretrizes devem ser verificadas para confirmar que foram cumpridas. Da mesma forma, se a observação envolve estudos *online*, os pesquisadores precisam confirmar que os *sites* ou locais

* N. de E.: Para uma definição completa dos termos em negrito, veja o Glossário ao final do livro.

da Internet especificados foram visitados ou se outros critérios de execução foram seguidos de maneira consistente. Os levantamentos *online* também devem incorporar abordagens para verificar que os indivíduos recrutados completaram de fato o levantamento. Assim como ocorre com os métodos de levantamento tradicionais, isso normalmente envolve solicitar tipos específicos de informação ou incluir perguntas semelhantes para avaliar a consistência das respostas. Assim, o principal objetivo da validação é detectar, controlar e eliminar fraudes, equívocos, desvios de instruções predeterminadas, dados inconsistentes ou imprecisos e assim por diante.

Na pesquisa de marketing, a apresentação de dados falsos é chamada de **entrevista de calçada**. Como indica o nome, a *entrevista de calçada* é quando os entrevistadores encontram um lugar isolado, como uma calçada, e preenchem os questionários por si sós, sem seguir os procedimentos com respondentes de verdade. Devido à possibilidade desse tipo de falsificação, a validação dos dados é um passo importante quando o processo de aquisição de dados envolve entrevistadores.

Para minimizar as respostas fraudulentas, os profissionais de pesquisa de marketing selecionam 10-30% das entrevistas completadas para realizar "chamadas de retorno". Especificamente para entrevistas telefônicas, pessoais ou por correspondência, uma porcentagem dos respondentes que completaram as entrevistas é recontatada pela empresa de pesquisa para garantir que a entrevista foi conduzida corretamente. Quase sempre por telefone, os respondentes recebem diversas perguntas curtas para validar a entrevista enviada. Em geral, o processo de validação cobre cinco áreas:

1. *Fraude.* A pessoa foi entrevistada de verdade ou a entrevista foi falsificada? O entrevistador contatou o respondente apenas para anotar seu nome e endereço e depois inventou as respostas? O entrevistador usou um amigo para obter as informações necessárias?
2. *Filtro.* A coleta de dados muitas vezes precisa ser realizada apenas com respondentes qualificados. Para garantir a precisão dos dados coletados, os respondentes são filtrados de acordo com critérios preestabelecidos, como o nível de renda do domicílio, compra recente de um determinado produto ou marca, conhecimento de um marca ou serviço, gênero ou idade. Por exemplo, as instruções de coleta de dados podem especificar que apenas chefes de família mulheres com renda familiar anual de 25 mil dólares, que conheçam e tenham visitado recentemente um restaurante mexicano, sejam entrevistadas. Nesse caso, a chamada de validação confirmaria todos esses fatores caso um entrevistador estivesse envolvido no processo de coleta.

   Na coleta de dados *online*, os métodos de controle de filtro devem ser incluídos na concepção, o que muitas vezes é difícil de fazer. Por exemplo, os levantamentos *online* especificam critérios de filtro, mas tudo depende de os respondentes oferecerem informações corretas. Como você impediria que uma criança completasse um levantamento destinado a seus pais quando tudo o que ela precisa fazer é fornecer informações que se encaixem no perfil solicitado? E-mails de seguimento são possíveis, mas menos eficazes do que chamadas telefônicas. Uma abordagem é incluir perguntas semelhantes para avaliar a consistência das respostas.
3. *Procedimento.* Em muitos projetos de pesquisa de marketing, os dados devem ser coletados de acordo com um procedimento específico. Por exemplo, muitas entrevistas de saída com clientes precisam ocorrer em locais designados, no momento em que o respondente sai da loja. Nesse exemplo específico, a chamada

de validação poderia ser necessária para garantir que a entrevista ocorreu no local correto, não em áreas sociais, como festas ou parques. Nos levantamentos *online*, a verificação de procedimentos envolve confirmar que as instruções de filtro, os padrões de ramificação, o recrutamento, as quotas e assim por diante foram seguidos na coleta de dados.

4. *Completude.* Para acelerar o processo de coleta de dados, o entrevistador pode fazer apenas algumas perguntas para o respondente. Nesses casos, o entrevistador faz apenas algumas perguntas do começo do questionário para o respondente e pula direto para o fim, omitindo perguntas de outras seções. O entrevistador pode então inventar respostas para as perguntas que sobraram. Para determinar se a entrevista é válida, o pesquisador deve recontatar uma amostra de respondentes e fazer perguntas de diferentes partes do questionário. O problema não ocorre nos levantamentos *online*, que possuem controles que impedem os respondentes de pularem perguntas. Porém, esses controles costumam fazer alguns respondentes interromperem o levantamento antes de completá-lo, em especial se as perguntas forem obscuras, difíceis ou desinteressantes.

   Outro problema ocorre caso o processo de coleta de dados incorpore perguntas ramificadas que ordenem os entrevistadores (ou respondentes) a se dirigirem a partes diferentes do questionário. Se o entrevistador (ou respondente em um levantamento autoaplicado) não seguir as instruções dessas perguntas ramificadas, o respondente encontrará as perguntas erradas. Com algumas abordagens de coleta de dados, o supervisor da pesquisa pode recontatar os respondentes e verificar suas respostas a perguntas ramificadas. As perguntas ramificadas não são um problema nos levantamentos *online*, pois o computador controla a sequência de perguntas e respostas. Entretanto, os pesquisadores devem completar o questionário antes de aplicarem a respondentes reais para garantir que os padrões de ramificação são executados da maneira pretendida.

5. *Cortesia.* Os respondentes devem ser tratados com cortesia e respeito durante o processo de entrevista. Entretanto, às vezes ocorrem situações em que o entrevistador injeta um tom de negatividade no processo de entrevista. Para garantir uma imagem positiva, é comum que as chamadas de retorno tentem determinar se o entrevistador foi cortês. Outros aspectos do entrevistador confirmados pela chamada incluem aparência, comunicação e habilidades interpessoais.

## Edição e codificação

Após a validação, é preciso editar os dados em busca de erros. A **edição** é o processo de verificação de dados, buscando erros cometidos pelo entrevistador ou respondente ou no processo de transferir as informações de bancos de dados de escaneamento ou outras fontes para o depósito de dados da empresa. Com a análise das entrevistas completadas da pesquisa principal, o pesquisador pode verificar diversas áreas de interesse: (1) a realização de perguntas apropriadas, (2) o registro preciso das respostas, (3) a filtragem adequada de respondentes e (4) o registro completo e preciso de perguntas abertas. Todos esses passos são necessários nos métodos de coleta tradicionais. Os levantamentos *online* precisam verificar a triagem de respondentes (no mínimo, garantir que as instruções especificadas foram seguidas na programação do levantamento), enquanto as perguntas abertas, caso tenham sido utilizadas, devem ser verificadas e codificadas. Quando as informações são obtidas de depósitos de dados internos, ela tem de ser verificada em termos de disponibilidade, consistência, formatação e assim por diante.

## Fazendo as perguntas adequadas

Um aspecto do processo de edição que é especialmente importante para os métodos de entrevista é garantir que as perguntas adequadas foram feitas aos respondentes. Como parte do processo de edição, o pesquisador verifica o material para garantir que todos os respondentes receberam perguntas adequadas. Nos casos em que isso não ocorreu, os respondentes são recontatados para obter respostas às perguntas omitidas. A tarefa não é necessária com levantamentos *online*, desde que tenham sido projetados e implementados corretamente.

## Registro preciso de respostas

Às vezes faltam informações nos questionários completos. O entrevistador pode acidentalmente ter pulado um pergunta ou registrado a resposta no lugar errado. É possível identificar esse tipo de problema com a verificação cuidadosa de todos os questionários. Nesses casos, se possível, os respondentes são recontatados e as respostas omitidas são registradas. A tarefa não é necessária com levantamentos *online*, desde que tenham sido projetados para impedir que os respondentes pulem perguntas.

Às vezes, o respondente acidentalmente não completa uma ou mais perguntas. Isso acontece por diversos motivos (descuido, pressa de completar o questionário, não saber como responder a pergunta, etc.), resultando em uma resposta incompleta. Por exemplo, o questionário possui uma pergunta em duas partes na qual a resposta da segunda parte se baseia na informação dada pelo respondente na primeira, e o respondente somente responde uma parte da pergunta. Nesse exemplo, a pergunta em duas partes a seguir obriga um supervisor de edição interno a ajustar ou corrigir a resposta dada para garantir a completude do questionário.

Sua família usa mais de uma marca de creme dental?
[ ] Sim [ ] Não
Se sim, quantas marcas? _3_

Se o respondente inicialmente não marcou "sim" ou "não", mas indicou "3" marcas, o supervisor marcará "sim" para a primeira parte da pergunta, a menos que haja outras informações que indiquem que a dedução seria errônea. Essa situação não ocorre em questionários *online*, pois o *software* é projetado para impedi-la.

## Questões-filtro corretas

Como você deve lembrar da descrição do caso contínuo no Capítulo 1, os funcionários do Santa Fe Grill completaram um levantamento. Os dois primeiros itens no questionário para funcionários do Santa Fe Grill mostrado na Figura 10.2 na verdade são questões-filtro para determinar se o respondente está qualificado para completar o levantamento. Durante a fase de edição, o pesquisador se certifica que apenas respondentes qualificados foram incluídos no levantamento. Também é essencial para o processo de edição estabelecer que as perguntas foram realizadas e (para levantamentos autoaplicados) respondidas na sequência correta. Se a sequência correta não foi seguida em um levantamento autoaplicado, o respondente deve ser recontatado para confirmar a exatidão dos dados registrados.

**Figura 10.2** **O questionário para funcionários do Santa Fe Grill.**

Este levantamento foi criado para os funcionários do Santa Fe Grill.

- Você trabalha no Santa Fe Grill? Sim _____ (continuar) Não _____ (encerrar)
- Há quanto tempo você trabalha no Santa Fe Grill? 0 = Três meses ou menos (encerrar)
  1 = Mais de três meses, mas menos de um ano
  2 = Um a três anos
  3 = Mais de três anos

Se o respondente marcar "sim" para a primeira pergunta e indicar que trabalha no Santa Fe Grill há mais de três meses, ele pode continuar a responder as perguntas do levantamento.

O Santa Fe Grill gostaria de entender melhor como seus funcionários veem o ambiente de trabalho a fim de realizar as mudanças necessárias. Visite o endereço **http://santafe.qualtrics.com?SE/?SID=SV_10QkhmnGMiTCJ5C** para completar o levantamento.

O levantamento precisa de apenas 10 minutos para ser completado e ajudará a gerência a garantir que o ambiente de trabalho atenda as necessidades da equipe e da empresa. As perguntas não têm respostas certas ou erradas. Estamos simplesmente interessados nas suas opiniões, sejam elas quais forem. Todas as respostas serão absolutamente confidenciais.

**LEVANTAMENTO SOBRE O AMBIENTE DE TRABALHO**

**Seção 1: sua opinião sobre seu ambiente de trabalho**

As seguintes afirmações podem ou não descrever seu ambiente de trabalho no Santa Fe Grill. Usando uma escala de 1 a 7, na qual 7 é "Concordo totalmente" e 1 é "Discordo totalmente", até que ponto você concorda ou discorda que cada frase a seguir descreve seu ambiente de trabalho no Santa Fe Grill:

1. Meu trabalho me ensina habilidades novas e valiosas. Discordo totalmente 1 2 3 4 5 6 7 Concordo totalmente
2. É legal trabalhar no Santa Fe Grill. Discordo totalmente 1 2 3 4 5 6 7 Concordo totalmente
3. Os supervisores do Santa Fe Grill elogiam e reconhecem quem faz um bom trabalho. Discordo totalmente 1 2 3 4 5 6 7 Concordo totalmente
4. Minha equipe no Santa Fe Grill possui o treinamento e as habilidades necessários para fazer um bom trabalho e atender as necessidades dos clientes. Discordo totalmente 1 2 3 4 5 6 7 Concordo totalmente
5. Meu salário no Santa Fe Grill é justo em comparação com outros empregos. Discordo totalmente 1 2 3 4 5 6 7 Concordo totalmente
6. Os supervisores do Santa Fe Grill reconhecem o potencial de cada trabalhador. Discordo totalmente 1 2 3 4 5 6 7 Concordo totalmente

7. Em geral, gosto de trabalhar no Santa Fe Grill. Discordo totalmente 1 2 3 4 5 6 7 Concordo totalmente

**Figura 10.2** **O questionário para funcionários do Santa Fe Grill. (*continuação*)**

| | | | | | | | |
|---|---|---|---|---|---|---|---|
| **8.** Meu salário é razoável em comparação com meu esforço no trabalho. | Discordo totalmente | | | | | | Concordo totalmente |
| | 1 | 2 | 3 | 4 | 5 | 6 | 7 |
| **9.** Minha equipe trabalha bem em conjunto. | Discordo totalmente | | | | | | Concordo totalmente |
| | 1 | 2 | 3 | 4 | 5 | 6 | 7 |
| **10.** Os supervisores do Santa Fe Grill são prestativos e inteligentes. | Discordo totalmente | | | | | | Concordo totalmente |
| | 1 | 2 | 3 | 4 | 5 | 6 | 7 |
| **11.** Os membros de minha equipe cooperam para trabalhar bem. | Discordo totalmente | | | | | | Concordo totalmente |
| | 1 | 2 | 3 | 4 | 5 | 6 | 7 |
| **12.** Meu nível geral de remuneração é razoável. | Discordo totalmente | | | | | | Concordo totalmente |
| | 1 | 2 | 3 | 4 | 5 | 6 | 7 |

**Seção 2: sua opinião sobre trabalhar no Santa Fe Grill**

Responda usando a escala oferecida.

| | | | | | | | |
|---|---|---|---|---|---|---|---|
| **13.** Para mim, o Santa Fe Grill é a melhor organização possível na qual trabalhar. | Discordo totalmente | | | | | | Concordo totalmente |
| | 1 | 2 | 3 | 4 | 5 | 6 | 7 |
| **14.** Sinto que "pertenço" ao Santa Fe Grill. | Discordo totalmente | | | | | | Concordo totalmente |
| | 1 | 2 | 3 | 4 | 5 | 6 | 7 |
| **15.** Digo a meus amigos que o Santa Fe Grill é um ótimo lugar no qual trabalhar. | Discordo totalmente | | | | | | Concordo totalmente |
| | 1 | 2 | 3 | 4 | 5 | 6 | 7 |
| **16.** Sinto que sou "parte da família" no Santa Fe Grill. | Discordo totalmente | | | | | | Concordo totalmente |
| | 1 | 2 | 3 | 4 | 5 | 6 | 7 |

**17.** Selecione um número entre 0 e 100 que represente sua probabilidade de procurar outro emprego no próximo ano. 0 = Nada provável 100 = Muito provável

**18.** Selecione um número entre 0 e 100 que represente com que frequência você pensa em largar seu emprego no Santa Fe Grill. 0 = Quase nunca 100 = O tempo todo

**Seção 3: perguntas de classificação**

Por favor, indique o número que melhor o representa.

**19.** Você trabalha em turno integral ou em meio turno?
0 = Turno Integral
1 = Meio Turno

(continua)

**Figura 10.2** **O questionário para funcionários do Santa Fe Grill. (*continuação*)**

**20.** Qual é o seu gênero? 0 = Masculino
1 = Feminino

**21.** Qual é sua idade em anos? ______

**22.** Há quanto tempo você trabalha no Santa Fe Grill?

*Observação*: Os dados da questão-filtro para funcionários que trabalham no restaurante há mais de três meses foram registrados aqui.
1 = Mais de três meses, mas menos de um ano
2 = Um a três anos
3 = Mais de três anos

Muito obrigado por sua ajuda.

Observação: A gerência do Santa Fe Grill avalia o desempenho de todos os funcionários. Esses resultados foram adicionados ao arquivo de dados do levantamento do funcionário.

**23.** Desempenho: Os funcionários foram avaliados em uma escala de 100 pontos na qual 0 = baixíssimo desempenho e 100 = altíssimo desempenho.

É cada vez mais comum que os levantamentos sejam completados *online*. Quando são utilizados levantamentos *online*, os respondentes são solicitados automaticamente a responder questões-filtro e não podem continuar a menos que as perguntas sejam respondidas corretamente.

## Respostas para perguntas abertas

As respostas a perguntas abertas geralmente fornecem dados significativos. As perguntas abertas podem oferecer revelações mais profundas sobre as perguntas de pesquisa do que as perguntas de escolha forçada. Uma parte importante da edição das respostas a perguntas abertas é a interpretação. A Figura 10.3 mostra algumas respostas típicas a uma pergunta aberta, indicando os problemas associados à interpretação dessas perguntas. Por exemplo, uma das respostas à pergunta "por que você está comendo no Santa Fe Grill com mais frequência?" é, simplesmente, "o serviço é bom". A resposta por si só não é suficiente para determinar o que o respondente quer dizer por "serviço bom". O entrevistador deveria ter sondado melhor o entrevistado, buscando respostas mais específicas. Por exemplo, os funcionários são simpáticos? Solícitos? Educados? Parecem limpos e arrumados? Sorriem enquanto anotam seu pedido? Esse tipo de sondagem permitiria que o pesquisador interpretasse melhor a resposta sobre "serviço bom". Nesses casos, o indivíduo realizando a edição deve usar seu bom senso para classificar as respostas. Em algum momento do processo, as respostas precisam ser colocadas em categorias padronizadas, mas respostas incompletas são consideradas inúteis.

Quando os levantamentos *online* incluem perguntas abertas, torna-se necessário realizar o trabalho de codificação. Assim como ocorre nos métodos de coleta de dados tradicionais, as respostas precisam ser revisadas, temas, palavras e padrões comuns, identificados, e códigos devem ser designados, para facilitar a análise de dados quantitativos. A próxima seção e o Capítulo 9 oferecem comentários adicionais sobre a codificação de dados qualitativos.

**Figura 10.3** **Respostas para perguntas abertas**

**10. Por que você está comendo no Santa Fe Grill com mais frequência?**

- O serviço é bom.
- Descobri como a comida é boa.
- Eu gosto da comida.
- Acabamos de nos mudar e onde morávamos não tinha restaurante mexicano bom.
- Aquela parte da cidade está crescendo rápido.
- Eles têm algumas ofertas no jornal.
- É bem do lado do trabalho do meu marido.

- O grelhado é mais gostoso.
- O restaurante começou a oferecer pratos que valem mais a pena.
- Gostamos bastante dos sanduíches de frango, então vamos mais lá.
- A comida é boa.
- Porque só abriram um no ano passado.
- Recém abriu.
- Fica logo ao lado do Walmart.
- Recém nos mudamos e a comida deles é boa.
- Tem um perto de onde eu trabalho.

## O processo de codificação

A **codificação** envolve o agrupamento e a alocação de valores às respostas das perguntas do levantamento. O processo envolve a alocação de valores numéricos a cada resposta de cada pergunta do levantamento. Normalmente, os códigos são numéricos (números de 0 a 9), pois os números são fáceis e rápidos de digitar e porque os computadores funcionam melhor com números do que com valores alfanuméricos. Assim como a edição, a codificação pode ser tediosa se certas questões não forem resolvidas antes da coleta de dados. Questionários bem planejados e construídos podem reduzir a quantidade de tempo gasta com a codificação e aumentar a precisão do processo se os códigos forem incorporados na fase de concepção do questionário. O questionário de restaurante apresentado na Figura 10.2 possui respostas codificadas embutidas para todas as perguntas, exceto para as perguntas abertas feitas pelo entrevistador no final do levantamento. Em "Perguntas sobre estilo de vida", por exemplo, o respondente tem a opção de marcar de 1 a 7, com base em seu nível de concordância ou discordância com cada frase específica. Assim, se o respondente marcou "5" para sua escolha, o valor "5" será o valor codificado para uma pergunta específica.

As perguntas abertas, por outro lado, apresentam problemas especiais para o processo de codificação. É impossível preparar uma lista exata de respostas potenciais de antemão. Assim, o processo de codificação deve ser preparado depois que os dados forem coletados, mas o valor das informações obtidas com perguntas abertas quase sempre supera os problemas de codificação.

Os pesquisadores normalmente usam um processo de quatro passos para desenvolver códigos para as respostas. O procedimento é semelhante para todos os tipos de coleta de dados e começa com a geração de uma lista de tantas respostas poten-

**Figura 10.4 Exemplo de consolidação de respostas para perguntas abertas.**

**P10a.** Por que você está comendo com menos frequência no restaurante?

**Respondente # 2113**

- Sou funcionário público. Procuro barganhas. Precisa de mais pratos especiais do dia.
- Minha família não gosta.
- Meu marido não gostou do sabor dos hambúrgueres.

**Respondente # 2114**

- Não gosto da comida.
- O pedido nunca vem certo.
- Motivos de saúde.

**Respondente # 2115**

- Nunca acertam meu pedido.
- Enjoei dos hambúrgueres. Não gosto dos temperos.
- Os preços são altos demais.
- Eles deviam fazer mais ofertas combinadas. Mais batata frita.
- Porque sempre erram nossos pedidos e são grossos.
- Trabalho mais e não penso sobre comida.

**Respondente # 2116**

- Não consigo comer a comida.
- Começamos a comer no ___
- Meu local de trabalho mudou, então não estou mais perto de um ___

ciais quanto possível. A seguir, as respostas recebem valores dentro de uma amplitude determinada pelo número real de respostas individuais identificadas. Após revisar as respostas a perguntas abertas, os pesquisadores distribuem valores da lista de respostas desenvolvida. Se as respostas não aparecem na lista, o pesquisador acrescenta uma nova resposta e o valor correspondente à lista ou coloca a resposta em uma das categorias existentes.

A consolidação das respostas é a segunda fase do processo em quatro passos. A Figura 10.4 exemplifica diversas respostas reais para a pergunta "Por que você está comendo com menos frequência no restaurante ___?" Quatro dessas, relacionadas a não gostar da comida, podem ser consolidadas em uma única categoria, pois todas compartilham do mesmo significado. O desenvolvimento de categorias consolidadas é uma decisão subjetiva, que deve ser tomada apenas por analistas de pesquisa experientes, com participação do patrocinador do projeto.

O terceiro passo do processo é alocar valores numéricos como códigos. Apesar de, a princípio, essa parecer uma tarefa simples, a estrutura do questionário e o número de respostas por pergunta precisam ser considerados. Por exemplo, se a pergunta tem mais de 10 respostas, então é preciso usar códigos de dois dígitos, como "01", "02"... "11". Outra boa prática é dar códigos de valor mais alto para respostas positivas do que para as negativas. Por exemplo, as respostas "não" recebem o código "0", enquanto o "sim" recebe o código 1; as respostas de "não gosto" recebem o código "1", enquanto as respostas de "gosto" recebem "5". A codificação facilita as análises subsequentes. Por exemplo, o pesquisador descobre que é mais fácil interpretar médias e medianas se os valores mais altos ocorrem à medida que a média passa de "não gosto" para "gosto".

Se a análise de dados usa correlação ou regressão, então os dados categóricos incluem outra consideração. O pesquisador pode querer criar variáveis "*dummy*"* nas quais o código é "0" e "1".

A designação de valores codificados para dados ausentes é muito importante. Por exemplo, se o respondente completa o questionário, exceto pela última pergunta, e o recontato é impossível, como codificar a pergunta sem resposta? Uma boa técnica nessa situação é, antes de mais nada, considerar como a resposta será utilizada na fase de análise. Em certos tipos de análise, se a resposta é deixada em branco e sem valor numérico, todo o questionário é apagado, não só a pergunta sem resposta. O melhor modo de lidar com a codificação de respostas omitidas é conferir como seu *software* de análise de dados trata os dados ausentes, o que deve orientá-lo na hora de decidir

## PAINEL Trabalhando com os dados de depósitos de dados

Os pesquisadores cada vez mais precisam analisar e elaborar recomendações a partir de dados guardados em depósitos de dados. Essa tendência tem vantagens e desvantagens. As vantagens estão relacionadas principalmente com o fato de que os dados dos depósitos são secundários e, logo, mais rápidos e fáceis de obter, além de menos dispendiosos. Mas é preciso enfrentar diversas desvantagens antes de os dados serem analisados e utilizados. A seguir, os problemas mais comuns que os gerentes enfrentam quando utilizam dados de depósitos.

- Dados desatualizados, por exemplo, antigos demais para serem relevantes.
- Dados incompletos, por exemplo, dados disponíveis para um período, mas não para outro.
- Dados supostamente disponíveis não podem ser localizados. Em grandes empresas, isso muitas vezes ocorre quando há diversos depósitos independentes, em locais diferentes e mantidos por múltiplas divisões.
- Dados supostamente iguais de diversas fontes internas são diferentes. Um exemplo seria o das informações sobre vendas por território de duas fontes diferentes, como registros de vendas internos *versus* dados de escaneamento, que geralmente não representam todos os pontos de distribuição. Os gerentes precisam decidir em qual fonte confiar em cada caso ou combinar os dados das duas fontes.
- Dados que estão em formatos inutilizáveis ou incompatíveis ou que não podem ser compreendidos.
- Dados desorganizados que não estão em um local centralizado.
- O *software* que acessa os dados não funciona como deveria ou simplesmente não funciona.
- Dados em excesso.

Como resolver esses problemas? Em alguns casos, eles não podem ser resolvidos, pelo menos não sem demora, ou seja, a tempo de utilizar os dados para tomar decisões. A melhor abordagem para evitar ou minimizar esses problemas é estabelecer uma boa relação de trabalho entre os departamentos de marketing e tecnologia da informação. Ou seja, os gerentes de marketing devem comunicar desde cedo suas expectativas sobre quais dados serão necessários, com que frequência, em que formato e assim por diante. Depois, e continuamente, todos precisam trabalhar em conjunto para antecipar e resolver os problemas de gerenciamento e utilização de dados conforme eles ocorrem.

* N. de R. T.: Uma variável "*dummy*" é aquela que possui valor 0 ou 1 para indicar a ausência ou presença de algum efeito categórico que pode ser causador de mudanças no resultado de uma análise de regressão.

se as omissões serão codificadas ou deixadas em branco. Trataremos mais sobre dados ausentes em uma seção posterior.

O quarto passo no processo de codificação é a alocação de valores codificados a cada resposta. Esse provavelmente é o processo mais tedioso, pois é realizado manualmente. A menos que uma abordagem de escaneamento óptico seja utilizada para inserção de dados, a tarefa quase sempre é necessária para evitar problemas na fase de entrada de dados.

Cada questionário recebe um valor numérico. O valor numérico costuma ser um código de três dígitos se menos de 1.000 questionários precisam ser codificados, quatro dígitos se forem 1.000 ou mais. Por exemplo, se 452 questionários forem devolvidos, o primeiro a ser codificado receberia o código 001, o segundo, 002, e assim por diante, até o último, que receberia o código 452.

# Entrada de dados

A entrada de dados segue a validação, a edição e a codificação. A **entrada de dados** é o procedimento usado para inserir os dados em um arquivo eletrônico para análise subsequente. A entrada de dados é a inserção direta de dados codificados em um arquivo, permitindo que o analista de pesquisa manipule e transforme os dados em informações úteis. O passo não é necessário na coleta eletrônica de dados.

Existem diversos modos de inserir dados codificados em um arquivo eletrônico. Com levantamentos via Internet e CATI, os dados são inseridos simultaneamente à coleta e um passo específico para essa tarefa é desnecessário. Entretanto, outros tipos de coleta de dados exigem que os dados sejam inseridos manualmente, o que em geral é realizado com o uso de um computador pessoal.

A tecnologia de escaneamento também pode ser usada para entrada de dado. A abordagem permite que o computador leia códigos de caracteres alfabéticos, numéricos e especiais por meio de um dispositivo de escaneamento. Os respondentes usam lápis comuns para preencher as respostas e, a seguir, o material é escaneado diretamente.

Os levantamentos *online* estão se tornando cada vez mais populares na realização de estudos de pesquisa de marketing. Na verdade, os levantamentos *online* hoje representam quase 60% de todas as abordagens de coleta de dados. Além de quase sempre serem completados mais rapidamente, eles também praticamente eliminam o processo de entrada de dados.

## Detecção de erros

A *detecção de erros* identifica erros na entrada de dados e em outras fontes. O primeiro passo na detecção de erros é determinar se o *software* usado para a entrada e a tabulação de dados realiza "rotinas de edição de erros" que identificam tipos errados de dados. Por exemplo, digamos que em um certo campo, os únicos códigos aceitáveis são 1 e 2. Uma rotina de edição de erros pode mostrar mensagens de erro se qualquer número que não seja 1 ou 2 for inserido. Tais rotinas podem ser bastante completas. Um valor codificado é rejeitado se for grande ou pequeno demais para qualquer item escalonado no questionário. Em alguns casos, rotinas de edição de erros separadas podem ser estabelecidas para cada um dos itens do questionário. Os levantamentos *online* integram controles prévios que impedem os respondentes de inserir respostas incorretas.

Outra abordagem para detecção de erros é fazer com que o pesquisador revise uma representação impressa dos dados inseridos. A Figura 10.5, por exemplo, mostra os valores codificados para as observações 377–405 no banco de dados dos restaurantes. Nesse exemplo, a primeira linha indica os nomes das variáveis dadas a cada campo de dados (ou seja, "id" é o rótulo para o número do questionário, "x_s1" representa a primeira questão-filtro, $X_1$ é a primeira pergunta do levantamento após as quatro questões-filtro, etc.). Os números nas colunas são os valores codificados que foram inseridos. Apesar do processo ser um tanto tedioso, o analista pode revisar os próprios dados inseridos para garantir sua exatidão e descobrir onde qualquer erro ocorreu. Outra abordagem é executar uma tabulação (contagem de frequência) de todas as perguntas do levantamento para que as respostas sejam examinadas em termos de completude e precisão.

## Dados ausentes

Muitas vezes um problema na análise de dados, os dados ausentes são definidos como uma situação na qual os respondentes não fornecem sua resposta para uma pergunta. Às vezes, os respondentes agem dessa maneira propositalmente, criando esse inconveniente. Em geral, isso ocorre quando são feitas perguntas de natureza sensível, como idade ou renda do respondente, mas também quando o respondente simplesmente não vê a pergunta, ou está com pressa para completar o levantamento e acaba pulando a pergunta. Os dados ausentes são um problema mais frequente nos questionários

**Figura 10.5** **Visualização de dados no SPSS de valores codificados para observações do Santa Fe Grill.**

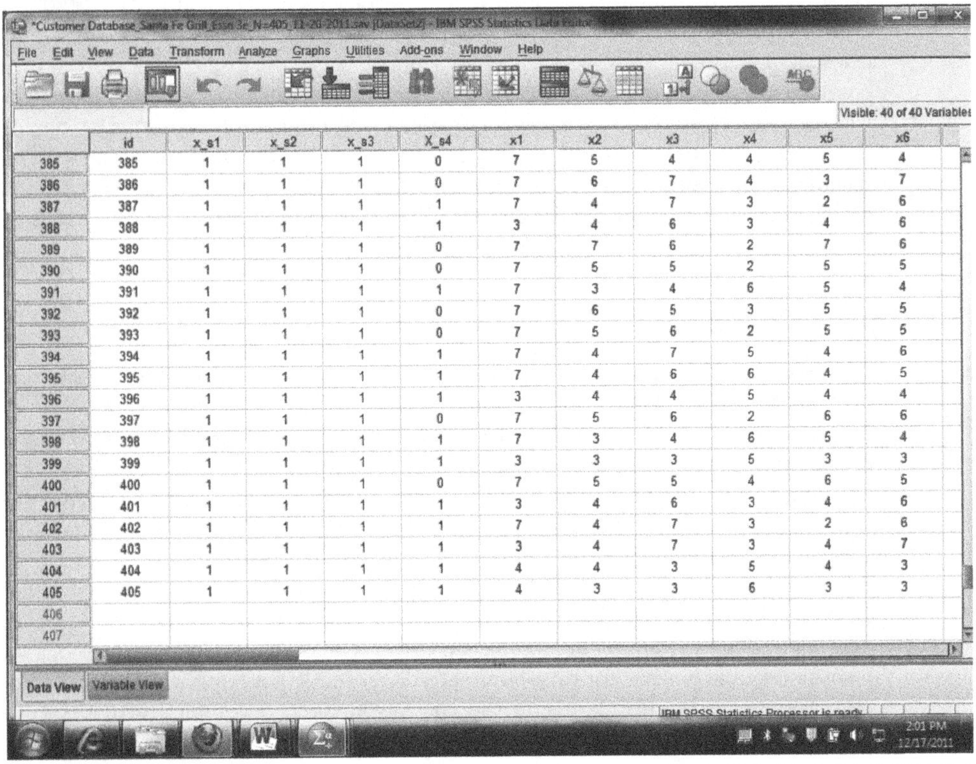

File Edit View Data Transform Analyze Graphs Utilities Add-ons Window Help

Visible: 40 of 40 Variables

| | id | x_s1 | x_s2 | x_s3 | X_s4 | x1 | x2 | x3 | x4 | x5 | x6 |
|---|---|---|---|---|---|---|---|---|---|---|---|
| 385 | 385 | 1 | 1 | 1 | 0 | 7 | 5 | 4 | 4 | 5 | 4 |
| 386 | 386 | 1 | 1 | 1 | 0 | 7 | 6 | 7 | 4 | 3 | 7 |
| 387 | 387 | 1 | 1 | 1 | 1 | 7 | 4 | 7 | 3 | 2 | 6 |
| 388 | 388 | 1 | 1 | 1 | 1 | 3 | 4 | 6 | 3 | 4 | 6 |
| 389 | 389 | 1 | 1 | 1 | 0 | 7 | 7 | 6 | 2 | 7 | 6 |
| 390 | 390 | 1 | 1 | 1 | 0 | 7 | 5 | 5 | 2 | 5 | 5 |
| 391 | 391 | 1 | 1 | 1 | 1 | 7 | 3 | 4 | 6 | 5 | 4 |
| 392 | 392 | 1 | 1 | 1 | 0 | 7 | 6 | 5 | 3 | 5 | 5 |
| 393 | 393 | 1 | 1 | 1 | 0 | 7 | 5 | 6 | 2 | 5 | 5 |
| 394 | 394 | 1 | 1 | 1 | 1 | 7 | 4 | 7 | 5 | 4 | 6 |
| 395 | 395 | 1 | 1 | 1 | 1 | 7 | 4 | 6 | 6 | 4 | 5 |
| 396 | 396 | 1 | 1 | 1 | 1 | 3 | 4 | 4 | 5 | 4 | 4 |
| 397 | 397 | 1 | 1 | 1 | 0 | 7 | 5 | 6 | 2 | 6 | 6 |
| 398 | 398 | 1 | 1 | 1 | 1 | 7 | 3 | 4 | 6 | 5 | 4 |
| 399 | 399 | 1 | 1 | 1 | 1 | 3 | 3 | 3 | 5 | 3 | 3 |
| 400 | 400 | 1 | 1 | 1 | 0 | 7 | 5 | 5 | 4 | 6 | 5 |
| 401 | 401 | 1 | 1 | 1 | 1 | 3 | 4 | 6 | 3 | 4 | 6 |
| 402 | 402 | 1 | 1 | 1 | 1 | 7 | 4 | 7 | 3 | 2 | 6 |
| 403 | 403 | 1 | 1 | 1 | 1 | 3 | 4 | 7 | 3 | 4 | 7 |
| 404 | 404 | 1 | 1 | 1 | 1 | 4 | 4 | 3 | 5 | 4 | 3 |
| 405 | 405 | 1 | 1 | 1 | 1 | 4 | 3 | 3 | 6 | 3 | 3 |
| 406 | | | | | | | | | | | |
| 407 | | | | | | | | | | | |

Data View Variable View

IBM SPSS Statistics Processor is ready

autoaplicados. Nos levantamentos *online*, se os respondentes forem obrigados a responder todas as perguntas, a técnica pode fazer com que alguns simplesmente parem de responder o questionário, interrompendo o levantamento. Com levantamentos *online*, recomenda-se que as respostas sejam obrigatórias para todas as perguntas, pois o problema de respondentes que desistem do levantamento não é tão significativo quanto o problema dos dados ausentes.

Existem diversas maneiras de lidar com o problema dos dados ausentes. Uma delas é substituir os valores ausentes com um valor de um respondente semelhante. Por exemplo, se as características demográficas do respondente são gênero masculino, 35 a 49 anos e terceiro grau incompleto, a abordagem apropriada é encontrar um ou mais respondentes com características semelhantes e ter suas respostas como guia para determinar o valor de substituição para os dados ausentes. Outra abordagem, se houver outras perguntas semelhantes àquela com dados ausentes, é ter as respostas dadas a elas como guia para determinar o valor de substituição. Uma terceira abordagem é usar a média de uma subamostra de respondentes com características semelhantes que responderam a pergunta para determinar o valor de substituição. A alternativa final seria utilizar a média de toda a amostra que respondeu a pergunta como valor de substituição, mas a técnica não é recomendada, pois reduz a variância total da pergunta.

### Organização de dados

O *software* SPSS disponibiliza diversas funções úteis para a organização de dados. Uma função, sob a caixa de combinação *Data*, é *Sort Cases* (Ordenar Casos). O recurso serve para colocar seus casos de dados (observações) em ordem ascendente ou descendente. Outra é a função *Split File* (Dividir Arquivo), que pode ser usada no exemplo para dividir os respondentes do Santa Fe Grill e do Jose's Southwestern Café em dois grupos para comparação. Uma terceira função útil é a opção *Select Cases* (Selecionar Casos), utilizada para selecionar apenas respondentes masculinos, ou apenas clientes com 35 anos ou mais, e assim por diante. A opção também serve para selecionar uma subamostra aleatória da amostra total. Os passos específicos para executar estas e outras funções são explicados nas instruções do *software* SPSS, disponíveis no *site* do livro.

## Tabulação de dados

A **tabulação**, também chamada contagem de frequência, é a contagem do número de respostas em categorias. As duas formas mais comuns de tabulação adotadas nos projetos de pesquisa de marketing são a tabulação simples e a tabulação cruzada. A **tabulação simples** mostra as respostas para uma única variável. Na maioria dos casos, a tabulação simples mostra o número de respondentes (contagem de frequência) que deu cada resposta possível a cada pergunta do questionário. O número de tabulações simples é determinado pelo número de variáveis medidas no estudo.

A **tabulação cruzada** compara simultaneamente duas ou mais variáveis nominais do estudo. As tabulações cruzadas categorizam o número de respostas a duas ou mais perguntas, demonstrando assim a relação entre as duas variáveis. Por exemplo, a tabulação cruzada poderia mostrar o número de respondentes femininos e masculinos que gastou mais de sete dólares comendo no McDonald's em comparação com os que gastaram menos. A tabulação cruzada costuma ser empregada com dados de escalas nominais ou ordinais.

A tabulação simples e a tabulação cruzada são consideradas estatísticas descritivas. O resumo desses dois tipos de tabulação neste capítulo serve de base para os outros tipos de estatísticas descritivas discutidos no capítulo seguinte. O próximo capítulo mostra como usar o *software* para desenvolver todos os tipos de estatísticas descritivas.

## Tabulação simples

A tabulação simples serve a diversos propósitos. Primeiro, pode ser usada para determinar a quantidade de não respostas a cada pergunta. Com base no plano de codificação usado para dados ausentes, a tabulação simples identifica a quantidade de respondentes que não deu respostas a diversas perguntas em um questionário. Segundo, a tabulação simples pode ser utilizada para localizar erros na entrada de dados.

Se uma gama específica de códigos foi estabelecida para certas respostas a uma pergunta (digamos, de 1 a 5), a tabulação simples mostra se algum código errôneo foi inserido (digamos, 7 ou 8), apresentando uma lista de todas as respostas à pergunta específica. Além disso, a média, o desvio-padrão e outras estatísticas descritivas relacionadas costumam ser determinadas a partir de tabulações simples. Finalmente, as tabulações simples também servem para comunicar os resultados do projeto de pesquisa. As tabulações simples apresentam perfis de amostras de respondentes, identificam características que diferenciam grupos (por exemplo, usuários frequentes *versus* usuários ocasionais) e mostram a porcentagem de respondentes que respondeu de modo diferente a diferentes situações. Por exemplo, a tabulação simples mostra a porcentagem de pessoas que compram *fast food* no *drive-thru* em contraposição com as que fazem as refeições dentro do restaurante.

O modo mais básico de ilustrar a tabulação simples é construir uma tabela de frequência simples. A tabela de frequência simples mostra o número de respondentes que deu cada resposta possível a uma pergunta dentre as alternativas possíveis. Um exemplo de tabela de frequência simples se encontra na Figura 10.6, que mostra em quais restaurantes mexicanos os respondentes comeram nos últimos 30 dias. As informações indicam que 99 indivíduos (20,1%) comeram no Superior Grill nos últimos 30 dias, 74 (15%) no Mamacita's, 110 (22,3%) no Ninfa's e assim por diante. Normalmente, prepara-se uma visualização das tabelas de frequência simples para cada pergunta do levantamento. Além de listar o número de respostas, as tabelas de frequência simples também identificam dados ausentes e mostram porcentagens válidas e estatísticas descritivas. Ao revisar o material, procure os seguintes itens:

1. *Indicações de dados ausentes.* As tabelas de frequência simples mostram o número de respostas ausentes para cada pergunta. Como vemos na Figura 10.7, no total, 13 respondentes (3% da amostra) não informou com que frequência visita os dois restaurantes (ver o item *missing* na figura). É importante reconhecer o número real de respostas ausentes ao estimar porcentagens a partir de tabelas de frequência simples. As respostas ausentes devem ser removidas do cálculo para se estabelecer porcentagens válidas.
2. *Determinação de porcentagens válidas.* Para determinar porcentagens válidas, é preciso remover levantamentos ou perguntas específicas incompletos. Por exemplo, a tabela de frequência simples na Figura 10.7 na verdade constrói porcentagens válidas (a terceira coluna). Apesar de o número total de respostas para

**Figura 10.6** Exemplo de distribuição de frequência simples.

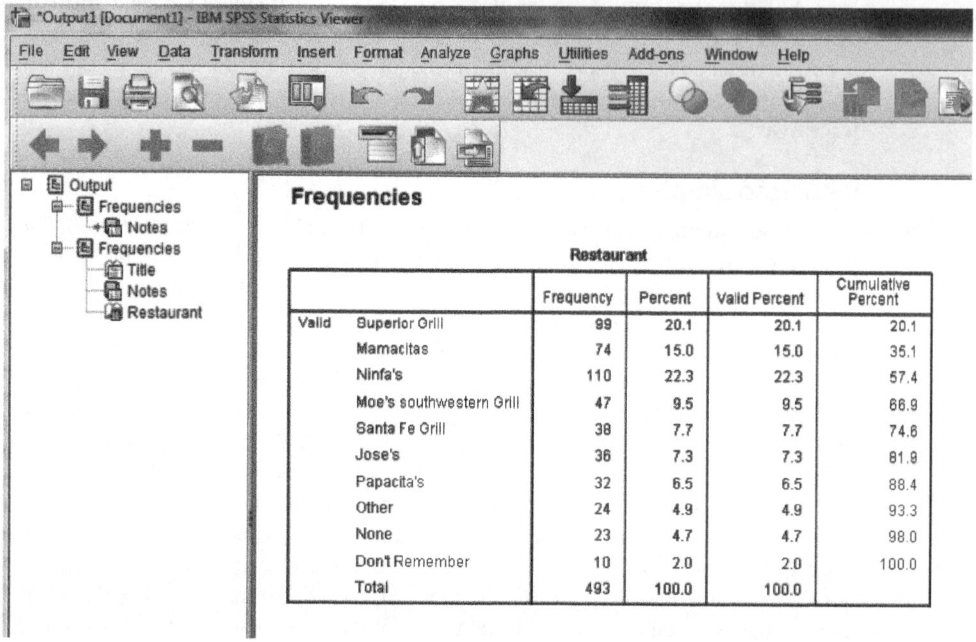

**Frequencies**

**Restaurant**

| | | Frequency | Percent | Valid Percent | Cumulative Percent |
|---|---|---|---|---|---|
| Valid | Superior Grill | 99 | 20.1 | 20.1 | 20.1 |
| | Mamacitas | 74 | 15.0 | 15.0 | 35.1 |
| | Ninfa's | 110 | 22.3 | 22.3 | 57.4 |
| | Moe's southwestern Grill | 47 | 9.5 | 9.5 | 66.9 |
| | Santa Fe Grill | 38 | 7.7 | 7.7 | 74.6 |
| | Jose's | 36 | 7.3 | 7.3 | 81.9 |
| | Papacita's | 32 | 6.5 | 6.5 | 88.4 |
| | Other | 24 | 4.9 | 4.9 | 93.3 |
| | None | 23 | 4.7 | 4.7 | 98.0 |
| | Don't Remember | 10 | 2.0 | 2.0 | 100.0 |
| | Total | 493 | 100.0 | 100.0 | |

essa pergunta ser 427, apenas 414 são usadas para desenvolver a porcentagem válida de respostas entre todas as categorias, pois 13 respostas ausentes foram removidas dos cálculos.

3. *Estatísticas descritivas.* Finalmente, as tabelas de frequência simples exemplificam uma série de estatísticas descritivas. Na Figura 10.7, as estatísticas descritivas para a pergunta $X_{25}$ são a média, a mediana, a moda e o desvio-padrão. Tais estatísticas ajudam o pesquisador a entender melhor as respostas médias. Por exemplo, a média 3,26 indica que muitos respondentes são clientes ocasionais dos dois restaurantes. Observe que a variável $X_{25}$ vai de um a cinco, sendo que números maiores indicam maiores níveis de frequência.

## Estatísticas descritivas

As estatísticas descritivas são usadas para resumir e descrever os dados obtidos de uma amostra de respondentes. Dois tipos de medidas costumam ser usadas para descrever os dados: medidas de tendência central e medidas de dispersão. Ambas são descritas em detalhes no próximo capítulo. Por ora, apresentamos a Figura 10.8, que contém um panorama dos principais tipos de estatísticas descritivas adotadas por pesquisadores de marketing.

**Figura 10.7** **Tabela de frequência simples exemplificando dados ausentes.**

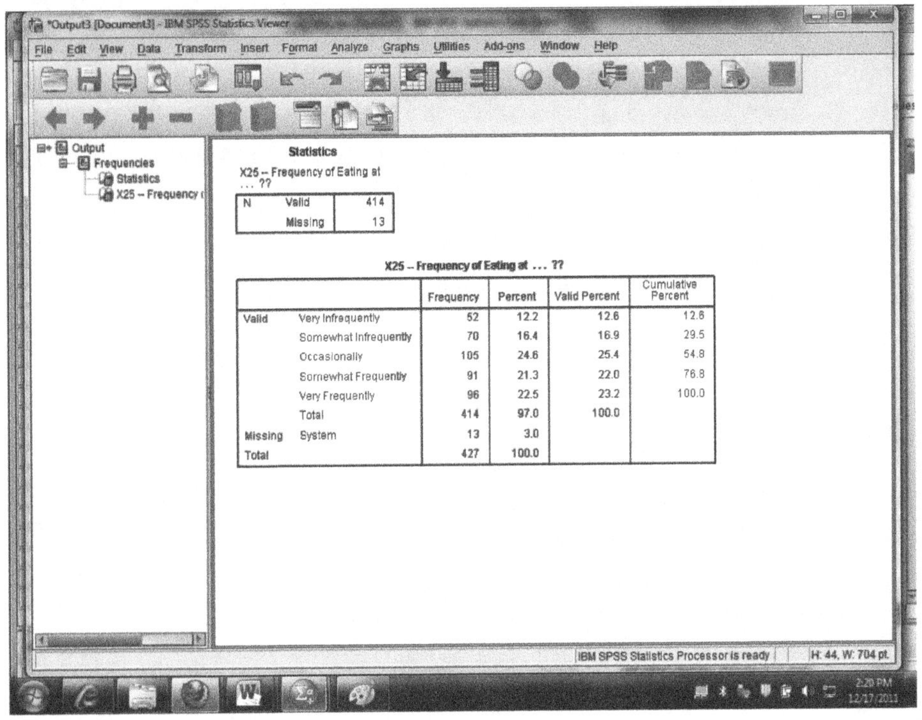

**Statistics**

X25 – Frequency of Eating at ... ??

| | | |
|---|---|---|
| N | Valid | 414 |
| | Missing | 13 |

**X25 – Frequency of Eating at ... ??**

| | | Frequency | Percent | Valid Percent | Cumulative Percent |
|---|---|---|---|---|---|
| Valid | Very Infrequently | 52 | 12.2 | 12.6 | 12.6 |
| | Somewhat Infrequently | 70 | 16.4 | 16.9 | 29.5 |
| | Occasionally | 105 | 24.6 | 25.4 | 54.8 |
| | Somewhat Frequently | 91 | 21.3 | 22.0 | 76.8 |
| | Very Frequently | 96 | 22.5 | 23.2 | 100.0 |
| | Total | 414 | 97.0 | 100.0 | |
| Missing | System | 13 | 3.0 | | |
| Total | | 427 | 100.0 | | |

**Figura 10.8** **Panorama das estatísticas descritivas.**

Usamos um conjunto de dados simples para ilustrar cada uma das principais estatísticas descritivas para esclarecer seu funcionamento. Suponha que os dados abaixo foram coletados de dez alunos, analisando sua satisfação com seu Apple iPod. A satisfação é medida em uma escala de sete pontos, que vai de "Muito satisfeito = 7" a "Nada satisfeito = 1". Os resultados do levantamento se encontram abaixo, divididos por respondente.

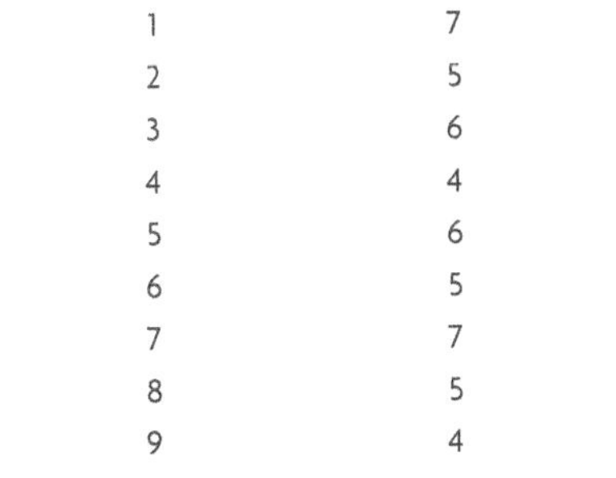

| Respondente | Índice de satisfação |
|---|---|
| 1 | 7 |
| 2 | 5 |
| 3 | 6 |
| 4 | 4 |
| 5 | 6 |
| 6 | 5 |
| 7 | 7 |
| 8 | 5 |
| 9 | 4 |
| 10 | 5 |

(continua)

**Figura 10.8** **Panorama das estatísticas descritivas.** *(continuação)*

**Estatísticas descritivas**

Frequência = Número de vezes que um número (resposta) aparece em um conjunto de dados

Para computá-la, conte quantas vezes o número aparece no conjunto de dados. Por exemplo, o número 7 aparece nos dados duas vezes.

Distribuição de frequência = Resumo de quantas vezes cada resposta possível a uma pergunta aparece no conjunto de dados.

Para desenvolver uma distribuição de frequência, conte quantas vezes cada número aparece no conjunto de dados e crie uma tabela com os resultados. Por exemplo, crie um quadro como este:

| Índice de satisfação | Contagem |
|---|---|
| 7 | 2 |
| 6 | 2 |
| 5 | 4 |
| 4 | 2 |
| 3 | 0 |
| 2 | 0 |
| 1 | 0 |
| **Total** | 10 |

Distribuição de porcentagem = Resultado da conversão da distribuição de frequência em porcentagens

Para desenvolver uma distribuição de porcentagem, divida cada contagem de frequência de cada avaliação pela contagem total.

| Índice de satisfação | Contagem | Porcentagem |
|---|---|---|
| 7 | 2 | 20 |
| 6 | 2 | 20 |
| 5 | 4 | 40 |
| 4 | 2 | 20 |
| 3 | 0 | 0 |
| 2 | 0 | 0 |
| 1 | 0 | 0 |
| **Total** | 10 | 100% |

Distribuição de porcentagem acumulada = soma das porcentagens individuais às anteriores para se chegar a um total

Para desenvolver uma distribuição de porcentagem acumulada, organize as porcentagens em ordem decrescente, some-as, uma de cada vez, e mostre os resultados.

| Índice de satisfação | Contagem | Porcentagem | Porcentagem acumulada |
|---|---|---|---|
| 7 | 2 | 20 | 20 |
| 6 | 2 | 20 | 40 |
| 5 | 4 | 40 | 80 ← mediana |
| 4 | 2 | 20 | 100% |
| 3 | 0 | 0 | |
| 2 | 0 | 0 | |
| 1 | 0 | 0 | |
| **Total** | 10 | 100% | |

**Figura 10.8** **Panorama das estatísticas descritivas.** (*continuação*)

Média = Média aritmética de todas as respostas brutas

Para calcular a média, some todos os valores de uma distribuição de respostas e divida o total pelo número de respostas válidas.

A média é: (7 + 5 + 6 + 4 + 6 + 5 + 7 + 5 + 4 + 5) = 54 / 10 = 5.4

Mediana: Estatística descritiva que divide os dados em um padrão hierárquico, no qual metade dos dados está acima do valor mediano e metade está abaixo.

Para determinar a mediana, analise a distribuição de porcentagem acumulada e encontre a porcentagem acumulada igual a 50%, ou que inclua esse valor. A mediana está marcada na tabela acima.

Moda: Resposta com maior frequência de ocorrência a um dado conjunto de perguntas.

Para determinar a moda, encontre o número com a maior frequência (contagem). Nas respostas acima, o número cinco possui a maior contagem e é a moda.

Amplitude: Estatística que representa a distribuição dos dados e a distância entre o maior e o menor valor em uma distribuição de frequência.

Para calcular a amplitude, subtraia o menor ponto da avaliação do maior ponto. A diferença é a amplitude. Para os dados acima, o número máximo é 7 e o mínimo é 4, então a amplitude é 7 – 4 = 3.

Desvio-padrão: Medida de dispersão média dos valores em um conjunto de respostas em relação à sua média. Indica quanto os números em um conjunto de respostas são parecidos ou diferentes.

Para calcular o desvio-padrão, subtraia a média do quadrado de cada número e some-os. A seguir, divida a soma pelo número total de respostas, menos um, e depois tire a raiz quadrada do resultado.

## Ilustração gráfica dos dados

O próximo passo lógico após o desenvolvimento de tabelas de frequência é sua tradução em ilustrações gráficas. As ilustrações gráficas são modos poderosos de comunicar os principais resultados de pesquisa gerados a partir da análise preliminar dos dados. Discutimos a ilustração gráfica dos dados com o uso de gráficos de colunas, gráficos de pizza e outras técnicas semelhantes no Capítulo 13.

# PESQUISA DE MARKETING EM AÇÃO

## Deli Depot

Neste capítulo, apresentamos algumas abordagens simples à análise de dados. Em capítulos posteriores, mostramos técnicas estatísticas mais avançadas para analisar os dados. A consideração mais importante antes de decidir como analisar os dados é permitir que a empresa use os dados para tomar decisões melhores. Para ajudar os alunos a entender melhor como examinar os dados, preparamos diversos bancos de dados que podem ser aplicados a diversos problemas de pesquisa. Este caso trata do Deli Depot, uma lanchonete. O banco de dados está disponível em **www.mhhe.com/hairessentials3e**.

O Deli Depot vende sanduíches quentes e frios, sopa, chili, iogurte, tortas e biscoitos. O restaurante se posiciona no mercado de *fast food* para competir diretamente com o Subway e outras lanchonetes semelhantes. Suas vantagens competitivas incluem molhos especiais nos sanduíches, itens complementares no menu (como sopa e tortas) e entrega rápida em determinadas zonas. Como parte da disciplina de pesquisa de marketing, alunos conduziram um levantamento para o proprietário de um restaurante próximo a seu campus.

Os estudantes obtiveram permissão de conduzir entrevistas com clientes dentro do restaurante. As informações foram coletadas com 17 perguntas. Os clientes primeiro responderam sobre suas percepções do restaurante em termos de seis fatores (variáveis $X_1$–$X_6$), depois precisaram ordenar os mesmos seis fatores em termos de importância ao selecionar em que restaurante vão comer (variáveis $X_{12}$–$X_{17}$). Finalmente, os respondentes precisaram responder sobre sua satisfação com o restaurante, probabilidade de recomendá-lo para um amigo, com que frequência comem nele e que distância viajaram para comer no Deli Depot. Os entrevistadores registraram o gênero dos respondentes sem precisar perguntar. As variáveis, as perguntas e sua codificação se encontram a seguir.

## Variáveis de percepções de desempenho

As percepções de desempenho são medidas da seguinte maneira.

> A seguir listamos um conjunto de características que poderiam ser usadas para descrever o Deli Depot. Usando uma escala de 1 a 10, na qual 10 é "Concordo totalmente" e 1 é "Discordo totalmente", até que ponto você concorda ou discorda que o Deli Depot tem:
>
> $X_1$: Funcionários simpáticos
> $X_2$: Preços competitivos
> $X_3$: Funcionários competentes
> $X_4$: Excelente qualidade da comida
> $X_5$: Ampla variedade de pratos
> $X_6$: Serviço rápido

Se o respondente escolher 10 para a categoria "Funcionários simpáticos", isso indica forte concordância com a ideia de que o Deli Depot possui funcionários simpáticos. Se, por outro lado, o respondente escolher 1 para "Serviço rápido", isso significa forte discordância com a ideia e a percepção de que o serviço do Deli Depot é lentíssimo.

## Variáveis de classificação

Os dados para as variáveis de classificação são solicitados no final do levantamento, mas o banco de dados as registra como as variáveis $X_7$ a $X_{11}$. As respostas foram codificadas da seguinte maneira:

$X_7$: Gênero (1 = Masculino; 0 = Feminino)
$X_8$: Recomendar a um amigo (7 = Definitivamente recomendará; 1 = Definitivamente não recomendará)
$X_9$: Nível de satisfação (7 = Muito satisfeito; 1 = Muito insatisfeito)
$X_{10}$: Nível de utilização (1 = Frequentador assíduo: come no Deli Depot 2 vezes por semana ou mais; 0 = Frequentador ocasional: come no Deli Depot menos de 2 vezes por semana)
$X_{11}$: Área de mercado (1 = Veio de até 2 km; 2 = Veio de 2-5 km; 3 = Veio de mais de 5 km)

## Classificações de fator de seleção

Os dados para os fatores de seleção foram coletados da seguinte maneira.

Listamos a seguir um conjunto de atributos (motivos) pelos quais muitas pessoas selecionam um restaurante de *fast food*. Pense em suas visitas a restaurantes de *fast food* nos últimos 30 dias e ordene cada atributo de 1 a 6, com 6 sendo o motivo mais importante para selecionar o restaurante e 1 o menos importante. Não pode haver empates, então lembre-se de dar um número diferente para cada atributo.

$X_{12}$: Funcionários simpáticos
$X_{13}$: Preços competitivos
$X_{14}$: Funcionários competentes
$X_{15}$: Excelente qualidade da comida
$X_{16}$: Ampla variedade de pratos
$X_{17}$: Serviço rápido

O questionário do levantamento do Deli Depot se encontra na Figura 10.9.

## Exercício prático

1. O questionário do Deli Depot deve ter questões-filtro?
2. Realize uma contagem de frequência para a variável $X_3$: Funcionários competentes. Os clientes veem os funcionários como competentes?
3. Considere as diretrizes de concepção de questionários vistas no Capítulo 8. Como você melhoraria o questionário do Deli Depot?

**Figura 10.9** **Questionário do Deli Depot.**

**Questões-filtro e conexão**

Olá. Meu nome é ____ e eu trabalho para a Decision Analyst, uma empresa de pesquisa de mercado de Dallas, Texas. Estamos realizando entrevistas sobre hábitos alimentares em restaurantes.

1. "Com que frequência você come fora?" __ Frequentemente __ Ocasionalmente __ Raramente
2. "Você acabou de comer no Deli Depot?" __ Sim __ Não
3. "Você já completou um questionário no Deli Depot antes?" __ Sim __ Não

Se o respondente marcar "Frequentemente" ou "Ocasionalmente" na primeira pergunta, "Sim" na segunda e "Não" na terceira, diga:

Gostaríamos de fazer algumas perguntas sobre sua experiência hoje/esta noite no Deli Depot e esperamos que esteja disposto a nos dar sua opinião. O questionário demora apenas alguns minutos e ajudará a gerência a atender melhor os clientes. Você receberá 5 dólares após completar o questionário.

Se a pessoa disser sim, entregue a prancheta com o questionário, explique-o rapidamente e mostre onde completar o questionário.

**LEVANTAMENTO SOBRE JANTAR FORA**

Leia todas as perguntas com cuidado. Se não entender alguma, peça ajuda ao entrevistador.

**Seção 1: Medidas de percepção**

Listamos a seguir um conjunto de características que poderiam descrever o Deli Depot. Usando uma escala de 1 a 10, na qual 10 é "Concordo totalmente" e 1 é "Discordo totalmente", até que ponto você concorda ou discorda que o Deli Depot: Circule a resposta certa.

1. Funcionários Simpáticos — Discordo totalmente 1 2 3 4 5 6 7 8 9 10 Concordo totalmente
2. Preços Competitivos — Discordo totalmente 1 2 3 4 5 6 7 8 9 10 Concordo totalmente
3. Funcionários Competentes — Discordo totalmente 1 2 3 4 5 6 7 8 9 10 Concordo totalmente
4. Excelente Qualidade da Comida — Discordo totalmente 1 2 3 4 5 6 7 8 9 10 Concordo totalmente
5. Ampla Variedade de Pratos — Discordo totalmente 1 2 3 4 5 6 7 8 9 10 Concordo totalmente

6. Serviço Rápido — Discordo totalmente 1 2 3 4 5 6 7 8 9 10 Concordo totalmente

**Figura 10.9 Questionário do Deli Depot. (*continuação*)**

**Seção 2: Variáveis de classificação**

Marque a resposta que melhor o descreve.

**7.** Seu Gênero
1 Masculino
0 Feminino

**8.** Qual é a probabilidade de você recomendar o Deli Depot a um amigo?

| Definitivamente não recomendará | | | | | | Definitivamente recomendará |
|---|---|---|---|---|---|---|
| 1 | 2 | 3 | 4 | 5 | 6 | 7 |

**9.** Qual é o seu nível de satisfação com o Deli Depot?

| Não muito satisfeito | | | | | | Muito satisfeito |
|---|---|---|---|---|---|---|
| 1 | 2 | 3 | 4 | 5 | 6 | 7 |

**10.** Com que frequência você vai ao Deli Depot?
1 = como no Deli Depot 2 vezes ou mais por semana.
0 = como no Deli Depot menos de 2 vezes por semana.

**11.** De que distância você veio para chegar ao Deli Depot?
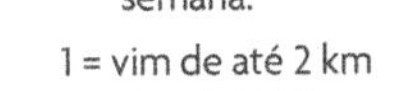
1 = vim de até 2 km
2 = vim de 2-5 km
3 = vim de mais de 5 km

**Seção 3: Fatores de seleção**

Abaixo listamos um conjunto de atributos (motivos) pelos quais muitas pessoas selecionam um restaurante de *fast food*. Pense em suas visitas a restaurantes de *fast food* nos últimos 30 dias e ordene cada atributo de 1 a 6, com 6 sendo o motivo mais importante para selecionar o restaurante e 1, o menos importante. Não pode haver empates, então lembre-se de dar um número diferente para cada atributo.

| Atributo | Classificação |
|---|---|
| **12.** Funcionários simpáticos | |
| **13.** Preços Competitivos | |
| **14.** Funcionários Competentes | |
| **15.** Excelente Qualidade da Comida | |
| **16.** Ampla Variedade de Pratos | |
| **17.** Serviço Rápido | |

Muito obrigado por sua ajuda. Por favor devolva o questionário ao entrevistador para receber seus 5 dólares.

# Resumo

**Descrever o processo de preparação e análise de dados.**
O valor da pesquisa de marketing é sua capacidade de fornecer informações decisórias precisas ao usuário. Para tanto, os dados precisam ser convertidos em conhecimento ou informações úteis. Após coletar os dados com os métodos adequados, o trabalho passa a ser garantir que os dados deem sentido e valor. A preparação dos dados é a primeira parte do processo de transformação destes em conhecimento útil. O processo envolve diversos passos: (1) validação de dados, (2) edição e codificação, (3) entrada de dados, (4) detecção de erros e (5) tabulação de dados. A análise de dados vem depois da preparação e facilita a interpretação correta dos achados.

**Discutir a validação, edição e codificação de dados de levantamentos.**
A validação de dados tenta determinar se os levantamentos, as entrevistas ou as observações foram conduzidos corretamente e se não foram fraudados. Ao recontatar parte dos respondentes, o pesquisador pergunta se a entrevista (1) foi falsificada, (2) foi conduzida com um respondente qualificado, (3) ocorreu no local especificado pelo procedimento, (4) foi completada correta e precisamente e (5) foi realizada com cortesia. O processo de edição envolve o exame detalhado de entrevistas ou respostas de questionários para determinar se as perguntas certas foram feitas, se as respostas foram registradas de acordo com as instruções e as questões-filtro foram executadas corretamente, além de se as respostas a perguntas abertas foram registradas adequadamente. Depois de editados, os questionários são codificados pela designação de valores numéricos a todas as respostas. A codificação é o processo de alocar rótulos numéricos a todos os dados para que possam ser inseridos no computador para análise estatística subsequente.

**Explicar procedimentos de entradas de dados e detecção de erros.**
Existem diversos métodos de entrada de dados codificados em computadores. O primeiro é o teclado do PC. Os dados também podem ser inseridos em terminais com telas sensíveis ao toque, apontadores manuais eletrônicos ou canetas ópticas. Finalmente, os dados podem ser inseridos por escaneamento e uso de reconhecimento óptico de caracteres. Os erros de entrada de dados podem ser detectados com o uso de rotinas de edição de erros no *software* de entrada de dados. Outra abordagem é analisar visualmente os próprios dados após a entrada.

**Descrever abordagens de tabulação e análise de dados.**
Duas formas comuns de tabulação de dados são usadas na pesquisa de marketing. A tabulação simples indica o número de respondentes que deu cada resposta possível a cada pergunta do questionário. A tabulação cruzada categoriza os respondentes ao tratar duas ou mais variáveis simultaneamente. A categorização baseia-se no número de respondentes que respondeu a duas ou mais perguntas consecutivas.

# Principais termos e conceitos

Codificação 255
Edição 250
Entrada de dados 258
Entrevista de calçada 249
Tabulação 260
Tabulação cruzada 260
Tabulação simples 260
Validação de dados 248

# Questões de revisão

1. Descreva brevemente o processo de validação de dados. Discuta especificamente as questões de fraude, filtragem, procedimentos, completude e cortesia.
2. Quais são as diferenças entre validação, edição e codificação de dados?
3. Explique as diferenças entre o desenvolvimento de códigos para perguntas abertas e fechadas.
4. Descreva brevemente o processo de entrada de dados. Que mudanças tecnológicas simplificaram o procedimento?
5. Qual é o objetivo da tabulação simples? Qual é a sua relação com a tabela de frequência simples?

## Questões para discussão

1. Explique a importância de seguir a sequência para preparação e análise de dados descrita na Figura 10.1.
2. Identifique quatro problemas que um pesquisador poderia encontrar ao realizar triagem de questionários e preparar dados para análise.
3. Como a tabulação de dados ajuda os pesquisadores a entender e informar melhor seus achados?
4. EXERCÍCIO COM SPSS. Usando o SPSS e o banco de dados sobre os funcionários do Santa Fe Grill, desenvolva frequências, médias, modas e medianas para todas as variáveis relevantes no questionário.

# 11

# Análise básica de dados para pesquisas quantitativas

**Objetivos de aprendizagem** Após ler este capítulo, você estará apto a:

1. Explicar as medidas de tendência central e dispersão.
2. Descrever como testar hipóteses usando estatísticas univariadas e bivariadas.
3. Aplicar e interpretar a análise de variância (ANOVA).
4. Utilizar o mapeamento perceptual para apresentar os achados da pesquisa.

## A análise de dados facilita decisões mais inteligentes

Em seu livro *Prosperando no Caos*, Tom Peters diz: "estamos nos afogando em informações e sedentos por conhecimento". De fato, a quantidade de informações disponíveis para decisões de negócios cresceu incrivelmente na última década, mas até recentemente boa parte dessas informações simplesmente desaparecia. Ou não era utilizada ou era descartada porque a coleta, o armazenamento, a extração e a interpretação eram caros demais. Agora, reduções no custo de coleta e armazenamento de dados, processadores mais rápidos e interfaces cliente-servidor fáceis de usar e melhorias na análise e interpretação de dados possibilitadas pela mineração de dados (*data mining*) permitem que os negócios convertam antigos "lixos informacionais" em novos recursos para aprimorar as decisões de negócios e de marketing. Os dados podem vir de fontes secundárias ou levantamentos com clientes, ou ser gerados internamente pela empresa ou por *software* de CRM, como o SAP. A conversão de informações em conhecimento para uso no processo de decisão exige que os dados sejam organizados, categorizados, analisados e compartilhados entre os funcionários da empresa.

A análise de dados facilita a descoberta de padrões interessantes nos bancos de dados que são difíceis de identificar e têm o potencial de melhorar os processos de tomada de decisões e criação de conhecimento. A metodologia de análise de dados é muito usada com objetivos comerciais hoje. A Fair Isaac & Co. (**www.fairisaac.com**) é um negócio de 800 milhões de dólares no ramo do uso comercial de técnicas estatísticas multivariadas. A empresa desenvolveu um modelo analítico complexo que prevê com exatidão quem pagará suas contas no prazo, quem atrasará, quem nunca pagará, quem falirá, etc. Seus modelos são úteis tanto no mercado consumidor quanto no de *business-to-business*. A Receita Federal dos Estados Unidos também emprega a análise de dados para identificar quais declarações passarão por auditorias. A State Farm adota estatísticas multivariadas para decidir a quem vender apólices de seguro e a Progressive Insurance combina métodos multivariados com tecnologia de posicionamento global para identificar aonde e a que velocidade você dirige para que possa aumentar sua anuidade caso dirija de maneira perigosa.

Para fazer decisões de negócios precisas no ambiente cada vez mais complexo do mundo moderno, é preciso examinar relações intrincadas e com muitas variáveis relacionadas. Métodos estatísticos sofisticados, como a mineração de dados, são técnicas analíticas poderosas, utilizadas pelos pesquisadores de marketing para examinar e entender melhor tais relações.

# O valor da análise estatística

Depois que os dados foram coletados e preparados para análise, diversos procedimentos estatísticos ajudam a entender melhor as respostas. É difícil compreender todo o conjunto de respostas, pois são muitos números a serem lidos. Por exemplo, a Nokia analisou 6 bilhões de dados durante o design dos telefones celulares N-Series. Tamanha quantidade de dados somente é analisada e entendida com o uso da análise multivariada. Por consequência, quase todos os dados precisam de estatísticas descritivas para resumir as informações contidas no conjunto de dados. A estatística básica e a análise descritiva cumprem esse objetivo.

Neste capítulo, descrevemos algumas estatísticas comuns a praticamente qualquer projeto de pesquisa. Primeiro explicamos medidas de tendência central e de dispersão. A seguir, discutimos a análise de qui-quadrado para examinar as tabulações cruzadas, seguida pela estatística *t* para testar diferenças entre médias. Finalmente, o capítulo se encerra com uma introdução sobre análise de variância, uma técnica estatística poderosa para detecção de diferenças entre três ou mais médias amostrais.

## Medidas de tendência central

As distribuições de frequência podem ser úteis para examinar os diferentes valores de uma variável. As tabelas de distribuição de frequência são de fácil leitura e fornecem grandes quantidades de informações básicas. Às vezes, no entanto, a quantidade de detalhes é grande demais. Nessas situações, o pesquisador precisa de um modo de resumir e condensar todas as informações para encontrar o significado principal subjacente. Os pesquisadores usam estatísticas descritivas com esse fim. A média, a mediana e a moda são medidas de tendência central. Tais medidas localizam o centro da distribuição. Por esse motivo, média, mediana e moda às vezes são chamadas medidas de localização.

Usamos a variável "$X_{25}$: Frequência de visitas" do banco de dados dos restaurantes para exemplificar as medidas de tendência central (Figura 11.1). Observe que nesse exemplo, analisamos primeiro a distribuição de frequência, que se encontra na tabela inferior. Ele se baseia nos 427 respondentes que participaram do levantamento, incluindo 13 respostas que tinham alguns dados ausentes para essa pergunta. Os respondentes usaram uma escala de cinco pontos, na qual 1 = Muito infrequentemente, 2 = Infrequentemente, 3 = Ocasionalmente, 4 = Frequentemente e 5 = Muito frequentemente. Os números na coluna de porcentagem foram calculados usando a amostra total de 427, enquanto os números nas colunas de % Válidos e % Cumulativos foram calculados usando o tamanho da amostra total subtraído do número de respostas ausentes para essa pergunta (427 – 13 = 414).

Figura 11.1 Medidas de tendência central.

## Frequencies

**Statistics**

X25 -- Frequency of Eating at . . . ??

| | | | |
|---|---|---|---|
| Jose's Southwestern Cafe | N | Valid | 156 |
| | | Missing | 8 |
| | Mean | | 3.77 |
| | Median | | 4.00 |
| | Mode | | 3 |
| Santa Fe Grill | N | Valid | 258 |
| | | Missing | 5 |
| | Mean | | 2.96 |
| | Median | | 3.00 |
| | Mode | | 2 |

**Média** A **média*** é o valor médio dentro da distribuição e a medida de tendência central mais usada. A média nos diz, por exemplo, o número médio de xícaras de café que o estudante comum toma para ficar acordado durante a época de provas. A média pode ser calculada quando a escala de dados é de intervalo ou de razão. Em geral, os dados mostram algum grau de tendência central, com a maioria das respostas distribuídas próximas à média.

A média é uma medida de tendência central bastante robusta, não sentindo muito o efeito da adição ou subtração de valores de dados. A média pode estar sujeita a distorções, entretanto, se valores extremos forem incluídos na distribuição. Por exemplo, imagine que você perguntou a quatro alunos quantas xícaras de café eles tomam em um só dia. As respostas são: Respondente A = 1 xícara; Respondente B = 10 xícaras; Respondente C = 5 xícaras; Respondente D = 6 xícaras. Vamos presumir também que os respondentes A e B são homens e C e D são mulheres. Analisando os homens antes (Respondentes A e B), calculamos a média de xícaras como 5,5 (1 + 10 = 11/2 = 5,5). A seguir, quando analisamos as mulheres (Respondentes C e D), calculamos que a média de xícaras é 5,5 (5 + 6 = 11/2 = 5,5). Se analisarmos apenas o número médio de xícaras de café consumidas por homens e mulheres, concluiríamos que não há diferenças entre os dois grupos. Se considerarmos a distribuição subjacente, entretanto, concluímos que existem algumas diferenças e que a média, na verdade, distorce nosso entendimento sobre padrões de consumo de café entre homens e mulheres.

**Mediana** A **mediana** é o valor central da distribuição quando ela é organizada em ordem ascendente ou descendente. Por exemplo, se você entrevistou uma amostra de estudantes para determinar seus padrões de consumo de café durante a época e provas, talvez descubra que a mediana de xícaras de café consumidas é 4. O número de xícaras consumidas acima e abaixo dessa quantidade seria o mesmo (a mediana é o centro absoluto da distribuição). Se o número de observações for par, a mediana

* N. de E.: Para uma definição completa dos termos em negrito, veja o Glossário ao final do livro.

geralmente é considerada a média dos dois valores centrais. Se houver um número ímpar de observações, a mediana é o valor central. A mediana é particularmente útil enquanto medida de tendência central para dados ordinais e dados com distribuição assimétrica. Por exemplo, dados de renda têm distribuição assimétrica à direita (ou positiva), pois não existe limite superior para renda.

**Moda** A **moda** é o valor que aparece com mais frequência na distribuição. Por exemplo, o número médio de xícaras que os estudantes tomam por dia na época de provas pode ser 5 (a média), enquanto o número de xícaras de café que mais estudantes tomam é apenas 3 (a moda). A moda é o valor que representa o pico mais alto no gráfico de distribuição. A moda é especialmente útil como medida para dados que foram agrupados em categorias de algum modo. A moda da distribuição de dados do Jose's Southwestern Café na Figura 11.1 é "Ocasionalmente", pois quando analisamos a coluna de Frequência, notamos que a resposta mais dada é "Ocasionalmente" (cujo valor é 3), com 62 respondentes.

Cada medida de tendência central descreve uma distribuição de sua própria maneira, cada uma com seus pontos fortes e fracos. Para dados nominais, a moda é a melhor medida. Para dados ordinais, a mediana costuma ser a melhor. Para dados intervalares ou de razão, a média é a mais adequada, exceto quando os dados intervalares ou de razão incluem valores extremos, chamados *valores anômalos*. Nesses casos, a mediana e a moda darão mais informações sobre a tendência central da distribuição.

## Aplicativo SPSS: medidas de tendência central

É possível analisar o banco de dados do Santa Fe Grill com o aplicativo SPSS para calcular medidas de tendência central. Após dividir o arquivo em duas amostras de restaurantes, a sequência de comandos do ANALYZE → DESCRIPTIVE STATISTICS → FREQUENCIES. Vamos utilizar a variável "$X_{25}$: Frequência de visitas" em nossa análise. Clique em $X_{25}$ para destacá-la e então na seta da caixa *Variables* para selecioná-la para a análise. A seguir, abra a caixa *Statistics* e clique em *Mean*, *Median* e *Mode*, seguido de *Continue* e OK. As caixas de diálogo para essa sequência se encontram na Figura 11.2.

Analisemos os resultados das medidas de tendência central apresentados na Figura 11.1. Na tabela *Statistics*, vemos que a média do Jose's Southwestern Café é 3,77, a mediana é 4,00, a moda é 3 e há 8 observações com dados ausentes. Lembre-se de

### PAINEL Dividindo o banco de dados entre os clientes do Santa Fe Grill e os do Jose's Southwestern Café

Para dividir a amostra entre as respostas do Santa Fe Grill e as do Jose's Southwestern Café, a sequência de comandos é DATA → SPLIT FILE. Primeiro, clique na caixa de combinação *Data* e depois destaque e clique em *Split File*. Com a caixa de diálogo *Split File* aberta, você vê que a opção padrão é *Analyze all cases*. Clique na opção *Compare groups*, destaque a variável que deseja utilizar para dividir os grupos (p.ex.: variável de filtro X_s4) e clique na seta da caixa para movê-la para a janela *Groups Based on:*. A seguir, clique em OK. Agora você vai analisar os clientes do Santa Fe Grill e os clientes do Jose's separadamente. Assim, seu produto terá os resultados dos dois concorrentes separadamente. Lembre-se que todas as análises de dados após essa mudança dividirão o arquivo. Para analisar a amostra total, é preciso seguir a mesma sequência e clicar novamente em *Analyze all cases*.

**Figura 11.2** **Caixas de diálogo para cálculo de média, mediana e moda.**

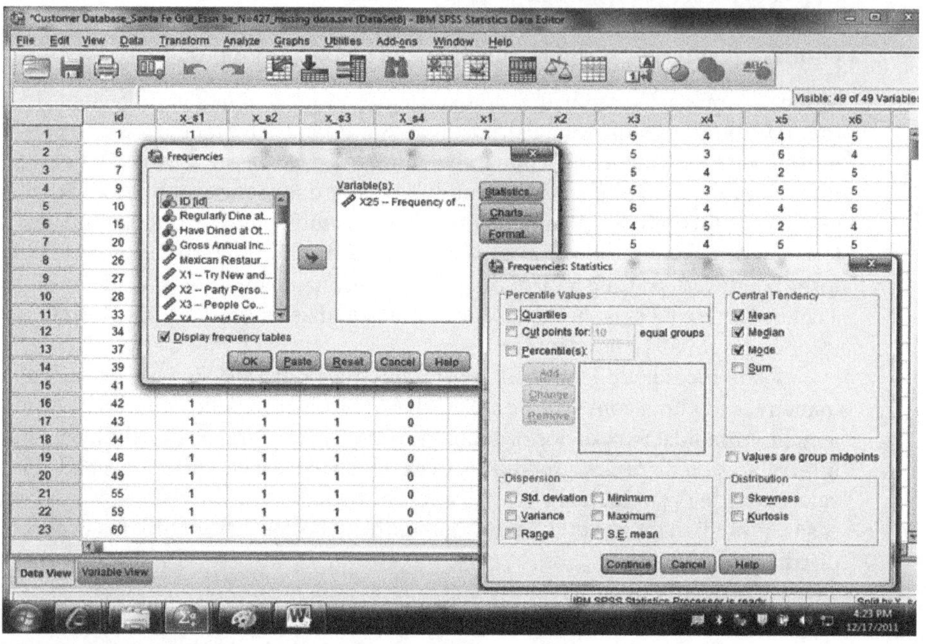


que essa variável é medida em uma escala de cinco pontos, com números menores indicando frequências de visita menores e números maiores indicando frequências maiores. As três medidas de tendência central podem ser diferentes entre si na mesma distribuição, como descrito anteriormente no exemplo de consumo de café. Mas também é possível que as três medidas sejam a mesma. Em nosso exemplo, a média, a mediana e a moda são diferentes.

**Interpretação de resultados** A frequência média de visitas ao Jose's é de 3,77, enquanto para o Santa Fe Grill é de 2,96. Da mesma forma, a mediana do Jose's é 4,0, e a moda, 3, enquanto a mediana do Santa Fe Grill é 3,0, e a moda, 2. Portanto, as três medidas de tendência central indicam que os clientes do Jose's comem ali com mais frequência, o que identifica uma área de melhoria para o Santa Fe Grill. Os proprietários precisam determinar por que seus clientes o visitam com menos frequência (ou os do Jose's visitam o restaurante com mais frequência) e desenvolver um plano para superar esse ponto fraco.

## Medidas de dispersão

As medidas de tendência central normalmente não contam toda a história sobre a distribuição das respostas. Por exemplo, se foram coletados dados sobre as atitudes dos consumidores em relação a uma nova marca de produto, é possível calcular a média, a mediana e a moda da distribuição de respostas. Entretanto, talvez você também queira saber se a maioria dos respondentes teve opiniões semelhantes. Um modo de responder essa pergunta é examinar as medidas de dispersão associadas à distribuição das respostas. As medidas de dispersão descrevem que a proximidade em relação à média ou à outra medida de tendência central se encontra o resto dos valores na distribuição. As duas medidas de dispersão que descrevem a variabilidade de uma distribuição de números são a amplitude e o desvio-padrão.

**Amplitude** A **amplitude** define a distribuição dos dados, sendo a distância entre o menor valor de uma variável e o maior. Outro modo de pensar na amplitude é que ela define os extremos da distribuição de valores. Para a variável "$X_{25}$: Frequência de visitas", a amplitude é a diferença entre a categoria de respostas Muito Frequentemente (maior valor codificado 5) e a categoria de respostas Muito Infrequentemente (menor valor codificado 1), ou seja, a amplitude é igual a 4. Nesse exemplo, havia apenas cinco categorias de resposta. Entretanto, outras perguntas têm amplitudes muito maiores. Por exemplo, se você perguntar com quanta frequência os respondentes gravam programas de TV em seu DVR, ou quanto pagariam por um novo smartphone, a amplitude provavelmente seria muito maior. Nesses exemplos, os respondentes, não os pesquisadores, estão definindo a amplitude por suas respostas. É por isso que a amplitude é mais usada para descrever a variabilidade de perguntas abertas, como nossos exemplo. Para a variável "$X_{25}$: Frequência de visitas", a amplitude é calculada como a distância entre o maior valor no conjunto de respostas e o menor, sendo igual a 4 (5 – 1 = 4).

**Desvio-padrão** O **desvio-padrão** descreve a distância média dos valores da distribuição em relação à média. A diferença entre uma resposta específica e a média da distribuição é chamada de desvio. Como a média de uma distribuição é uma medida de tendência central, deve haver tantos valores acima da média quanto abaixo, especialmente se a distribuição for simétrica. Consequentemente, se subtrairmos da média cada valor da distribuição e somá-los, o resultado será próximo a zero (resultados positivos compensam os negativos).

A solução para essa dificuldade é encontrar o quadrado de cada desvio antes de somá-los (o quadrado de números negativos é positivo). A fórmula a seguir serve para calcular uma estimativa do desvio-padrão.

$$\text{Desvio-padrão} = \sqrt{\frac{\sum_{i-1}^{n}(x_i - \bar{x})^2}{n-1}}$$

Depois de determinar a soma do quadrado dos desvios, divide-se o valor pelo número de respondentes menos 1. O número 1 é subtraído do número de respondentes para ajudar a produzir uma estimativa não enviesada do desvio-padrão. O resultado da divisão da soma do quadrado dos desvios é o desvio quadrado médio. Para converter o resultado para a mesma unidade de medida que a média, tira-se a raiz quadrada do valor. O resultado é o desvio-padrão estimado da distribuição. Às vezes, o desvio quadrado médio também é usado como medida de dispersão para distribuições. Esse valor, chamado de **variância**, é usado em diversos processos estatísticos.

Como o desvio-padrão estimado é a raiz quadrada dos desvios quadrados médios, o valor representa a distância média dos valores em uma distribuição em relação à média. Se o desvio-padrão estimado for grande, as respostas em uma distribuição de números ficam distantes da média aritmética da distribuição. Se o desvio-padrão estimado for pequeno, os valores da distribuição ficam próximos da média.

Outro modo de pensar sobre o desvio-padrão estimado é que seu tamanho lhe informa sobre o nível de concordância entre os respondentes sobre uma determinada pergunta. Por exemplo, no banco de dados dos restaurantes, os respondentes avaliaram sua satisfação ($X_{22}$) com os dois restaurantes. Utilizaremos o programa SPSS mais tarde para examinar os desvios-padrão para essa pergunta.

Em conjunto com medidas de tendência central, tais estatísticas descritivas podem revelar muito sobre a distribuição de um conjunto de números que representa respostas a um item de um questionário. Em geral, no entanto, os pesquisadores de marketing estão interessados em perguntas mais detalhadas, que envolvem mais de uma variável de cada vez. A próxima seção, sobre teste de hipóteses, apresenta algumas maneiras de analisar esses tipos de perguntas.

## Aplicativo SPSS: medidas de dispersão

Utilizaremos o banco de dados dos restaurantes com o aplicativo SPSS para calcular medidas de dispersão, do mesmo modo que fizemos com as medidas de tendência central. Observe que, para calcular as medidas de dispersão, utilizaremos o banco de dados com tamanho de amostra 405, o que significa que eliminamos todos os respondentes com dados ausentes. Além disso, antes de executar a análise, confirme que seu banco dedados está dividido entre os dois restaurantes. A sequência de comandos do SPSS é ANALYZE → DESCRIPTIVE STATISTICS → FREQUENCIES. A variável a ser examinada é "$X_{22}$: Satisfação". Clique em $X_{22}$ para destacá-la e clique na seta da caixa *Variables* para selecioná-la para sua análise. A seguir, abra a janela *Statistics*, vá à caixa *Dispersion* na parte inferior esquerda e clique em *Standard deviation, Range, Minimum* e *Maximum*, seguido de *Continue.*

**Interpretação dos resultados** A Figura 11.3 mostra o resultado das medidas de dispersão para a variável $X_{22}$: Satisfação. Primeiro, a maior resposta em uma escala

**Figura 11.3** Medidas de dispersão.

**Statistics**

X22 -- Satisfaction

| | | | |
|---|---|---|---|
| Jose's Southwestern Cafe | N | Valid | 152 |
| | | Missing | 0 |
| | Std. Deviation | | 1.141 |
| | Range | | 4 |
| | Minimum | | 3 |
| | Maximum | | 7 |
| Santa Fe Grill | N | Valid | 253 |
| | | Missing | 0 |
| | Std. Deviation | | 1.002 |
| | Range | | 4 |
| | Minimum | | 3 |
| | Maximum | | 7 |

de sete pontos é 7 (máximo) para ambos os restaurantes e a menor para os dois é 3 (mínimo). A amplitude é 4 (7 – 3 = 4), enquanto o desvio-padrão para o Jose's é 1,141, e para o Santa Fe, 1,002. A média do Jose's é 5,31, e do Santa Fe Grill, 4,54. Um desvio-padrão de 1,002 em uma escala de sete pontos para o Santa Fe Grill indica que as respostas para essa pergunta tiveram dispersão relativamente próxima em torno da média de 4,54. Mais uma vez, os resultados sugerem uma área de melhoria, pois a satisfação informada pelos clientes do Santa Fe Grill é menor (4,54) do que a dos clientes do Jose's Southwestern Café (5,31). Por ora, ainda não analisamos se os níveis de satisfação dos dois restaurantes são estatisticamente diferentes, logo, essa questão precisa ser trabalhada.

## Preparação de gráficos

O *software* SPSS permite que você prepare diversos tipos de gráficos e imagens. Os gráficos e outras abordagens de comunicação visual são empregados sempre que forem práticos. Eles ajudam os usuários da informação a entender rapidamente os resultados desenvolvidos na análise de dados, sendo também uma boa ferramenta visual no processo de comunicação para tornar os relatórios e as apresentações de pesquisa mais claros e impactantes.

Nesta seção, mostramos como preparar gráficos de colunas. Utilizamos a variável $X_{25}$: Frequência de visitas do banco de dados dos restaurantes para desenvolver a tabulação de frequências da Figura 11.4. Observe que temos 253 respostas, de modo que os dados se referem apenas aos clientes do Santa Fe Grill. A tabela mostra a frequência com a qual os clientes comem nesse restaurante, utilizando uma escala de cinco pontos na qual 1 = Muito infrequentemente, 2 = Infrequentemente, 3 = Ocasionalmente, 4 = Frequentemente e 5 = Muito frequentemente. A resposta mais frequente é 2 (Infrequentemente), com 62 dos 253 respondentes indicando essa alternativa.

Um *gráfico de colunas* apresenta os dados tabulados na forma de colunas em orientação horizontal ou vertical. Os gráficos de colunas são ferramentas excelentes para representar magnitudes, diferenças e alterações relativas e absolutas. A Figura 11.5 é um gráfico de colunas verticais baseado nos dados da Figura 11.4. Por exemplo, a frequência do valor Muito Infrequentemente = 1 (N = 49) é a primeira coluna vertical no lado esquerdo do gráfico, enquanto a próxima representa Infrequentemente = 2 (N = 62). As outras colunas foram desenvolvidas da mesma maneira.

**Figura 11.4** **Contagem de frequência de $X_{25}$: frequência de visitas ao Santa Fe Grill.**

**X25 -- Frequency of Eating at ... ??**

| | | Frequency | Percent | Valid Percent | Cumulative Percent |
|---|---|---|---|---|---|
| Valid | Very Infrequently | 49 | 19.4 | 19.4 | 19.4 |
| | Somewhat Infrequently | 62 | 24.5 | 24.5 | 43.9 |
| | Occasionally | 43 | 17.0 | 17.0 | 60.9 |
| | Somewhat Frequently | 59 | 23.3 | 23.3 | 84.2 |
| | Very Frequently | 40 | 15.8 | 15.8 | 100.0 |
| | Total | 253 | 100.0 | 100.0 | |

Figura 11.5 Gráfico de colunas de frequência de visitas ao Santa Fe Grill.

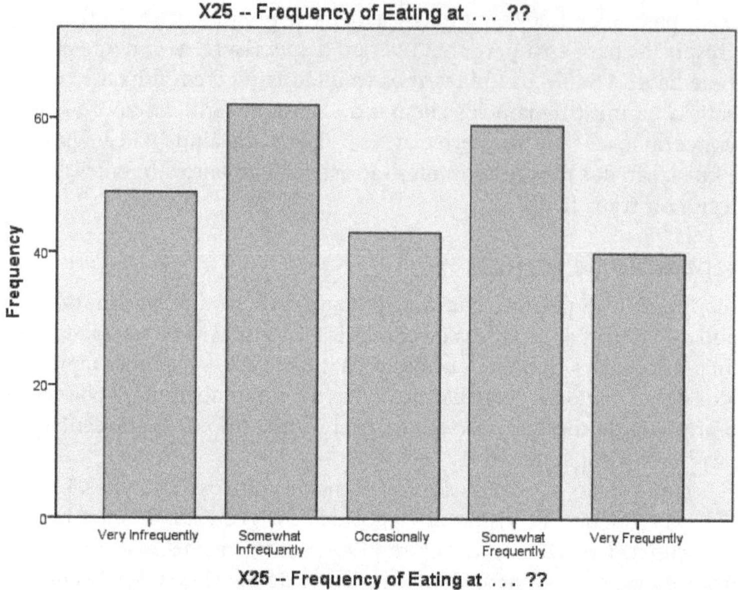


Os pesquisadores de marketing precisam exercer cautela ao utilizar gráficos e figuras para explicar os dados. As informações do gráfico podem ser interpretadas incorretamente, levando os usuários das informações de pesquisa de marketing a tirar conclusões equivocadas. No Capítulo 13, sobre relatórios de pesquisa de marketing, explicamos os gráficos em mais detalhes.

## Como desenvolver hipóteses

As medidas de tendência central e dispersão são ferramentas úteis para os pesquisadores de marketing, mas os pesquisadores muitas vezes possuem ideias preliminares sobre as relações entre os dados com base nos objetivos de pesquisa. Essas ideias, derivadas de pesquisas anteriores, teorias e/ou da situação de negócios atual, costumam ser chamadas hipóteses. Lembre-se de que uma hipótese é uma suposição ou proposição não comprovada que talvez explique certos fatos ou fenômenos. Uma hipótese também é considerada um pressuposto sobre a natureza de uma determinada situação. As técnicas estatísticas permitem determinar se as hipóteses propostas podem ser confirmadas por evidências empíricas. Um exemplo de hipótese seria: "O número médio de Cocas consumidas por um indivíduo em um dia quente será maior do que em um dia frio".

As hipóteses são desenvolvidas antes da coleta de dados, normalmente como parte do plano de pesquisa. Um exemplo de teste de hipótese seria examinar a teoria de que os homens comem mais hambúrgueres do que as mulheres em um McDonald's em uma semana média. Para testar essa hipótese, poderíamos calcular o número de hambúrgueres consumidos por homens e mulheres observando o comportamento em uma semana típica. Para tanto, comparamos o número de hambúrgueres consumidos por clientes de cada gênero e determinamos se há alguma diferença. Por exemplo, digamos que o número médio de hambúrgueres McDonald's consumidos por mulheres por semana é 1,2 e que o número médio de hambúrgueres McDonald's consumidos por homens por semana é 2,7. Concluiríamos que há uma diferença no número de hambúrgueres consumidos por homens e mulheres e que nossa teoria está confirmada. O achado seria muito útil para um pesquisador de marketing a serviço do McDonald's, ou talvez de um concorrente.

Quando testamos hipóteses que comparam dois grupos ou mais, se os grupos representam diferentes subconjuntos da mesma amostra, os dois devem ser considerados amostras relacionadas para a condução de testes estatísticos. Por outro lado, se presumidos que os grupos advêm de populações independentes, então os grupos diferentes são considerados amostras independentes. Em ambas as situações, o pesquisador está interessado em determinar se os dois grupos são diferentes, mas testes estatísticos específicos são mais adequados para cada situação. A questão será analisada em mais detalhes em uma seção posterior.

Muitas teorias servem para desenvolver hipóteses para os bancos de dados do restaurante. Por exemplo, os proprietários acreditam que a recessão fez os clientes visitarem o Santa Fe Grill com menos frequência. Para testar essa hipótese, primeiro calculamos que dos 253 clientes do Santa Fe Grill entrevistados, 10% disseram que visitavam o restaurante pelo menos duas vezes ao mês. Em um levantamento semelhante conduzido no ano passado, entretanto, 15% disseram que visitavam o restaurante pelo menos duas vezes por mês. Nesse exemplo, as amostras são independentes. Ainda não sabemos, entretanto, se a diferença em porcentagens confirma a hipótese de que a frequência de visitas ao Santa Fe Grill diminuiu. Se sim, como os dados sugerem, é uma informação útil para o desenvolvimento de um plano de marketing para o Santa Fe Grill. Em outras palavras, "A porcentagem de pessoas que visitam o Santa Fe Grill duas vezes ao mês diminuiu de fato de 15% no ano passado para 10% este ano?" ou este achado é apenas consequência de um erro de amostragem?

Há uma diferença nas porcentagens que visitam o Santa Fe Grill pelo menos duas vezes ao mês. Observamos, entretanto, que um erro de amostragem distorceria os resultados o suficiente para que não houvesse diferenças estatísticas entre as por-

## PAINEL Passos do desenvolvimento e teste de hipóteses

Para serem consistentes com o método científico, os pesquisadores de marketing precisam de uma abordagem sistemática para desenvolver hipóteses. A lista a seguir apresenta uma série de passos recomendados.

1. Revise os objetivos de pesquisa e informações secundárias obtidos da revisão da literatura.
2. Desenvolva as hipóteses nula e alternativa com base nos objetivos de pesquisa e outras informações.
3. Tome uma decisão subjetiva informada sobre a distribuição amostral da população e então selecione o teste estatístico apropriado com base na distribuição dos dados, número de variáveis e tipo de escala de medida.
4. Selecione o nível desejado de significância estatística ($p = 0,05$, por exemplo).
5. Colete os dados amostrais, aplique o método estatístico selecionado e determine se as diferenças são estatisticamente significativas.
6. Aceite ou rejeite a hipótese nula, ou seja, determine se o desvio do valor amostral em relação ao valor esperado ocorreu por acaso ou representa uma diferença real.

centagens deste ano e do anterior. Se a diferença entre as porcentagens é grande, o pesquisador teria mais confiança de que há uma diferença real entre os grupos, mas ainda haveria alguma incerteza quanto à diferença observada ser ou não significativa. Nesse caso, consideramos intuitivamente a quantidade de diferença entre as médias, mas não consideramos o tamanho da amostra usada para calcular as médias ou os desvios-padrão da amostra.

A hipótese nula é que não há diferença nas médias dos grupos. Ela se baseia na ideia de que qualquer mudança em relação ao passado se deve totalmente ao erro aleatório. Nesse caso, a hipótese nula seria de que não há diferença entre os 15% que visitavam o restaurante duas vezes ao mês no ano passado e os 10% deste ano. Os estatísticos e profissionais de marketing normalmente testam a *hipótese nula*. Outra hipótese, chamada *hipótese alternativa*, afirma o contrário da hipótese nula. A hipótese alternativa é que há uma diferença entre as médias dos grupos. Se a hipótese nula é aceita, não temos mudanças no *status quo*. Mas se ela é rejeitada e a alternativa é aceita, a conclusão é de que houve uma mudança em comportamentos, atitudes ou alguma outra medida semelhante.

## Analisando relações de dados amostrais

Em geral, os pesquisadores de marketing querem testar hipóteses sobre as relações propostas nos dados amostrais. Nesta seção, discutimos diversos métodos usados para testar hipóteses. O primeiro é a análise de qui-quadrado, uma estatística usada com dados nominais e ordinais. A seguir, discutimos a distribuição $t$ e descrevemos sua função no teste de hipóteses com o uso de dados intervalares e ordinais. Antes de discutir esses métodos de teste de hipóteses, revisaremos parte da terminologia estatística básica e sugeriremos maneiras de selecionar a técnica estatística apropriada.

### Estatísticas amostrais e parâmetros populacionais

O objetivo das estatísticas inferenciais é realizar considerações sobre uma população com base em uma amostra da mesma. Como explicamos no Capítulo 6, uma amostra é um subconjunto de uma população. Por exemplo, se quisermos determinar a quantidade média de xícaras de café consumidas por dia por universitários na época de provas, não entrevistaríamos todos os estudantes. Isso seria caro, demorado e talvez impossível, pois alguns talvez não pudessem ser encontrados ou se recusassem a participar. Em vez disso, se a universidade tem 16 mil alunos, podemos decidir que uma amostra de 200 mulheres e 200 homens é suficientemente grande para fornecer informações precisas sobre os hábitos de consumo de café dos 16 mil alunos.

Lembre que as estatísticas amostrais são medidas obtidas diretamente da amostra ou calculadas a partir dos dados na amostra. Um parâmetro populacional é uma variável ou alguma outra característica mensurada de toda a população. As estatísticas amostrais são úteis para a realização de inferências sobre os parâmetros da população. Em geral, os verdadeiros parâmetros populacionais são desconhecidos, pois o custo de se realizar um censo de verdade é altíssimo para quase qualquer população.

Costumamos utilizar uma distribuição de frequência que apresente os dados obtidos da amostra para resumir os resultados do processo de coleta de dados. Quando uma distribuição de frequência apresenta uma variável em termos de porcentagens, a distribuição representa proporções em uma população. Por exemplo, uma distribuição de frequência que indique que 40% das pessoas visitam o Burger King indica a porcentagem da população que atende o critério (comer no Burger King). As proporções podem ser expressas em termos de porcentagens, valores decimais ou frações.

## Como escolher a técnica estatística apropriada

Depois que o pesquisador desenvolveu as hipóteses e selecionou um nível aceitável de risco (significância estatística), o próximo passo é testar as hipóteses. Para tanto, o pesquisador precisa selecionar a técnica estatística apropriada para testar as hipóteses. Diversas técnicas estatísticas podem ser utilizadas para testar hipóteses. Entre as considerações que influenciam a escolha de uma técnica específica, estão (1) o número de variáveis, (2) a escala de mensuração e (3) o uso de estatísticas paramétricas *versus* não paramétricas.

**Número de variáveis** O número de variáveis examinadas em conjunto é uma consideração importante na seleção da técnica estatística apropriada. A estatística univariada utiliza apenas uma variável por vez para fazer generalizações sobre a população a partir de uma amostra. Por exemplo, se o pesquisador deseja analisar o número médio de xícaras de café do Starbucks consumida por estudantes universitários na época das provas finais, uma única variável é utilizada e o uso de estatísticas univariadas é apropriado. Se o pesquisador está interessado na relação entre o número médio de xícaras de café do Starbucks consumida por estudantes universitários na época das provas finais e o número de horas dedicadas ao estudo para essas mesmas provas, a pesquisa envolve duas variáveis e é preciso utilizar técnicas estatísticas bivariadas. Em geral, os pesquisadores terão de examinar muitas variáveis ao mesmo tempo para representar o mundo real e explicar corretamente as relações nos dados. Nesses casos, são necessárias técnicas estatísticas multivariadas. Este capítulo analisa as estatísticas univariadas e bivariadas, enquanto as técnicas estatísticas mais avançadas são trabalhadas em capítulos posteriores.

**Escala de mensuração** Analisamos a mensuração e o uso de escalas no Capítulo 7. Essas informações reaparecem aqui para mostrar quais técnicas estatísticas são empregadas com cada tipo de escala. A Figura 11.6 oferece um panorama dos tipos de escala usados em diversas situações. Imagine que o pesquisador possui uma escala nominal, como consumidores de café Starbucks *versus* consumidores de café Maxwell House. A moda seria a única medida apropriada de tendência central. Um teste qui-quadrado serviria para testar se o número observado de consumidores de café Starbucks é o esperado. Por exemplo, se o levantamento revelou que 34% dos estudantes de sua universidade bebem café Starbucks e você esperava um resultado de 40% com base em um levantamento nacional, o teste qui-quadrado seria aplicado para determinar se as diferenças encontradas são estatisticamente significativas.

**Figura 11.6** Tipo de escala e estatística apropriada.

| Tipo de escala | Medida de tendência central | Medida de dispersão | Estatística |
|---|---|---|---|
| Nominal | Moda | Nenhuma | Qui-quadrado (não paramétrica) |
| Ordinal | Mediana | Percentil | Qui-quadrado |
| Intervalares ou de razão | Média | Desvio-padrão | Teste *t*, ANOVA (paramétrico) |

Com dados ordinários, você consegue utilizar apenas a mediana, o percentil e o qui-quadrado. Por exemplo, se possuímos dados de classificação para dois fatores considerados importantes na seleção de uma marca de café, usaríamos a mediana, o percentil e o qui-quadrado. Se os dois fatores de classificação são sabor do café e nome de marca, usaríamos a estatística qui-quadrado para determinar se os consumidores de café Starbucks e os consumidores de café Maxwell House avaliam esses fatores de maneiras diferentes. Finalmente, se temos a contagem real do número de xícaras tomadas pelo consumidor de café Starbucks típico na época das provas finais, em comparação com os consumidores de café Maxwell House, temos dados de razão e conseguimos calcular o desvio-padrão e determinar se há diferenças nas médias de xícaras consumidas usando o teste *t* ou ANOVA.

**Estatísticas paramétricas *versus* não paramétricas** Existem dois tipos principais de estatísticas: as *paramétricas* e as *não paramétricas*. A principal diferença entre os dois está nos pressupostos fundamentais sobre os dados. Quando os dados são mensurados com escalas intervalares ou de razão e o tamanho da amostra é grande, é apropriado empregar estatísticas paramétricas. Também pressupõe-se que os dados amostrais são coletados de populações com distribuições normais. Por outro lado, quando não conseguimos pressupor uma distribuição normal, o pesquisador deve utilizar estatísticas não paramétricas. Além disso, quando os dados são mensurados com escalas ordinais ou nominais, em geral não é apropriado pressupor que a distribuição é normal, logo, é preciso utilizar estatísticas não paramétricas ou livres de distribuição. Neste capítulo, analisamos a estatística não paramétrica qui-quadrado e as estatísticas paramétricas teste *t* e ANOVA. Na Figura 11.6, há uma tabela que apresenta mais diretrizes sobre como selecionar a estatística apropriada.

Depois de considerar as escalas de medida e as distribuições de dados, há três abordagens para analisar os dados amostrais com base no número de variáveis: estatísticas univariadas, bivariadas ou multivariadas. "Univariado" significa que analisamos estatisticamente apenas uma variável por vez. Os testes bivariados analisam duas variáveis. Os multivariados examinam muitas variáveis simultaneamente.

## Testes estatísticos univariados

O teste de hipóteses com técnicas estatísticas envolve muito mais do que as tabulações em uma distribuição de frequência ou o cálculo de medidas de tendência central ou dispersão. Os pesquisadores não se limitam a descrever os dados com médias ou porcentagens, eles também testam a probabilidade de que os valores amostrais representam estimativas corretas ou incorretas das características da população. Os tipos mais simples de testes são os testes univariados de significância. Os testes univariados de significância testam hipóteses quando o pesquisador deseja testar uma proposição sobre uma característica da amostra em comparação com um padrão conhecido ou dado. A lista a seguir apresenta alguns exemplos de proposições:

- O novo produto ou serviço terá a preferência de 80% de nossos clientes atuais.
- A conta de eletricidade média em Miami, Flórida, excede 250 dólares por mês.
- A participação de mercado da Community Coffee no sul do Estado de Louisiana é, de pelo menos, 70%.
- Mais de 50% dos clientes atuais de Diet Coke preferirão a nova Diet Coke, que tem sabor de lima.

Essas proposições podem ser traduzidas em hipóteses nulas e testadas. Lembre-se de que as hipóteses são desenvolvidas com base em teorias, experiências passadas relevantes e condições de mercado atuais. A seguir, oferecemos um exemplo de teste de hipótese univariado usando o banco de dados do Santa Fe Grill.

O processo de testar hipóteses sobre as características da população com base em dados amostrais muitas vezes começa com o cálculo de distribuições de frequência e médias e passa para o teste de hipóteses em si. Quando o teste de hipóteses envolve a análise de uma variável por vez, ele é chamado de teste estatístico univariado. Quando o teste envolve duas variáveis, é chamado de teste estatístico bivariado. Primeiro discutiremos os testes estatísticos univariados.

Imagine que os proprietários do Santa Fe Grill, baseados na observação da concorrência, acreditam que os preços de seu cardápio e desejam testar a hipótese dos clientes considerarem seus preços razoáveis também. Os respondentes responderam a pergunta em uma escala de sete pontos, na qual 1 "Discordo totalmente" e 7 "Concordo totalmente". Parte-se do princípio que esta é uma escala intervalar, e pesquisas anteriores com o uso da medida indicam que as respostas terão distribuição aproximadamente normal.

Os pesquisadores precisam realizar duas tarefas antes de tentar responder a pergunta acima. Primeiro, é preciso desenvolver as hipóteses nula e alternativa. A seguir, é preciso selecionar o nível de significância para rejeição da hipótese nula e aceitação da alternativa. A partir de então, os pesquisadores podem conduzir o teste estatístico e determinar a resposta à pergunta de pesquisa.

No exemplo, os proprietários acreditam que os clientes verão os preços da comida do Santa Fe Grill como medianos. Se estiverem corretos, a resposta média para a pergunta será em torno de quatro (no meio do caminho entre 1 e 7 na escala). A hipótese nula é que a média de "$X_{16}$: Preços razoáveis" não será significativamente diferente de 4. Lembre-se de que a hipótese nula afirma o *status quo*: qualquer diferença do que se considera verdadeiro se deve à amostragem aleatória. A hipótese alternativa é que a média das respostas para "$X_{16}$: Preços razoáveis" não será 4. Se a hipótese alternativa for verdadeira, então existe uma diferença entre a média amostral que encontrarmos e a média que os proprietários esperam encontrar (ou seja, 4).

Presuma que os proprietários querem 95% de certeza de que a média não é 4. Assim, o nível de significância será estabelecido em 0,05. O uso desse nível de significância quer dizer que, se o levantamento com clientes do Santa Fe Grill for conduzido diversas vezes, a probabilidade de rejeitar incorretamente a hipótese nula quando ela for verdadeira seria menor do que 5 de cada 100 tentativas (ou seja, 0,05).

## Aplicativo SPSS: testes de hipóteses univariados

Com o aplicativo SPSS, é possível testar as respostas no banco de dados do Santa Fe Grill para descobrir a resposta da pergunta de pesquisa. Primeiro é preciso selecionar os clientes do Santa Fe Grill que participaram do levantamento; consulte o Painel de Pesquisa de Marketing relevante para consultar as instruções. A sequência de comandos é ANALYZE → COMPARE MEANS → ONE-SAMPLE T-TEST. Ao abrir a caixa de diálogo, clique na variável $X_{16}$: Preços Razoáveis para destacá-la. A seguir, clique na seta para mover $X_{16}$ para a caixa *Test Variables*. Na janela *Test Value*, insira o número 4. Esse é o número com o qual você quer comparar as respostas. Clique na caixa *Options* e escreva 95 na caixa do intervalo de confiança (isso é o mesmo que estabelecer o nível de significância como 0,05). A seguir, clique no botão *Continue* e em OK para executar o programa.

O resultado do SPSS se encontra na Figura 11.7. A tabela superior, com o título de "One-Sample Statistics" ("Estatísticas de uma amostra") mostra a média, o desvio-padrão e o erro padrão para "$X_{16}$: Preços razoáveis" (média de 4,47, desvio-padrão de 1,384). A tabela abaixo dela, "One-Sample Test" ("Teste de uma amostra") mostra os resultados do teste *t* para a hipótese nula de que a resposta média para $X_{16}$ é 4 (*Test Value* = 4). A estatística do teste *t* é 5,404 e o nível de significância é 0,000, o que significa que, de uma perspectiva estatística, a hipótese nula pode ser rejeitada e a hipótese alternativa aceita com alto nível de confiança.

**Interpretação de resultados** Do ponto de vista prático, em termos do Santa Fe Grill, os resultados do teste de hipótese univariado indicam que os respondentes consideram os preços estão ligeiramente acima do ponto médio da escala. A média de 4,47 é levemente maior do que o ponto médio 4 em uma escala de sete pontos (7 = Concordo totalmente que os preços são razoáveis). Assim, os proprietários do Santa Fe Grill podem concluir que seu preços não são vistos como excessivos. Por outro lado, é possível melhorar a situação quando a média é 4,47 de um máximo de 7. Os proprietários com certeza precisam examinar a questão dos preços e desenvolver um plano de melhoria.

## Testes estatísticos bivariados

Em muitos casos, os pesquisadores testam hipóteses que comparam as características de dois grupos ou duas variáveis. Por exemplo, o pesquisador de marketing talvez esteja interessado em verificar se existe alguma diferença na importância de aparelhos de GPS (sistema de posicionamento global) entre compradores de carros mais jovens ou mais velhos. Nessa situação, uma análise bivariada (de duas variáveis) é adequada.

Na seção seguinte, começamos com uma explicação do conceito de tabulação cruzada, que examina duas variáveis. A seguir, descrevemos três tipos de testes de hipóteses bivariados: qui-quadrado; teste *t*, que compara duas médias; e análise de variância, que compara três ou mais médias. O primeiro é usado com dados nominais, enquanto os dois últimos são usados com dados intervalares ou de razão.

## Tabulação cruzada

No Capítulo 10, apresentamos tabelas de frequência simples para informar achados sobre uma única variável. O próximo passo lógico na análise de dados é realizar ta-

**Figura 11.7** Teste de hipótese univariado usando $X_{16}$: preços razoáveis.

**T-Test**

**One-Sample Statistics**

| | N | Mean | Std. Deviation | Std. Error Mean |
|---|---|---|---|---|
| X16 -- Reasonable Prices | 253 | 4.47 | 1.384 | .087 |

**One-Sample Test**

| | Test Value = 4 | | | | | |
|---|---|---|---|---|---|---|
| | | | | | 95% Confidence Interval of the Difference | |
| | t | df | Sig. (2-tailed) | Mean Difference | Lower | Upper |
| X16 -- Reasonable Prices | 5.404 | 252 | .000 | .470 | .30 | .64 |

## PAINEL Selecionando os clientes do Santa Fe Grill para análise

Para selecionar as respostas do Santa Fe Grill (253) a partir da amostra total de 405 respostas, a sequência de comandos é DATA → SELECT CASES. Primeiro, clique na caixa de combinação *Data* e depois destaque e clique em *Select Cases*. Com a caixa de diálogo *Select Cases* aberta, você vê que a opção padrão é *All cases*. Clique na opção *If condition is satisfied* e então na aba *If*. A seguir, destaque a variável de filtro X_s4 e clique na seta da caixa para movê-la para a janela. Depois, clique no sinal de igual (=) e 1 para os clientes do Santa Fe Grill. Agora clique em *Continue* e então em OK. Com isso, você analisará apenas os clientes do Santa Fe Grill. Assim, seu produto terá os resultados dos dois concorrentes separadamente. Lembre-se de que todas as análises de dados após essa mudança considerarão apenas os clientes do Santa Fe Grill. Para analisar a amostra total, é preciso seguir a mesma sequência e clicar novamente em *All cases*.

bulações cruzadas usando duas variáveis. A *tabulação cruzada* é útil para examinar relações e informar os achados sobre duas variáveis. O objetivo da tabulação cruzada é determinar se existem diferenças entre subgrupos da amostra total. Na verdade, a tabulação cruzada é a principal forma de análise de dados em alguns projetos de pesquisa de marketing. Para usar a tabulação cruzada, é preciso antes compreender como desenvolvê-la e interpretar resultados.

A tabulação cruzada é uma das maneiras mais simples de descrever conjuntos de relações. Uma tabulação cruzada é uma distribuição de frequências de respostas para dois ou mais conjuntos de variáveis. Para conduzir uma tabulação cruzada, as respostas de cada um dos grupos são tabuladas e comparadas. A análise de qui-quadrado ($X^2$) permite testar se há diferenças estatísticas entre as respostas dos grupos. Eis exemplos de perguntas que poderiam ser respondidas usando tabulações cruzadas e testes com a análise de qui-quadrado:

- As classificações de fator de seleção de restaurante (mais importante, segundo mais importante, terceiro, etc.) diferem entre clientes e não clientes?
- A frequência de visitas (muito frequente, frequente, ocasional) difere entre os clientes do Santa Fe Grill e do Jose's Southwestern Café?
- O uso de Internet (alto, moderado, baixo) está relacionado com níveis de escolaridade (ensino fundamental incompleto e completo, ensino médio incompleto e completo, terceiro grau incompleto e completo, pós-graduação)?
- A consciência de marca (consciente, não consciente) está relacionada com a área geográfica na qual os indivíduos residem (América do Norte, Europa, Ásia, África, etc.)?

Os pesquisadores podem utilizar o teste de qui-quadrado para determinar se a resposta observada em um levantamento segue o padrão esperado. Por exemplo, a Figura 11.8 mostra uma tabulação cruzada entre o gênero dos respondentes e sua lembrança dos anúncios do restaurante. A tabulação cruzada mostra frequências e porcentagens, com as segundas existindo para linhas e colunas. Para obter esses resultados, a sequência de comandos no SPSS é *Analyze-Descriptive Statistics-Crosstabs*. Quando encontrar a caixa de diálogo *Crosstabs*, mova $X_{31}$ para a janela *Rows* e $X_{32}$ para a janela *Columns*. A seguir, clique na aba *Statistics*, marque *Chi-square* e então clique em *Continue*. A seguir, clique na aba *Cells* e marque *Observed* e *Expected* sob a caixa *Counts*, depois *Row*, *Column* e *Total* sob a caixa *Percentages*, então *Continue* e OK.

**Figura 11.8** Exemplo de tabulação cruzada: gênero por lembrança de anúncios

## Cross-tabs

**X31 -- Ad Recall * X32 -- Gender Cross-tabulation**

| | | | X32 -- Gender | | |
|---|---|---|---|---|---|
| | | | Male | Female | Total |
| X31 -- Ad Recall | Do Not Recall Ads | Count | 188 | 82 | 270 |
| | | Expected Count | 176.0 | 94.0 | 270.0 |
| | | % within X31 -- Ad Recall | 69.6% | 30.4% | 100.0% |
| | | % within X32 -- Gender | 71.2% | 58.2% | 66.7% |
| | | % of Total | 46.4% | 20.2% | 66.7% |
| | Recall Ads | Count | 76 | 59 | 135 |
| | | Expected Count | 88.0 | 47.0 | 135.0 |
| | | % within X31 -- Ad Recall | 56.3% | 43.7% | 100.0% |
| | | % within X32 -- Gender | 28.8% | 41.8% | 33.3% |
| | | % of Total | 18.8% | 14.6% | 33.3% |
| Total | | Count | 264 | 141 | 405 |
| | | Expected Count | 264.0 | 141.0 | 405.0 |
| | | % within X31 -- Ad Recall | 65.2% | 34.8% | 100.0% |
| | | % within X32 -- Gender | 100.0% | 100.0% | 100.0% |
| | | % of Total | 65.2% | 34.8% | 100.0% |

**Interpretação de resultados** Uma maneira de interpretar os resultados da Figura 11.8, por exemplo, seria analisar todos os indivíduos que não lembram os anúncios. No total, apenas 33,3% da amostra lembram algum anúncio. Mas de todos os homens entrevistados, somente 28,8% (76/264 = 28,8%) lembram os anúncios, enquanto 41,8% das mulheres entrevistadas lembram. Assim, nossa interpretação preliminar sugere que os homens têm menor probabilidade de lembrar os anúncios do restaurante do que as mulheres. Mas cuidado para não se confundir com os resultados dos indivíduos que lembram os anúncios. Estes mostram que, das 135 pessoas que lembram os anúncios, 56,3% são homens e 43,7% são mulheres, uma estatística que parece estar em conflito com a conclusão anterior de que as mulheres lembram os anúncios com mais frequência do que os homens. A maior porcentagem de homens no grupo dos entrevistados que lembram os anúncios se deve ao fato de que mais homens do que mulheres foram entrevistados no estudo.

O próximo passo para entender melhor essa situação seria observar a mesma tabulação cruzada, mas dividir a análise entre os clientes do Santa Fe Grill e os do Jose's. Isso permitiria que os proprietários do Santa Fe Grill comparassem a lembrança de seus anúncios em relação aos do Jose's.

É preciso considerar diversas outras questões ao desenvolver e interpretar tabulações cruzadas. Ao analisar a Figura 11.8, observe que as porcentagens foram calculadas para cada uma das células da tabela. O número superior dentro de cada célula representa a frequência absoluta (contagem) de respostas para cada variável ou pergunta (por exemplo, 188 respondentes homens não lembravam dos anúncios). Abaixo da frequência absoluta está a linha *Expected Count* (Contagem Esperada), seguida das porcentagens de linha por célula. Por exemplo, os 188 homens que não lembravam os anúncios representam 69,6% do total da categoria dos que não se lembram (188/270 = 69,6%). A célula também mostra a porcentagem total de respondentes dentro das células com base na amostra total. Assim, por exemplo, em uma amostra de 405 respondentes, 46,4% eram homens que não lembravam os anúncios e 18,8% eram homens que lembravam. Isso sugere que, em geral, os homens não lembram os anúncios com tanta frequência quanto as mulheres, mas nenhum dos dois lembra os anúncios do restaurante com muita frequência. Sem dúvida essa, é uma área que os proprietários do Santa Fe Grill precisam entender melhor.

Ao construir uma tabulação cruzada, o pesquisador seleciona as variáveis a serem usadas para examinar as relações. A seleção de variáveis deve se basear nos objetivos do projeto de pesquisa e nas hipóteses sendo testadas. Contudo, em todos os casos é preciso lembrar que o qui-quadrado é a estatística para analisar dados de escalonamento nominais (contagem) ou ordinais (ordenamento). As relações entre variáveis emparéadas (por exemplo, gênero do respondente e lembrança de anúncios) são selecionadas com base em se respondem as perguntas de pesquisa do projeto e em serem nominais ou ordinais.

As variáveis demográficas ou características psicográficas/de estilo de vida normalmente são o ponto de partida para o desenvolvimento de tabulações cruzadas. Essas variáveis em geral estão em colunas da tabela de tabulação cruzada, enquanto as linhas contêm variáveis como intenção de compra, utilização ou dados de vendas realizadas. As tabelas de tabulação cruzada mostram cálculos de porcentuais baseados nos totais das variáveis de cada coluna. Assim, o pesquisador consegue fazer comparações entre comportamentos e intenções para diversas categorias de variáveis previsoras, como renda, gênero e estado civil.

A tabulação cruzada dá ao analista de pesquisa uma ferramenta poderosa para resumir os dados de levantamentos, sendo fácil de entender e interpretar, permitindo uma descrição dos dados totais e de subgrupos. Mas a simplicidade da técnica pode criar problemas. É fácil produzir uma variedade infinita de tabulações cruzadas. Ao desenvolver essas tabelas, o analista deve sempre manter em mente os objetivos do projeto e as perguntas de pesquisa específicas do estudo.

## Análise de qui-quadrado

Os pesquisadores de marketing costumam analisar os dados de levantamentos com contagens de frequência simples e tabulações cruzadas. Um dos objetivos da tabulação cruzada é estudar as relações entre variáveis. A pergunta de pesquisa é "os números de respostas de cada categoria diferem do que seria esperado se não houvesse relação entre as variáveis?" A hipótese nula é sempre de que as duas variáveis não têm relação entre si. Assim, a hipótese nula em nosso exemplo seria de que a porcentagem de clientes masculinos e femininos que lembram dos anúncios do Santa Fe Grill seriam as mesmas. A hipótese alternativa é que as duas têm relação, ou que homens e mulheres diferem em relação a lembrança dos anúncios do Santa Fe Grill. A hipótese pode ser respondida por meio da análise de qui-quadrado. Eis alguns outros exemplos de perguntas de pesquisa que poderiam ser examinadas por meio de testes estatísticos de qui-quadrado:

- A intensidade de utilização da Internet (baixa, moderada, alta) está relacionada com o gênero do respondente?
- A frequência de visitas (infrequente, pouco frequente, muito frequente) difere entre homens e mulheres?

- Pessoas com empregos de meio turno diferem das que trabalham em tempo integral em termos de com que frequência se ausentam do trabalho (raramente, ocasionalmente, frequentemente)?
- Estudantes universitários e de segundo grau têm preferências diferentes entre Coca-Cola e Pepsi-Cola?

A **análise de qui-quadrado ($X^2$)** permite que os pesquisadores testem a significância estatística entre distribuições de frequência de duas (ou mais) variáveis de escalonamento nominal em uma tabulação cruzada para determinar se há alguma associação entre as variáveis. Dados categóricos de perguntas sobre gênero, educação e outras variáveis nominais podem ser testados com essa estatística. A análise de qui-quadrado compara as frequências observadas (contagens) das respostas com as frequências esperadas. Ela testa se os dados observados estão distribuídos como esperado, dado o pressuposto de que as variáveis não estão relacionadas. A contagem esperada é um valor teórico, enquanto a contagem observada é a contagem em si, baseada em seu estudo. Por exemplo, para testar se as mulheres lembram dos anúncios do Santa Fe Grill melhor do que os homens, compararíamos a frequência de lembrança observada para cada gênero com a frequência esperada, caso não houvesse diferença entre homens e mulheres. A estatística qui-quadrado responde a perguntas sobre relações entre dados de escalonamento nominal que não podem ser analisados com outros tipos de análise estatística (como ANOVA ou testes *t*).

## Calculando o valor do qui-quadrado

Para ajudá-lo a entender melhor a estatística qui-quadrado, mostraremos como calculá-la. A fórmula é:

$$\text{Fórmula do qui-quadrado} \quad x^2 = \sum_{i-1}^{n} \frac{(\text{Observada}_i - \text{Esperada}_i)^2}{\text{Esperada}_i}$$

onde

$\text{Observada}_i$ = frequência observada na célula $i$

$\text{Esperada}_i$ = frequência esperada na célula $i$

$n$ = número de células

Ao aplicar a fórmula aos dados do restaurante da Figura 11.8, o resultado é o seguinte cálculo do valor do qui-quadrado:

$$\frac{(188-176)^2}{176} + \frac{(82-94)^2}{94} + \frac{(76-88)^2}{88} + \frac{(59+47)^2}{47} = \begin{array}{l}\text{valor do qui-quadrado} = 7{,}05 \\ (\text{P} = 0{,}011;\ \text{bicaudal})\end{array}$$

Como essa equação indica, subtraímos a frequência esperada da observada e multiplicamos o resultado por si mesmo para eliminar qualquer valor negativos antes de podermos usar os resultados em cálculos futuros. Após tal multiplicação, dividimos o resultado pela frequência esperada para levar em consideração diferenças em tamanhos de células. A seguir, cada um dos cálculos realizado para cada célula da tabela é somado para todas as células; o resultado final é o valor do qui-quadrado. O valor do qui-quadrado informa a distância entre as frequências observadas e as esperadas. Conceitualmente, quanto maior o qui-quadrado, maior a probabilidade das duas variáveis estarem relacionadas, pois o valor é maior sempre que o número observado de fato em uma célula é mais diferente do que esperávamos encontrar, dado o pressuposto de que as duas variáveis não têm relação entre si. A estatística qui-quadrado computada é comparada com uma tabela de valores de qui-quadrado para determinar se as diferenças são estatisticamente significativas. Se o qui-quadrado calculado for maior do que o valor informado nas tabelas estatísticas padrões, as duas variáveis estão relacionadas segundo um nível de significância específico (normalmente, 0,05).

Alguns pesquisadores de marketing chamam o qui-quadrado de teste de "qualidade de ajuste", ou seja, o teste avalia o quão bem as frequências reais se "ajustam" às frequências esperadas. Quando as diferenças entre frequências observadas e esperadas são grandes, o ajuste é ruim e você rejeita sua hipótese nula. Quando as diferenças são pequenas, o ajuste é bom e a hipótese nula de que não há relação entre as duas variáveis é aceita.

Um aviso quanto ao uso do qui-quadrado: os resultados do qui-quadrado se distorcem se mais de 20% das células têm contagem esperada menor do que 5 ou se alguma das células tem contagem esperada menor do que 1. Nesses casos, é melhor não usar o teste. O SPSS avisa quando tais condições são violadas. Uma solução para contagens pequenas em células individuais é combiná-las em menos células para obter contagens maiores.

## Aplicativo SPSS: qui-quadrado

Com base em suas conversas com clientes, os proprietários do Santa Fe Grill acreditam que as mulheres vêm de mais longe para comer no restaurante que os homens. A estatística qui-quadrado serve para determinar se isso é verdade. A hipótese nula é que a mesma proporção de clientes masculinos e femininos compõe cada uma das categorias de resposta para "$X_{30}$: Distância percorrida". A hipótese alternativa é que as proporções diferem por gênero.

Para conduzir a análise, primeiro vá à caixa de combinação *Data* e selecione *Select Cases*, como mostrado no Painel de Pesquisa de Marketing. Selecione apenas os clientes do Santa Fe Grill para a análise. A seguir, a sequência de comandos é ANALYZE → DESCRIPTIVE STATISTICS → CROSSTABS. Clique em $X_{30}$: Distância percorrida para a variável *Row* e em $X_{32}$: Gênero para a variável *Column*. Clique no botão *Statistics* e na caixa *Chi-square*, seguido de *Continue*. A seguir, clique no botão *Cells* e em *Expected frequencies* (em geral, *Observed frequencies* já está marcado), depois em *Row*, *Column* e *Total Percentages*. A seguir, clique em *Continue* e OK para executar o programa.

Os resultados do SPSS se encontram na Figura 11.9. A tabela superior mostra o número de respostas absoluto (contagem) para homens e mulheres em cada uma das categorias de "$X_{30}$: Distância percorrida". A tabela também mostra as frequências esperadas, ou o número que esperaríamos encontrar na célula se a hipótese nula (nenhuma diferença) fosse verdadeira. Por exemplo, 74 homens dirigiram menos de 2 Km (59,8 eram "esperados" na célula), enquanto 12 mulheres dirigiram a mesma distância (esperávamos encontrar 26,2).

As frequências esperadas (contagens) são calculadas com base na proporção da amostra representada por um determinado grupo. Por exemplo, a amostra total dos clientes do Santa Fe Grill era de 253 pessoas, das quais 176 eram homens e 77 eram mulheres, isto é, 69,6% da amostra era masculina e 30,4% era feminina. Quando analisamos a coluna Total para a categoria de distância viajada marcada "Less than 1 mile" ("Menos de 2 quilômetros"), vemos que o grupo inclui um total de 86 respondentes de ambos os gêneros. Para calcular as frequências esperadas, é preciso multiplicar a

Figura 11.9 Exemplo de qui-quadrado de tabulação cruzada de clientes do Santa Fe Grill

**x30 -- Distance Driven to Restaurant * X32 -- Gender Cross-tabulation**

| | | | X32 -- Gender | | |
|---|---|---|---|---|---|
| | | | Male | Female | Total |
| x30 -- Distance Driven to Restaurant | Less than 1 mile | Count | 74 | 12 | 86 |
| | | Expected Count | 59.8 | 26.2 | 86.0 |
| | | % within x30 -- Distance Driven to Restaurant | 86.0% | 14.0% | 100.0% |
| | | % within X32 -- Gender | 42.0% | 15.6% | 34.0% |
| | | % of Total | 29.2% | 4.7% | 34.0% |
| | 1 -- 5 miles | Count | 45 | 31 | 76 |
| | | Expected Count | 52.9 | 23.1 | 76.0 |
| | | % within x30 -- Distance Driven to Restaurant | 59.2% | 40.8% | 100.0% |
| | | % within X32 -- Gender | 25.6% | 40.3% | 30.0% |
| | | % of Total | 17.8% | 12.3% | 30.0% |
| | More than 5 miles | Count | 57 | 34 | 91 |
| | | Expected Count | 63.3 | 27.7 | 91.0 |
| | | % within x30 -- Distance Driven to Restaurant | 62.6% | 37.4% | 100.0% |
| | | % within X32 -- Gender | 32.4% | 44.2% | 36.0% |
| | | % of Total | 22.5% | 13.4% | 36.0% |
| Total | | Count | 176 | 77 | 253 |
| | | Expected Count | 176.0 | 77.0 | 253.0 |
| | | % within x30 -- Distance Driven to Restaurant | 69.6% | 30.4% | 100.0% |
| | | % within X32 -- Gender | 100.0% | 100.0% | 100.0% |
| | | % of Total | 69.6% | 30.4% | 100.0% |

**Chi-Square Tests**

| | Value | df | Asymp. Sig. (2-sided) |
|---|---|---|---|
| Pearson Chi-Square | 16.945[a] | 2 | .000 |
| Likelihood Ratio | 18.390 | 2 | .000 |
| Linear-by-Linear Association | 11.153 | 1 | .001 |
| N of Valid Cases | 253 | | |

a. 0 cells (.0%) have expected count less than 5. The minimum expected count is 23.13.

proporção representada por um determinado grupo pelo número total naquele grupo. Por exemplo, com homens, calcula-se 69,6% de 86, encontrando a frequência esperada de 59,8. Do mesmo modo, como as mulheres eram 30,4% da amostra, a frequência esperada de mulheres era de 26,2 (30,4% × 86). As outras frequências esperadas são calculadas da mesma maneira.

Analise novamente as frequências observadas, mas dessa vez observe os entrevistados que dirigiram mais de 8 km. Observe como um número menor do que o esperado de clientes masculinos do Santa Fe Grill viajaram distâncias maiores para chegar ao restaurante, ou seja, era de se esperar que apenas 63,3 homens tivessem dirigido mais de 8 Km para chegar ao restaurante, mas o número real foi de apenas 57. Por outro lado, mais mulheres do que o esperado vieram de uma distância maior do que 8 Km (esperado 27,7; real, 34).

**Interpretação de resultados** A informação da tabela de testes qui-quadrado mostra os resultados. O valor de qui-quadrado de Pearson é 16,945, significativo no nível 0,000. Como o nível de significância é muito menor que nosso critério padrão de 0,05, podemos rejeitar a hipótese nula de que não há diferença com alto grau de confiança. A interpretação desse achado sugere que há uma alta probabilidade de que os clientes femininos venham de mais longe para comer no Santa Fe Grill. Também há uma tendência de que os homens dirigem distâncias mais curtas para chegar ao restaurante.

## Comparando médias: amostras independentes *versus* relacionadas

Além de examinar frequências, os pesquisadores de marketing em geral querem comparar as médias de dois grupos. Na verdade, uma das perguntas mais frequentes na pesquisa de marketing é se dois grupos de respondentes são significativamente diferentes em alguma atitude ou comportamento. Por exemplo, em um levantamento examinaríamos as seguintes perguntas:

- Os padrões de consumo de café (medidos pelo número médio de xícaras consumidas por dia) difere entre homens e mulheres?
- O número de horas que um indivíduo passa na Internet por semana difere por nível de renda? Gênero? Escolaridade?
- Os trabalhadores mais jovens apresentam maior satisfação no trabalho do que os mais velhos?
- As empresas da lista Fortune 500 possuem uma imagem mais favorável do que as empresas familiares menores?

Essas perguntas de pesquisa normalmente se baseiam em teorias ou na experiência prática, sugerindo uma ou mais hipóteses a serem testadas. Assim, quando examinamos perguntas como essas, primeiro é preciso considerar a teoria e somente depois desenvolver as hipóteses nulas e alternativas. A seguir, selecionamos o nível de significância para o teste da hipótese nula e finalmente escolhemos e aplicamos o teste estatístico adequado aos dados amostrais.

Existem duas situações nas quais os pesquisadores comparam médias. A primeira é quando as médias vêm de amostras independentes, a segunda quando as amostras estão relacionadas. Um exemplo de comparação entre **amostras independentes** seria os resultados de entrevistas com consumidores de café de ambos os gêneros. O pesquisador pode querer comparar a quantidade média de xícaras de café consumidas ao dia por estudantes do sexo masculino com a média dos estudantes do sexo feminino. Um exemplo da segunda situação (**amostras relacionadas**) seria quando o pesquisador compara a quantidade média de xícaras de café consumidas por dia por estudantes do sexo masculino com a quantidade média de refrigerantes consumidos por dia pela mesma amostra de estudantes do sexo masculino.

Em situações com amostras relacionadas, o pesquisador de marketing precisa tomar muito cuidado ao analisar as informações. Apesar de as perguntas serem independentes, os respondentes são os mesmos, situação conhecida como *amostras empareadas*. Ao testar as diferenças em amostras relacionadas, o pesquisador deve utilizar o chamado teste $t$ para amostras empareadas. A fórmula para calcular o valor $t$ para amostras empareadas não é apresentada neste livro. Os leitores devem procurar textos mais avançados para descobrir exatamente como se calcula o valor $t$ para amostras relacionadas. O aplicativo SPSS contém opções para ambas as situações (amostras relacionadas e independentes).

## Usando o teste *t* para comparar duas médias

Assim como o teste *t* univariado, o teste *t* bivariado requer dados intervalares ou de razão. Além disso, o teste *t* é especialmente útil quando o tamanho da amostra é pequeno ($n < 30$) e quando o desvio-padrão da população é desconhecido. Mas ao contrário do teste univariado, presumimos que as amostras são selecionadas de populações com distribuições normais e que as variâncias das populações são iguais.

O **teste *t*** para diferenças entre médias de grupos pode ser conceitualizado como a diferença entre as médias dividida pela variabilidade das médias. O valor *t* é uma razão da diferença entre duas médias amostrais e o erro padrão. O teste *t* apresenta um modo matemático de determinar se a diferença entre as duas médias amostrais ocorreu por acaso. A fórmula para calcular o valor *t* é:

$$Z = \frac{\bar{X}_1 - \bar{X}_2}{S\bar{x}_1 - \bar{x}_2}$$

onde

$\bar{x}_1$ = média da amostra 1

$\bar{x}_2$ = média da amostra 2

$S\bar{x}_1 - \bar{x}_2$ = erro padrão da diferença entre as duas médias

## Aplicativo SPSS: teste *t* para amostras independentes

Para exemplificar o uso de um teste *t* para analisar a diferença entre duas médias de grupos, voltamos ao banco de dados dos restaurantes. Com base em sua experiência observando os clientes no restaurante, os proprietários do Santa Fe Grill acreditam que há diferenças nos níveis de satisfação dos clientes masculinos e femininos. Para testar essa hipótese, empregamos o programa *Compare Means* (Comparar Médias) do SPSS. Para conduzir a análise, primeiro vá à caixa de combinação *Data* e selecione *Select Cases*, como mostrado no Painel de Pesquisa de Marketing. Selecione apenas os clientes do Santa Fe Grill para a análise.

A sequência de comandos no SPSS é ANALYZE → COMPARE MEANS → INDEPENDENT-SAMPLES T-TEST. Quando chegar a essa caixa de diálogo, clique na variável $X_{22}$: Satisfação para inseri-la na caixa *Test Variables* e a variável $X_{32}$: Gênero na caixa *Grouping Variable*. Para a variável $X_{32}$, é preciso definir a amplitude na caixa *Define Groups*. Escreva 0 para o primeiro grupo e 1 para o segundo (os homens recebem o código 0 no banco de dados, enquanto as mulheres ficam com 1) e clique em *Continue*. O teste usará as opções padronizadas, então, basta clicar em OK para executar o programa.

**Interpretação de resultados** Na Figura 11.10, a tabela superior mostra as estatísticas grupais. Observe que o conjunto de dados do Santa Fe Grill contém 176 clientes do sexo masculino e 77 do sexo feminino. Além disso, o nível médio de satisfação para os homens é um pouco maior (4,70) do que o das mulheres (4,18). O desvio-padrão para mulheres é levemente menor (0,823) do que o dos homens (1,034).

Para descobrir se as duas médias são significativamente diferentes, analisamos as informações na tabela "Independent Samples Test" ("Teste de Amostras Independentes"). A significância estatística da diferença em duas médias é calculada de modos diferentes se as variâncias das duas médias forem iguais ou desiguais. O teste de Levene para igualdade de variâncias é informado no lado esquerdo da tabela. Nesse

**Figura 11.10** **Comparação de duas médias com o teste t de amostras independentes.**

*(Processing...)*

**Group Statistics**

| | X32 -- Gender | N | Mean | Std. Deviation | Std. Error Mean |
|---|---|---|---|---|---|
| X22 -- Satisfaction | Male | 178 | 4.70 | 1.034 | .078 |
| | Female | 77 | 4.18 | .823 | .094 |

**Independent Samples Test**

| | | Levene's Test for Equality of Variances | | t-test for Equality of Means | | | | | | |
|---|---|---|---|---|---|---|---|---|---|---|
| | | | | | | | | | 95% Confidence Interval of the Difference | |
| | | F | Sig. | t | df | Sig. (2-tailed) | Mean Difference | Std. Error Difference | Lower | Upper |
| X22 -- Satisfaction | Equal variances assumed | 19.800 | .000 | 3.882 | 251 | .000 | .517 | .133 | .255 | .779 |
| | Equal variances not assumed | | | 4.241 | 179.954 | .000 | .517 | .122 | .276 | .758 |

caso, o teste mostra que as duas variâncias não são iguais (valor de significância = 0,000 indica que as variâncias são significativamente diferentes). Quando esse valor é menor do que 0,05, seria preciso usar o teste no qual não se presume que as variâncias sejam iguais. Na coluna marcada *Sig. (2-tailed)* [Sig. (bicaudal)], observe que as duas médias são significativamente diferentes (< 0,000), independentemente de presumirmos que as variâncias são iguais ou desiguais. Assim, a hipótese nula de que as duas médias são iguais não se sustenta e precisamos concluir que os clientes do gênero masculino estão significativamente mais satisfeitos com o Santa Fe Grill do que os do gênero feminino. A tabela inclui outras informações, mas não precisamos nos preocupar com elas no momento.

## Aplicativo SPSS: Teste *t* para amostras empareadas

Às vezes, os pesquisadores de marketing querem testar as diferenças em duas médias para variáveis na mesma amostra. Por exemplo, os proprietários do Santa Fe Grill observaram que o gosto de sua comida recebeu a nota 4,78, enquanto a temperatura recebeu apenas 4,38. Como as duas variáveis provavelmente estão relacionadas, eles querem saber se as notas do gosto são mesmo significativamente maiores (mais favoráveis) do que as da temperatura. Para examinar a questão, analisamos a diferença nas duas médias com o teste para amostras empareadas. O teste examina se duas médias de duas perguntas diferentes que usam o mesmo escalonamento e que são respondidas pelos mesmos respondentes são significativamente diferentes. A hipótese nula é que as avaliações médias das duas variáveis ($X_{18}$ e $X_{20}$) são iguais.

Usamos o teste *t* de amostras empareadas do SPSS e dados apenas dos clientes do Santa Fe Grill para testar a hipótese. A sequência de comandos é ANALYZE → COMPARE MEANS → PAIRED-SAMPLES T-TEST. Quando chegar a essa caixa de diálogo, primeiro selecione $X_{18}$: Comida de gosto excelente e clique na seta, depois $X_{20}$: Temperatura da comida e clique na seta para passá-las para a caixa *Paired Variables*. O teste usará as opções padronizadas, então basta clicar em OK para executar o programa.

**Interpretação de resultados** Na Figura 11.11, a tabela superior apresenta as estatísticas das amostras empareadas. A média para gosto da comida é 4,78 e da temperatura é 4,38. O valor *t* da comparação é 8,421 (ver tabela inferior na figura, que apresenta o teste de amostras empareadas), significativo em nível 0,000. Assim, é possível rejeitar a hipótese nula de que as duas médias são iguais e concluir que os clientes do Santa Fe Grill têm percepções mais favoráveis do gosto da comida do que de sua temperatura.

**Figura 11.11** **Teste *t* para amostras empareadas.**

**T-Test**

**Paired Samples Statistics**

| | | Mean | N | Std. Deviation | Std. Error Mean |
|---|---|---|---|---|---|
| Pair 1 | X18 -- Excellent Food Taste | 4.78 | 253 | .881 | .055 |
| | X20 -- Proper Food Temperature | 4.38 | 253 | 1.065 | .067 |

**Paired Samples Test**

| | | Paired Differences | | | | | t | df | Sig. (2-tailed) |
|---|---|---|---|---|---|---|---|---|---|
| | | | | | 95% Confidence Interval of the Difference | | | | |
| | | Mean | Std. Deviation | Std. Error Mean | Lower | Upper | | | |
| Pair 1 | X18 -- Excellent Food Taste - X20 -- Proper Food Temperature | .395 | .747 | .047 | .303 | .488 | 8.421 | 252 | .000 |

## Análise de variância (ANOVA)

Os pesquisadores usam a **análise de variância (ANOVA)** para determinar se existem diferenças estatísticas entre três ou mais médias. Por exemplo, se o pesquisador descobrir que a quantidade média de xícaras de café consumidas por dia por calouro durante a época de provas é 3,7, enquanto a média dos formandos e pós-graduandos é de 4,3 e 5,1, respectivamente, as diferenças observadas são ou não estatisticamente significativas?

Nesta seção, mostramos como a ANOVA simples* é utilizada para examinar médias de grupos. O termo *simples* é utilizado porque a comparação envolve apenas uma variável independente. Em uma seção posterior, mostramos como os pesquisadores também podem utilizar a ANOVA para examinar os efeitos de múltiplas variáveis independentes ao mesmo tempo, o que permite que os analistas estimem os efeitos individuais e conjuntos de diversas variáveis independentes sobre a variável dependente.

Um exemplo de problema de ANOVA simples seria a comparação das atitudes de três níveis de consumidores de café Starbucks em relação a uma determinada campanha de comunicação da rede. Nesse caso, temos uma variável independente (consumo de café Starbucks), mas dividida em três níveis diferentes. Nossa estatística *t* anterior não funcionaria aqui, pois temos as médias de mais de dois grupos para comparar.

A ANOVA requer que a variável dependente, nesse caso a atitude em relação à campanha de comunicação do Starbucks, seja métrica. Ou seja, a variável dependente deve ter escalonamento intervalar ou de razão. O segundo requisito de dados é que a variável independente, nesse caso a variável de consumo de café, seja categórica (não métrica).

* N. de R. T.: Também chamada de "ANOVA de um fator".

A hipótese nula para a ANOVA sempre afirma que não há diferença entre os grupos de variáveis dependentes (nesse caso, atitudes a campanhas de comunicação dos grupos de consumidores de café da rede Starbucks). Assim, a hipótese nula seria:

$$\mu 1 = \mu 2 = \mu 3$$

A ANOVA examina a variância dentro de um conjunto de dados. Você deve lembrar de nossa discussão anterior sobre medidas de dispersão que a variância de uma variável é igual ao desvio quadrado médio da média aritmética de uma variável. A lógica da ANOVA é que, se calcularmos a variância entre os grupos e a compararmos à variância interna dos grupos, é possível determinar se as médias dos grupos (atitudes em relação à campanha de comunicação) são significativamente diferentes.[1] Quando a variância interna dos grupos é alta, as diferenças entre grupos desaparecem, a menos que essas diferenças entre grupos sejam altas.

**Determinando significância estatística em ANOVA** Os pesquisadores usam o **teste F** com a ANOVA para avaliar as diferenças entre médias de grupos para analisar a significância estatística. Por exemplo, imagine que consumidores frequentes de café Starbucks deem nota 4,4 para a campanha publicitária, em uma escala de cinco pontos na qual 5 = "Muito favorável". Os consumidores médios de café Starbucks dão nota 3,9 para a campanha, enquanto os consumidores ocasionais de café Starbucks dão nota 2,5. O teste F na ANOVA nos informa se as diferenças observadas são estatisticamente significativas.

A *variância total* em um conjunto de respostas a uma pergunta consiste na variância entre grupos e na variância dentro de grupo. A *variância entre grupos* mede quanto as médias amostrais dos grupos diferem entre si. A *variância dentro dos grupos*, por outro lado, mede quanto as respostas dentro de cada grupo diferem entre si. A distribuição F é a razão dos dois componentes da variância total, calculada da seguinte maneira:

$$\text{Razão F} = \frac{\text{Variância entre grupos}}{\text{Variância dentro dos grupos}}$$

Quanto maior a diferença de variância entre os grupos, maior a razão F. Como a variância total em um conjunto de dados é divisível em componentes de variância entre e dentro de grupos, se há mais variância explicada ou representada pela consideração das diferenças entre grupos do que dentro dos grupos, a variável independente provavelmente tem impacto significativo sobre a variável dependente. Razões F maiores indicam diferenças significativas entre os grupos. Assim, quanto maior a razão F, maior a *probabilidade* da hipótese nula ser rejeitada.

## Aplicativo SPSS: ANOVA

Os proprietários do Santa Fe Grill gostariam de saber se há diferença na probabilidade de voltar ao restaurante com base na distância de deslocamento dos clientes. Eles acreditam que é importante saber a resposta tanto para seus próprios clientes quanto para os do Jose's. Assim, eles pedem ao pesquisador que teste a hipótese de que não há diferença na probabilidade de retorno ($X_{23}$) e distância percorrida até os restaurantes ($X_{30}$). Para tanto, o pesquisador analisou as 405 respostas do levantamento.

Para testar essa hipótese, usamos o teste de comparação de médias do SPSS. A sequência de comandos é ANALYZE → COMPARE MEANS → ONE-WAY ANOVA.

Ao chegar na caixa de diálogo *One-Way ANOVA*, destaque a variável $X_{23}$: Probabilidade de Retorno e mova-a para a janela *Dependent List*. A seguir, destaque $X_{30}$: Distância percorrida e clique na seta para movê-la para a janela *Factor*. Agora clique na aba *Options* e depois em *Descriptive*. Clique em *Continue* e OK para executar o programa.

**Interpretação de resultados ANOVA** Os resultados são apresentados na Figura 11.12. Primeiro, os números na coluna N indicam que 116 indivíduos percorrem menos de 2 km, 129, 2-8 km, e 160, mais de 8 km. Assim, um número maior de pessoas dirige de distâncias maiores para chegar aos restaurantes. A questão, no entanto, é se a distância percorrida está relacionada com a probabilidade de retorno. Analisando os números na coluna *Mean* (Média), vemos que a probabilidade de retorno é menor quando os indivíduos viajam de distâncias maiores. Em outras palavras, os números da coluna *Mean* indicam que os indivíduos que dirigem menos de 2 km informam uma probabilidade de retorno de 4,91. Lembre-se de que a pergunta utiliza uma escala de sete pontos, na qual 7 = Muito provável e 1 = Muito improvável. Os indivíduos que dirigem 2-8 km indicam sua probabilidade de retorno de 4,63, enquanto quem dirige mais de 8 km tem ainda menor probabilidade de retorno, com uma média de 4,01. Assim, a média da probabilidade de retorno diminui com o aumento da distância percorrida.

Ainda não sabemos, se as médias são significativamente diferentes. A tabela ANOVA na parte inferior da Figura 11.12 oferece a resposta. Na coluna Sig., vemos o número 0,000. A interpretação correta desse número é que se o levantamento fosse repetido 1.000 vezes, o resultado sempre seria estatisticamente significativo. Em outras palavras, a chance é de 0 em 1.000 que estaríamos errados se disséssemos que a hipótese de não haver diferença foi rejeitada e concluíssemos que há, de fato, diferenças reais nas médias de probabilidade de retorno com base na distância percorrida.

**Figura 11.12** Exemplo de ANOVA simples.

## Oneway

**Descriptives**

X23 -- Likely to Return

| | N | Mean | Std. Deviation | Std. Error | 95% Confidence Interval for Mean | | Minimum | Maximum |
|---|---|---|---|---|---|---|---|---|
| | | | | | Lower Bound | Upper Bound | | |
| Less than 1 mile | 116 | 4.91 | .734 | .068 | 4.77 | 5.04 | 3 | 6 |
| 1 -- 5 miles | 129 | 4.63 | 1.146 | .101 | 4.43 | 4.83 | 3 | 7 |
| More than 5 miles | 160 | 4.01 | 1.133 | .090 | 3.84 | 4.19 | 2 | 7 |
| Total | 405 | 4.46 | 1.104 | .055 | 4.36 | 4.57 | 2 | 7 |

**ANOVA**

X23 -- Likely to Return

| | Sum of Squares | df | Mean Square | F | Sig. |
|---|---|---|---|---|---|
| Between Groups | 58.659 | 2 | 29.330 | 27.163 | .000 |
| Within Groups | 434.071 | 402 | 1.080 | | |
| Total | 492.731 | 404 | | | |

**Significância estatística e diferenças de grupo individuais** Um ponto fraco da ANOVA, entretanto, é que o pesquisador só consegue descobrir que diferenças estatísticas existem entre pelo menos um par de médias de grupo. A técnica não identifica quais pares de médias são significativamente diferentes entre si. Em nosso exemplo de atitudes de consumidores de café Starbucks em relação a uma campanha de comunicação, podemos concluir que existem diferenças de atitude em relação à campanha de comunicação entre os três níveis de consumidores, mas não poderíamos determinar se as diferenças são entre consumidores ocasionais e consumidores médios, ou entre consumidores ocasionais e consumidores frequentes, ou entre consumidores médios e consumidores frequentes, e assim por diante. Podemos apenas afirmar que existem diferenças significativas entre os grupos em algum ponto. Assim, o pesquisador de marketing ainda precisa determinar onde se encontram as diferenças entre as médias.

A dificuldade do exemplo do Starbucks também se aplica aos resultados da ANOVA dos restaurantes em nosso levantamento. Assim, concluímos que há diferenças entre os três grupos com base na distância percorrida, mas não sabemos se as diferenças estão entre quem dirige menos de 2 km e 2-8 km, ou entre o grupo que dirige 2-8 km e o que dirige mais de 8 km, e assim por diante. Para responder essa pergunta, precisamos aplicar testes *post hoc* de acompanhamento. Os testes identificam quais pares de grupos possuem respostas médias significativamente diferentes.

Pacotes de *software* de estatística como o SPSS e o SAS disponibilizam diversos **testes de acompanhamento**. Todos os métodos envolvem comparações múltiplas ou avaliação simultânea de estimativas de intervalos de confiança das diferenças entre as médias. Em outras palavras, todas as médias são comparadas em pares. As diferenças entre os métodos se baseiam na capacidade de controlar o índice de erros. Descreveremos brevemente um teste de acompanhamento, o procedimento de Scheffé. Em relação a outros testes de acompanhamento, o *teste de Scheffé* é um método mais conservador de detecção de diferenças significativas entre médias de grupos.

O teste de acompanhamento de Scheffé estabelece intervalos de confiança simultâneos em torno das respostas dos grupos e fixa o índice de erros em um determinado nível $\alpha$. O teste identifica as diferenças entre todos os pares de médias a amplitudes de intervalo de confiança altas e baixas. Se a diferença entre cada par de médias estiver fora da amplitude do intervalo de confiança, podemos rejeitar a hipótese nula e concluir que os pares de médias são estatisticamente diferentes. O teste de Scheffé indica se um, dois ou os três pares de médias em nosso exemplo dos restaurantes são diferentes. O teste de Scheffé é equivalente a testes de hipóteses bicaudais simultâneos. Como a técnica fixa o índice de erros experimental em $\alpha$ (geralmente 0,05), os intervalos de confiança tendem a ser mais amplos do que em outros métodos, mas o pesquisador tem mais confiança de que as diferenças entre as médias são reais. Mantenha em mente que o teste de Scheffé é conservador, então, é bom considerar algum dos outros testes disponíveis em seu *software* estatístico.

Para executar o teste de Scheffé *post hoc*, usamos o teste de comparação de médias do SPSS. A sequência de comandos é ANALYZE → COMPARE MEANS → ONE-WAY ANOVA. Ao chegar à caixa de diálogo *One-Way ANOVA*, destaque a variável $X_{23}$: Probabilidade de Retorno e mova-a para a janela *Dependent List*. A seguir, destaque $X_{30}$: Distância percorrida e clique na seta para movê-la para a janela *Factor*. Agora clique na aba *Options* e depois em *Descriptive*, depois na aba *Post Hoc* e então em *Scheffé*. Finamente, clique em *Continue* e OK para obter os resultados do teste *post hoc*.

**Interpretação de resultados** Os resultados do teste de Scheffé para o exemplo dos restaurantes estão na Figura 11.13. Como vimos na Figura 11.12, as médias dos três grupos indicam menor probabilidade de retorno aos restaurantes à medida que os clientes percorrem distâncias maiores. A pergunta de pesquisa é: "Existem diferenças significativas entre todos os grupos de clientes divididos por distância percorrida, ou apenas entre alguns?" Analisando as informações na coluna Sig., vemos que as diferenças entre algumas médias de grupos são estatisticamente significativas (0,000), e outras, não (0,115). Em especifíco, as médias dos grupos de menos de 2 km e 2-8 km são estatisticamente diferentes, assim como as médias dos grupos 2-8 km e mais de 8 km. A conclusão geral é que a distância do restaurante afeta a probabilidade de retorno, mas tal influência só se torna significativa quando o cliente vem de mais de 8 km de distância. Assim, os esforços de marketing baseados na distância do restaurante podem ser semelhantes para indivíduos que moram dentro de um raio de 8km do restaurante, que é a área-alvo principal típica para restaurantes. No caso dos indivíduos que vêm de mais de 8 km de distância, entretanto, é preciso considerar algum tipo de incentivo para aumentar sua probabilidade de retorno.

# ANOVA de *n* fatores

A discussão da ANOVA até o momento se concentrou na ANOVA simples, que trabalha com apenas uma variável independente. No exemplo do Starbucks, a categoria de utilização (consumo de café Starbucks) era a variável independente. Do mesmo modo, no exemplo dos restaurantes, a distância viajada (três grupos diferentes) era a variável independente. Entretanto, o pesquisador de marketing pode estar interessado em analisar diversas variáveis independentes ao mesmo tempo. Nesses casos, é preciso utilizar a **ANOVA de *n* fatores.**

Os pesquisadores em geral estão interessados na região do país em que o produto é vendido, assim como em padrões de consumo. O uso de múltiplos fatores independentes possibilita o uso de **efeitos de interação**, ou seja, os múltiplos fatores independentes podem trabalhar em conjunto para afetar médias de grupos de variáveis dependentes. Por exemplo, consumidores frequentes de café Starbucks no nordeste dos Estados Uni-

**Figura 11.13** Resultado de testes ANOVA *post hoc*

**Multiple Comparisons**

X23 -- Likely to Return
Scheffé

| (I) x30 -- Distance Driven to Restaurant | (J) x30 -- Distance Driven to Restaurant | Mean Difference (I-J) | Std. Error | Sig. | 95% Confidence Interval | |
|---|---|---|---|---|---|---|
| | | | | | Lower Bound | Upper Bound |
| Less than 1 mile | 1 -- 5 miles | .277 | .133 | .115 | -.05 | .60 |
| | More than 5 miles | .893* | .127 | .000 | .58 | 1.20 |
| 1 -- 5 miles | Less than 1 mile | -.277 | .133 | .115 | -.60 | .05 |
| | More than 5 miles | .615* | .123 | .000 | .31 | .92 |
| More than 5 miles | Less than 1 mile | -.893* | .127 | .000 | -1.20 | -.58 |
| | 1 -- 5 miles | -.615* | .123 | .000 | -.92 | -.31 |

*. The mean difference is significant at the 0.05 level.

dos podem ter atitudes diferentes relativas à campanha de comunicação do que o mesmo tipo de consumidor no oeste do país; também pode haver outras diferenças entre os diversos grupos de níveis de consumo de café, como descrito anteriormente.

Concepções experimentais (pesquisas causais), nas quais o pesquisador utiliza diferentes níveis de estímulo (por exemplo, diversos preços ou anúncios) e mede as respostas aos estímulos, podem exigir o uso de ANOVA de *n* fatores. Por exemplo, o pesquisador pode estar interessado em descobrir se os consumidores preferem um anúncio sério ou humorístico e se a preferência varia entre homens e mulheres. Cada tipo de anúncio seria mostrado a diferentes grupos de clientes, homens e mulheres. A seguir, os clientes responderiam perguntas relativas a preferências sobre os anúncios e o produto anunciado. A principal diferença entre os grupos seria a diferença na execução do anúncio (humorístico ou não) e gênero do cliente. A ANOVA de *n* fatores serviria para descobrir se as diferenças em execução ajudam a causar diferenças em preferências em termos de anúncio e produto, além de que efeitos podem ser atribuídos ao gênero do cliente.

De um ponto de vista conceitual, a ANOVA de *n* fatores é semelhante à ANOVA simples, mas a matemática é mais complexa. Entretanto, aplicativos estatísticos como o SPSS convenientemente realizam a ANOVA de *n* fatores.

## Aplicativo SPSS: ANOVA de *n* fatores

Para ajudá-lo a entender como a ANOVA serve para responder perguntas de pesquisa, vamos utilizar o banco de dados dos restaurantes para responder uma pergunta típica. Os proprietários querem saber, em primeiro lugar, se os clientes que vêm ao restaurante de distâncias maiores diferem dos que vêm de locais mais próximos em sua disposição de recomendá-lo a amigos. Em segundo lugar, também querem saber se a diferença em disposição de recomendar o restaurante, se existe, é influenciada pelo gênero do cliente. As variáveis do banco de dados são "$X_{24}$: Probabilidade de recomendar", medida em uma escala de sete pontos, na qual 1 = "Definitivamente não recomendará" e 7 = "Definitivamente recomendará"; "$X_{30}$: Distância percorrida", na qual 1 = "Menos de 2 Km", 2 = "2-5 Km" e 3 = "Mais de 5 Km"; e "$X_{32}$: Gênero", na qual 0 = masculino e 1 = feminino.

Com base em comentários informais de clientes, os proprietários acreditam que quem dirige mais de 8 Km para chegar ao restaurante tem maior probabilidade de recomendá-lo. Além disso, sua hipótese é que os homens têm maior probabilidade de recomendar o restaurante do que as mulheres. As hipóteses nulas eram de que não haveria diferença entre avaliações médias para "$X_{24}$: Probabilidade de recomendar" para clientes que vieram de diversas distâncias para chegar ao restaurante ($X_{30}$) e também que não há diferença entre homens e mulheres ($X_{32}$).

O objetivo da análise ANOVA é descobrir se as diferenças que existem são estatisticamente significativas. A ANOVA usa a razão F para avaliar estatisticamente as diferenças. Quanto maior a razão F, maior a diferença entre as médias dos diversos grupos quanto à probabilidade de recomendação do restaurante.

O SPSS pode ajudá-lo a conduzir a análise estatística para testar as hipóteses nulas. O melhor modo de analisar os dados do levantamento dos restaurantes para responder as perguntas dos proprietários seria utilizar um modelo fatorial. O modelo fatorial é um tipo de ANOVA no qual os efeitos individuais de cada variável independente sobre a variável dependente são considerados separadamente, seguido pela análise dos efeitos combinados (interação) das variáveis independentes sobre a variável dependente.

Para examinar essa hipótese, usaremos apenas dados de clientes do Santa Fe Grill. Para separar a amostra dos clientes do Santa Fe Grill, primeiro vá à caixa de combinação *Data* e selecione *Select Cases*, como mostrado no Painel de Pesquisa de Marketing. Selecione apenas os clientes do Santa Fe Grill para a análise. A seguir, a sequência de comandos é ANALYZE → GENERAL LINEAR MODEL → UNIVARIATE. Destaque a variável dependente $X_{24}$: Probabilidade de recomendar e mova-a para a caixa *Dependent Variable*. A seguir, destaque $X_{30}$: Distância percorrida e $X_{32}$: Gênero, e mova-as para a caixa *Fixed Factors*. Agora clique na caixa *Options* no lado direito da tela do SPSS, localize a caixa *Estimated Marginal Means* e destaque *(OVERALL)*, assim como $X_{30}$, $X_{32}$ e $X_{30} * X_{32}$ e mova todas para a caixa *Display Means*. A seguir, marque as opções *Compare main effects* e *Descriptive Statistics*. Finalmente, clique em *Continue* e então OK.

**Interpretação de resultados** O resultado do SPSS para a ANOVA se encontra na Figura 11.14. A tabela inferior (de efeitos entre participantes) mostra que a razão F para $X_{30}$: Distância percorrida é 48,927, estatisticamente significativa em nível 0,000. Isso significa que os clientes que viajam distâncias diferentes para comer no restaurante variam na probabilidade de recomendá-lo. A razão F para $X_{32}$: Gênero é 13,046, também estatisticamente significativa em nível 0,000, o que significa que o gênero dos clientes influencia a probabilidade de recomendar o restaurante.

**Médias de ANOVA de *n* fatores** Agora sabemos que "$X_{30}$: Distância percorrida" e "$X_{32}$: Gênero" influenciam a probabilidade de recomendar o Santa Fe Grill, mas não sabemos como influenciam. Para responder essa pergunta, precisamos analisar as médias das duas variáveis, mostradas na Figura 11.15.

**Figura 11.14** Resultados de ANOVA de *n* fatores: Santa Fe Grill

**Between-Subjects Factors**

| | | Value Label | N |
|---|---|---|---|
| x30 -- Distance Driven to Restaurant | 1 | Less than 1 mile | 86 |
| | 2 | 1 -- 5 miles | 76 |
| | 3 | More than 5 miles | 91 |
| X32 -- Gender | 0 | Male | 176 |
| | 1 | Female | 77 |

**Tests of Between-Subjects Effects**

Dependent Variable: X24 -- Likely to Recommend

| Source | Type III Sum of Squares | df | Mean Square | F | Sig. |
|---|---|---|---|---|---|
| Corrected Model | 99.421[a] | 5 | 19.884 | 37.034 | .000 |
| Intercept | 2258.291 | 1 | 2258.291 | 4206.033 | .000 |
| x30 | 52.540 | 2 | 26.270 | 48.927 | .000 |
| x32 | 7.005 | 1 | 7.005 | 13.046 | .000 |
| x30 * x32 | 2.590 | 2 | 1.295 | 2.412 | .092 |
| Error | 132.618 | 247 | .537 | | |
| Total | 3534.000 | 253 | | | |
| Corrected Total | 232.040 | 252 | | | |

a. R Squared = .428 (Adjusted R Squared = .417)

**Figura 11.15** Resultado de médias de ANOVA de *n* fatores

**Descriptive Statistics**

Dependent Variable:X24 -- Likely to Recommend

| x30 -- Distance Driven... | X32 -- Gender | Mean | Std. Deviation | N |
|---|---|---|---|---|
| Less than 1 mile | Male | 4.39 | .569 | 74 |
| | Female | 3.67 | .888 | 12 |
| | Total | 4.29 | .666 | 86 |
| 1 -- 5 miles | Male | 3.78 | .850 | 45 |
| | Female | 3.68 | 1.077 | 31 |
| | Total | 3.74 | .943 | 76 |
| More than 5 miles | Male | 3.00 | .463 | 57 |
| | Female | 2.65 | .812 | 34 |
| | Total | 2.87 | .636 | 91 |
| Total | Male | 3.78 | .861 | 176 |
| | Female | 3.22 | 1.059 | 77 |
| | Total | 3.61 | .960 | 253 |

**Pairwise Comparisons**

Dependent Variable:X24 -- Likely to Recommend

| | | | | | 95% Confidence Interval for Difference[a] | |
|---|---|---|---|---|---|---|
| (I) x30 -- Distance Driven to Restaurant | (J) x30 -- Distance Driven to Restaurant | Mean Difference (I-J) | Std. Error | Sig.[a] | Lower Bound | Upper Bound |
| Less than 1 mile | 1 -- 5 miles | .302* | .143 | .035 | .021 | .582 |
| | More than 5 miles | 1.206* | .139 | .000 | .932 | 1.479 |
| 1 -- 5 miles | Less than 1 mile | -.302* | .143 | .035 | -.582 | -.021 |
| | More than 5 miles | .904* | .117 | .000 | .674 | 1.134 |
| More than 5 miles | Less than 1 mile | -1.206* | .139 | .000 | -1.479 | -.932 |
| | 1 -- 5 miles | -.904* | .117 | .000 | -1.134 | -.674 |

Based on estimated marginal means

*. The mean difference is significant at the .05 level.
a. Adjustment for multiple comparisons: Least Significant Difference (equivalent to no adjustments).

**Interpretação de resultados** Observe os números na tabela superior da Figura 11.15. As médias (ver linhas *Total*) mostram que a probabilidade média de recomendar o Santa Fe Grill a um amigo aumenta à medida que a distância percorrida pelo respondente diminui. Em suma, os clientes que vêm de até 2 km de distância têm probabilidade média de 4,29 de recomendar o Santa Fe Grill, em contraste com 3,74 e 2,87 para aqueles que vêm de 2-8 km e mais de 8 km, respectivamente.

Os proprietários do Santa Fe Grill também estão interessados na diferença de probabilidade de recomendação entre homens e mulheres. A razão F para gênero também é grande (13,046; ver Figura 11.14) e estatisticamente significativa (0,000). Analisando as médias dos grupos de clientes com base em gêneros (ver Figura 11.15), vemos que os clientes masculinos têm mesmo maior probabilidade de recomendar o Santa Fe Grill do que as mulheres. A hipótese nula de que não há diferença entre os gêneros é rejeitada e concluímos que a probabilidade média de recomendar o Santa

Fe Grill é diferente entre homens e mulheres, sendo que homens têm probabilidade significativamente maior de recomendar o restaurante.

A interação entre distância viajada e gênero tem razão F de 0,456, com nível de probabilidade de 0,634, o que significa que a diferença em probabilidade de recomendação quando ambas as variáveis independentes são consideradas em conjunto não é estatisticamente significativa. Ou seja, não há interação entre distância percorrida, gênero e probabilidade de recomendar o Santa Fe Grill.

## Mapeamento perceptual

O **mapeamento perceptual** é o processo usado para desenvolver mapas que mostram as percepções de respondentes. Os mapas são representações visuais bidimensionais das percepções dos respondentes sobre uma empresa, produto, serviço, marca ou qualquer outro objeto. Um mapeamento perceptual normalmente tem um eixo vertical e outro horizontal, cada um com seus próprios adjetivos descritivos. Possíveis adjetivos para nosso exemplo sobre restaurantes seriam temperatura e/ou frescor da comida, velocidade do serviço, boa relação custo-benefício e assim por diante.

É possível utilizar diversas abordagens para desenvolver mapas perceptuais, incluindo ordenamentos, medianas e médias. Os dados do exemplo de avaliação de restaurantes de *fast food* ilustram o mapeamento perceptual na Figura 11.16. Os pesquisadores apresentam aos clientes um conjunto de seis restaurantes de *fast food* e pedem que expressem sua impressão sobre cada um. As percepções dos respondentes são marcadas em um mapa bidimensional com dois adjetivos, "frescor da comida" e "temperatura da comida". A inspeção do mapa, mostrado na Figura 11.17, mostra que os clientes veem o Wendy's e o Back Yard Burgers como bastante semelhantes, assim como McDonald's e Burger King. Os clientes veem o Arby's e o Hardee's como um pouco parecidos, mas não têm opiniões tão favoráveis sobre esses quanto sobre os outros. Back Yard Burgers e McDonald's, no entanto, são vistos como pouquíssimo parecidos. Para entender melhor como desenvolver mapas perceptuais, leia o Painel de Pesquisa de Markting sobre o Remington's Steak House ao final deste capítulo.

## Aplicações de mapeamento perceptual em pesquisa de marketing

Enquanto nosso exemplo sobre *fast food* mostra como o mapeamento perceptual agrupa pares de restaurantes com base em avaliações percebidas, o mapeamento em si tem muitas outras utilidades na pesquisa de marketing, incluindo:

**Figura 11.16** Avaliações de seis restaurantes *fast food*.

| | Frescor da comida | Temperatura da comida |
|---|---|---|
| McDonald's | 1,8 | 3,7 |
| Burger King | 2,0 | 3,5 |
| Wendy's | 4,0 | 4,5 |
| Back Yard Burger | 4,5 | 4,8 |
| Arby's | 4,0 | 2,5 |
| Hardee's | 3,5 | 1,8 |

*Legenda: Temperatura da comida, 1 = Morna, 5 = Quente; Frescor da comida, 1 = Baixo, 5 = Alto.*

**Figura 11.17** **Mapeamento perceptual de seis restaurantes de *fast food*.**

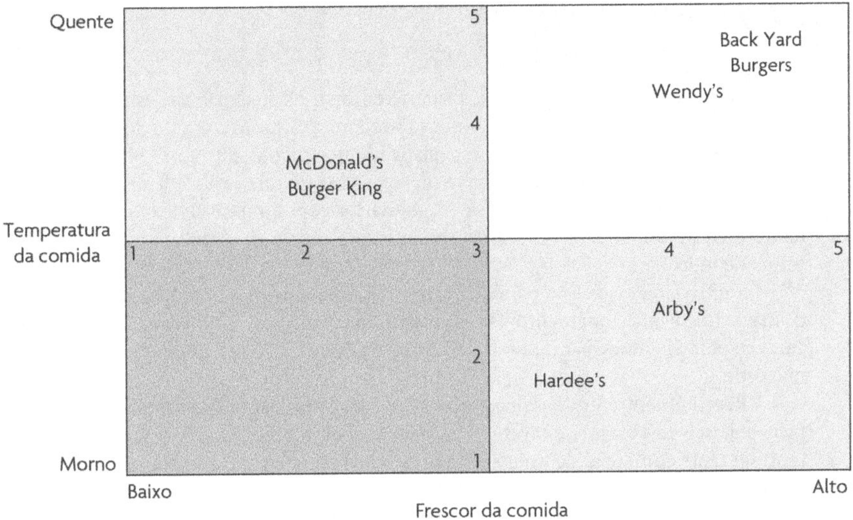


- *Desenvolvimento de novos produtos.* O mapeamento perceptual consegue identificar lacunas nas percepções, ajudando assim a posicionar novos produtos.
- *Mensuração de imagem.* O mapeamento perceptual serve para identificar a imagem da empresa, ajudando a posicioná-la em relação à concorrência.
- *Propaganda.* O mapeamento perceptual avalia a eficácia da propaganda no posicionamento da marca.
- *Distribuição.* O mapeamento perceptual avalia as semelhanças entre marcas e canais de distribuição.

## Estudo de Caso Contínuo: Santa Fe Grill

Com o levantamento completado, editado e inserido em um arquivo digital, os pesquisadores tomam decisões sobre o melhor modo de analisar os dados para compreender os indivíduos entrevistados. A seguir, os pesquisadores e tomadores de decisão determinam como as informações podem ser usadas para melhorar as operações do restaurante. A análise de dados deve ser conectada diretamente aos objetivos de pesquisa. O pesquisador e os proprietários realizaram sessões de *brainstorming* sobre as melhores maneiras de analisar os dados para compreender a situação.

1. Construa diversos modelos conceituais para representar relações que poderiam ser testadas com um levantamento de clientes. Lembre-se de incluir comparações do Santa Fe Grill e Jose's Southwestern Café.
2. Quais técnicas estatísticas seriam adequadas para testar as relações propostas?
3. Dê exemplos de relações que poderiam ser testadas com o teste de quiquadrado e com ANOVA.

## PESQUISA DE MARKETING EM AÇÃO

### Examinando o posicionamento de imagem de um restaurante: Remington's Steak House

Cerca de três anos atrás, John Smith abriu o Remington's Steak House, um restaurante temático localizado em uma metrópole do Meio-Oeste americano. A visão de Smith era posicionar o Remington's como um restaurante especializado temático exclusivo. O plano era que o restaurante teria uma excelente reputação em oferecer uma grande variedade de entradas, serviços de alta qualidade, preços competitivos e funcionários com bom nível de conhecimento e que entendem as necessidades dos clientes. O objetivo principal seria enfatizar a satisfação dos clientes acima de tudo.

Smith usou essa visão para orientar o desenvolvimento e implementação das estratégias de marketing e posicionamento de seu restaurante. Apesar de Smith saber como criar experiências no setor, ele não sabia muito sobre como desenvolver, implementar e avaliar estratégias de marketing.

Recentemente, Smith começou a se fazer algumas perguntas fundamentais sobre as operações de seu restaurante e o futuro de seus negócios. Smith expressou essas perguntas a um representante comercial de uma empresa de marketing local e decidiu realizar pesquisas para entender melhor as atitudes e sentimentos de seus clientes. Mais especificamente, ele queria descobrir informações e ideias sobre o seguinte conjunto de perguntas:

1. Quais são os principais fatores que os clientes usam para selecionar um restaurante e qual a importância relativa de cada um dos fatores?
2. Que imagem os clientes têm do Remington's e quais seus dois concorrentes principais?
3. O Remington's está oferecendo qualidade e satisfação a seus clientes?
4. Alguma das estratégias de marketing atuais do Remington's precisa ser alterada? Como?

Para responder as perguntas de Smith, o representante comercial recomendou a realização de um levantamento de imagem por meio de um painel via Internet. Os respondentes potenciais inicialmente foram contatados por um levantamento telefônico com discagem aleatória de dígitos para selecionar indivíduos que fossem clientes do Remington's e de restaurantes concorrentes (incluindo seus principais concorrentes, Outback Steakhouse e Longhorn Steak House) na área do mercado. Os respondentes devem ter renda familiar anual mínima de 20 mil dólares e conhecerem um dos três restaurantes o suficiente para avaliá-lo. Se o indivíduo estava qualificado para o estudo com base nas questões-filtro, era levado ao *site* para completar a pesquisa na Internet.

Como essa era a primeira vez que Smith conduzia uma pesquisa de marketing, o consultor sugeriu uma abordagem exploratória e recomendou uma amostra pequena, de cerca de 200 respondentes. Ele disse que se os resultados dos primeiros 200 levantamentos fossem úteis, o tamanho da amostra poderia ser expandido para que os achados fossem mais precisos. O questionário incluía perguntas sobre a importância de diversos motivos na escolha de um restaurante, percepções das imagens dos três concorrentes nesses mesmos fatores e algumas informações de classificação sobre os respondentes. Quando o pesquisador completou a quota de 200 questionários completos utilizáveis, a amostra incluía 86 respondentes com mais familiaridade com o Outback, 65 com o Longhorn e 49 com o Remington's. O último critério foi usado para determinar quais dos concorrentes do Remington's o respondente avaliou. O banco de dados das perguntas nesse caso está disponível em formato SPSS no *site* **www.mhhe.com/hairessentials3e**. O nome do banco de dados é RemingtonsMRIA_essn.sav. A Figura 11.18 apresenta uma cópia do questionário.

**Figura 11.18** **O questionário do Remington's Steak House.**

**Questões-filtro e conexão**

Olá. Meu nome é ________ e eu trabalho para a DSS Research. Estamos realizando entrevistas sobre hábitos alimentares em restaurantes.

1. "Você vai com frequência a restaurantes informais?" ____ Sim ____ Não
2. "Você comeu em outros restaurantes informais nos últimos seis meses?" ____ Sim ____ Não
3. "Sua renda familiar bruta anual é de 20 mil dólares ou mais?" ____ Sim ____ Não
4. A sua vizinhança tem três restaurantes parecidos: Outback, Longhorn e Remington's. Qual dos três restaurantes você conhece melhor?
   a. Outback
   b. Longhorn
   c. Remington's
   d. Nenhum

Se o respondente marcar "sim" para as três perguntas e conhecer um dos três restaurantes, diga:

Gostaríamos de fazer algumas perguntas sobre suas experiências recentes no restaurante Outback/Longhorn/Remington's. O questionário demora apenas alguns minutos e ajudará a atender melhor os clientes dos restaurantes desta região.

Se a pessoa disser sim, dê instruções sobre como acessar o *site* e completar o questionário.

**LEVANTAMENTO SOBRE JANTAR FORA**

Por favor, leia todas as perguntas com cuidado. A primeira seção lista diversos motivos que as pessoas usam para selecionar um restaurante onde comer. Usando uma escala de 1 a 7, na qual 7 é "Muito importante" e 1 é "Nada importante", indique o quanto você considera que cada motivo para seleção é importante ou não. Marque apenas um número para cada afirmação.

**Seção 1: Avaliação de Importância**

Qual é a importância dos seguintes fatores para selecionar em qual restaurante você vai comer?

1. Porções grandes — Nada importante 1 2 3 4 5 6 7 Muito importante
2. Funcionários competentes — Nada importante 1 2 3 4 5 6 7 Muito importante
3. Qualidade da comida — Nada importante 1 2 3 4 5 6 7 Muito importante
4. Velocidade do Serviço — Nada importante 1 2 3 4 5 6 7 Muito importante
5. Atmosfera — Nada importante 1 2 3 4 5 6 7 Muito importante

6. Preços Razoáveis — Nada importante 1 2 3 4 5 6 7 Muito importante

(continua)

**Figura 11.18** O questionário do Remington's Steak House. (*continuação*)

**Seção 2: Medidas de percepção**

Abaixo listamos um conjunto de características que poderiam ser usadas para descrever o [Outback/Longhorn/Remington's]. Usando uma escala de 1 a 7, na qual 7 é "Concordo totalmente" e 1 é "Discordo totalmente", até que ponto você concorda ou discorda que o [Outback/Longhorn/Remington's]: (o nome de um restaurante específico apareceu na tela com base na questão-filtro telefônica sobre quais restaurantes o respondente conhece)

| | Discordo totalmente | | | | | | Concordo totalmente |
|---|---|---|---|---|---|---|---|
| **7.** tem porções grandes | 1 | 2 | 3 | 4 | 5 | 6 | 7 |
| **8.** tem funcionários competentes | 1 | 2 | 3 | 4 | 5 | 6 | 7 |
| **9.** tem comida de qualidade excelente | 1 | 2 | 3 | 4 | 5 | 6 | 7 |
| **10.** tem serviço rápido | 1 | 2 | 3 | 4 | 5 | 6 | 7 |
| **11.** tem uma boa atmosfera | 1 | 2 | 3 | 4 | 5 | 6 | 7 |
| **12.** preços razoáveis | 1 | 2 | 3 | 4 | 5 | 6 | 7 |

**Seção 3: Medidas de relacionamento**

Por favor, indique sua opinião sobre cada uma das seguintes perguntas:

**13.** Qual é seu nível de satisfação com ____?

Nada satisfeito 1 2 3 4 5 6 7 Muito satisfeito

**14.** Qual é a probabilidade de você voltar ao __________ no futuro?

Definitivamente não voltará 1 2 3 4 5 6 7 Definitivamente voltará

**15.** Qual é a probabilidade de você recomendar __________ a um amigo?

Definitivamente não recomendará 1 2 3 4 5 6 7 Definitivamente recomendará

**16.** Frequência de visitas
Com que frequência você come no ____?

1 = Ocasionalmente (Menos de uma vez ao mês)
2 = Frequentemente (1–3 vezes ao mês)
3 = Muito frequentemente (4 vezes ao mês ou mais)

**Seção 4: Perguntas de classificação**

Por favor, marque o número que melhor o representa.

**17.** Número de crianças em casa

1 Nenhum
2 1–2
3 Mais de 2 crianças em casa

**Figura 11.18** **O questionário do Remington's Steak House. (*continuação*)**

**18.** Você lembra de ter visto anúncios do Outback/Longhorn/Remington's nos últimos 60 dias?
0 Não
1 Sim

**19.** Seu gênero
0 Masculino
1 Feminino

**20.** Sua idade em anos
1 18–25
2 26–34
3 35–49
4 50–59
5 60 anos ou mais

**21.** Sua renda familiar anual
1 \$20.000–\$35.000
2 \$35.001–\$50.000
3 \$50.001–\$75.000
4 \$75.001–\$100.000
5 Mais de \$100.000

**22.** Concorrentes: Mais familiar com _______?
1 Outback
2 Longhorn
3 Remington's

Muito obrigado por sua ajuda. Clique no botão enviar para sair do questionário.

Os pesquisadores focaram sua análise inicial dos dados nas avaliações de importância para fatores de seleção de restaurante. As avaliações de importância são as variáveis $X_1$–$X_6$ no banco de dados do Remington's. A Figura 11.19 mostra que a qualidade da comida e a velocidade do serviço são os dois fatores mais importantes. A sequência de comandos para criar a figura é: ANALYZE → DESCRIPTIVE STATISTICS → FREQUENCIES. Selecione as variáveis $X_1$–$X_6$ e mova-as para a caixa *Variable(s)*. A seguir, vá à caixa *Statistics*, marque *Mean*, clique em *Continue* e depois em OK. O fator menos importante é ter funcionários competentes (média 3,12). Isso não significa que os funcionários não são importantes, mas apenas que são menos importantes do que os outros fatores incluídos no levantamento. Em suma, os respondentes querem comida boa, serviço rápido e preços razoáveis.

A próxima tarefa era examinar as percepções dos três restaurantes concorrentes. Usando os fatores de imagem dos restaurantes, o consultor conduziu uma ANOVA para verificar se havia diferenças nas percepções dos três restaurantes (Figuras 11.20 e 11.21). A sequência de comandos para criar a figura é: ANALYZE → COMPARE MEANS → ONE-WAY ANOVA. Selecione as variáveis $X_7$–$X_{12}$ e mova-as para a caixa *Dependent List*. A seguir, destaque a variável

**Figura 11.19** **Avaliação média de importância para fatores de seleção de restaurantes.**

**Statistics**

| | | X1 -- Large Portions | X2 -- Competent Employees | X3 -- Food Quality | X4 -- Speed of Service | X5 -- Atmosphere | X6 -- Reasonable Prices |
|---|---|---|---|---|---|---|---|
| N | Valid | 200 | 200 | 200 | 200 | 200 | 200 |
| | Missing | 0 | 0 | 0 | 0 | 0 | 0 |
| Mean | | 4.95 | 3.12 | 6.09 | 5.99 | 4.74 | 5.39 |

**Figura 11.20** ANOVA simples para restaurantes concorrentes.

**Descritores**

| | | N | Média |
|---|---|---|---|
| X7: Porções grandes | Outback | 86 | 3,57 |
| | Longhorn | 65 | 2,77 |
| | Remington's | 49 | 3,39 |
| | Total | 200 | 3,27 |
| X8: Funcionários competentes | Outback | 86 | 5,15 |
| | Longhorn | 65 | 3,25 |
| | Remington's | 49 | 2,49 |
| | Total | 200 | 3,88 |
| X9: Qualidade da comida | Outback | 86 | 6,42 |
| | Longhorn | 65 | 5,12 |
| | Remington's | 49 | 6,86 |
| | Total | 200 | 6,11 |
| X10: Velocidade do serviço | Outback | 86 | 4,35 |
| | Longhorn | 65 | 3,02 |
| | Remington's | 49 | 2,27 |
| | Total | 200 | 3,41 |
| X11: Atmosfera | Outback | 86 | 6,09 |
| | Longhorn | 65 | 4,35 |
| | Remington's | 49 | 6,59 |
| | Total | 200 | 5,65 |
| X12: Preços razoáveis | Outback | 86 | 5,50 |
| | Longhorn | 65 | 5,00 |
| | Remington's | 49 | 5,49 |
| | Total | 200 | 5,34 |

$X_{22}$ e mova-a para a caixa *Factor*. Depois disso, vá à caixa *Options* e marque *Descriptive*. Clique em *Continue* e depois em OK.

Os resultados se encontram nas Figuras 11.20 e 11.21. A Figura 11.22 apresenta um panorama dos achados das Figuras 11.19-11.21.

Os achados do levantamento foram reveladores. No fator mais importante (qualidade da comida), o Remington's recebeu a melhor avaliação (média 6,86; ver Figura 11.22), mas o Outback não ficou longe (média 6,42). O Remington's também recebeu a melhor avaliação em termos de atmosfera (média 6,59), mas esse foi o quinto fator mais importante. O Remington's recebeu a pior avaliação em velocidade do serviço (segundo fator mais importante) e funcionários competentes (menos importante de todos os fatores).

**Figura 11.21** ANOVA simples das diferenças entre percepções de restaurantes

**ANOVA**

| | | Sum of Squares | df | Mean Square | F | Sig. |
|---|---|---|---|---|---|---|
| X7 -- Large Portions | Between Groups | 24.702 | 2 | 12.351 | 17.349 | .000 |
| | Within Groups | 140.253 | 197 | .712 | | |
| | Total | 164.955 | 199 | | | |
| X8 -- Competent Employees | Between Groups | 259.779 | 2 | 129.889 | 242.908 | .000 |
| | Within Groups | 105.341 | 197 | .535 | | |
| | Total | 365.120 | 199 | | | |
| X9 -- Food Quality | Between Groups | 98.849 | 2 | 49.425 | 110.712 | .000 |
| | Within Groups | 87.946 | 197 | .446 | | |
| | Total | 186.795 | 199 | | | |
| X10 -- Speed of Service | Between Groups | 150.124 | 2 | 75.062 | 102.639 | .000 |
| | Within Groups | 144.071 | 197 | .731 | | |
| | Total | 294.195 | 199 | | | |
| X11 -- Atmosphere | Between Groups | 169.546 | 2 | 84.773 | 136.939 | .000 |
| | Within Groups | 121.954 | 197 | .619 | | |
| | Total | 291.500 | 199 | | | |
| X12 -- Reasonable Prices | Between Groups | 10.810 | 2 | 5.405 | 8.892 | .000 |
| | Within Groups | 119.745 | 197 | .608 | | |
| | Total | 130.555 | 199 | | | |

Um modo fácil de representar os resultados de uma análise de imagem é preparar um quadro importância- desempenho (IPC, no original). Para preparar esse quadro, calcule os valores médios para as perguntas sobre importância e desempenho para cada um dos restaurantes. Depois, use essas médias para marcar a posição de cada um dos restaurantes em um mapa perceptual. O IPC do Remingston's Steakhouse se encontra na Figura 11.23. O quadro mostra que, em termos de preço e qualidade da comida, o Remington's está se saindo bem. Mas há várias áreas com oportunidades de melhoria, especialmente em comparação com a concorrência. Os restaurantes concorrentes podem ser marcados em um mapa perceptual

**Figura 11.22** Resumo de achados de ANOVA das Figuras 11.19–11.21

| | | Médias dos concorrentes | | | |
|---|---|---|---|---|---|
| **Atributos** | **Classificações**[a] | **Outback** | **Longhorn** | **Remington's** | **Sig.** |
| X7: Porções grandes | 4 | 3,57 | 2,77 | 3,39 | 0,000 |
| X8: Funcionários competentes | 6 | 5,15 | 3,25 | 2,49 | 0,000 |
| X9: Qualidade da comida | 1 | 6,42 | 5,12 | 6,86 | 0,000 |
| X10: Velocidade do serviço | 2 | 4,35 | 3,02 | 2,27 | 0,000 |
| X11: Atmosfera | 5 | 6,09 | 4,35 | 6,59 | 0,000 |
| X12: Preços razoáveis | 3 | 5,50 | 5,00 | 5,49 | 0,000 |
| N = 200 (total) | | 86 | 65 | 49 | 0,000 |

[a]Observação: As classificações baseiam-se nos índices de importância média dos atributos.

**Figura 11.23** **Quadro importância-desempenho para o Remington's Steak House.**

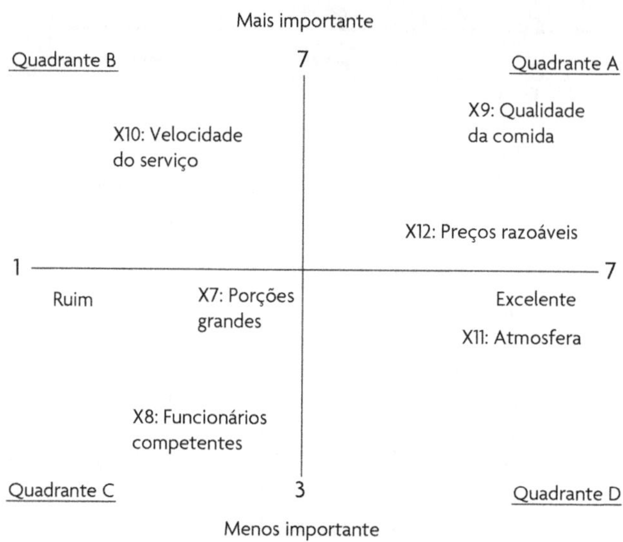


independente. Um IPC (mapa perceptual) tem quadrantes (A-D) que podem ser descritos da seguinte maneira:

Quadrante A: Modificações são necessárias.
Quadrante B: Bom trabalho: não precisa modificar.
Quadrante C: Não se preocupe: baixa prioridade
Quadrante D: Repensar: possível exagero.

## Exercício prático

1. Quais são as áreas de melhoria para o Remington's?
2. Realize testes ANOVA *post hoc* entre os grupos concorrentes. Quais problemas ou desafios adicionais os testes revelam?
3. Que novas estratégias de marketing você sugeriria?

## Resumo

**Explicar as medidas de tendência central e dispersão.**
A média é a medida de tendência central mais usada, descrevendo a média aritmética dos valores em uma amostra de dados. A mediana representa o valor central em um conjunto de valores ordenado. A moda é o valor que mais ocorre em uma distribuição de valores. Todas essas medidas descrevem o centro da distribuição de um conjunto de valores. A amplitude define a extensão dos dados, sendo a distância entre o maior e o menor valor da distribuição. O desvio-padrão descreve a distância média dos valores da distribuição em relação à média. Um desvio-padrão grande indica uma distribuição na qual os valores individuais estão bastante espalhados e relativamente distantes da média.

**Descrever como testar hipóteses usando estatísticas univariadas e bivariadas.**
Os pesquisadores de marketing costumam elaborar hipóteses sobre as características da população com base em dados amostrais. O processo normalmente começa com o cálculo de distribuições de frequência e médias e passa para o teste de hipóteses em si. Quando o teste de hipóteses envolve a análise de uma variável por vez, ele é chamado teste estatístico univariado. Quando o teste envolve duas variáveis, é chamado teste estatístico bivariado. A estatística qui-quadrado permite o teste de diferenças estatisticamente significativas entre distribuições de frequência de dois grupos ou mais. É possível examinar e testar as diferenças estatísticas de dados categóricos sobre gênero, etnia, profissão etc. Além de examinar frequências, os pesquisadores de marketing em geral querem comparar as médias de dois grupos. Existem duas situações nas quais os pesquisadores comparam médias. Nas amostras independentes, os respondentes vêm de populações diferentes, então suas respostas às perguntas do levantamento não afetam umas às outras. Em amostras relacionadas, o mesmo indivíduo responde diversas perguntas, então a comparação das respostas a essas perguntas requer o uso do teste *t* para amostras empareadas. As perguntas sobre diferenças entre médias em amostras independentes são respondidas com o uso da estatística do teste *t*.

**Aplicar e interpretar a análise de variância (ANOVA).**
Os pesquisadores usam a ANOVA para determinar a significância estatística da diferença entre duas ou mais médias. A técnica ANOVA calcula a variância dos valores entre grupos de respondentes e a compara com a variância das respostas dentro dos grupos. Se, de acordo com a razão F, a variância entre grupos é significativamente maior do que a variância dentro dos grupos, as médias são significativamente diferentes. A significância estatística entre médias na ANOVA é detectada com o uso de um teste de acompanhamento. O teste de Scheffé é um tipo de teste de acompanhamento. O teste examina as diferenças entre todos os pares possíveis de médias amostrais em contraste com intervalos de confianças grandes e pequenos. Se a diferença entre um par de médias estiver além do intervalo de confiança, as médias podem ser consideradas estatisticamente diferentes.

**Utilizar o mapeamento perceptual para apresentar os achados da pesquisa.**
O mapeamento perceptual é usado para desenvolver mapas que representem visualmente as percepções dos respondentes. Os mapas são representações gráficas que podem ser produzidas a partir dos resultados de diversas técnicas multivariadas. Os mapas fornecem uma representação visual de como empresas, produtos, marcas ou outro objetos são percebidos em relação uns aos outros em termos de atributos importantes, como qualidade do serviço, gosto da comida e preparação da comida.

## Principais termos e conceitos

## Questões de revisão

1. Explique a diferença entre média, mediana e moda.
2. Por que e como você usaria os testes qui-quadrado e *t* para testar hipóteses?
3. Por que e quando você usaria ANOVA em uma pesquisa de marketing?
4. O que os testes ANOVA não o informarão, e como você superaria esse problema?

## Questões para discussão

1. As medidas de tendência central discutidas neste capítulo foram criadas para revelar informações sobre o centro de uma distribuição de valores. As medidas de dispersão apresentam informações sobre a distribuição de todos os valores em uma distribuição ao redor dos valores centrais. Imagine que vai conduzir uma pesquisa de opinião sobre os índices de aprovação do prefeito da cidade em que mora. Você acha que o prefeito estaria mais interessado nas medidas de tendência central ou de dispersão associadas à sua pesquisa? Por quê?
2. Se você estiver interessado em descobrir se os jovens adultos (21-34 anos) têm maior probabilidade de adquirir produtos *online* do que adultos mais velhos (35 anos ou mais), qual seria sua hipótese nula? Qual é a hipótese alternativa implícita que acompanha sua hipótese nula?
3. O nível de significância (alfa) associado com o teste da hipótese nula também é chamado probabilidade de erro tipo I. Alfa é a probabilidade de rejeitar a hipótese nula com base em seus dados amostrais quando, na verdade, ela é verdadeira para a população de interesse. Como alfa está relacionado a probabilidade de cometer um erro em sua análise, é melhor sempre definir o menor valor possível para alfa? Por quê?
4. A análise da variância (ANOVA) permite o teste da diferença estatística entre duas ou mais médias. Normalmente, mais de duas médias são testadas. Se os resultados de ANOVA para um conjunto de dados revelarem que as quatro médias comparadas são significativamente diferentes entre si, como você descobriria quais médias específicas são estatisticamente diferentes entre si? Quais técnicas estatísticas você usaria para responder essa pergunta?
5. EXPERIMENTE A INTERNET. A Nike, a Reebok e a Converse são grandes concorrentes no mercado de tênis. As três usam diferentes estratégias de marketing e propaganda para conquistar seus mercados-alvo. Use um mecanismo de busca da Internet para identificar informações sobre esse mercado. Visite os *sites* das três empresas (**www.Nike.com**; **www.Reebok.com**; **www.Converse.com**). Colete informações acessórias sobre cada uma, incluindo seu mercado-alvo e participação de mercado. Crie um questionário com base nessas informações e realize um levantamento entre uma amostra de estudantes. Prepare um relatório sobre as diferentes percepções de cada uma das três empresas, seus calçados e aspectos relacionados. Apresente o relatório em sala de aula e defenda seus achados.
6. EXERCÍCIO NO SPSS. Forme uma equipe com mais dois ou três colegas em sua turma. Selecione uma das franquias locais para a qual você realizará um levantamento, como Subway ou McDonald's. Crie um breve levantamento (10-12 perguntas), incluindo perguntas como avaliação da qualidade da comida, velocidade do serviço, conhecimento dos funcionários, atitudes dos funcionários e preço, além de diversas variáveis demográficas, como idade, endereço, com que frequência o respondente come no restaurante e dia da semana e hora. Obtenha permissão das franquias para entrevistar seus clientes em horários convenientes, em geral quando estão deixando o restaurante. Explique ao franqueado que não incomodará os clientes e que fornecerá um relatório valioso à franquia com seus achados. Desenvolva quadros de frequência, gráficos de pizza e outras representações gráficas semelhantes de seus achados, quando adequado. Use estatísticas para testar hipóteses como "as percepções de velocidade do serviço diferem com horário ou dia da semana". Prepare um relatório e apresente-o à sua turma; em especial, aponte quais diferenças estatisticamente significativas foram encontradas e seu porquê.
7. EXERCÍCIO NO SPSS. Usando o SPSS e o banco de dados dos funcionários do Santa Fe Grill,

apresente frequências, médias, modas e medianas para as variáveis relevantes do questionário. O questionário se encontra no Capítulo 10. Além disso, crie gráficos de colunas e de pizza, quando apropriados, para os dados que analisou. Realize uma ANOVA usando as variáveis de ambiente de trabalho para identificar qualquer diferença entre grupos que possa existir entre os funcionários homens e mulheres e entre os que trabalham meio turno e os que trabalham em turno integral. Prepare-se para apresentar um relatório com seus achados.

8. EXERCÍCIO NO SPSS. Revise a seção Pesquisa de Marketing em Ação deste capítulo, que apresentou três restaurantes concorrentes (Remington's, Outback e Longhorn) e os resultados da ANOVA simples para as variáveis de imagem. Realize testes de acompanhamento de ANOVA *post hoc* para ver onde estão as diferenças dos grupos. Faça recomendações de novas estratégias de marketing para o Remington's, contrastando o restaurante com seus concorrentes.

# 12

# Examinando relacionamentos em pesquisas quantitativas

**Objetivos de aprendizagem** Após ler este capítulo, você estará apto a:

1. Entender e avaliar os tipos de relações entre variáveis.
2. Explicar os conceitos de associação e covariação.
3. Discutir as diferenças entre correlação de Pearson e correlação de Spearman.
4. Explicar o conceito de significância estatística *versus* significância prática.
5. Entender quando e como usar análise de regressão.

## A mineração de dados (Data Mining) ajuda a reconstruir o poder global da Procter & Gamble

A Procter & Gamble (P&G) é uma das principais fabricantes mundiais de produtos domésticos, proprietária de 20 marcas líderes mundiais, como Tide, Folgers, Febreze, Mr. Clean e Pringles. Os produtos da P&G afetam a vida de consumidores no mundo inteiro três bilhões de vezes por dia. Entretanto, alguns anos atrás, a posição da empresa estava em risco. Apesar de muitas organizações, incluindo a P&G, buscarem três objetivos de marketing gerais (conquistar clientes, manter clientes e cultivar clientes), a P&G percebeu que precisava alterar suas estratégias e táticas de marketing tradicionais para reconstruir suas práticas e imagem globais. A nova abordagem se baseava em responder três perguntas principais: (1) "Quem são os consumidores-alvo para cada marca?" (2) "Qual o posicionamento ou valor de marca desejado da empresa?" e (3) "Como realizar esses objetivos?"

A P&G, líder em gestão de marca, voltou-se para a tecnologia da informação e a gestão de relacionamentos com clientes para planejar uma nova estratégia de construção de marca. Com levantamentos internos entre funcionários, a empresa descobriu que precisava se recomprometer com uma abordagem orientada ao cliente. Entender as atitudes dos funcionários quanto ao que a P&G estava fazendo de "certo" e "errado" ajudou a restabelecer cinco pontos focais fundamentais enquanto objetivos operacionais: (1) respeitar o consumidor enquanto "patrão" e produzir valor superior para o consumidor, (2) fazer escolhas estratégicas claras sobre onde competir e como vencer, (3) liderar em inovação e branding, (4) aproveitar a estrutura operacional exclusiva da P&G e (5) executar seu trabalho com excelência e com disciplina operacional e financeira mais rigorosa.

A P&G realizou mineração informacional em suas bases de dados para refazer seus modelos de clientes para os mercados distribuidores e de marca globais. Um dos objetivos dos modelos de marca é adquirir novos clientes no mercado internacional para suas marcas, além de fazer venda cruzada das marcas para clientes atuais. Outro objetivo é utilizar a inovação e a aquisição de produtos para expandir o tipo de produto vendido no mundo todo. Modelos estatísticos com alta capacidade preditiva foram modificados e validados para cada um dos segmentos de mercado das marcas, considerando fatores como poder aquisitivo dos domicílios, período de residência, tamanho da família, faixa etária, gênero, atitudes em relação à marca, hábitos de mídia, frequências de compra, etc. Os resultados sugerem que a P&G progrediu bastante em seu projeto de reconstrução. O valor de marca de 19 de suas 20 marcas principais está crescendo: os consumidores escolhem produtos de marcas da P&G 30 milhões de vezes ao dia. Internamente, a confiança dos funcionários na P&G também está crescendo: 56% dos funcionários acreditam que a P&G está indo na direção certa, em contraste com apenas 26% no ano anterior. Para descobrir mais sobre a reviravolta da P&G, visite o *site* **www.pg.com**.

## Examinando as relações entre variáveis

As relações entre variáveis podem ser descritas de diversas maneiras, incluindo *presença, direção, força da associação* e *tipo*. Todos esses conceitos serão descritos nesta seção, um de cada vez.

A primeira questão é se duas ou mais variáveis têm alguma relação, seja ela qual for. Se existir uma relação sistemática entre duas ou mais variáveis, é possível afirmar a *presença* de uma relação. Para medir a existência de uma relação, dependemos do conceito de significância estatística. Se testarmos a significância estatística e descobrirmos que ela realmente existe, podemos afirmar que a relação está presente. Em outras palavras, dizemos que o conhecimento sobre o comportamento de uma variável permite que façamos previsões úteis sobre o comportamento de outra. Por exemplo, se encontrarmos uma relação estatisticamente significativa entre percepções de qualidade da comida do Santa Fe Grill e satisfação geral, podemos afirmar que há uma relação.

Se existe uma relação entre as duas variáveis, é importante conhecer sua *direção*. A direção de uma relação pode ser positiva ou negativa. Usando o exemplo do Santa Fe Grill, a relação positiva existe se os respondentes que avaliam a qualidade da comida como alta também estão altamente satisfeitos. Por outro lado, a relação entre duas variáveis é negativa se baixos níveis para uma variável estão associados a altos níveis para outra. Por exemplo, à medida que o número de problemas de serviço ao jantar no Santa Fe Grill aumenta, a satisfação provavelmente diminui. Assim, o número de problemas de serviço tem relação negativa com a satisfação do cliente.

Também é importante entender a força da associação. Os pesquisadores geralmente categorizam a *força da associação* como sem relação, relação fraca, relação moderada ou relação forte. Se não houver uma relação consistente ou sistemática, então a classificação é sem relação. A associação fraca significa que as variáveis podem ter alguma variância em comum, mas não muita. Associações moderadas ou fortes indicam que há uma relação consistente e sistemática e que a relação é muito mais óbvia no segundo tipo do que no primeiro. A força da associação é determinada pelo tamanho do coeficiente de correlação, com coeficientes maiores indicando associações mais fortes.

Um quarto conceito importante é o *tipo* de relação. Quando dizemos que duas variáveis estão relacionadas, precisamos perguntar: "Qual é a natureza da relação?"

Qual é o melhor modo de descrever a relação entre Y e X? Duas variáveis podem se relacionar de vários modos diferentes. As variáveis Y e X podem ter uma **relação linear***, isto é, a força e a natureza da relação entre elas permanecem as mesmas em toda a amplitude de ambas as variáveis, sendo representada com uma linha reta. Um segundo tipo de relação entre Y e X é a **relação curvilínea**, o que significa que a força e/ou direção da relação muda em diferentes pontos da amplitude de ambas as variáveis. Por exemplo, a relação pode ser curvilínea se níveis moderados de X estão fortemente relacionados com níveis altos de Y, enquanto níveis altos e baixos de X têm relação apenas moderada. Por exemplo, se níveis moderados de apelo ao medo têm relação com atitudes positivas ao anúncio, enquanto níveis altos e baixos de medo têm relação fraca, a relação entre apelo ao medo e atitude em respeito ao anúncio seria curvilínea.

É muito mais fácil trabalhar com relações lineares do que com curvilíneas. Se conhecemos o valor de uma variável *X*, basta aplicar a fórmula para linhas retas ($Y = a + bX$) para determinar o valor de *Y*) Mas quando duas variáveis possuem uma relação curvilínea, a fórmula que melhor descreve a relação é mais complexa. Assim, a maior parte dos pesquisadores de marketing trabalha com relações que consideram ser lineares.

Os profissionais de marketing em geral se interessam por descrever relações entre variáveis que acreditam influenciar as compras de seus produtos. Há quatro perguntas sobre as possíveis relações entre duas variáveis: Primeira: "Existe uma relação entre as duas variáveis de interesse?" Se houver uma relação, perguntamos: "qual é a força da relação", "qual é a direção da relação" e "a relação é linear ou não linear"? Depois que as perguntas foram respondidas, o pesquisador interpreta os resultados, tira conclusões e recomenda ações gerenciais.

## Covariação e relações entre variáveis

Como estamos interessados em descobrir se duas das variáveis que descrevem nossos clientes estão relacionadas, o conceito de covariação é bastante útil. A **covariação** pode ser definida como a quantidade de mudanças em uma variável que está consistentemente relacionada com a mudança em outra. Por exemplo, se sabemos que compras de DVD estão relacionadas com a idade, então queremos saber o quanto as pessoas mais jovens compram mais DVDs. Outro modo de descrever o conceito de covariação é como o grau de associação entre duas variáveis. Se for observado que duas variáveis mudam em conjunto consistentemente, podemos aproveitar essa informação para melhorar o processo decisório sobre estratégias publicitárias e de marketing.

Um modo de descrever visualmente a covariação entre duas variáveis é por meio de um **diagrama de dispersão**. Os diagramas de dispersão marcam a posição relativa de duas variáveis em eixos horizontais e verticais para representar os valores das variáveis. As Figuras 12.1 a 12.4 mostram alguns exemplos de possíveis relações entre duas variáveis vistas em diagramas do tipo. Na Figura 12.1, o melhor modo de descrever a impressão visual dos pontos que representam os valores de cada variável provavelmente seria um círculo, ou seja, o conjunto de pontos não apresenta um padrão específico. Assim, se o pesquisador selecionasse dois ou três valores aleatórios da variável *Y* do diagrama de dispersão e procurasse os valores de *X*, não haveria um

* N. de E.: Para uma definição completa dos termos em negrito, veja o Glossário ao final do livro.

Figura 12.1 Nenhuma relação entre *X* e *Y*.

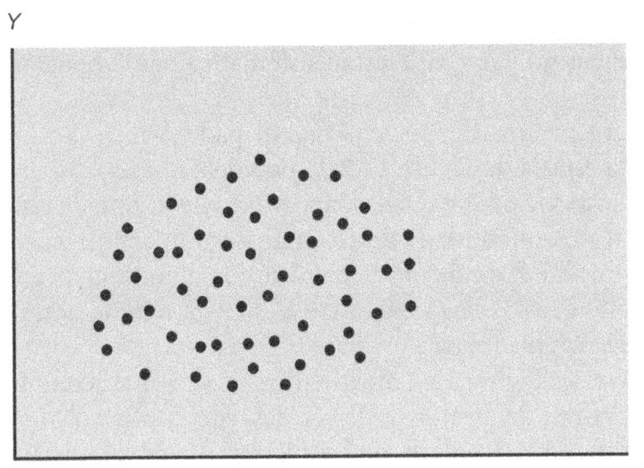


padrão previsível para os valores de *X*. O conhecimento sobre os valores de *Y* ou *X* não diria muita coisa (ou talvez não dissesse nada) sobre os possíveis valores da outra variável. A Figura 12.1 sugere que não existe relação sistemática entre *Y* e *X* e que as duas variáveis compartilham pouquíssima ou nenhuma covariação. Se medirmos a quantidade de covariação compartilhada pelas duas variáveis (o que você aprenderá a fazer na próxima seção), o resultado seria próximo a zero.

Na Figura 12.2, as duas variáveis formam uma imagem muito diferente da Figura 12.1. Os pontos seguem um padrão claro. À medida que os valores de *Y* aumentam, aumentam também os valores de *X*. Esse padrão pode ser descrito como uma linha reta ou uma elipse (um círculo esticado em ambos os lados). A relação seria descrita como positiva, pois aumentos no valor de *Y* estão associados a aumentos no valor de *X*, ou seja, se soubermos que a relação entre *Y* e *X* é linear e positiva, saberíamos

Figura 12.2 Relação positiva entre *X* e *Y*.

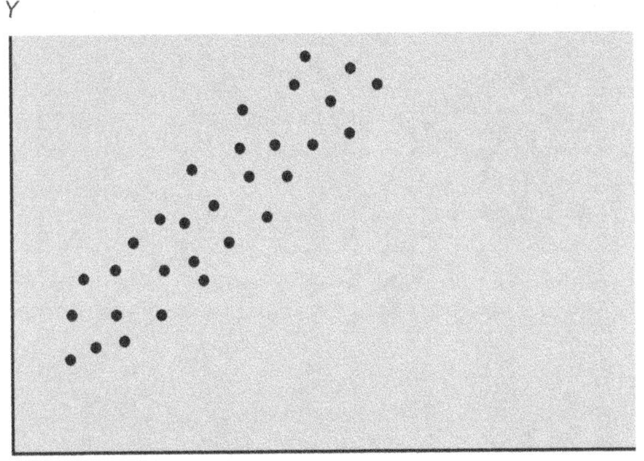

que os valores de *Y* e *X* mudam na mesma direção. À medida que os valores de *Y* aumentam, aumentam também os valores de *X*. Do mesmo modo, se os valores de *Y* diminuem, os valores de *X* também devem diminuir. Se tentarmos medir a quantidade de covariação mostrada pelos valores de *Y* e *X*, o resultado seria relativamente alto. Assim, mudanças no valor de *Y* estão sistematicamente relacionadas com mudanças no valor *X*.

A Figura 12.3 mostra o mesmo tipo de padrão entre os valores de *Y* e *X*, mas na direção oposta àquela da Figura 12.2. O padrão é linear, mas agora aumentos dos valores de *Y* estão associados a quedas nos valores de *X*, tipo de relação conhecida como *relação negativa*. A quantidade de covariação compartilhada entre as duas variáveis ainda é alta, pois *Y* e *X* ainda mudam em sintonia, mas na direção oposta à da Figura 12.2. O conceito de covariação se refere à força da relação entre duas variáveis, não à direção da relação entre elas.

Finalmente, a Figura 12.4 mostra uma relação mais complicada entre os valores de *Y* e *X*. O padrão de pontos pode ser descrito como *curvilíneo*, ou seja, a relação entre os valores de *Y* e os valores de *X* é diferente para valores diferentes das variáveis. Parte da relação é positiva (aumentos nos valores pequenos de *Y* estão associados a aumentos nos valores pequenos de *X*), mas a relação torna-se negativa posteriormente (aumentos nos valores maiores de *Y* agora estão associados a reduções nos valores maiores de *X*).

Esse padrão de pontos não pode ser descrito como uma relação linear. Muitas das estatísticas utilizadas por pesquisadores de marketing para descrever associações pressupõem que as duas variáveis têm relação linear entre si. Essas estatísticas não funcionam bem na hora de descrever relações curvilíneas. Na Figura 12.4, ainda podemos afirmar que a relação é forte ou que a covariação das duas variáveis é forte, mas não podemos falar tão facilmente sobre a direção (positiva ou negativa) da relação, pois ela muda. Para dificultar ainda mais, muitos métodos estatísticos de descrição de relações entre variáveis não podem ser aplicados a situações nas quais se suspeita que a relação seja curvilínea.

**Figura 12.3** **Relação negativa entre *X* e *Y*.**

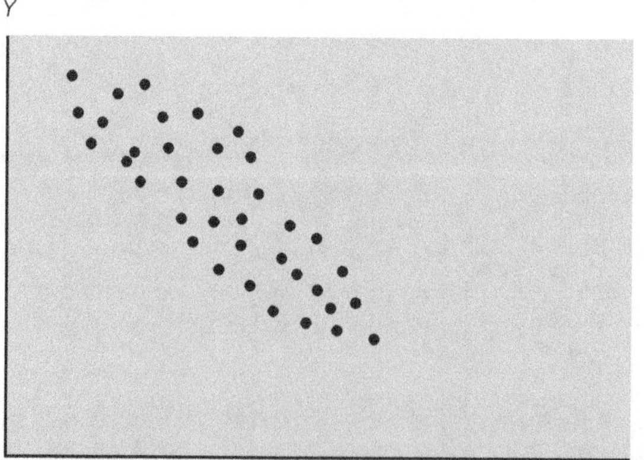

**Figura 12.4** Relação curvilínea entre *X* e *Y*.

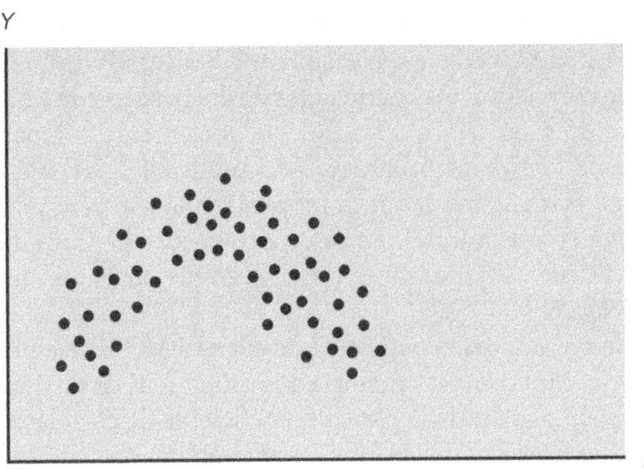


## Análise de correlação

Os diagramas de dispersão são um modo visual de descrever a relação e a covariação de duas variáveis. Por exemplo, um diagrama de dispersão informa que o consumo de café da rede Starbucks aumenta junto com a renda. Apesar de uma imagem valer mais do que mil palavras, costuma ser mais conveniente usar uma medida quantitativa da covariação entre dois itens.

O **coeficiente de correlação de Pearson** mede o grau de associação linear entre duas variáveis. O coeficiente varia de –1,00 a 1,00, sendo que 0 representa a absoluta ausência de associação entre duas variáveis e –1,00 ou 1,00 representam uma relação perfeita entre ambas. O coeficiente de correlação pode ser positivo ou negativo, dependendo da direção da relação entre as duas variáveis. Mas quanto maior o coeficiente de correlação, mais forte a associação entre as duas variáveis.

A hipótese nula para o coeficiente de correlação de Pearson é que não há associação entre as duas variáveis e o coeficiente de correlação é igual a zero. Por exemplo, podemos imaginar que não haja relação entre níveis de consumo de café Starbucks e renda. Se o pesquisador coletar medidas de consumo de café e renda de uma amostra da população e estimar o coeficiente de correlação da amostra, a pergunta básica é: "Qual é a probabilidade de encontrar um coeficiente de correlação desse tamanho em minha amostra se o coeficiente de correlação da população for, na verdade, zero?" Ou seja, se você calcular um coeficiente de correlação grande entre as duas variáveis em sua amostra, e ela foi selecionada corretamente da população em pauta, então a chance do coeficiente de correlação populacional ser mesmo zero é relativamente pequena. Portanto, se o coeficiente de correlação é estatisticamente significativo, a hipótese nula é rejeitada e podemos concluir com algum nível de segurança que as duas variáveis compartilham alguma associação na população. Em suma, o consumo de café da rede Starbucks está relacionado à renda.

Em uma parte anterior deste capítulo, afirmamos que a primeira pergunta de interesse seria "Há uma relação entre *Y* e *X*?" A pergunta é equivalente a "o coeficiente de correlação é estatisticamente significativo?" Se esse for o caso, então é possível passar para a segunda e terceira perguntas: "Se há uma relação entre Y e *X*, qual é a força da relação?"; e "Qual é o melhor modo de descrever a relação?"

O tamanho do coeficiente de correlação serve para descrever quantitativamente a força da associação entre duas variáveis. A Figura 12.5 sugere algumas regras básicas para caracterizar a força da associação entre duas variáveis com base no tamanho do coeficiente de correlação. Os coeficientes de correlação entre 0,81 e 1,00 são considerados muito fortes, ou seja, a covariância é fortemente compartilhada entre as duas variáveis no estudo. No outro extremo, se o coeficiente de correlação estiver entre 0,00 e 0,20, há uma boa chance de que a hipótese nula não será rejeitada (a menos que a amostra utilizada seja grande). Essas interpretações da força das correlações são sugestões; dependendo da situação, é possível empregar outras amplitudes e descrições da força da relação.

Além do tamanho do coeficiente de correlação, precisamos considerar seu nível de significância. Mas como? A maioria dos programas de estatística, incluindo o SPSS, calcula o nível de significância para um coeficiente de correlação computado. O SPSS indica a significância estatística, que é a probabilidade da hipótese nula ser rejeitada quando é de fato verdadeira. Por exemplo, se o coeficiente de correlação calculado entre o consumo de café Starbucks e a renda for 0,61, com significância estatística de 0,05, isso significa que esperaríamos esse resultado apenas 5 vezes de cada 100 por mero acidente se não houvesse qualquer relação entre as duas variáveis. Assim, é possível rejeitar a hipótese nula de ausência de associação e concluir que o consumo de café Starbucks e a renda estão relacionados. No resultado do SPSS, a significância estatística é identificada pelo valor "Sig.".

## Coeficiente de correlação de Pearson

O cálculo do coeficiente de correlação de Pearson exige uma série de pressupostos. Primeiro, supomos que as duas variáveis foram medidas usando escalas intervalares ou de razão. Se esse não for o caso, é possível calcular outros tipos de coeficiente de correlação que funcionam com os dados em pauta. O segundo pressuposto é que a relação que estamos tentando medir é linear, ou seja, que uma linha reta descreve a relação entre as variáveis de interesse.

O uso do coeficiente de correlação de Pearson também presume que a população das variáveis em análise tem distribuição normal. O pressuposto de distribuição normal para variáveis em estudo é um requisito comum em muitas técnicas estatísticas, mas determinar se esse é o caso para os dados amostrais com os quais você está trabalhando é difícil, e os analistas de pesquisa costumam presumir a normalidade sem muitas reflexões.

**Figura 12.5** **Regras práticas sobre a força dos coeficientes de correlação.**

| Amplitude do coeficiente | Descrição da força |
|---|---|
| ± 0,81 a ± 1,00 | Muito forte |
| ± 0,61 a ± 0,80 | Forte |
| ± 0,41 a ± 0,60 | Moderado |
| ± 0,21 a ± 0,40 | Fraco |
| ± 0,00 a ± 0,20 | Fraco a sem relação |

## Aplicativo SPSS: correlação de Pearson

Usamos o banco de dados dos restaurantes para examinar a correlação de Pearson. Os proprietários do Santa Fe Grill esperam que a relação entre satisfação com o restaurante e a probabilidade de recomendá-lo seria significativa e positiva. Ao analisar o banco de dados, observamos que as informações foram coletadas por meio das variáveis $X_{22}$ e $X_{24}$ (satisfação e probabilidade de recomendar, respectivamente). Para examinar essa pergunta de pesquisa, os proprietários do Santa Fe Grill querem analisar apenas os seus clientes. A hipótese nula é de que não há relação entre a satisfação do cliente do Santa Fe Grill e sua probabilidade de recomendar o restaurante.

Para selecionar as respostas do Santa Fe Grill no levantamento (253) a partir da amostra total de 405 respostas, a sequência de comandos é DATA → SELECT CASES. Primeiro, clique na caixa de combinação *Data* e depois destaque e clique em *Select Cases*. Com a caixa de diálogo *Select Cases* aberta, você vê que a opção padrão é *All cases*. Clique na opção *If condition is satisfied* e então na aba *If*. A seguir, destaque a variável de filtro X_s4 e clique na seta da caixa para movê-la para a janela. Depois, clique no sinal de igual e 1 para os clientes do Santa Fe Grill (codificados 1). A seguir, clique em *Continue* e então OK. Com isso, você analisará apenas os clientes do Santa Fe Grill. Assim, seu produto terá os resultados dos dois concorrentes separadamente. Lembre-se de que todas as análises de dados após essa mudança considerarão apenas os clientes do Santa Fe Grill. Para analisar a amostra total, é preciso seguir a mesma sequência e clicar novamente em *All cases*.

É fácil utilizar o SPSS para computar a correlação de Pearson entre as duas variáveis e testar a hipótese. A sequência de comandos do SPSS é ANALYZE → CORRELATE → BIVARIATE, o que leva à caixa de diálogo na qual você seleciona as variáveis. Transfira as variáveis $X_{22}$ e $X_{24}$ para a caixa *Variables*. Observe que usaremos todas as três opções padrão: correlação de Pearson, teste bicaudal de significância e marcação de correlações significativas. A seguir, vá à caixa *Options* e, depois de abri-la, clique em *Means* e *Standard Deviations* e, depois, em *Continue*. Finalmente, clique em OK na parte superior direita da caixa de diálogo do SPSS para calcular a correlação de Pearson.

**Interpretação dos resultados** Os resultados da correlação de Pearson encontram-se na Figura 12.6. Como podemos ver na tabela inferior, a correlação entre as variáveis $X_{24}$ (probabilidade de recomendar) e $X_{22}$ (satisfação) é de 0,776 e a significância estatística é de 0,000. Assim, confirmamos nossa hipótese de que a satisfação tem relação positiva com a probabilidade de recomendação. Quando examinamos as médias das duas variáveis, vemos que a satisfação (4,54) é um pouco maior do que a probabilidade de recomendação (3,61), mas sabemos que o padrão de respostas para essas perguntas é parecido. Em outras palavras, as respostas às duas variáveis tem covariação: quando uma sobe, a outra também sobe (e quando uma desce, a outra também desce). Em suma, respondentes mais satisfeitos têm maior probabilidade de recomendar o Santa Fe Grill.

Para os proprietários do Santa Fe Grill, é importante não somente conhecer a relação entre satisfação e probabilidade de recomendação, mas também descobrir que há um espaço considerável para melhoria em ambos os fatores. As duas variáveis são mensuradas em uma escala de sete pontos e ambas têm médias próximas ao ponto central da escala. Os proprietários têm de descobrir por que a satisfação é tão baixa, assim como a probabilidade de recomendar o restaurante. Basicamente, eles precisam se aprofundar nos outros dados do levantamento e identificar maneiras de melhorar a situação. Mostramos como fazer isso em exemplos posteriores deste capítulo.

**Figura 12.6** Aplicativo SPSS: Exemplo de correlação de Pearson para clientes do Santa Fe Grill.

**Descriptive Statistics**

| | Mean | Std. Deviation | N |
|---|---|---|---|
| X22 -- Satisfaction | 4.54 | 1.002 | 253 |
| X24 -- Likely to Recommend | 3.61 | .960 | 253 |

**Correlations**

| | | X22 -- Satisfaction | X24 -- Likely to Recommend |
|---|---|---|---|
| X22 -- Satisfaction | Pearson Correlation | 1 | .776** |
| | Sig. (2-tailed) | | .000 |
| | N | 253 | 253 |
| X24 -- Likely to Recommend | Pearson Correlation | .776** | 1 |
| | Sig. (2-tailed) | .000 | |
| | N | 253 | 253 |

**. Correlation is significant at the 0.01 level (2-tailed).

## Significância substancial do coeficiente de correlação

Quando o coeficiente de correlação é forte e significativo, é possível confiar na associação linear das duas variáveis. Em nosso exemplo do Santa Fe Grill, podemos afirmar com bastante confiança que a probabilidade de recomendar o restaurante tem mesmo relação com o nível de satisfação. Quando o coeficiente de correlação é fraco, considere duas possibilidades: (1) não existe relação consistente e sistemática entre as duas variáveis; ou (2) existe uma associação, mas ela não é linear, e é preciso investigar outros tipos de relação.

Quando se calcula o quadrado do coeficiente de correlação, encontra-se o **coeficiente de determinação**, ou $r^2$. O número varia entre 0,00 e 1,00 e mostra a proporção da variação que pode ser explicada ou representada em uma variável por outra. Em nosso exemplo do Santa Fe Grill, o coeficiente de correlação era 0,776, então $r^2$ = 0,602, o que significa que 60,2% da variação na probabilidade de recomendação está associada à satisfação. Quanto maior o coeficiente de determinação, mais forte a relação linear entre as duas variáveis examinadas. Em nosso exemplo, 60% da variação na probabilidade de recomendação do Santa Fe Grill é explicada por sua relação com a satisfação do cliente.

Existe uma diferença entre significância estatística e significância substancial. Assim, é preciso entender o que é a *significância substancial*. Em outras palavras, os números que você calculou apresentam informações úteis para a gerência? Como o cálculo da significância estatística para coeficientes de correlação depende em parte do tamanho da amostra, é possível encontrar coeficientes de correlação estatisticamente significativos que são pequenos demais para terem qualquer utilidade prática para a gerência, pois amostras grandes produzem mais confiança de que a relação existe de verdade, mesmo quando forem fracas. Por exemplo, se tivéssemos correlacionado a probabilidade de recomendar o Santa Fe Grill com a satisfação, e o coeficiente de correlação fosse 0,20 (significativo em nível 0,05), o coeficiente de determinação seria 0,04. Podemos concluir que os resultados são significativos? É improvável que sejam, pois a quantidade de variância compartilhada é de apenas 4%. Sempre analise ambos os tipos de significância (estatística e substancial) antes de desenvolver conclusões.

## Influência das escalas de medida na análise de correlação

Às vezes, as perguntas de pesquisa só podem ser medidas com escalas ordinais ou nominais. Quais opções estão disponíveis quando o pesquisador usa escalas ordinais para coletar os dados, ou quando os dados simplesmente não podem ser medidos com escalas intervalares ou melhores? O **coeficiente de correlação de postos de Spearman** é a estatística recomendada para casos em que duas variáveis foram medidas com escalas ordinais. Em casos em que alguma das variáveis é representada por dados ordenados, a melhor abordagem envolve o uso do coeficiente de correlação de postos de Spearman, não o coeficiente de correlação de Pearson.

## Aplicativo SPSS: correlação de postos de Spearman

O levantamento de clientes do Santa Fe Grill coletou dados que ordenavam quatro fatores de seleção de restaurantes, representados pelas variáveis $X_{26}$ a $X_{29}$. A gerência está interessada em saber se "qualidade da comida" é um fator de seleção mais importante do que "serviço". Como as variáveis são ordinais, a correlação de Pearson seria inadequada. Em casos assim, o correto é utilizar a correlação de Spearman. Usaremos as variáveis $X_{27}$ (qualidade da comida) e $X_{29}$ (serviço).

Os proprietários desejam saber, em termos gerais, quais fatores influenciam a escolha do restaurante. Assim, a amostra total de 405 respostas é analisada. A sequência de comandos do SPSS é ANALYZE → CORRELATE → BIVARIATE, o que leva à caixa de diálogo na qual você seleciona as variáveis. Transfira as variáveis $X_{27}$ e $X_{29}$ para a caixa *Variables*. Observe que a correlação de Pearson é o padrão, junto com o teste de significância bicaudal e marcação das correlações significativas. Desmarque a correlação de Pearson e clique em *Spearman*. A seguir, clique em OK para executar o programa.

**Interpretação dos resultados** Os resultados do SPSS para a correlação de Spearman se encontram na Figura 12.7. Como vemos na tabela, a correlação entre as variáveis $X_{27}$ (qualidade da comida) e $X_{29}$ (serviço) é –0,130 e o valor da significância é 0,01 (ver nota de rodapé na tabela da figura). Assim, confirmamos que existe uma relação estatisticamente significativa entre os dois fatores de seleção de restaurantes, apesar de ela ser bem pequena. A correlação negativa indica que o cliente que dá bastante importância à qualidade da comida tende a dar importância significativamente menor ao serviço.

**Aplicativo SPSS: calculando ordenações de mediana** Para entendermos melhor os achados da correlação de Spearman, precisamos calcular as ordenações de mediana dos quatro fatores de seleção. Para tanto, a sequência de comandos do SPSS é ANALYZE → DESCRIPTIVE STATISTICS → FREQUENCIES. Clique nas variáveis $X_{26}$–$X_{29}$ para destacá-las e na seta da caixa *Variables* para usá-las em sua análise. Usaremos os quatro fatores de seleção para poder examinar a classificação relativa geral dos fatores de seleção de restaurante. A seguir, abra a caixa *Statistics*, clique em *Median* e em *Continue*. Usaremos as opções padrão para *Charts* e *Format*, então clique em OK para executar o programa.

Figura 12.7 Correlação de postos de Spearman no SPSS.

**Correlations**

| | | | X27 -- Food Quality | X29 -- Service |
|---|---|---|---|---|
| Spearman's rho | X27 -- Food Quality | Correlation Coefficient | 1.000 | -.130** |
| | | Sig. (2-tailed) | | .009 |
| | | N | 405 | 405 |
| | X29 -- Service | Correlation Coefficient | -.130** | 1.000 |
| | | Sig. (2-tailed) | .009 | |
| | | N | 405 | 405 |

** Correlation is significant at the 0.01 level (2-tailed).

**Interpretação dos resultados** Os resultados do SPSS para ordenações de medianas encontram-se na tabela da Figura 12.8. Lembre-se de que as medianas são dados descritivos e só podem ser usadas para descrever respondentes. Com base na codificação dessa variável, o fator com a menor mediana recebe a maior avaliação e é o mais importante, enquanto o fator com a maior mediana é o menos importante, pois os quatro fatores de seleção foram avaliados de 1 a 4, com 1 = mais importante e 4 = menos importante. A qualidade da comida é classificada como o fator mais importante (mediana 1,0), enquanto a atmosfera e o serviço são os menos importantes (mediana –3,0). A correlação de Spearman comparou a qualidade da comida (mediana = 1) com o serviço (mediana 3,0), então a qualidade da comida é significativamente mais importante na seleção de restaurantes do que o serviço.

## O que é análise de regressão?

A correlação determina se existe uma relação entre duas variáveis. O coeficiente de correlação também nos informa a força total da associação e a direção da relação entre elas. Mas os gerentes às vezes ainda precisam saber como descrever a relação entre as variáveis em detalhes. Por exemplo, o gerente de marketing pode querer prever vendas futuras ou o efeito de um aumento de preço sobre os lucros ou participação de mercado da empresa. Tais previsões podem ser feitas de diversas maneiras: (1) extrapolação do comportamento passado da variável; (2) adivinhação pura e simples;

Figura 12.8 Exemplo de mediana para fatores de seleção de restaurantes.

**Statistics**

| | | X26 -- Price | X27 -- Food Quality | X28 -- Atmosphere | X29 -- Service |
|---|---|---|---|---|---|
| N | Valid | 405 | 405 | 405 | 405 |
| | Missing | 0 | 0 | 0 | 0 |
| Median | | 2.00 | 1.00 | 3.00 | 3.00 |

ou (3) utilização de uma equação de regressão que inclui informações sobre variáveis relacionadas para auxiliar a previsão. A extrapolação e a adivinhação (por melhor que sejam) geralmente pressupõem que condições e comportamentos passados continuarão no futuro, mas não examinam as influências por trás do comportamento de interesse. Por consequência, quando níveis de venda, lucros ou outras variáveis do interesse da gerência diferem em relação ao passado, nem a extrapolação nem a adivinhação conseguem explicar o porquê.

A **análise de regressão bivariada** é uma técnica estatística que utiliza informações sobre a relação entre uma variável independente (ou previsora) e uma variável dependente para fazer previsões. Os valores da variável independente são selecionados e o comportamento da variável dependente é observado com o uso da fórmula para linhas retas. Por exemplo, se você quiser descobrir o atual nível do volume de vendas de sua empresa, aplique a seguinte fórmula para linhas retas:

$$\text{Volume de vendas } (Y) = \$0 + (\text{Preço por unidade} = b) \times (\text{Número de unidades vendidas} = X)$$

Ninguém espera que haja volume de vendas se nenhuma unidade for vendida. Assim, a constante, ou intersecção x, é igual a \$0. O preço por unidade ($b$) determina a quantidade do aumento do volume de vendas ($Y$) com a venda de cada unidade ($X$). Nesse exemplo, a relação entre volume de vendas e número de unidades vendidas é linear.

Depois de desenvolver uma equação de regressão para prever os valores de $Y$, queremos descobrir a qualidade da previsão. O melhor modo de começar é comparar os valores previstos por nosso modelo de regressão com os valores reais coletados em nossa amostra. Comparando o valor real ($Y_i$) com o valor previsto ($Y$), podemos dizer o quanto o modelo se aproxima de prever o valor real de nossa variável dependente.

É preciso esclarecer alguns pontos sobre os pressupostos por trás da análise de regressão. Primeiro, assim como a correlação, a análise de regressão pressupõe que uma relação linear é uma boa descrição da relação entre duas variáveis. Se o diagrama de dispersão que mostra as posições dos valores de ambas as variáveis lembra os gráficos das Figuras 12.2 ou 12.3, o pressuposto é valido. Se a dispersão lembra as Figuras 12.1 ou 12.4, entretanto, a análise de regressão não é uma boa escolha. Segundo, apesar de a terminologia da análise de regressão normalmente falar de variáveis *dependentes* e *independentes*, tais nomes não significam que podemos afirmar que uma variável causa o comportamento da outra. A análise de regressão usa o conhecimento sobre nível e tipo de associação entre variáveis para fazer previsões. As afirmações sobre a capacidade de uma variável de causar mudanças em outra devem se basear em lógica conceitual ou conhecimento prévio, não apenas em cálculos estatísticos.

Finalmente, a utilização de um modelo de regressão simples pressupõe que (1) as variáveis de interesse são medidas em escalas intervalares ou de razão (exceto no caso das variáveis *dummy*; (2) as variáveis têm origem em uma população normal; e (3) os resíduos associados à realização de previsões estão distribuídos normal e independentemente.

## Fundamentos da análise de regressão

Uma das bases fundamentais da análise de regressão é o pressuposto de uma relação linear reta entre as variáveis independente e dependente. Tal relação é ilustrada pela Figura 12.9. A fórmula geral para uma linha reta é:

$$Y = a + bX + e_i$$

Figura 12.9 **Relação em linha reta em uma regressão.**

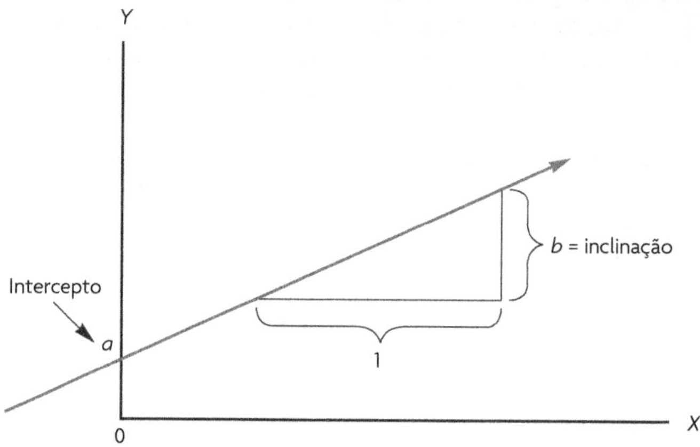


onde

$Y$ = a variável dependente

$a$ = o intercepto (ponto em que a linha reta cruza com o eixo $Y$ quando $X = 0$)

$b$ = a inclinação (a mudança em $Y$ para cada mudança unitária em $X$)

$X$ = a variável independente usada para prever $Y$

$e_i$ = o erro para a previsão

Na análise de regressão, examinamos a relação entre a variável independente $X$ e a variável dependente $Y$. Para tanto, usamos os valores reais de $X$ e $Y$ em nosso conjunto de dados e os valores computados de $a$ e $b$. Os cálculos baseiam-se no **método dos mínimos quadrados.** O método dos mínimos quadrados determina a linha de melhor ajuste por meio da minimização das distâncias verticais de todos os pontos em relação à linha, como vemos na Figura 12.10. A linha de melhor ajuste é a linha de regressão. Qualquer ponto que não se posicione sobre a linha é o resultado da **variância inexplicada**, ou variância em $Y$ que não é explicada por $X$. A variância inexplicada é chamada de erro e é representada pela distância vertical entre a linha reta de regressão estimada e os pontos que representam os dados reais. As distâncias de todos os pontos que não estão sobre a linha são elevadas ao quadrado e somadas para determinar a *soma do quadrado dos erros*, ou seja, a medida do erro total da regressão.

No caso da análise de regressão bivariada, estamos analisando uma variável independente e uma variável dependente. Entretanto, os gerentes frequentemente querem analisar a influência combinada de diversas variáveis independentes sobre uma variável dependente. Por exemplo, as compras de gravadores digitais estão relacionadas apenas com a idade, ou também são influenciadas por renda, etnia, gênero, localização geográfica e nível de formação? Do mesmo modo, poderíamos utilizar o banco de dados do Santa Fe Grill para perguntar se a satisfação do cliente está relacionada apenas com as percepções sobre o gosto da comida do restaurante ($X_{18}$) ou se também têm relação com percepções sobre a simpatia dos funcionários ($X_{12}$), preços razoáveis ($X_{16}$) e velocidade do serviço ($X_{21}$). A regressão múltipla é a técnica apropriada para

Figura 12.10 **Ajustando a linha de regressão com o método dos mínimos quadrados.**

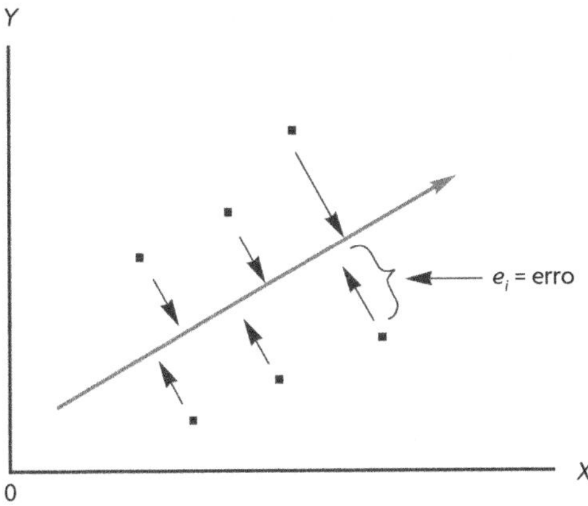


mensurar esse tipo de relação multivariada. Antes de passar para a análise de regressão múltipla, discutiremos a análise de regressão simples ou bivariada.

## Desenvolvendo e estimando coeficientes de regressão

A regressão usa um procedimento de estimativa chamado de mínimos quadrados ordinários (MQO, em inglês *OLS - Ordinary Least Squares*) que garante que a linha estimada será a de melhor ajuste. Anteriormente, afirmamos que a melhor previsão seria aquela em que a diferença entre o valor real de *Y* e o valor previsto de *Y* seria menor. O procedimento estatístico dos **mínimos quadrados ordinários** resulta em parâmetros de equações (*a* e *b*) que produzem previsões com a menor soma do quadrado das diferenças entre valores reais e previstos. Os betas (*b*) são os **coeficientes de regressão**. Se um *b* é grande, a variável é um preditor melhor de *Y*.

**Erro na regressão** As diferenças entre os valores reais e previstos de *Y* são representadas por $e_i$ (o resíduo da equação de regressão). Se multiplicarmos esses erros por si mesmos para cada observação (a diferença entre os valores reais de *Y* e os valores previstos de *Y*) e somá-los, o total representaria a medida geral ou agregada da precisão da equação de regressão.

## Aplicativo SPSS: regressão bivariada

Vamos exemplificar a análise de regressão bivariada. Imagine que os proprietários do Santa Fe Grill querem saber se percepções mais variáveis de seus preços estão associadas a maior satisfação do cliente. A resposta óbvia seria "é claro que sim". Mas quanta melhoria seria esperada na satisfação do cliente se os proprietários melhorassem as percepções sobre os prelos? A análise de regressão bivariada fornece informações que ajudam a responder essa pergunta.

No banco de dados de clientes do Santa Fe Grill, $X_{22}$ é uma medida de satisfação do cliente na qual 1 = Nada satisfeito e 7 = Muito satisfeito. A variável $X_{16}$ mede percepções sobre quanto os preços do restaurante são razoáveis (1 = Discordo totalmente, 7 = Concordo totalmente). Na análise da pergunta de pesquisa, os donos do Santa

Fe Grill estão mais interessados em entender seus próprios clientes. A hipótese nula é que não existe relação entre "$X_{22}$: Satisfação" e "$X_{16}$: Preços razoáveis" para os clientes do Santa Fe Grill.

Para selecionar as respostas do Santa Fe Grill no levantamento (253) a partir da amostra total de 405 respostas, a sequência de comandos é DATA → SELECT CASES. Primeiro, clique na caixa de combinação *Data* e depois destaque e clique em *Select Cases*. Com a caixa de diálogo *Select Cases* aberta, você vê que a opção padrão é *All cases*. Clique na opção *If condition is satisfied* e então na aba *If*. A seguir, destaque a variável de filtro X_s4 e clique na seta da caixa para movê-la para a janela. Depois, clique no sinal de igual e 1 para os clientes do Santa Fe Grill (codificados 1). A seguir, clique em *Continue* e então OK. Com isso, você analisará apenas os clientes do Santa Fe Grill. Assim, seu produto terá os resultados dos dois concorrentes separadamente.

Para executar a regressão bivariada, a sequência de comandos do SPSS é ANALYZE → REGRESSION → LINEAR. Clique em $X_{22}$(satisfação) e mova-a para a janela *Dependent Variable*. Clique em $X_{16}$ (preços razoáveis) e mova-a para a janela *Independent Variables*. Usaremos o padrão para as outras opções, então clique em OK para executar a regressão bivariada.

A Figura 12.11 contém os resultados da análise de regressão bivariada. A tabela superior contém os três tipos de "R". O "R" da extrema esquerda é o coeficiente de correlação (0,321). O $R^2$ é 0,103; esse valor é encontrado multiplicando o coeficiente de correlação (0,321) da regressão por si mesmo. O $R^2$ mostra a porcentagem de variação em uma variável explicada por outra variável. Nesse caso, as percepções que os clientes do Santa Fe Grill têm sobre seus preços explicam 10,3% da variação total em satisfação do cliente com o restaurante.

**Interpretação dos resultados** A tabela ANOVA demonstra a razão F para o modelo de regressão que mostra a significância estatística do modelo. A variância em $X_{22}$ (satisfação do cliente) associada a $X_{16}$ (preços razoáveis) é chamada variância explicada. O restante da variância total em $X_{22}$ que não está associada a $X_{16}$ é chamada de variância não explicada. A razão F compara a quantidade de variância explicada com a de variância não explicada. Quanto maior a razão F, mais variância da variável dependente está associada à variável independente. Em nosso exemplo, a razão F é igual a 74,939 e a significância estatística é 0,000 (o valor "Sig." no resultado do SPSS), então rejeitamos a hipótese nula de que não há relação entre as duas variáveis. Além disso, concluímos que a razoabilidade percebida dos preços está positivamente relacionada com a satisfação geral dos clientes.

A tabela inferior mostra o coeficiente de regressão de $X_{16}$ (preços razoáveis). A coluna marcada "Unstandardized Coefficients" indica que o coeficiente de regressão não padronizado ($b$) de $X_{16}$ é 0,250. A coluna "Sig." mostra a significância estatística do coeficiente de regressão para $X_{16}$ medido pelo teste $t$. O teste $t$ tenta responder se o coeficiente de regressão é suficientemente diferente de zero para ser estatisticamente significativo. A estatística $t$ é calculada com a divisão do coeficiente de regressão pelo seu erro padrão (marcado como "Std. Error" na tabela inferior). Se você dividir 0,250 por 0,037, chegará ao valor $t$ de 6,768, significativo em nível 0,000.

A tabela inferior da Figura 12.11 também mostra o resultado do componente *Constant* ("constante") na equação de regressão, um dos termos da equação para linhas retas que discutimos anteriormente. A constante é o intercepto de $X$, ou o valor de $Y$ quando $X$ é 0. Se a variável independente tiver valor zero, a medida dependente

**Figura 12.11** **Resultados do SPSS para regressão bivariada.**

**Model Summary**

| Model | R | R Square | Adjusted R Square | Std. Error of the Estimate |
|---|---|---|---|---|
| 1 | .479[a] | .230 | .227 | .881 |

a. Predictors: (Constant), X16 -- Reasonable Prices

**ANOVA**[b]

| Model | | Sum of Squares | df | Mean Square | F | Sig. |
|---|---|---|---|---|---|---|
| 1 | Regression | 58.127 | 1 | 58.127 | 74.939 | .000[a] |
| | Residual | 194.688 | 251 | .776 | | |
| | Total | 252.814 | 252 | | | |

a. Predictors: (Constant), X16 -- Reasonable Prices
b. Dependent Variable: X22 -- Satisfaction

**Coefficients**[a]

| Model | | Unstandardized Coefficients | | Standardized Coefficients | t | Sig. |
|---|---|---|---|---|---|---|
| | | B | Std. Error | Beta | | |
| 1 | (Constant) | 2.991 | .188 | | 15.951 | .000 |
| | X16 -- Reasonable Prices | .347 | .040 | .479 | 8.657 | .000 |

a. Dependent Variable: X22 -- Satisfaction

($X_{22}$) teria valor 2,991. A combinação dos resultados da tabela em uma equação de regressão produz:

$$\text{Valor previsto de } X_{22} = 2{,}991 + 0{,}347 \times (\text{valor de } X_{16}) + 0{,}881 \text{ (erro médio na previsão)}$$

A relação entre satisfação do cliente e preços razoáveis é positiva. O coeficiente de regressão para $X_{16}$ é interpretado como "Para cada unidade extra de $X_{16}$ (a avaliação de preços razoáveis), $X_{22}$ (satisfação) aumenta em 0,347 unidades". Lembre-se de que os proprietários do Santa Fe Grill perguntaram "se os preços em nosso restaurante são vistos como razoáveis, esse fato está associado com melhor satisfação do cliente?" A resposta é sim, pois o modelo foi significativo em nível 0,000 e o $r^2$ foi de 0,230. Assim, 23% da variável dependente satisfação são explicados por uma única variável independente, a saber, preços razoáveis.

## Significância

Ao determinar a significância estatística dos coeficientes de regressão, respondemos a primeira pergunta sobre nossa relação: "Existe uma relação entre a variável dependente e a independente?" No caso, a resposta é positiva. Mas lembre-se de nossa discussão sobre significância estatística *versus* substancial. A lógica da discussão também se aplica à avaliação do significado dos coeficientes de regressão. A segunda pergunta é: "Qual é a força da relação?" O resultado da análise de regressão inclui o coeficiente de determinação, ou $r^2$, que descreve a quantidade de variação na variável dependente associada à variação na variável independente. A regressão $r^2$ também informa que porcentagem da variação total na variável dependente pode ser explicada com o uso da independente. O valor de $r^2$ varia entre 0,00 e 1,00, sendo calculado pela divisão da quantidade de variação que foi explicada pela equação de regressão pela variação total na variável dependente. No exemplo anterior do Santa Fe Grill, que examinou a relação entre preços razoáveis e satisfação, $r^2$ era 0,230, o que significa que 23,0% da variação em satisfação do cliente estavam associados à variação nas percepções dos respondentes sobre a razoabilidade dos preços.

Ao examinar a significância substancial de uma equação de regressão, é preciso analisar o tamanho do $r^2$ para a equação de regressão e o tamanho do coeficiente de regressão. O coeficiente de regressão pode ser estatisticamente significativo, mas ainda relativamente pequeno, o que significa que sua variável dependente não mudará muito para cada mudança unitária na medida independente. Em nosso exemplo do Santa Fe Grill, o coeficiente de regressão não padronizado foi de 0,347, uma relação relativamente fraca. Quando os coeficientes de regressão são significativos, mas fracos, dizemos que a relação está presente na população, mas que é fraca. Nesse caso, os proprietários do Santa Fe Grill precisam considerar outras variáveis independentes que os ajudariam a entender e prever melhor a satisfação do cliente.

## Análise de regressão múltipla

Na maioria dos problemas enfrentados pela gerência, diversas variáveis independentes precisam ser examinadas em termos de influência sobre uma variável dependente. A **análise de regressão múltipla** é a técnica adequada para utilização nessas situações. A técnica é uma extensão da regressão bivariada. Múltiplas variáveis independentes são colocadas em uma equação de regressão; um coeficiente de regressão individual é calculado para cada variável, descrevendo sua relação com a variável dependente. Os coeficientes permitem que o pesquisador de marketing examine a influência relativa de cada variável independente sobre a variável dependente. Por exemplo, os proprietários do Santa Fe Grill querem examinar mais do que os preços razoáveis: eles querem analisar as percepções dos clientes sobre funcionários, atmosfera e serviço, o que lhes daria uma ideia mais precisa do que considerar durante o desenvolvimento de estratégias de marketing.

A relação entre cada variável independente e a medida dependente ainda é linear, mas agora, tendo acrescentado múltiplas variáveis independentes, elas precisam ser consideradas, não apenas uma. O modo mais fácil de analisar as relações é examinar o coeficiente de regressão para cada variável independente, que representa a quantidade média de mudança esperada em *Y* dada cada mudança unitária no valor da variável independente examinada.

O uso de mais de uma variável independente força a consideração de novas questões. Uma delas é a possibilidade de cada variável independente ser medida com uma escala diferente. Para resolver o problema, calculamos o coeficiente de regressão padronizado, chamado **coeficiente beta**, que mostra a mudança na variável dependente para cada mudança unitária na variável independente. A padronização remove os efeitos do uso de escalas de medida diferentes. Por exemplo, a idade e a renda anual são medidas em escalas diferentes. Os coeficientes beta variam de 0,00 a 1,00 e podem ser positivos ou negativos. Um beta positivo significa que, conforme o tamanho da variável independente aumenta, o tamanho da variável dependente também aumenta. Já um beta negativo significa que, à medida que o tamanho da variável independente aumenta, o tamanho da variável dependente diminui.

## Significância estatística

Depois de estimar os coeficientes de regressão, é preciso examinar a significância estatística de cada coeficiente. A tarefa é realizada do mesmo modo que com a regressão bivariada. Cada coeficiente de regressão é dividido pelo seu erro padrão para produzir uma estatística *t* que, por sua, vez é comparada com o valor crítico para determinar se é possível rejeitar a hipótese nula. A pergunta básica ainda é a mesma: "Qual é a probabilidade de chegar a um coeficiente desse tamanho se o coeficiente de regressão real na população for zero?" É preciso examinar as estatísticas de teste *t* para todos os coeficientes de regressão. É comum que nem todas as variáveis independentes em uma equação de regressão sejam estatisticamente significativas. Se o coeficiente de regressão não for estatisticamente significativo, isso indica que a variável independente não está relacionada com a dependente e a inclinação que descreve a relação é relativamente plana: o valor da variável dependente não muda à medida que a variável independente estatisticamente não significativa muda.

Ao utilizar a análise de regressão múltipla, é importante examinar a significância estatística geral no modelo de regressão. A quantidade de variação na variável dependente que você conseguiu explicar com as medidas independentes é comparada com a variação total na medida dependente. A comparação produz uma estatística chamada de **estatística do modelo F**, comparada com valores críticos para determinar se é possível rejeitar a hipótese nula ou não. Se a estatística F for estatisticamente significativa, as chances de o modelo de regressão de sua amostra produzir um $r^2$ grande quando a população do $r^2$ é, na verdade, igual a 0, são muito pequenas.

## Significância substancial

Depois de estimarmos a equação de regressão, é preciso avaliar a força da associação. O $r^2$ múltiplo ou coeficiente de determinação múltiplo descreve a força da relação entre todas as variáveis independentes em nossa equação e a variável dependente. Quanto maior a medida $r^2$, mais o comportamento da medida dependente está associado às medidas independentes que estamos usando para prevê-la. Por exemplo, se o $r^2$ múltiplo em nosso exemplo de copiadoras Canon fosse 0,78, isso significaria que podemos explicar 78% da variação na receita de vendas utilizando as variáveis tamanho da equipe de vendas, orçamento de publicidade e atitudes dos clientes em relação a nossos produtos de copiadoras. Valores mais altos de $r^2$ significam relações mais fortes entre o grupo de variáveis independentes e a medida dependente.

Em suma, os elementos de um modelo de regressão múltipla a serem examinados para determinar sua significância incluem o $r^2$, a estatística do modelo F, os coeficientes de regressão para cada variável independente, suas estatísticas t associadas e os coeficientes beta individuais. O procedimento correto a ser seguido para avaliar os resultados de uma análise de regressão é: (1) avaliar a significância estatística do modelo de regressão geral usando a estatística F e sua probabilidade associada; (2) avaliar o $r^2$ para determinar seu tamanho; (3) examinar os coeficientes de regressão individuais e suas estatísticas *t* para ver o quanto são estatisticamente significativas; e (4) analisar os coeficientes beta para avaliar sua influência relativa. Em conjunto, esses elementos apresentam uma imagem completa das respostas às três perguntas básicas sobre as relações entre as variáveis dependentes e independentes.

## Pressupostos da regressão múltipla

A abordagem de mínimos quadrados ordinários à estimativa de um modelo de regressão exige que diversos pressupostos sejam atendidos. Entre eles, os pressupostos mais importantes são (1) relação linear, (2) **homoscedasticidade** e (3) distribuição normal. O pressuposto de linearidade foi explicado anteriormente e exemplificado nas Figuras 12.9 e 12.10. A Figura 12.12 ilustra a **heteroscedasticidade**. O padrão de covariação (os pontos representam os valores de *X* e *Y*) em torno da linha de regressão é estreito na esquerda e bastante amplo na direita (aumenta em largura). Em uma situação como essa, a capacidade preditiva do modelo de regressão mudaria com o aumento dos valores. Para que o modelo de regressão ofereça previsões precisas, os pontos têm de estar a distâncias aproximadamente iguais da linha de regressão, sejam os valores pequenos, médios ou grandes, uma situação chamada homoscedasticidade. A Figura 12.13 mostra uma **curva normal**. Os modelos de regressão pressupõem que as distribuições das variáveis independentes e dependentes são normais. O *software* de regressão SPSS oferece opções para verificar esses pressupostos. Todos os pressupostos devem ser atendidos. Ainda assim, o modelo de regressão geral produz previsões razoavelmente boas, mesmo com pequenos desvios de linearidade, homoscedasticidade e normalidade.

## Aplicativo SPSS: regressão múltipla

A regressão pode ser usada para examinar a relação entre uma única variável métrica dependente e uma ou mais variáveis métricas independentes. No banco de dados do Santa Fe Grill você observara que as primeiras 21 variáveis são variáveis métricas independentes. Elas são variáveis de estilo de vida e percepções sobre o restaurante, medidas em uma escala de avaliação de sete pontos, em que 7 é o ponto máximo da

**Figura 12.12** Exemplo de heteroscedasticidade.

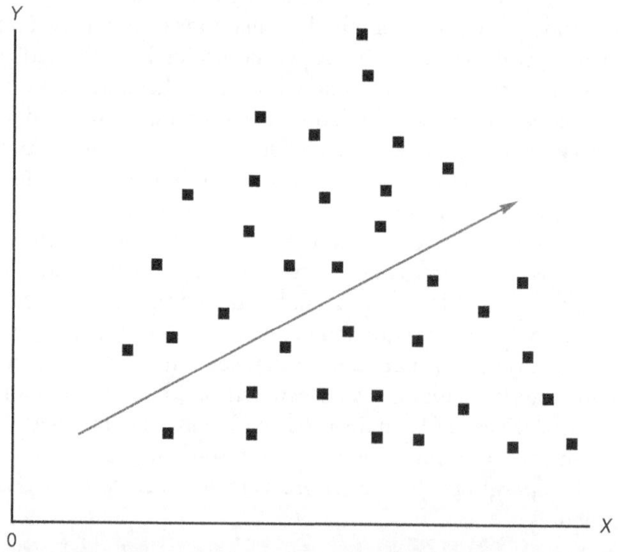

Figura 12.13 **Exemplo de uma curva normal.**

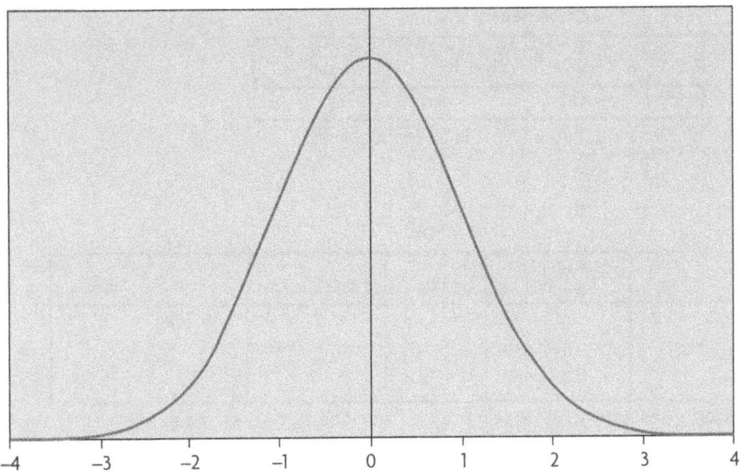


escala e 1 é o mínimo. As variáveis $X_{22}$, $X_{23}$ e $X_{24}$ são variáveis métricas dependentes mensuradas em uma escala de avaliação de sete pontos. As variáveis $X_{25}$ (Frequência de visitas), $X_{30}$ (Distância percorrida), $X_{31}$ (Lembrança de anúncios) e $X_{32}$ (Gênero) não são métricas. As variáveis $X_{26}$ a $X_{29}$ também não são variáveis métricas, pois são dados de classificação, o que impossibilita sua utilização em regressões.

A regressão múltipla nos permite, por exemplo, examinar a relação entre as percepções sobre a comida do restaurante e a satisfação geral dos clientes. Nesse caso, a variável métrica dependente única é $X_{22}$ (satisfação), enquanto as variáveis independentes são $X_{15}$ (comida fresca), $X_{18}$ (comida de gosto excelente) e $X_{20}$ (temperatura da comida). A hipótese nula seria de que não há relação entre as três variáveis sobre comida e $X_{22}$ para os clientes do Santa Fe Grill. A hipótese alternativa seria de que $X_{15}$, $X_{18}$ e $X_{20}$ estão significativamente relacionadas com $X_{22}$ (satisfação do cliente) no caso do Santa Fe Grill.

Primeiro, confirme que selecionou apenas os clientes do Santa Fe Grill para a análise. A sequência de comandos do SPSS para examinar essa relação é ANALYZE → REGRESSION → LINEAR. Destaque $X_{22}$ e mova-a para a janela *Dependent Variables*. Destque $X_{15}$, $X_{18}$ e $X_{20}$ e mova-as para a janela *Independent Variables*. Usaremos o padrão para as outras opções, então clique em OK para executar a regressão múltipla.

**Interpretação dos resultados** O resultado da regressão múltipla no SPSS encontra-se na Figura 12.14. A tabela superior mostra que o $R^2$ para esse modelo é 0,417, o que significa que 41,7% da variação em satisfação (variável dependente) pode ser explicada pelas três variáveis independentes. Os resultados do modelo de regressão na tabela ANOVA indicam que o $R^2$ para o modelo como um todo é significativamente diferente de zero (razão F = 59,288; nível de probabilidade ("Sig.") = 0,000). Esse nível de probabilidade significa que há 0,000 de chance dos resultados do modelo de regressão terem origem em uma população cujo $R^2$ real é zero, ou seja, não há uma chance em mil de que o coeficiente de correlação real seja zero.

**Figura 12.14** **Resultados do SPSS para regressão múltipla.**

**Model Summary**

| Model | R | R Square | Adjusted R Square | Std. Error of the Estimate |
|---|---|---|---|---|
| 1 | .646[a] | .417 | .410 | .770 |

a. Predictors: (Constant), X20 -- Proper Food Temperature, X15 -- Fresh Food, X18 -- Excellent Food Taste

**ANOVA[b]**

| Model | | Sum of Squares | df | Mean Square | F | Sig. |
|---|---|---|---|---|---|---|
| 1 | Regression | 105.342 | 3 | 35.114 | 59.288 | .000[a] |
| | Residual | 147.472 | 249 | .592 | | |
| | Total | 252.814 | 252 | | | |

a. Predictors: (Constant), X20 -- Proper Food Temperature, X15 -- Fresh Food, X18 -- Excellent Food Taste
b. Dependent Variable: X22 -- Satisfaction

**Coefficients[a]**

| Model | | Unstandardized Coefficients | | Standardized Coefficients | t | Sig. |
|---|---|---|---|---|---|---|
| | | B | Std. Error | Beta | | |
| 1 | (Constant) | 2.144 | .269 | | 7.984 | .000 |
| | X15 -- Fresh Food | .660 | .068 | .767 | 9.642 | .000 |
| | X18 -- Excellent Food Taste | -.304 | .095 | -.267 | -3.202 | .002 |
| | X20 -- Proper Food Temperature | .090 | .069 | .096 | 1.312 | .191 |

a. Dependent Variable: X22 -- Satisfaction

Examinamos as informações fornecidas pela tabela inferior da Figura 12.14 para determinar se uma ou mais das variáveis independentes relativas à comida são previsoras significativas da satisfação. A análise da coluna *Standardized Coefficients Beta* revela que $X_{15}$ (comida fresca) tem coeficiente beta de 0,767, significativo (0,000). Do mesmo modo, $X_{18}$ (comida de gosto excelente) e $X_{20}$ (temperatura da comida) têm coeficientes beta de −0,267 (Sig. < 0,002) e 0,096, respectivamente (Sig. < 0,191), logo, podemos rejeitar a hipótese nula de que nenhuma das variáveis relativas a comida está relacionada com $X_{22}$ (satisfação do cliente). Assim, a análise de regressão informa que as percepções dos clientes sobre a comida do Santa Fe Grill, para duas das variáveis relativas à comida, são bons previsores do nível de satisfação com o restaurante.

Mas é preciso ter cautela quando interpretamos esses resultados de regressão. A primeira pergunta é "Por que $X_{20}$ (temperatura da comida) não é significativa?" Uma segunda pergunta importante é levantada pelo sinal negativo de $X_{18}$ (comida de gosto excelente) (−0,267). O sinal negativo indica que percepções menos favoráveis sobre o sabor estão associadas a níveis maiores de satisfação. O resultado é obviamente ilógico e precisa de análises adicionais para entender o que está acontecendo.

Primeiro é preciso revisar o significado dos coeficientes padronizados (beta). Lembre-se de que o tamanho de cada coeficiente mostra a força da relação de cada variável independente com a variável dependente. Os sinais (negativo ou positivo) também são importantes. Um sinal positivo indica uma relação positiva (valores mais altos da variável independente estão associados a valores mais altos da variável dependente). Um sinal negativo indica uma relação negativa. Quando as variáveis independentes estão altamente correlacionadas entre si, os sinais dos coeficientes beta podem se inverter em modelos de regressão, e coeficientes significativos podem se tornar insignificantes. Foi o que aconteceu em nosso exemplo. As variáveis relativas à comida (variáveis independentes) estão altamente correlacionadas e, logo, podemos dizer que demonstram **multicolinearidade**.

Como a multicolinearidade pode causar problemas no uso de regressão, os analistas precisam examinar a lógica dos sinais e níveis de significância dos betas de regressão sempre que as variáveis independentes estiverem altamente correlacionadas. Se a relação esperada for o oposto da antecipada, é preciso analisar uma correlação bivariada simples das duas variáveis. A Figura 12.15 mostrando claramente uma correlação positiva significativa de 0,393 entre $X_{22}$ (satisfação) e $X_{18}$(comida de gosto excelente). Observe também que há uma correlação positiva significativa de 0,430 entre $X_{22}$ (satisfação) e $X_{18}$ (temperatura da comida). Essas correlações bivariadas mostram o problema de utilizar regressão múltipla quando as variáveis independentes estão altamente correlacionadas.

Quando as correlações entre as variáveis independentes em uma regressão múltipla são altas o suficiente para causar um problema? Na experiência dos autores, os problemas normalmente emergem quando as variáveis independentes estão correlacionadas em níveis de 0,50 ou mais. Observe que, na Figura 12.15, todas as variáveis independentes têm correlação de 0,68 ou mais. Assim, não é surpresa que o problema tenha ocorrido. Os pesquisadores normalmente adotam uma de duas abordagens para enfrentar o problema. Uma é criar escalas somadas compostas pelas variáveis

**Figura 12.15** **Matriz de correlação das variáveis do modelo de regressão.**

**Correlations**

| | | X22 -- Satisfaction | X15 -- Fresh Food | X18 -- Excellent Food Taste | X20 -- Proper Food Temperature |
|---|---|---|---|---|---|
| X22 -- Satisfaction | Pearson Correlation | 1 | .627** | .393** | .430** |
| | Sig. (2-tailed) | | .000 | .000 | .000 |
| | N | 253 | 253 | 253 | 253 |
| X15 -- Fresh Food | Pearson Correlation | .627** | 1 | .770** | .686** |
| | Sig. (2-tailed) | .000 | | .000 | .000 |
| | N | 253 | 253 | 253 | 253 |
| X18 -- Excellent Food Taste | Pearson Correlation | .393** | .770** | 1 | .721** |
| | Sig. (2-tailed) | .000 | .000 | | .000 |
| | N | 253 | 253 | 253 | 253 |
| X20 -- Proper Food Temperature | Pearson Correlation | .430** | .686** | .721** | 1 |
| | Sig. (2-tailed) | .000 | .000 | .000 | |
| | N | 253 | 253 | 253 | 253 |

**. Correlation is significant at the 0.01 level (2-tailed).

independentes altamente correlacionadas. A outra abordagem, a de computar escores dos fatores, está além do escopo deste livro.

Discussões adicionais sobre a multicolinearidade e a utilização de variáveis *dummy* não métricas em regressão estão além do escopo deste livro. Para ajudá-lo a entender esses temas, publicamos material adicional em nosso *site* **www.mhhe.com/hairessentials3e** (em inglês).

A análise das tabelas do SPSS revela que muitas informações fornecidas não foram discutidas. Os especialistas em estatística podem aproveitar tais informações, mas os gerentes normalmente não o fazem. Um de seus desafios será descobrir quais informações são mais importantes para análise e apresentação no relatório.

## PESQUISA DE MARKETING EM AÇÃO

### O papel dos funcionários no desenvolvimento de um programa de satisfação do cliente

O gerente de fábrica da QualKote Manufacturing está interessado no impacto que o trabalho que realizou durante o último ano para implementar um programa de qualidade gerou na satisfação de seus clientes. O capataz da fábrica, os trabalhadores na linha de montagem e a equipe de engenharia examinaram de perto as operações para determinar quais atividades mais impactam a confiabilidade e a qualidade do produto. Juntos, gerentes e funcionários trabalharam para entender melhor como cada trabalho afeta a qualidade final do produto percebida pelo cliente.

Para responder às perguntas sobre a satisfação dos clientes, o gerente da fábrica conduziu um levantamento interno entre os funcionários e gerentes usando uma escala de sete pontos (extremos: 1 = Discordo totalmente; 7 = Concordo totalmente). O plano era coletar as opiniões internas antes e depois realizar um levantamento semelhante entre os clientes. O gerente coletou questionários completos de 57 funcionários. Os temas a seguir são exemplos daqueles cobertos pelo questionário:

- Dados de diversas fontes externas, como clientes, concorrentes e fornecedores são usados no processo de planejamento estratégico. Variável independente A10.
- Os clientes estão envolvidos com o processo de planejamento da qualidade do produto. Variável independente A12.
- Os requisitos e as expectativas do cliente em relação aos produtos da empresa são usados para o desenvolvimento de objetivos e planos estratégicos. Variável independente A17.
- Existe um processo sistemático de transformação dos requisitos dos clientes em produtos novos/melhorados. Variável independente A23.
- Existe um processo sistemático de determinação precisa dos requisitos e das expectativas dos clientes. Variável independente A31.
- O programa de qualidade do produto da empresa melhorou o nível de satisfação do cliente. Variável dependente A36.
- O programa de qualidade do produto da empresa melhorou a probabilidade de que os clientes nos recomendarão. Variável dependente A37.
- Gênero do funcionário respondente: Masculino = 1; Feminino = 0. Variável de classificação A40.

Foi realizada uma regressão múltipla no SPSS com as respostas dos 57 funcionários. A variável dependente foi A36, enquanto as variáveis independentes foram A10, A12, A17, A23 e A31. O resultado se encontra nas Figuras 12.16 e 12.17. O banco de dados com as respostas dos funcionários da QualKote às perguntas se encontra disponível em formato SPSS no endereço **www.mhhe.com/hairessentials3e**. O nome do banco de dados é QualKote MRIA_Essn 3e.sav.

Os resultados indicam uma relação estatisticamente significativa entre a variável dependente métrica (A36: Satisfação) e pelo menos uma das cinco variáveis independentes métricas. O $R^2$ da relação é 0,67, estatisticamente significativo em nível 0,000, o que sugere que quando os funcionários acreditam que o programa de qualidade melhorou o nível de satisfação do cliente e porque suas percepções sobre certos aspectos da implementação do programa são mais favoráveis.

Figura 12.16 Estatísticas descritivas QualKote.

**Descriptive Statistics**

| | Mean | Std. Deviation | N |
|---|---|---|---|
| A36 -- Product Quality Program has Improved Customer Satisfaction | 4.81 | .953 | 57 |
| A10 -- Data from Variety of Sources Used in Planning | 5.00 | 1.414 | 57 |
| A12 -- Customers Involved in Product Quality Planning | 3.60 | 1.334 | 57 |
| A17 -- Customer Data Used in Planning | 2.28 | 1.176 | 57 |
| A23 -- Systematic Process to Translate Customer Requirements into Products | 4.53 | 1.104 | 57 |
| A31 -- Systematic Process to Determine Customer Requirements | 2.89 | .838 | 57 |

## Exercício prático

1. Os resultados desse modelo de regressão serão úteis para o gerente da QualKote? Em caso positivo, como?
2. Quais variáveis independentes são úteis para a previsão de A36: Satisfação do cliente?
3. Como o gerente interpretaria os valores médios para as variáveis informadas na Figura 12.16?
4. Quais outros modelos de regressão poderiam ser examinados com as perguntas desse levantamento?

**Figura 12.17** **Regressão múltipla de variáveis de satisfação da Qualkote.**

**Model Summary**

| Model | R | R Square | Adjusted R Square | Std. Error of the Estimate |
|---|---|---|---|---|
| 1 | .819[a] | .670 | .638 | .574 |

a. Predictors: (Constant), A31 -- Systematic Process to Determine Customer Requirements, A10 -- Data from Variety of Sources Used in Planning, A12 -- Customers Involved in Product Quality Planning, A17 -- Customer Data Used in Planning, A23 -- Systematic Process to Translate Customer Requirements into Products

**ANOVA[b]**

| Model | | Sum of Squares | df | Mean Square | F | Sig. |
|---|---|---|---|---|---|---|
| 1 | Regression | 34.095 | 5 | 6.819 | 20.723 | .000[a] |
| | Residual | 16.782 | 51 | .329 | | |
| | Total | 50.877 | 56 | | | |

a. Predictors: (Constant), A31 -- Systematic Process to Determine Customer Requirements, A10 -- Data from Variety of Sources Used in Planning, A12 -- Customers Involved in Product Quality Planning, A17 -- Customer Data Used in Planning, A23 -- Systematic Process to Translate Customer Requirements into Products
b. Dependent Variable: A36 -- Product Quality Program has Improved Customer Satisfaction

**Coefficients[a]**

| Model | | Unstandardized Coefficients | | Standardized Coefficients | t | Sig. |
|---|---|---|---|---|---|---|
| | | B | Std. Error | Beta | | |
| 1 | (Constant) | .309 | .496 | | .624 | .535 |
| | A10 -- Data from Variety of Sources Used in Planning | .314 | .068 | .466 | 4.587 | .000 |
| | A12 -- Customers Involved in Product Quality Planning | .294 | .066 | .411 | 4.451 | .000 |
| | A17 -- Customer Data Used in Planning | .208 | .080 | .257 | 2.614 | .012 |
| | A23 -- Systematic Process to Translate Customer Requirements into Products | .296 | .108 | .343 | 2.744 | .008 |
| | A31 -- Systematic Process to Determine Customer Requirements | .020 | .136 | .017 | .145 | .885 |

a. Dependent Variable: A36 -- Product Quality Program has Improved Customer Satisfaction

# Resumo

**Entender e avaliar os tipos de relações entre variáveis.**
As relações entre variáveis são descritas de diversas maneiras, incluindo presença, direção, força da associação e tipo. A presença nos informa se existe uma relação consistente e sistemática. A direção nos informa se a relação é positiva ou negativa. A força da associação nos informa se a relação é fraca ou forte. O tipo de relação geralmente é descrito como linear ou não linear.

Duas variáveis podem ter uma relação linear, na qual mudanças em uma variável são acompanhadas por alguma mudança (não necessariamente a mesma quantidade de mudança) na outra. Desde que a quantidade de mudança permaneça constante em toda a amplitude de ambas, a relação é chamada linear. As relações entre duas variáveis que mudam em força e/ou direção à medida que os valores das variáveis mudam são chamadas curvilíneas.

**Explicar os conceitos de associação e covariação.**
Os termos *covariação* e *associação* se referem à tentativa de quantificar a força da relação entre duas variáveis. A covariação é a quantidade de mudanças em uma variável de interesse que está consistentemente relacionada à mudança em outra variável do estudo. O grau de associação é uma medida numérica da força da relação entre as duas variáveis. Ambos os termos se referem a relações lineares.

**Discutir as diferenças entre correlação de Pearson e correlação de Spearman.**
Os coeficientes de correlação de Pearson são uma medida da associação linear entre duas variáveis. O coeficiente de correlação de Pearson é usado quando ambas as variáveis são medidas em escalas intervalares ou de razão. Quando uma ou mais das variáveis de interesse é medida em uma escala ordinal, é preciso usar o coeficiente de correlação de postos de Spearman.

**Explicar o conceito de significância estatística *versus* significância prática.**
Como alguns dos procedimentos envolvidos na determinação de significância estatística de testes estatísticos incluem a consideração do tamanho da amostra, é possível que um nível baixíssimo de associação entre duas variáveis seja considerada estatisticamente significativa (ou seja, o parâmetro populacional não é igual a zero). Entretanto, ao considerar a força absoluta da relação em conjunto com sua significância estatística, o pesquisador está mais bem preparado para chegar a uma conclusão adequada sobre os dados e a população do qual foram coletados.

**Entender quando e como usar análise de regressão.**
A análise de regressão é útil para responder perguntas sobre a força de uma relação linear entre a variável dependente e uma ou mais variáveis independentes. Os resultados de uma análise de regressão indicam a quantidade de mudança na variável dependente associada a mudanças de uma unidade nas variáveis independentes. Além disso, a precisão da equação de regressão pode ser avaliada com a comparação entre os valores previstos da variável dependente e os valores reais da variável dependente coletados da amostra. Ao utilizar regressões, é preciso sempre verificar os pressupostos para garantir que os resultados são precisos e não foram distorcidos por desvios oriundos dos pressupostos.

# Principais termos e conceitos

## Questões de revisão

1. Explique a diferença entre testes para diferenças significativas e testes para associação.
2. Explique a diferença entre associação e causalidade.
3. O que é covariação? Como ela difere da correlação?
4. Quais são as diferenças entre técnicas estatísticas univariadas e bivariadas?
5. O que é análise de regressão? Quando você deve usá-la?
6. Qual é a diferença entre a regressão simples e a regressão múltipla?

## Questões para discussão

1. As análises de regressão e correlação descrevem a força de relações lineares entre variáveis. Considere os conceitos de educação e renda. Muitas pessoas diriam que tais variáveis possuem uma relação linear. À medida que a educação aumenta, a renda normalmente aumenta junto (apesar de não necessariamente na mesma velocidade). Dê um exemplo de duas variáveis relacionadas de modo que sua relação mude em pontos diferentes de suas amplitudes de valores possíveis (ou seja, têm relação curvilínea). Como você analisaria a relação entre duas variáveis desse tipo?
2. É possível conduzir uma análise de regressão com duas variáveis e obter uma equação de regressão significativa (razão F significativa), mas também um valor baixo para $r^2$? O que a estatística $r^2$ mede? Como é possível ter um valor $r^2$ baixo e ainda assim encontrar uma razão F estatisticamente significativa para a equação de regressão geral?
3. O procedimento de mínimos quadrados ordinários (MQO), muito usado em regressões, produz uma linha de "melhor ajuste" para os dados aos quais é aplicado. Como você definiria "melhor ajuste" na análise de regressão? Que aspecto do procedimento garante o melhor ajuste para os dados? Que pressupostos sobre o uso de uma técnica de regressão são necessários para produzir tal resultado?
4. Quando utilizamos múltiplas variáveis independentes para prever uma variável dependente em regressões múltiplas, a multicolinearidade entre as variáveis independentes costuma ser um problema. Qual é o principal problema causado pela multicolinearidade entre variáveis independentes em uma equação de regressão múltipla? Ainda é possível encontrar um $r^2$ alto para sua equação de regressão se os dados apresentarem multicolinearidade?
5. EXPERIMENTE A INTERNET. Escolha uma loja que os estudantes provavelmente frequentam e que venda por catálogo e via Internet (por exemplo, Victoria's Secret). Prepare um questionário que compare as experiências de fazer compras por catálogo e *online*. A seguir, peça a um grupo de estudantes que visite o *site*, olhe os catálogos que trouxe para a aula e complete o questionário. Insira os dados em um aplicativo e avalie seus achados estatisticamente. Prepare um relatório comparando compras por catálogo e *online*. Esteja preparado para defender suas conclusões.
6. EXERCÍCIO NO SPSS. Escolha um ou dois alunos de sua turma e forme um grupo. Identifique algumas lojas em sua comunidade que vendam telefones celulares, reprodutores/gravadores digitais, televisores e outros produtos eletrônicos. Os membros do grupo devem se dividir, visitar todas as lojas e descrever os produtos e as marcas vendidos em cada uma. Observe também o layout da loja, a equipe e o tipo de propaganda usado pela loja. Em outras palavras, conheça bem o mix de marketing de cada loja. Usando seu conhecimento do mix de marketing, crie um questionário. Entreviste aproximadamente 100 pessoas que conheçam bem todas as lojas que você selecionou e colete suas respostas. Analise as respostas usando um aplicativo estatístico como o SPSS. Prepare um relatório com seus achados, incluindo se as percepções sobre cada uma das lojas são parecidas ou diferentes, especialmente se as diferenças são estatística ou substancialmente relevantes. Apresente seus achados para a turma e prepare-se para defender suas conclusões e seu uso de técnicas estatísticas.
7. EXERCÍCIO NO SPSS. Os proprietários do Santa Fe Grill acreditam que seus funcionários estão contentes em trabalhar para o restauran-

te e que é improvável que busquem outro emprego. Utilize o banco de dados de funcionários do Santa Fe Grill e execute uma análise de regressão bivariada entre $X_{11}$ (cooperação da equipe) e $X_{17}$ (probabilidade de buscar outro emprego) para testar essa hipótese. A hipótese poderia ser examinada melhor com uma regressão múltipla? Se sim, execute uma regressão múltipla e explique os resultados.

# 13

# Comunicando os achados de pesquisas de marketing

**Objetivos de aprendizagem** Após ler este capítulo, você estará apto a:

1. Entender os objetivos de um relatório de pesquisa.
2. Descrever o formato de um relatório de pesquisa de marketing.
3. Discutir diversas técnicas de representação gráfica de resultados de pesquisa.
4. Esclarecer problemas encontrados na preparação de relatórios.
5. Entender a importância das apresentações na pesquisa de marketing.

## É preciso mais do que números para se comunicar

A representação visual de dados não é fácil, e mesmo os especialistas em pesquisas nem sempre se saem bem. Afinal, o tipo de pessoa que é bom em estatística não é necessariamente o mesmo que é bom em apresentação visual. Ainda assim, a capacidade de apresentar dados visualmente de modo esclarecedor é importante na elaboração de relatórios de pesquisa.

O professor Edward Tufte é o especialista em apresentação de dados visuais de maior renome do mundo. Autor de diversos livros sobre o tema, incluindo *The Display of Quantitative Information*, o professor Tufte é cientista politico, mas seus conselhos se aplicam a todos os campos. Os gráficos de negócios têm os mesmos objetivos que qualquer outro gráfico: transmitir informações, resumir raciocínios e resolver problemas. Tufte explica a importância da apresentação visual dos dados: "O bom design é o bom raciocínio que se tornou visível, enquanto o mau design é só a estupidez que se tornou visível... Quando vemos uma tela cheia de lixo gráfico, vemos uma corrupção mais profunda: o autor não sabe do que está falando".[1]

Tufte culpa a má apresentação de estatísticas e informações pelo desastre com o ônibus espacial *Challenger*. A apresentação em PowerPoint da NASA escondia estatísticas sobre como os anéis de borracha nos tanques de combustível tendiam a vazar sob baixas temperaturas. O problema com os anéis acabou por levar à morte de sete astronautas. É óbvio que apresentações ruins raramente têm consequências tão trágicas ou dramáticas. Ainda assim, oportunidades e tempo são desperdiçados e plateias são entediadas.

O *New York Times* chama o professor Tufte de Leonardo da Vinci da apresentação de dados. Tufte enfatiza que a boa apresentação de estatísticas não tem a ver com gráficos arrojados. "O trabalho não é ter apresentações de 'alto impacto', ou 'apontar, clicar, uau!' ou 'propostas poderosas'. O importante é explicar algo... A metáfora certa para apresentações não é o poder ou PowerPoint (...) Não é a televisão nem o teatro. É o ensino."[2]

## O valor de comunicar achados de pesquisa

Se os resultados não forem comunicados com sucesso ao cliente, não importa como os projetos de pesquisa são concebidos e implementados, o projeto será um fracasso. A introdução deste capítulo enfoca as apresentações, mas não esqueça que os relatórios de pesquisa de marketing também são comunicados por escrito. Um relatório de pesquisa de marketing de sucesso é um modo de garantir que o tempo, esforço e dinheiro gastos no projeto darão frutos. O objetivo deste capítulo é apresentar o estilo e o formato do relatório de pesquisa de marketing, identificando como ele é criado e explicando os objetivos de cada seção. A seguir, discutimos as melhores práticas do setor para a apresentação de relatórios de pesquisa de sucesso.

## Os relatórios de pesquisa de marketing

O relatório de pesquisa de marketing profissional tem quatro objetivos: (1) comunicar com eficácia os achados do projeto de pesquisa de marketing, (2) apresentar interpretações dos achados na forma de recomendações lógicas e corretas, (3) estabelecer a credibilidade do projeto de pesquisa e (4) servir de documento de referência futura para decisões táticas ou estratégicas.

O primeiro objetivo do relatório é comunicar os achados do projeto de pesquisa de marketing. Como o objetivo principal do projeto de pesquisa é obter informações para responder perguntas sobre um determinado problema de negócios, o relatório precisa explicar tanto como as informações foram obtidas quanto sua relevância para as perguntas de pesquisa. É preciso comunicar ao cliente uma descrição detalhada dos seguintes temas:

1. Os objetivos de pesquisa.
2. As perguntas de pesquisa.
3. A revisão da literatura e os dados secundários relevantes.
4. Uma descrição dos métodos de pesquisa.
5. Os achados em tabelas, gráficos ou quadros.
6. Interpretação e resumo dos achados.
7. Conclusões e recomendações.

No Capítulo 9, explicamos como escrever relatórios sobre pesquisas qualitativas. Os relatórios quantitativos incluem as mesmas informações gerais que os qualitativos, mas algumas questões enfrentadas durante seu desenvolvimento são diferentes. Os objetivos e as perguntas das pesquisas qualitativas tendem a ser mais amplos, mais gerais e mais abertos do que os das quantitativas. A revisão da literatura e os dados secundários relevantes podem ser integrados à análise dos achados na análise de dados qualitativos em vez de apresentados separadamente do resto dos achados. A descrição dos métodos de pesquisa em ambos os tipos ajuda a desenvolver a credibilidade dos projetos, mas diferentes tipos de evidências são oferecidas para desenvolver a credibilidade das análises quantitativas e qualitativas. A disposição dos dados é importante nos dois métodos. Os pesquisadores qualitativos raramente apresentam estatísticas, mas a estatística é o ganha-pão da apresentação quantitativa. O último passo de ambos os tipos de relatório é a elaboração de conclusões e recomendações.

É muito comum que os pesquisadores quantitativos se preocupem tanto com análise estatística que se esqueçam de apresentar interpretações claras e lógicas de seus resultados. Os pesquisadores precisam reconhecer que os clientes raramente entendem de metodologias amostrais e estatística. Assim, seu trabalho é apresentar informações técnicas ou complexas de uma maneira compreensível para todas as partes. Muitas das palavras usadas para ensinar pesquisa a alunos não são necessárias no relatório de pesquisa de marketing. Por exemplo, a palavra "hipótese" raramente aparece em relatórios de pesquisa de marketing. Quando se fala em tabulação cruzada, ANOVA, teste *t*, correlação e regressão, eles são apresentados com clareza e simplicidade. O nome da técnica de análise sequer deve ser usado na apresentação e descrição dos resultados. A maior parte dos pesquisadores de marketing sequer inclui informações sobre significância estatística em seus relatórios, apesar de nossa recomendação ser que você os inclua.

Ao elaborar o relatório, os pesquisadores devem cruzar a fronteira entre fazer e entender estatísticas e comunicar os achados de modos completamente compreensíveis para leitores sem formação técnica. A maioria dos pesquisadores não têm problemas em lidar com estatísticas, resultados eletrônicos, questionários e outros materiais de projeto. No entanto, ao revelar os resultados ao cliente, os pesquisadores devem manter os objetivos de pesquisa originais em mente. É preciso se concentrar nos objetivos e comunicar como cada parte do projeto está relacionada com a resolução dos objetivos.

Por exemplo, a Figura 13.1 vem de uma apresentação que exemplifica um objetivo de pesquisa: a identificação de adoção da Internet entre idosos e segmentos de uso. Apesar de muitos dados numéricos terem sido usados para preparar o gráfico, os dados foram reduzidos a um formato compacto e fácil de compreender. Neste capítulo, mostraremos como usar imagens gráficas para resumir as análises estatísticas discutidas neste livro. Essas imagens podem ser utilizadas em apresentações e relatórios de pesquisa marketing. Os pesquisadores sempre buscam meios de resumir informações de modos significativos e compactos, mas é preciso cuidar para que os resultados continuem fáceis de interpretar e incluam textos que ajudem os leitores a se concentrar nos pontos importantes. Neste capítulo, apresentamos sugestões sobre como apresentar graficamente diversos tipos de análise. Nossas figuras mostram slides de PowerPoint, mas as mesmas imagens podem ser integradas a relatórios narrativos. Sempre há inúmeros modos de apresentar os mesmos dados. Os pesquisadores devem usar sua criatividade e pensar constantemente se e como suas apresentações e/ou relatórios dizem o que querem dizer.

Além de apresentar resultados de um modo fácil de compreender, o relatório ou apresentação de pesquisa deve estabelecer a **credibilidade*** dos métodos, achados e conclusões da pesquisa, o que só é possível se o relatório for preciso, crível e organizado de modo profissional. Essas três dimensões não podem ser trabalhadas separadamente, pois operam de modo coletivo para dar credibilidade ao documento de pesquisa. Para que o relatório seja preciso, todos os insumos de sua produção devem ser precisos. O descuido com o manuseio dos dados, com a apresentação de estatísticas ou a interpretação incorreta não podem ser tolerados. Erros em cálculos

* N. de E.: Para uma definição completa dos termos em negrito, veja o Glossário ao final do livro.

**Figura 13.1** Achados do estudo sobre adoção da Internet entre idosos.

| | Segmentos de adoção da Internet entre idosos | |
|---|---|---|
| | **Pouco uso** | **Bastante uso** |
| **Autoadoção 20%** | **Demografia**<br>Renda e educação altas, mais homens<br>**Valores autodirigidos**<br>Curiosidade e enfrentamento proativo baixos<br>**Atitudes/Comportamentos tecnológicos**<br>Baixo desconforto tecnológico<br>Médio otimismo tecnológico, inovação **12%** | **Demografia**<br>Renda e educação altas, mais jovens, mais homens<br>**Valores autodirigidos**<br>Curiosidade alta e enfrentamento proativo<br>**Atitudes/Comportamentos tecnológicos**<br>Primeira adoção<br>Baixo desconforto tecnológico<br>Alto otimismo tecnológico, inovação **8%** |
| **Adoção auxiliada 21%** | **Demografia**<br>Renda e educação médias, mais mulheres<br>**Valores autodirigidos**<br>Curiosidade média e enfrentamento proativo<br>**Atitudes/Comportamentos tecnológicos**<br>Adoção mais tardia<br>Alto desconforto tecnológico<br>Médio otimismo tecnológico, inovação **13%** | **Demografia**<br>Renda e educação médias, mais mulheres<br>**Valores autodirigidos**<br>Curiosidade alta e enfrentamento proativo<br>**Atitudes/Comportamentos tecnológicos**<br>Alto desconforto tecnológico<br>Alto otimismo tecnológico, inovação **8%** |
| **Não adoção 59%** | **Demografia**<br>Baixa renda e educação, mais mulheres, pessoas mais velhas<br>**Valores autodirigidos**<br>Curiosidade baixa e enfrentamento proativo<br>**Atitudes/Comportamentos tecnológicos**<br>Alto desconforto tecnológico, baixo otimismo tecnológico e baixa inovação | |

matemáticos, gramaticais e terminológicos impactam negativamente na credibilidade de todo o relatório.

O raciocínio claro e lógico e a expressão e apresentação precisas criam **confiabilidade**. Quando a lógica fundamental é difusa ou a apresentação é imprecisa, os leitores podem ter dificuldade em compreender o que estão lendo. Se os leitores não entendem o que estão lendo, podem não acreditar no material. É importante observar que sempre que os achados forem surpreendentes ou desviarem das expectativas do cliente, os analistas de pesquisa serão questionados. Sua metodologia será investigada em busca de explicações que eliminem os achados surpreendentes. Método de amostragem, linguajar de perguntas e erro por falta de resposta são alguns dos meios mais comuns de explicar erros que levam a achados surpreendentes. Os pesquisadores devem antecipar essas perguntas e ter explicações claras para todos os achados. O Painel de Pesquisa de Marketing analisa a função do pensamento crítico na apresentação de pesquisas de marketing.

Finalmente, a credibilidade do relatório de pesquisa é afetada pela qualidade e organização do documento em si. O relatório deve ser desenvolvido com clareza e organizado com profissionalismo. A aparência geral do relatório, além de comunicar os resultados claramente, tem de passar ao leitor o profissionalismo do trabalho de pesquisa. Além disso, o documento deve refletir as preferências e sofisticação técnica do leitor. Os relatórios são elaborados para refletir três níveis de leitores: (1) leitores que lerão apenas o sumário executivo, (2) leitores que lerão o sumário executivo e analisarão com mais cuidado o corpo dos achados e (3) leitores com conhecimento técnico que lerão todo o relatório e procurarão informações mais detalhadas no apêndice.

A preparação de uma descrição dos pontos principais, com detalhes de apoio em sua posição e sequência apropriadas, pode ser útil. O relatório deve ter seções que discutem cada um dos objetivos de pesquisa. Use frases e parágrafos curtos e concisos. Sempre selecione linguajar consistente com o histórico e conhecimento dos leitores. Reescreva o relatório diversas vezes. Tudo isso forçará você a remover os excessos e avaliar criticamente quais pontos do documento precisam de melhorias.

O quarto objetivo do relatório de pesquisa é servir de referência. A maioria dos estudos de pesquisa de marketing cobre uma ampla variedade de objetivos e busca

## PAINEL Pensamento crítico e pesquisa de marketing

O pensamento crítico é a arte de analisar e avaliar o raciocínio com o objetivo de melhorá-lo. O pensamento crítico é importante para quase tudo o que fazemos, mas se torna fundamental na avaliação e apresentação de resultados de pesquisa. Foram identificadas diversas barreiras ao pensamento crítico de sucesso, várias das quais se aplicam à apresentação de pesquisas.

**Tendência de confirmação**

A tendência de confirmação existe quando os pesquisadores interpretam as evidências de modo a encaixá-las com suas crenças preexistentes. Para evitar essa armadilha, os pesquisadores precisam buscar evidências que desmintam suas crenças preexistentes. Achados surpreendentes precisam ser avaliados em comparação com escolhas metodológicas e amostrais que podem ter contribuído para eles, mas não devem ser simplesmente rejeitados ou ignorados.

**Generalização a partir de amostras**

Quando uma amostra é pequena ou não foi escolhida aleatoriamente, os pesquisadores devem tomar muito cuidado na hora de fazer generalizações. Na pesquisa de marketing, muitas amostras estão longe de serem ideais. Mesmo quando buscam extrair amostras aleatórias, os pesquisadores talvez enfrentem desafios no recrutamento da amostra que resultam em tendenciosidades sutis em sua composição. Os pesquisadores devem sempre tentar pensar sobre como o método de amostragem pode ter afetado seus resultados.

**Declarando relações causais entre variáveis que não existem**

Alguns fatos podem estar correlacionados em seus dados, mas a relação talvez seja mera coincidência estatística ou consequência de uma terceira variável. Para afirmar que há uma relação causal, os pesquisadores devem se assegurar do uso da concepção de pesquisa apropriada.

**Construto errado**

Na avaliação dos resultados de levantamentos, é possível que um construto tenha recebido o nome errado, pois seus itens componentes podem não medir realmente aquilo que pretendem. Avaliar a confiabilidade e validade de construtos é uma parte essencial da boa apresentação de pesquisas científicas.

**Tendenciosidades metodológicas**

As escolhas metodológicas podem provocar tendenciosidades. Por exemplo, os respondentes são menos honestos sobre algumas questões no telefone do que em um levantamento *online*. Questionários prolongados podem causar fadiga no respondente e gerar respostas imprecisas. A escolha do linguajar, o uso de gráficos e a ordem das perguntas talvez afetem as respostas. Os pesquisadores precisam pensar sobre como questões metodológicas potencialmente influenciam seus resultados.

Ao informar seus achados e criar apresentações, os pesquisadores devem aplicar suas habilidades de pensamento crítico para garantir que seus achados serão revelados com objetividade e precisão. Sensibilizar-se a essas barreiras de modo a superá-las, ou pelo menos minimizá-las, ajuda os pesquisadores a preparar apresentações melhores.

responder diversas perguntas de pesquisa, o que pode ser realizado no documento em si com o uso de formatos estatísticos e narrativos. É praticamente impossível que o cliente retenha todas essas informações, então o relatório se torna um documento de referência revisado durante longos períodos de tempo.

Muitos relatórios de pesquisa de marketing se tornam parte de projetos maiores, conduzidos em vários momentos. Não raro, um relatório de pesquisa de marketing serve de base para estudos adicionais. Além disso, muitos relatórios são usados para fins de comparação. Por exemplo, os relatórios são usados para comparar mudanças promocionais, táticas de construção de imagem e até os pontos fortes e fracos da empresa.

## O formato do relatório de pesquisa de marketing

Todos os relatórios de marketing são diferentes entre si, pois cada um se baseia nas necessidades do cliente, no objetivo da pesquisa e nos objetivos do estudo. Ainda assim, todos os relatórios contêm alguns elementos em comum. Apesar da terminologia variar entre setores, o formato básico discutido nesta seção ajudará os pesquisadores a planejar e preparar relatórios para diversos tipos de cliente. Os elementos comuns a todos os relatórios de pesquisa de marketing são:

1. Folha de rosto
2. Sumário
3. Sumário executivo
    a. Objetivos de pesquisa
    b. Declaração concisa dos métodos
    c. Resumo dos principais achados
    d. Conclusões e recomendações
4. Introdução
5. Métodos e procedimentos de pesquisa
6. Análise de dados e achados
7. Conclusões e recomendações
8. Limitações
9. Apêndices

### Folha de rosto

A folha de rosto indica o assunto do relatório e o nome, cargo e organização do destinatário. Também é preciso incluir qualquer número ou frase necessário para designar um determinado departamento ou divisão. Acima de tudo, a folha de rosto deve conter o nome, cargo, empregador, endereço e telefone da pessoa ou grupo de pessoas que entregaram o relatório e a data de entrega.

### Sumário

O sumário lista os tópicos do relatório em sequência. Normalmente, a página destaca cada área temática, suas subdivisões e os números de página correspondentes. Também é comum incluir as tabelas, as figuras e as páginas nas quais podem ser encontradas.

## Sumário executivo

O **sumário executivo** é a parte mais importante do relatório. Muitos o consideram a alma do relatório, pois muitos executivos leem apenas esta parte. O sumário executivo apresenta os pontos principais do relatório e precisa ser completo o suficiente para ser uma representação verdadeira do documento, mas de forma resumida. Certifique-se de que o sumário funcione por si só. O resto do relatório apoia os achados principais incluídos no sumário, mas o panorama apresentado pelo sumário executivo ainda precisa parecer completo. Apesar de o sumário executivo estar no começo do relatório, ele deve ser a última parte a ser escrita. Até que todas as análises tenham sido realizadas, os pesquisadores não podem determinar quais achados são os mais importantes.

O sumário executivo tem diversos objetivos: (1) representar como e por que a pesquisa foi realizada, (2) resumir os achados principais e (3) sugerir ações futuras. Em outras palavras, o sumário executivo deve conter os objetivos de pesquisa, uma declaração concisa sobre os métodos, um resumo dos achados e as conclusões e recomendações específicas.

Os objetivos de pesquisa devem ter o máximo de precisão, mas não devem passar de cerca de uma página. O propósito da pesquisa, junto com as perguntas ou hipóteses que orientaram o projeto, também deve ser apresentado nesta seção. A Figura 13.2 mostra um slide de PowerPoint que resume os objetivos de pesquisa em um projeto que mensurava as reações de funcionários a anúncios da empresa dirigidos ao consumidor final. Depois de explicar os objetivos e o propósito da pesquisa, é a vez de apresentar um breve resumo do método de amostragem, da concepção da pesquisa e de qualquer aspecto relativo a procedimentos, tudo em um ou dois parágrafos. A seguir, o sumário apresenta os achados principais.

A Figura 13.3 mostra um slide que resume alguns dos achados principais de um projeto de pesquisa. Os achados apresentados no sumário devem concordar com a seção de achados no relatório completo. Inclua apenas os achados principais relativos aos objetivos de pesquisa.

Finalmente, o sumário contém uma breve declaração das conclusões e recomendações. A seção de conclusões resume seus achados. As conclusões explicam concisamente os achados da pesquisa e seus significados. As recomendações, por outro lado, lidam com ações futuras adequadas. As recomendações se concentram em táticas ou estratégias de marketing específicas que o cliente pode realizar para conquistar vantagens competitivas. Conclusões e recomendações normalmente ocupam mais um ou dois parágrafos.

**Figura 13.2** **Objetivos da pesquisa.**

**Objetivos da pesquisa**

- Medir e modelar o impacto da propaganda da Apex sobre os funcionários.
  - Medir a percepção entre os funcionários sobre a eficácia, precisão organizacional, exagero de promessas e congruência de valor dos anúncios da Apex.
  - Medir as variáveis de resultado após assistir aos anúncios da Apex: orgulho, confiança, identificação organizacional, compromisso organizacional, foco no cliente.
- Medir o efeito da identificação organizacional e do foco no cliente prévios do funcionário sobre a resposta aos anúncios da Apex.

Figura 13.3 **Alguns achados principais de um projeto de pesquisa.**

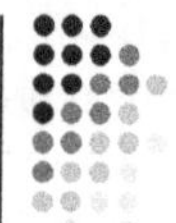

**Principais achados**

- Os funcionários da Apex têm forte identificação com a organização, com média 6,3 em uma escala de sete pontos para todos os itens de Identidade Organizacional.
- A percepção da eficácia da propaganda entre os consumidores tem fortes efeitos sobre as variáveis de resultado. Assim, os funcionários se importam com o sucesso da propaganda. O sucesso está especialmente associado ao orgulho dos funcionários.
- A percepção de que os anúncios retratam a organização corretamente tem efeitos fortes a moderados sobre todas as variáveis de resultado. Assim, os funcionários querem que a Apex seja retratada nos anúncios de modo consistente com suas visões sobre a empresa.

# Introdução

A **introdução** contém informações acessórias, necessárias ao entendimento completo do relatório. A definição de termos, informações acessórias relevantes e o escopo e a ênfase do estudo são comunicados na introdução. A introdução também lista perguntas e objetivos de pesquisa específicos para os quais o estudo foi criado para responder, além de hipóteses, a duração do estudo e qualquer problema relacionado a ele. Em geral, as hipóteses não são afirmadas formalmente, mas sim de modo simples e comum. Por exemplo, a equipe de pesquisa resume suas hipóteses sobre as variáveis que acreditam afetar a adoção da Internet entre idosos da seguinte maneira: "Esperamos que os seguintes fatores tenham relação positiva com a adoção entre idosos: renda, formação acadêmica, curiosidade e otimismo tecnológico". Ao ler a introdução, o cliente deve saber exatamente de que se trata o relatório, por que a pesquisa foi conduzida e quais as relações entre este estudo e trabalhos passados ou futuros.

## Métodos e procedimentos de pesquisa

O objetivo da **seção de métodos e procedimentos** é comunicar como a pesquisa foi conduzida. As questões discutidas na seção incluem:

1. A concepção de pesquisa usada: exploratória, descritiva e/ou causal.
2. Tipos de dados secundários incluídos no estudo, se houver.
3. Se foram coletados dados primários, que procedimento foi usado (observação, questionário) e que procedimentos de coleta foram aplicados (pessoal, por correspondência, telefônica, via Internet).
4. Amostra e processos amostrais utilizados. As seguintes questões costumam ser discutidas:
   a. Como a população da amostra foi definida e descrita.
   b. Unidades amostrais utilizadas (por exemplo: negócios, domicílios, indivíduos).
   c. A lista amostral utilizada no estudo (se houve).

**d.** Como o tamanho da amostra foi determinado.

**e.** Foi usado um plano de amostragem probabilístico ou não probabilístico?

Ao elaborar a seção de métodos e procedimentos, é comum que o redator se perca na apresentação excessiva de detalhes. O objetivo do redator terá sido cumprido se, ao terminar de ler a seção, o leitor conseguir dizer o que foi feito, como foi feito e por que foi feito. A Figura 13.4 apresenta um slide que resume a metodologia utilizada no estudo sobre adoção da Internet entre idosos.

## Análise de dados e achados

O corpo do texto do relatório de pesquisa de marketing consiste nos achados do estudo. As necessidades de análise de dados variam entre projetos, então a apresentação dos achados será diferente para cada um. Independentemente do nível de complexidade da análise estatística, todos os pesquisadores enfrentam o desafio de resumir e apresentar a análise de modo que facilite sua compreensão para leitores leigos. Os achados têm de sempre incluir apresentações detalhadas, com tabelas, figuras e gráficos de apoio. Todos os resultados têm de ser organizados logicamente para corresponder a cada objetivo ou pergunta de pesquisa listado no relatório. Este não é o local para despejar os achados, sem diferenciação. Ao informar os resultados, nenhum redator pode afirmar que eles são "óbvios" ou que "falam por si só". Em vez disso, os redatores precisam apresentar e interpretar os resultados. Seu conhecimento sobre o setor, fruto da revisão da literatura e da experiência, ajudam os analistas a interpretar os resultados. O pesquisador deve decidir como agrupar os achados em seções que facilitem seu entendimento. As melhores práticas sugerem o emprego de tabelas, figuras e gráficos na hora de apresentar os resultados. Os gráficos e tabelas precisam conter um sumário simples dos dados, elaborado de maneira clara, concisa e não técnica; o texto explica os achados em gráficos e tabelas.

**Figura 13.4** **Slide resumindo a metodologia da pesquisa.**

CRITO *Consortium*
University of California, Irvine

**Metodologia da pesquisa**

- Levantamento telefônico nacional de idosos com mais de 65 anos
- Perguntas acrescentadas ao painel de tecnologia da IDC
- 200 usuários de Internet e 245 não usuários (amostra aleatória)
- Perguntas mensuradas:
  - — Valores
    - Curiosidade e autoeficácia (enfrentamento proativo)
  - — Atitudes/comportamentos tecnológicos
    - Otimismo tecnológico, desconforto tecnológico, inovação tecnológica
  - — Uso da Internet
    - Quantidade e variedade de uso; atitudes em relação ao uso
  - — Demografia
    - Idade, educação, renda, gênero

CENTER FOR RESEARCH ON INFORMATION TECHNOLOGY AND ORGANIZATIONS

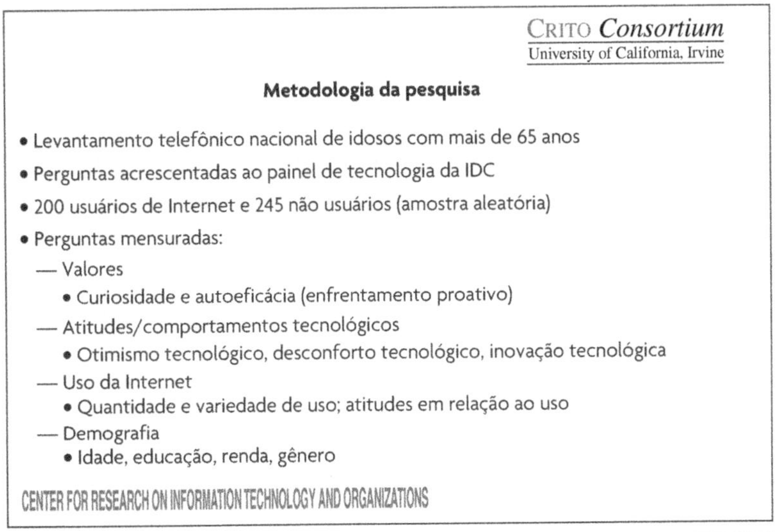

Ao escrever o relatório, explique as informações no corpo do texto de modo simples e direto, sem jargão ou produtos técnicos. O melhor lugar para as informações técnicas que causam dificuldades aos leitores é o apêndice do relatório. A seguir, abordamos diversas estratégias de apresentação de análises com gráficos e tabelas. Provavelmente não existe um melhor modo de apresentar uma determinada análise, mas existem diversos modos eficazes de representar achados ou conjuntos de achados em específico. Discutiremos alguns métodos para ilustrar frequências, tabulações cruzadas, teste *t*, ANOVA, correlações e regressões. Com um pouco de paciência, é possível dominar as técnicas de apresentação mais simples vistas neste capítulo. Quando se acostumar a trabalhar com o editor de gráficos do SPSS, você descobrirá que o programa tem muitas opções que não trabalhamos aqui. Depois de dominar as técnicas básicas, você aprenderá mais experimentando com a função de editor de gráficos no SPSS. Além disso, é possível converter os dados do SPSS em planilhas do Microsoft Excel e usar as funções gráficas do programa para demonstrar seus achados.

**Informando frequências** As frequências são informadas em tabelas, gráficos de colunas ou gráficos de pizza. Por exemplo, a Figura 13.5 contém uma tabela que apresenta os resultados da pergunta de pesquisa "Com que frequência você visita o Santa Fe Grill?" A tabela mostra os dados de modo simples e conciso, permitindo que o leitor visualize rapidamente com que frequência os clientes visitam o Santa Fe Grill. Observe que foram removidos todos os dígitos depois da vírgula. As casas decimais criam sujeira visual sem fornecer muitas informações. Além disso, como a maioria das pesquisas envolve algum nível de erro amostral, a apresentação de décimos de porcentagens é enganosa. Normalmente, os pesquisadores não conseguem estimar resultados com o grau de precisão sugerido pelas casas decimais.

**Usando gráficos de colunas para representar frequências** A Figura 13.6 mostra o tipo de gráfico de colunas mais simples que pode ser criado pelo SPSS. Se você está utilizando a versão 20 ou superior do SPSS, será preciso escolher "LEGACY DIALOGUES" no menu "GRAPH" antes de executar os comandos descritos neste capítulo.

A sequência de comandos do SPSS para criar um gráfico de colunas é GRAPH → LEGACY DIALOGUES → BAR. Mantenha o padrão *Simple*; sob *Data in chart are*, use também o padrão *Summaries for groups of cases*. A seguir, clique na aba *Define* para chegar à tela apresentada na Figura 13.7. Nessa tela, em geral é melhor mudar a

**Figura 13.5** Achados exemplificando resultados de frequência simples e legíveis.

**Frequência de visitas ao Santa Fe Grill**

| | Frequência | Porcentagem | Porcentagem válida | Porcentagem acumulada |
|---|---|---|---|---|
| Muito infrequentemente | 49 | 19 | 19 | 19 |
| Infrequentemente | 62 | 25 | 25 | 44 |
| Ocasionalmente | 43 | 17 | 17 | 61 |
| Frequentemente | 59 | 23 | 23 | 84 |
| Muito frequentemente | 40 | 16 | 16 | 100,0 |
| Total | 253 | 100,0 | 100,0 | |

Figura 13.6 Gráfico de colunas simples.

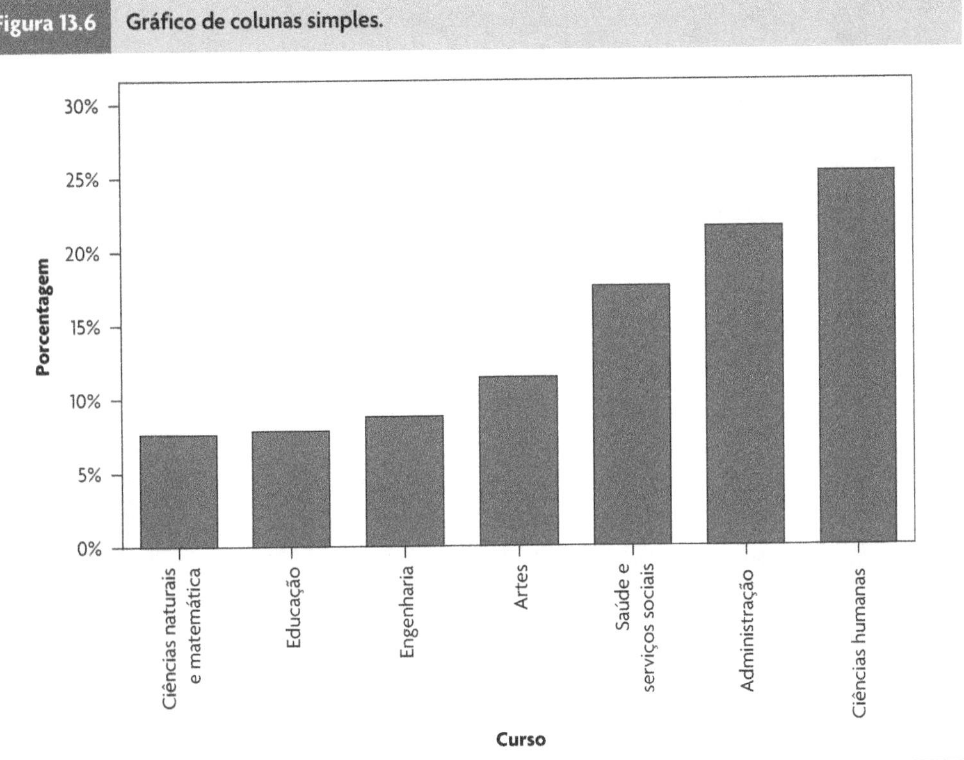


opção padrão de *N of cases* para *% of cases*. No lado esquerdo da tela, destaque o nome da variável que quer utilizar no gráfico de colunas (no caso, a variável *Major*), mova--a para a janela *Category Axis* e clique em OK. O SPSS gerará seu gráfico de colunas automaticamente.

Para alterar o gráfico, clique duas vezes na imagem para abrir o editor de gráficos. A tela apresentará diversas opções para o gráfico. Clicar duas vezes em qualquer elemento do gráfico mostra o menu relevante para a customização do elemento. Por exemplo, clicar duas vezes nas colunas do gráfico mostra o menu *Properties*, com diversas abas. Para criar o gráfico da Figura 13.6, escolhemos a aba *Categories* no menu *Properties*. No menu de categorias, selecionamos a opção *sort by* e depois *statistic/ascending*. A opção ordena o gráfico da menor porcentagem para a maior, o que facilita sua leitura.

Experimentando as diversas abas do menu *Properties*, os alunos descobrem que podem alterar as cores, as fontes e os tamanhos de fonte do gráfico. Em geral, se o gráfico será exportado para o Microsoft Word ou PowerPoint, é melhor aumentar a fonte. A orientação dos rótulos das colunas também pode ser alterada. Ao clicar nos rótulos dentro do editor de gráficos, uma das abas do menu *Properties* será *Labels and Ticks*. Com o menu, é possível escolher as seguintes opções para a orientação dos rótulos: vertical, horizontal ou *staggered* (diagonal). Experimente as opções até que todos os elementos do gráfico estejam claros e legíveis. A seguir, clique com o botão direito do mouse no gráfico completo, escolha a opção *copy chart* e cole o resultado em um documento do Word ou PowerPoint. O resultado final se encontra na Figura 13.6.

**Figura 13.7** **Criando um gráfico de colunas simples com o SPSS.**

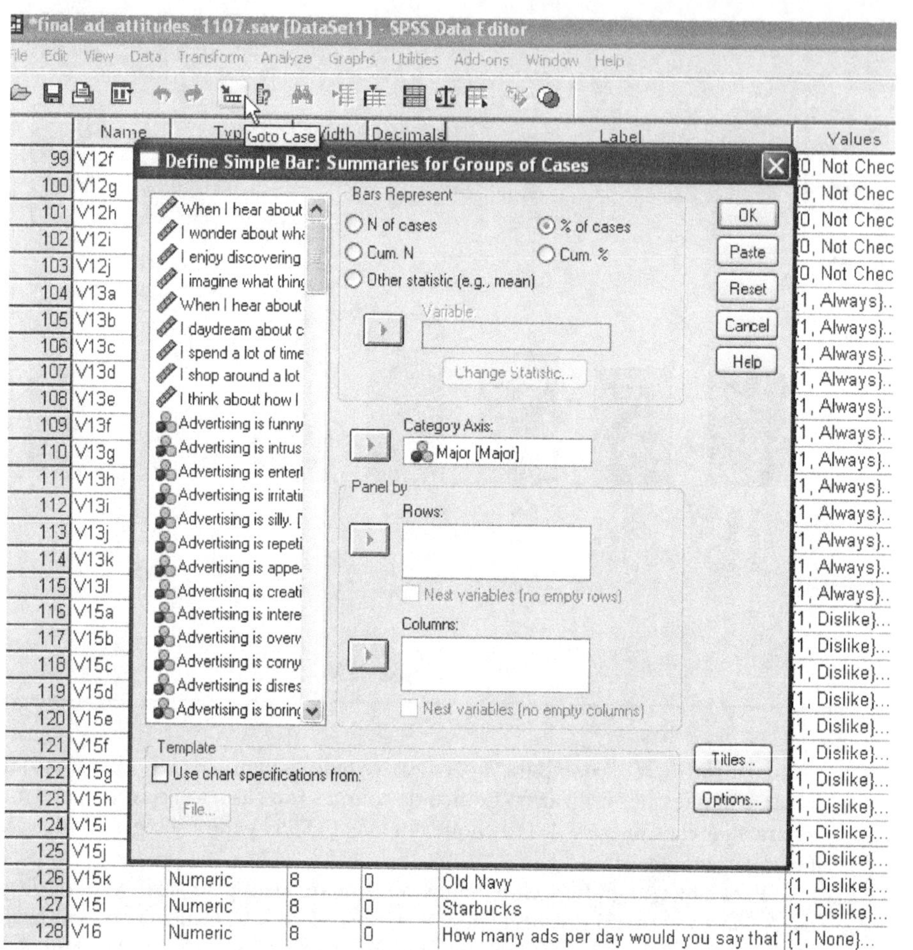


**Usando gráficos de pizza para representar frequências** Os gráficos de pizza são especialmente úteis para representar a proporção relativa das respostas a uma pergunta. O processo de criação do gráfico de pizza é semelhante àquele usado para criar um gráfico de colunas. No menu SPSS, escolha GRAPH → LEGACY DIALOGUES → PIE. A tela mostrará um menu com três botões de opção. A opção padrão *Summaries for groups of cases* é correta para um gráfico de pizza simples. Clique em *Define* para ver o próximo menu. Aqui, apesar de *N of cases* ser a opção padrão, na maioria dos casos o usuário está interessado em informar porcentagens, então, clique no botão ao lado de *% of cases*. Mova o nome da variável da lista de variáveis (no caso, V16, marcada com o rótulo "How many ads per day do you pay attention to?" ["Em quantos anúncios por dia você presta atenção?"]), para o espaço em branco próximo a *Define Slices by* e clique em OK. O SPSS gerara um arquivo com o gráfico automaticamente.

Assim como acontece com o gráfico de colunas, o duplo clique sobre o arquivo do gráfico de pizza abre o editor de gráficos no SPSS. Na barra de ferramentas, escolha *Elements* → *Show Data Labels* para visualizar as porcentagens de cada fatia do gráfico. Entretanto, é melhor remover as casas decimais das porcentagens do gráfico. Clique duas vezes na caixa de porcentagens, abrindo o menu *Properties*. Clique na aba *Number Format* e digite 0 no espaço ao lado de *Decimal Places* (ver Figura 13.8). Observe que, se não clicar no lugar certo, o menu *Properties* não conterá a aba correta. Se você não estiver vendo a aba desejada no menu *Properties*, tente novamente clicar duas vezes sobre a parte relevante do gráfico que deseja alterar.

Ao analisar os menus *Options* e *Properties*, você verá que é possível aumentar o tamanho da fonte, mudar a fonte e alterar a cor e a aparência de cada fatia da pizza. Depois de terminar, é possível clicar no gráfico com o botão direito do mouse, copiá-lo e colá-lo no Microsoft Word ou Microsoft PowerPoint.

**Informando médias de variáveis tematicamente relacionadas** Os pesquisadores talvez queiram informar as médias de diversas variáveis tematicamente relacionadas no mesmo gráfico ou tabela, o que é realizado com gráficos de colunas ou tabelas. A tabela é melhor quando o pesquisador sentir que a pergunta como um todo precisa ser apresentada para a melhor compreensão dos achados. A Figura 13.9 mostra uma tabela criada com PowerPoint usando a função de tabelas. Os resultados da tabela baseiam-se em um resultado do SPSS, usando a sequência de comandos ANALYZE → DESCRIPTIVE STATISTICS → FREQUENCIES. No menu que surge na tela, clique no botão *Statistics*, na parte inferior do menu. A seguir, escolha *Mean* e *Standard Deviation*. Clique em OK para que o SPSS gere os resultados automaticamente.

**Figura 13.8** **Mudando as propriedades de um gráfico de pizza com o SPSS Chart Editor.**

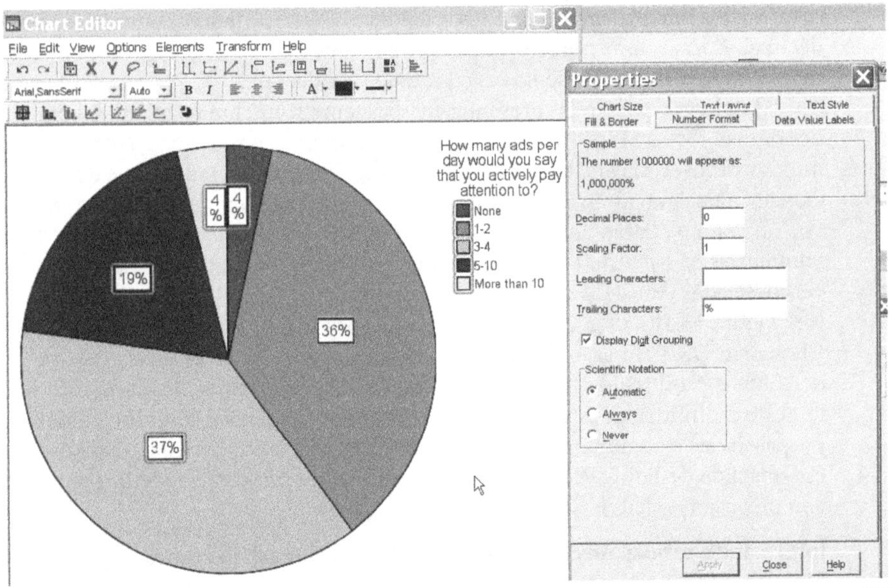

**Figura 13.9** **Tabela resumindo as médias de itens tematicamente relacionados.**

**Atitudes de universitários em relação à propaganda**

| **Item** | **Número de respostas** | **Média 7 = Concordo totalmente** | **Desvio-padrão** |
|---|---|---|---|
| Anúncios podem ser uma boa maneira de aprender sobre produtos. | 312 | 5,2 | 1,5 |
| O objetivo do marketing é descobrir o que os clientes querem para atraí-los. | 308 | 5,2 | 1,5 |
| A área da propaganda é um ramo interessante. | 308 | 5,2 | 1,5 |
| A propaganda às vezes me encoraja a buscar mais informações sobre produtos que me interessam. | 312 | 5,0 | 1,5 |
| Acho que seria divertido trabalhar para uma agência de publicidade e propaganda. | 306 | 4,5 | 1,9 |
| Em geral, estou satisfeito com a propaganda. | 308 | 4,3 | 1,3 |
| A propaganda normalmente existe para vender coisas que as pessoas não precisam de verdade. | 310 | 4,3 | 1,8 |
| A propaganda é atraente para o lado egoísta dos seres humanos. | 303 | 3,6 | 1,8 |
| O mundo seria um lugar melhor se houvesse menos propagandas. | 304 | 3,4 | 1,7 |
| Tento evitar propagandas sempre que possível. | 304 | 3,3 | 1,7 |
| A propaganda é ruim para a sociedade. | 310 | 2,6 | 1,5 |

Observe que os itens da tabela foram ordenados da maior média para a menor. Essa maneira de classificar as respostas em geral facilita o entendimento do leitor. A tabela também possui dois outros elementos importantes: (1) o valor máximo de 7 é indicado com clareza, permitindo que os leitores comparem rapidamente a média com o valor máximo possível; e (2) a média e o desvio-padrão têm apenas uma casa decimal. Apesar de as porcentagens normalmente não deverem ter casas decimais, as médias em geral são apresentadas com uma casa decimal.

Também é possível representar médias tematicamente relacionadas em gráficos de colunas com o SPSS. Para tanto, comece do mesmo modo que fez para representar uma só variável, clicando em Graphs → Bar na barra de ferramentas e deixando selecionada a opção padrão *Simple* para tipo de gráfico de colunas. Desta vez, entretanto, você alterará o padrão na parte inferior do menu, de *Summaries of groups of cases* para *Summaries of separate variables.* Clique em *Define.* A partir daqui, mova as variáveis desejadas da lista de variáveis na esquerda para a janela marcada *Bars Represent* (ver Figura 13.10). O padrão é *Mean*, então você não precisara alterar outras opções. Clique em OK para criar o gráfico de colunas. Quando clicar duas vezes no gráfico de colunas produzido, o editor de gráficos se abre. Como explicamos anteriormente neste capítulo, é possível clicar duas vezes em elementos do gráfico e alterar suas propriedades e aparência. A Figura 13.11 mostra a imagem final, copiada e colada em um slide de PowerPoint. Adicionamos uma interpretação ao slide para facilitar a compreensão do leitor.

**Informando tabulações cruzadas (gráficos de colunas)** A função de gráfico de colunas do SPSS pode ser usada para representar tabulações cruzadas. Novamente, o

**Figura 13.10** **Usando a função de gráficos de colunas no SPSS para resumir médias tematicamente relacionadas.**

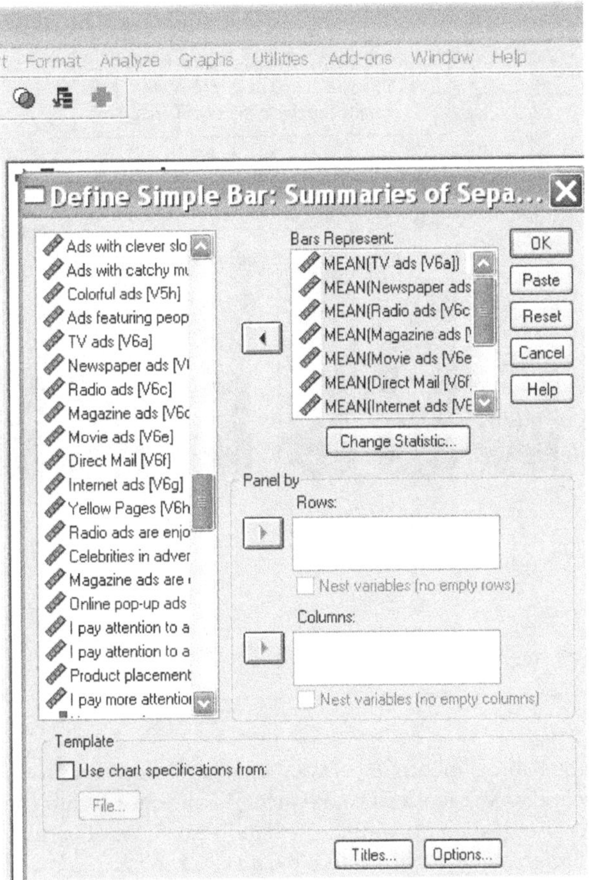


primeiro passo é clicar em *Graphs → Bar → Summaries for groups of cases*. A seguir, altere a opção padrão de *Simple* para *Cluster* e clique em *Define*. Sob *Bars Represent*, escolha *% of cases*. Sua variável independente ou preditora deve ser colocada no espaço em branco próximo a *Category Axis*. No caso, a variável independente é gênero. A variável que você está tentando explicar, neste caso, a aprovação do anúncio da Carl's Junior com Paris Hilton, é inserida no espaço em branco ao lado de *Define Clusters* (ver Figura 13.12). Agora clique em OK para criar o gráfico de colunas da tabulação cruzada. Assim como os outros gráficos, é possível clicar duas vezes na imagem para abrir o editor de gráficos.

Como essa tabulação cruzada combina apenas duas categorias com outras duas, excluímos do gráfico as colunas que representam "não gosto", pois em gráficos 2 × 2, depois de conhecer os valores de uma categoria, a outra categoria está completamente definida (a soma das duas categorias deve ser 100%). A remoção de uma categoria é bastante simples. O usuário clica duas vezes sobre qualquer uma das colunas do

**Figura 13.11** Gráfico de colunas com múltiplas médias tematicamente relacionadas.

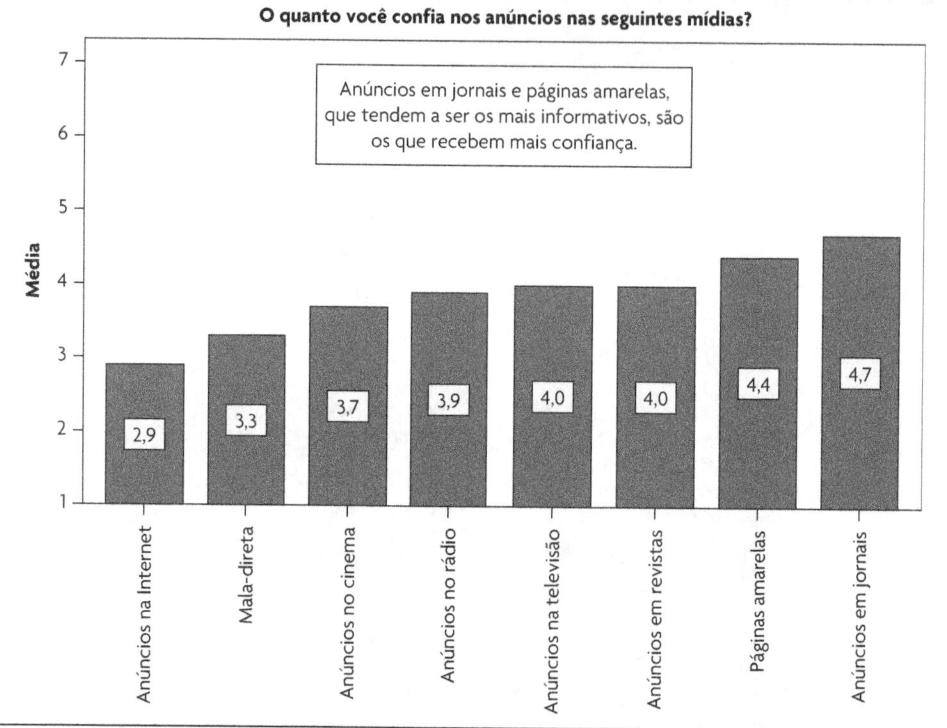


gráfico, o que abre o menu *Properties*. Uma das abas é *Categories*. As categorias estão listadas no menu. O usuário clica na categoria que quer excluir (no caso, a dos respondentes que não gostam do anúncio) e depois no botão **X** vermelho ao lado da caixa marcada *Order*, o que move o rótulo para a caixa sob *Excluded*. Clique em *Apply* para que a tabulação cruzada mostre apenas uma categoria da variável de resultado, no caso, a porcentagem de respondentes por gênero que gostou do anúncio da Carl's Jr. com Paris Hilton. O resultado final se encontra na Figura 13.13.

**Informando testes t e ANOVAs (gráficos de colunas)** A Figura 13.14 mostra uma tabela criada no PowerPoint com informações do SPSS representando os resultados de cinco testes *t* diferentes que são tematicamente relacionados. Cada teste *t* compara medidas de resultados para dois grupos: homens e mulheres. A média para cada gênero para cada variável aparece nas células. Novamente, são indicados os valores p significativos.

Tanto testes *t* quanto ANOVAs são representados em gráficos de colunas criados no SPSS. Nosso exemplo se concentrará no uso de gráficos de colunas para uma ANOVA, mas a sequência de comandos no SPSS é a mesma. Comece com Graphs → Bar → Simple. Escolha a caixa ao lado de *Summaries are groups of cases* e clique em *Define*. Na próxima tela (Figura 13.15), sob *Bars Represent*, escolha *Other* e insira a variável de resultado (no caso, *Liking for Touching/Emotional ads*) no espaço em branco abaixo de *Variable*. Em *Category Axis*, insira a variável independente (no caso, *Major*).

**Figura 13.12** Usando a função de gráficos de colunas no SPSS para representar tabulações cruzadas.

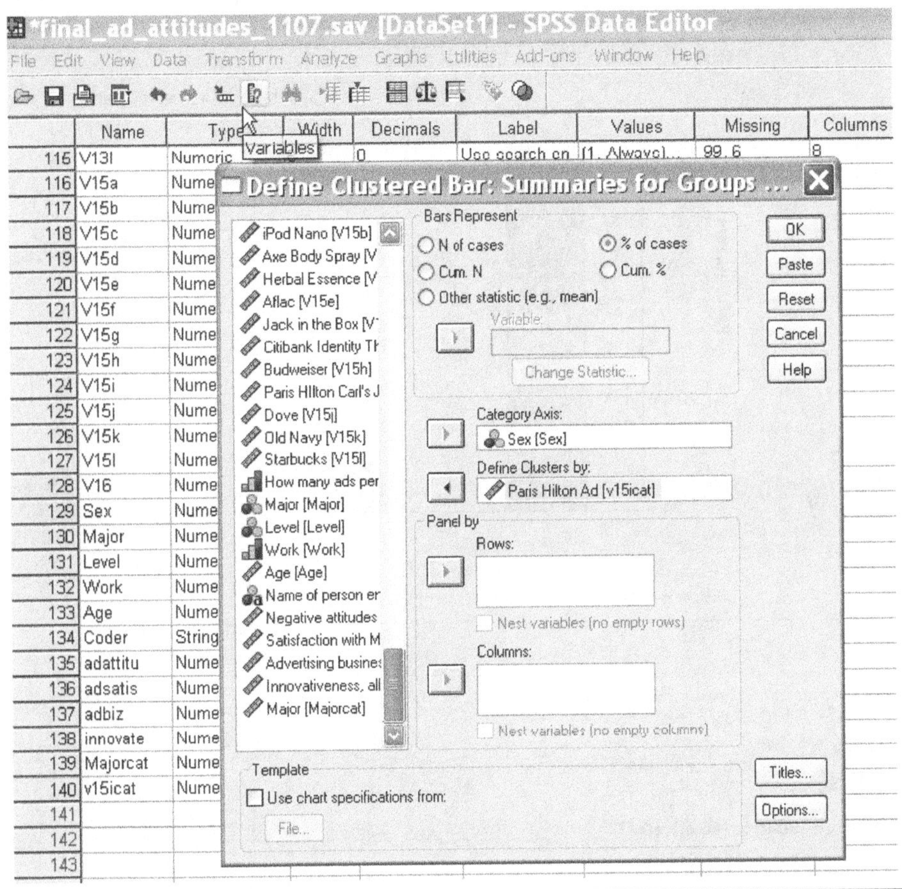

A seguir, clique em OK para que o gráfico seja produzido automaticamente. Uma nota de rodapé e um título foram adicionados ao gráfico usando o menu *Options*. Clique no eixo *y*, que indica a escala usada no levantamento, para abrir o menu *Properties* e a aba *Scale*. Nesse menu, mudamos o mínimo para 1 e o máximo para 7 (os extremos da escala real). O SPSS frequentemente muda os pontos de escala representados para maximizar o espaço do gráfico, mas o gráfico padrão resultante pode distorcer seus achados. Em muitos casos, é interessante alterar o eixo para indicar os extremos reais de sua escala. A nota de rodapé indica uma análise ANOVA realizada para examinar a significância de diferenças categóricas. O gráfico final se encontra na Figura 13.16.

**Informando correlações e regressões** O relatório pode incluir correlações para ilustrar as relações entre diversas variáveis usadas posteriormente em regressões ou para demonstrar a relação de diversas variáveis com a variável de interesse. A Figura 13.17 é uma tabela que indica a correlação de diversas variáveis com a satisfação geral com um varejista chamado Primal Elements. Para facilitar a comparação dos tamanhos das correlações, elas são ordenadas da mais forte para a mais fraca. Observe que

**Figura 13.13** **Gráfico de colunas representando uma tabulação cruzada.**

**Porcentagem de homens e mulheres que gostaram do anúncio da Carl's Junior com Paris Hilton**

Observação: $p < 0{,}05$

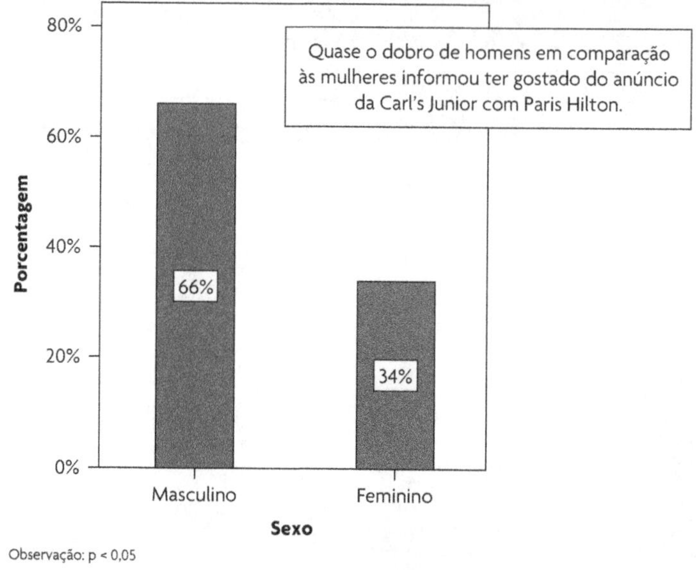

**Figura 13.14** **Tabela apresentando testes *t*.**

**Quais tipos de anúncios são eficazes?**

| Elemento do anúncio | Média (máximo = 7) | |
|---|---|---|
| Informacional | Masculino | 4,3* |
| | Feminino | 4,8 |
| Humorístico | Masculino | 5,8 |
| | Feminino | 6,0 |
| Tocante/emocional | Masculino | 4,0* |
| | Feminino | 4,8 |
| Apelo sexual | Masculino | 5,5* |
| | Feminino | 4,7 |
| Anúncios com modelos atraentes | Masculino | 5,4* |
| | Feminino | 4,5 |
| Anúncios coloridos | Masculino | 4,3* |
| | Feminino | 5,0 |

As mulheres têm maior probabilidade que os homens de dizerem que anúncios informacionais, emocionais e coloridos são eficazes. Os homens têm maior probabilidade de afirmarem que apelo sexual e modelos atraentes são eficazes em anúncios. Homens e mulheres têm opiniões semelhantes sobre a eficácia do humor.

*$p < 0{,}05$

**Figura 13.15** Usando o SPSS para criar gráficos de colunas para representar resultados da ANOVA.

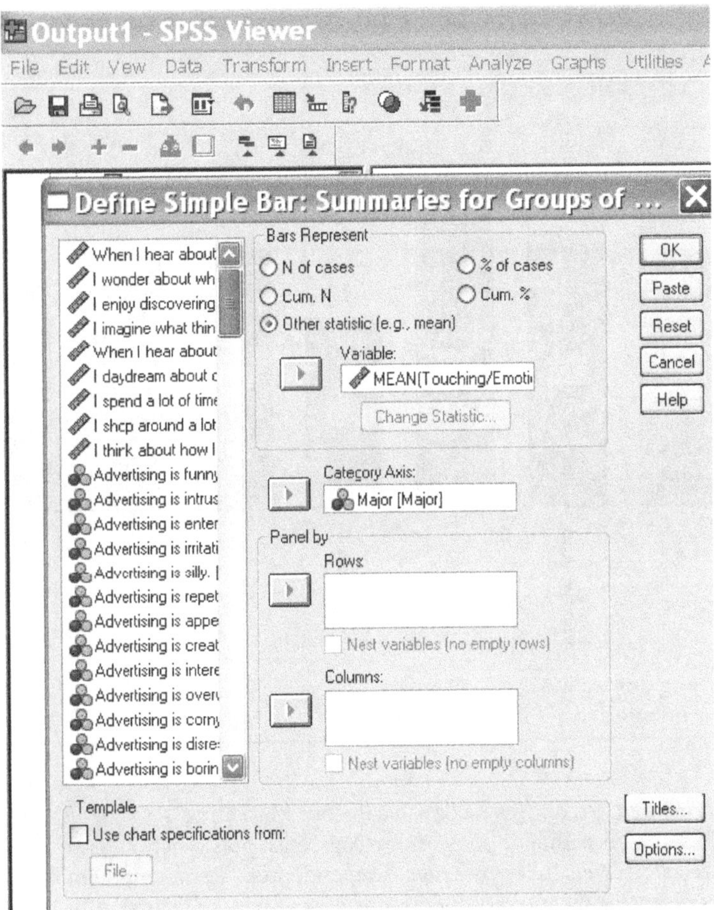


a correlação negativa está ordenada por sua força, pois o valor negativo indica apenas a direção da relação. Níveis de significância novamente foram marcados com asteriscos. O tamanho da amostra se encontra em uma nota de rodapé do gráfico, caso o tamanho de amostra usado na análise de correlação seja diferente do tamanho de amostra geral informado na seção de metodologia. A interpretação da tabela não está incluída na figura, mas o texto em anexo explicaria o importante papel de percepções da atmosfera da loja sobre a satisfação. A explicação também poderia discutir o impacto mais fraco das outras variáveis.

Lembre-se de que a regressão é uma técnica multivariada que estima o impacto de múltiplas variáveis independentes ou explanatórias sobre uma variável dependente. Um dos modos mais simples de apresentar os achados de regressões é criar diagramas no Microsoft Word ou PowerPoint que mostrem as variáveis previsoras e de resultado com setas indicando as relações entre variáveis (ver Figura 13.18). No Capítulo 3, tais diagramas são chamados modelos conceituais. O título da análise descreve a figura

**Figura 13.16** Gráfico de colunas representando resultados da ANOVA.

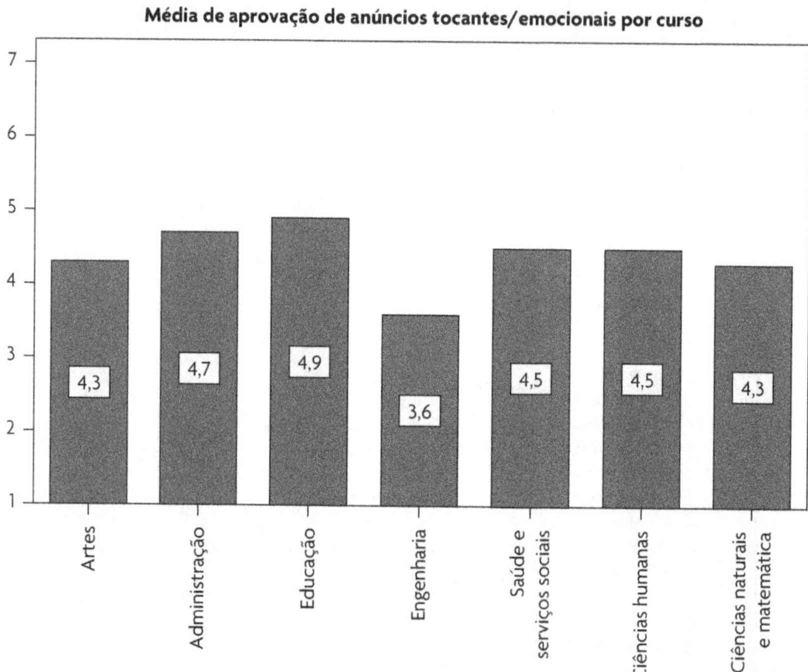


*p < 0,05 para a comparação entre Engenharia e todos os outros cursos

claramente ("Preditores de Satisfação com Marketing"). Os betas padronizados são representados acima de suas respectivas setas, pois o beta mostra a força da relação entre as variáveis independentes e dependentes. Assim como em outras representações de análises, é interessante usar asteriscos para indicar significância estatística. O $R^2$ (0,27) se encontra no diagrama; as três variáveis juntas explicam 27% da variância em atitudes em relação ao marketing. O texto resume as informações da análise de regressão na imagem.

**Figura 13.17** Correlações de avaliações de itens com satisfação geral com a Primal Elements.

| Item | Correlação |
|---|---|
| Atmosfera da loja | 0,59* |
| Quanto a loja é intimidante | –0,30* |
| Custo dos produtos | –0,25* |
| Aparência interna da loja | 25* |
| Quantidade de informações que os funcionários dão sobre os produtos | 0,21* |
| Aparência externa da loja | 0,16 |

* p < 0,05, N = 94. A força das correlações pode variar de –1 a +1, com 0 significando "sem relação".

Figura 13.18 Representando achados de regressão.

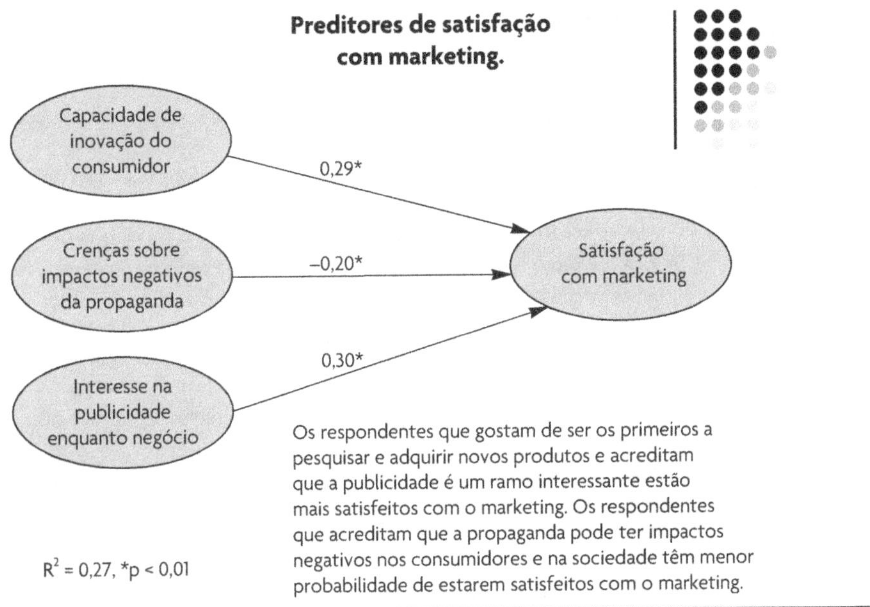


## Conclusões e recomendações

As conclusões e recomendações são derivadas especificamente dos achados. Como vemos na Figura 13.19, as conclusões são orações descritivas que generalizam os resultados, não necessariamente os números gerados pela análise estatística. As conclusões fazem referência direta aos objetivos de pesquisa.

As recomendações são geradas pela capacidade crítica do autor. Nesse tipo de trabalho, o pesquisador precisa avaliar criticamente cada conclusão e desenvolver áreas específicas de aplicação para ações táticas ou estratégicas. As recomendações discutem como o cliente resolverá o problema em pauta por meio da criação de uma vantagem competitiva.

A Figura 13.20 descreve as recomendações que correspondem às conclusões apresentadas na Figura 13.19. Observe que cada uma das recomendações, ao contrário das conclusões, é uma declaração de ação clara.

## Limitações

Os pesquisadores sempre tentam desenvolver e implementar estudos perfeitos para os clientes, mas toda pesquisa tem suas limitações. Os pesquisadores precisam falar das **limitações** do projeto e especular inteligentemente sobre se e como as limitações podem ter afetado as conclusões. As limitações mais comuns associadas à pesquisa de marketing incluem tendenciosidade na amostragem, restrições financeiras, cronogramas apertados e erros de mensuração.

Todo estudo tem suas limitações e o pesquisador deve conscientizar o cliente sobre o fato. Os pesquisadores não devem ter vergonha das limitações, mas sim admitir abertamente sua existência. Entretanto, as limitações não podem ser declaradas de

**Figura 13.19** Exemplo de conclusões em apresentação de pesquisa de marketing.

**Conclusões**

- Quatro fatores principais estão relacionados à satisfação com o Santa Fe Grill e a visitas ao restaurante: qualidade da comida, serviço, valor e atmosfera.
- A qualidade da comida é o fator mais importante que influencia a satisfação com o Santa Fe Grill e as visitas ao restaurante.
- O serviço é o segundo fator mais importante que influencia a satisfação com o Santa Fe Grill e as visitas ao restaurante.
- As percepções sobre a qualidade da comida e o serviço do Santa Fe Grill são favoráveis.
- As percepções do valor e da atmosfera são relativamente menos favoráveis.
- As percepções sobre o Santa Fe Grill nos quatro fatores (comida, serviço, valor e atmosfera) são significativamente menos favoráveis entre os clientes menos frequentes.
- As percepções sobre o Santa Fe Grill em dois fatores (comida e serviço) são significativamente menos favoráveis do que para o Jose's Southwestern Café.
- Os clientes mais frequentes do Santa Fe Grill têm estilos de vida que os caracterizam como inovadores e influenciadores.
- Os funcionários do Santa Fe Grill não dão avaliações muito favoráveis para seus colegas de trabalho.

forma que prejudiquem a credibilidade de todo o projeto. Os relatórios dos pesquisadores cobrem as limitações, mas de um modo que desenvolve uma confiança razoável nas conclusões do relatório. O tratamento das limitações no relatório de pesquisa em geral envolve uma discussão sobre os resultados e o nível de precisão. Por exemplo, os pesquisadores devem informar aos clientes sobre a generalizabilidade dos resultados além da amostra usada no estudo. Qualquer ponto fraco em escalas específicas também deve ser discutido, junto com outras fontes potenciais de erros não amostrais. Se as limitações não forem declaradas e o cliente descobri-las posteriormente, o resulta-

**Figura 13.20** Exemplo de recomendações em apresentação de pesquisa de marketing.

**Recomendações**

- As mensagens publicitárias devem enfatizar qualidade da comida e serviço, pois esses são os influenciadores mais importantes da satisfação.
- Se os anúncios incluírem pessoas, elas devem ser caracterizadas como tendo estilos de vida inovadores.
- É preciso conduzir pesquisas com grupos focais para descobrir por que as percepções sobre valor e atmosfera são menos favoráveis do que as percepções sobre qualidade da comida e serviço.
- A pesquisa com grupo focal também precisa examinar por que as percepções de clientes regulares menos frequentes do Santa Fe Grill são significativamente menos favoráveis do que as dos mais frequentes.
- Este estudo coletou dados de clientes do Santa Fe Grill e do Jose's Southwestern Café. No futuro, é preciso coletar dados de não clientes.
- É preciso conduzir pesquisas com grupos focais para descobrir por que os funcionários não têm opiniões muito favoráveis sobre seus colegas de trabalho.

do será desconfiança e ceticismo em relação a todo o relatório. Quando informadas corretamente, as limitações raramente prejudicam a credibilidade do relatório; em vez disso, melhoram as percepções do cliente sobre a qualidade do projeto.

### Apêndices

O **apêndice**, também chamado "apêndice técnico", contém informações complexas, detalhadas ou técnicas cuja presença é desnecessária no corpo do relatório formal. Itens comuns em apêndices incluem o questionário ou o instrumento de coleta de dados usado no projeto de pesquisa, formulários de entrevistadores, cálculos estatísticos e mapas amostrais detalhados. Os pesquisadores sabem que quase ninguém lê o apêndice no mesmo contexto em que o relatório em si. Na verdade, a maioria dos apêndices é tratada como pontos de referência no relatório, ou seja, as informações do apêndice são citadas no relatório para orientar o leitor em direção a maiores detalhes técnicos ou estatísticos.

## Os problemas mais comuns associados à preparação do relatório de pesquisa de marketing

As melhores práticas do setor sugerem cinco áreas problemáticas que podem surgir durante a elaboração de um relatório de pesquisa de marketing:

1. *Falta de interpretação dos dados.* Em alguns casos, os pesquisadores se envolvem tanto com a construção de tabelas de resultados que deixam de interpretar corretamente os dados nas tabelas. O pesquisador sempre deve apresentar interpretações dos achados, sem tendenciosidade.
2. *Utilização desnecessária de estatísticas complexas.* Apenas para impressionar clientes, muitos pesquisadores adotam técnicas estatísticas multivariadas sofisticadas sem necessidade. Em muitos relatórios de pesquisa, a técnica estatística mais sofisticada necessária é o teste qui-quadrado. Evite utilizar técnicas estatísticas que não sejam essenciais para obter o significado dos dados.
3. *Ênfase na embalagem, não na qualidade.* Muitos pesquisadores se esforçam ao máximo para que seus relatórios fiquem belos ou chamativos, usando imagens eletrônicas sofisticadas. Apesar de a representação gráfica profissional dos resultados ser essencial em qualquer relatório, nunca perca de vista o propósito principal: fornecer informações válidas e críveis ao cliente.
4. *Falta de relevância.* A apresentação de dados, estatísticas e informações que não são consistentes com os objetivos do estudo é um problema grave ao elaborar o relatório. Sempre desenvolva relatórios com os objetivos de pesquisa em mente. Evite utilizar informações desnecessárias apenas para encompridar o relatório. Nunca fuja de assuntos práticos. Sugira ideias relevantes, factíveis e consistentes com os resultados do estudo.
5. *Ênfase excessiva em poucas estatísticas.* Nunca baseie todas as conclusões ou recomendações em um ou poucos resultados ou perguntas estatisticamente significativos, mas sim no conjunto de evidências de sua revisão da literatura, dados secundários e padrão de resultados em todo o relatório. Sempre tente encontrar evidências de apoio substantivas para todas as recomendações ou conclusões.

O documento de pesquisa final é o produto do pesquisador. A credibilidade individual pode ser fortalecida ou prejudicada pelo relatório, e é a credibilidade que ajuda o pesquisador a conquistar clientes fixos e indicações. A qualidade, dedicação e honestidade que colocamos no relatório têm o potencial de gerar negócios futuros, avançar carreiras e aumentar salários.

## A natureza crítica das apresentações

Por várias razões, a apresentação dos resultados da pesquisa de marketing se torna tão importante, se não mais importante, que os resultados da pesquisa em si. Primeiro, toda pesquisa, não importa sua qualidade ou importância, precisa ser comunicada com sucesso àqueles que usarão as informações para tomar decisões. Os gerentes requerem informações precisas para tomar boas decisões, e podem tomar decisões ruins se não entenderem os achados da pesquisa de marketing, causando dificuldades para a organização e para os indivíduos afetados pelas decisões dentro da organização. Segundo, o relatório ou a apresentação costuma ser a única parte do projeto de pesquisa de marketing que chega às mãos dos contratantes. A gerência sênior normalmente não tem tempo de revisar todos os aspectos do projeto de pesquisa, então, acaba dependendo do pesquisador para executar a pesquisa corretamente e revelar os achados de modo claro e conciso. Terceiro, o conteúdo e a forma de apresentação da pesquisa se misturam. Apresentações mal organizadas, em formatos obscuros, longos e difíceis de acessar quase sempre levam o leitor a desacreditar no seu conteúdo.

### Diretrizes para a preparação de uma apresentação oral

Em quase todas as situações, os resultados da pesquisa de marketing devem ser revelados em um relatório escrito bem documentado e resumidos em uma apresentação oral de sucesso para o cliente. O objetivo principal dessa apresentação é condensar informações de pesquisa complexas (conceitos de amostragem, estatísticas, gráficos, figuras, etc.) em uma conversa interessante, informativa e conclusiva. A comunicação eficaz de informações de pesquisa de marketing é mais arte do que ciência, uma arte associada às qualidades de ser um comunicador dinâmico e de credibilidade. Algumas melhores práticas simples e diretas vão ajudá-lo a criar uma apresentação profissional:

1. Não deixe o componente visual da apresentação prejudicar as informações sendo comunicadas. Mantenha a apresentação visual simples e evite elementos gráficos chamativos e áudio desnecessário.
2. Sempre seja amigável, honesto, simpático e aberto em suas comunicações orais. O excesso de formalidade ou rigidez ou uma atitude autoritária pode levar à falta de interesse na conversa.
3. Seja confiante e demonstre estar bem informado em sua apresentação. Se necessário, reúna especialistas (analistas de pesquisa, estatísticos, técnicos) para complementar ou facilitar a apresentação.
4. Prepare um diálogo bem organizado e inspirador. Ensaie sua apresentação com outros membros da equipe de pesquisa, além de mentalmente em frente a um espelho (ou gravador) antes de apresentá-la ao cliente.
5. Pratique a escuta ativa. Entenda as perguntas e os comentários vindos da plateia. Se ninguém perguntar ou comentar algo depois de 5 minutos de apresentação, abra o espaço para perguntas.

## Diretrizes para a preparação de uma apresentação visual

A apresentação visual é um componente separado do relatório de pesquisa de marketing, mas igualmente importante. O objetivo principal da apresentação visual é fornecer um resumo visual do relatório de pesquisa, criado de maneira que complemente e fortaleça a comunicação oral do relatório escrito.

O Microsoft PowerPoint é o método mais usado para preparar apresentações visuais sobre pesquisas de marketing. Dada a versatilidade do programa, a apresentação visual pode utilizar imagens gráficas do mesmo nível de simplicidade que aquelas contidas neste capítulo, mas também uma gama de recursos multimídia, incluindo sons, animações, imagens coloridas e vídeos. Seja qual for a complexidade da apresentação, as práticas do setor sugerem a adesão às seguintes diretrizes:

1. Comece com um slide com o título da apresentação e seus realizadores. Identifique também o cliente e a empresa de pesquisa de marketing.
2. Desenvolva uma sequência de slides que indique os objetivos da pesquisa e as perguntas de pesquisa específicas a serem trabalhadas, seguidos pela metodologia de pesquisa e uma descrição da amostra pesquisada.
3. É preciso desenvolver slides adicionais que destaquem os achados de pesquisa ou resultados específicos do estudo que o pesquisador considera importantes para fins comunicacionais.
4. Por fim, a apresentação deve encerrar com recomendações, conclusões e implicações da pesquisa relevantes ao estudo em pauta.

## PESQUISA DE MARKETING EM AÇÃO

### Quem são os primeiros usuários de uma tecnologia?

Os novos reprodutores/gravadores digitais fazem muito mais do que gravar material. Os aparelhos mais novos incluem discos rígidos e guias de programação com diversas funcionalidades. Os aparelhos digitais independentes usam a mesma tecnologia de acesso e armazenamento dos PCs, mas também oferecem uma plataforma de home theater. Os aparelhos possuem menus que permitem que você navegue até pontos específicos do vídeo, bem como grave múltiplos programas durante longos períodos.

O mercado de gravação e armazenamento é grande e está se expandindo rapidamente. Não mais limitada a aparelhos ligados a televisores, a tecnologia está sendo combinada com cada vez mais produtos eletrônicos: computadores, telefones e outros dispositivos portáteis, eletrodomésticos e sistemas industriais.

Os DVDs chegaram ao mercado no final da década de 1990 e cresceram rapidamente. Na verdade, o mercado de DVDs teve crescimento mais rápido da história das tecnologias de eletroeletrônicos domésticos. Esperava-se que o mercado total para todos os tipos de sistemas de DVD (aparelhos, gravadores, PCs) ultrapassasse as 700 milhões de unidades até 2012. Mas as vendas de aparelhos de Blu-ray estão começando a representar uma parcela significativa do mercado de reprodutores e gravadores de discos e devem superar as vendas de aparelhos de DVD até 2015, quando espera-se que as vendas de aparelhos de Blu-ray cheguem a 105 milhões de unidades.

Os aparelhos/gravadores digitais conquistaram a imaginação e o interesse dos consumidores. Além de sua funcionalidade, as vendas dos aparelhos estouraram devido à forte queda nos preços. O preço de venda médio caiu de 500 dólares em 1998 para menos de 100 dólares nas grandes redes de varejo em 2012, com algumas unidades sendo vendidas por meros 35 dólares.

Os dois maiores desafios para os profissionais do setor de marketing são (1) a introdução bem-sucedida no mercado consumidor de produtos inovadores com novas tecnologias e (2) o incentivo da difusão dessas inovações a níveis lucrativos de penetração. Para enfrentar esses desafios, os pesquisadores devem entender melhor os principais fatores utilizados pelos consumidores para decidir sobre a adoção de inovações tecnológicas em eletrônicos domésticos.

Recentemente, os pesquisadores completaram um estudo para investigar as opiniões de potenciais compradores de reprodutores/gravadores digitais. O estudo compara os segmentos de inovadores e primeiros usuários quanto à utilização de produto, probabilidade de compra de aparelhos digitais, demografia e questões relacionadas. As perguntas principais a serem respondidas eram: "Existem diferenças atitudinais e comportamentais entre consumidores inovadores e consumidores que são os primeiros usuários?" e "Essas diferenças podem ser associadas sistematicamente à probabilidade de compra de reprodutores/gravadores digitais?"

Os dados foram coletados de uma amostra de 200 indivíduos por meio de um painel via Internet. O painel amostral incluiu consumidores entre 18 e 35 anos e com renda familiar anual de 20 mil dólares ou mais. Os dados foram coletados durante um período de duas semanas. Os participantes precisavam ser residentes da América do Norte, pois o estudo de mercado estava limitado à região. O questionário incluía perguntas sobre inovação, estilo de vida, produto e imagem de marca. Algumas perguntas usavam medidas com níveis intervalares, enquanto outras eram nominais e ordinais. O banco de dados com as perguntas esta disponível em formato SPSS no endereço **www.mhhe.com/hairessentials3e**. O arquivo com o banco de dados se chama Digital Recorder Survey MRIA 3e.sav. A Figura 13.21 apresenta uma cópia do questionário.

**Figura 13.21** **Questionário de pesquisa de opinião sobre produtos eletrônicos.**

Este projeto está sendo conduzido por uma turma de pesquisa de marketing da University of Oklahoma. O objetivo do projeto é entender melhor as atitudes e opiniões de consumidores em relação a produtos eletrônicos. Demora apenas alguns minutos para completar o questionário e todas as respostas serão mantidas estritamente confidenciais. Obrigado por sua colaboração com o projeto.

**I. Atitudes**

As perguntas a seguir têm a ver com suas atitudes em relação à compra de produtos eletrônicos. Em uma escala de 1 a 7, onde 7 é Concordo totalmente e 1 é Discordo totalmente, marque o número que melhor expressa quanto você concorda com cada uma das frases a seguir.

| | **Discordo totalmente** | | | | | | **Concordo totalmente** |
|---|---|---|---|---|---|---|---|
| **1.** A Internet é um bom lugar para conseguir preços menores. | 1 | 2 | 3 | 4 | 5 | 6 | 7 |
| **2.** Não fico procurando ofertas. | 1 | 2 | 3 | 4 | 5 | 6 | 7 |
| **3.** Pessoas me procuram em busca de conselhos. | 1 | 2 | 3 | 4 | 5 | 6 | 7 |
| **4.** Costumo experimentar novas marcas antes de meus amigos e vizinhos. | 1 | 2 | 3 | 4 | 5 | 6 | 7 |
| **5.** Eu gostaria de viajar ao redor do mundo. | 1 | 2 | 3 | 4 | 5 | 6 | 7 |
| **6.** Meus amigos e vizinhos me procuram em busca de conselhos. | 1 | 2 | 3 | 4 | 5 | 6 | 7 |
| **7.** Cupons são um bom jeito de economizar. | 1 | 2 | 3 | 4 | 5 | 6 | 7 |
| **8.** Eu quase nunca procuro o menor preço quando faço compras. | 1 | 2 | 3 | 4 | 5 | 6 | 7 |
| **9.** Gosto de experimentar coisas novas e diferentes. | 1 | 2 | 3 | 4 | 5 | 6 | 7 |

**10.** Quanto você acha que precisa de um aparelho de DVD? Indique sua resposta na escala abaixo:

| Produto que definitivamente não preciso | | | | | | Produto que definitivamente preciso |
|---|---|---|---|---|---|---|
| 1 | 2 | 3 | 4 | 5 | 6 | 7 |

**11.** Qual é a probabilidade de você comprar um reprodutor/gravador digital no próximo ano? Indique se é moderadamente provável ou muito provável que você compre um reprodutor/gravador digital. (*Observação:* os respondentes que provavelmente não comprariam um reprodutor/gravador digital foram eliminados do levantamento.)

6 = Moderadamente provável
7 = Muito provável

**II. Informações de classificação**

Conte um pouco sobre você. Usaremos os dados apenas para fins de classificação.

**12.** Qual é sua formação acadêmica mais avançada? (Marque apenas UMA.)

**a.** __ Diploma secundário
**b.** __ Diploma universitário

(continua)

**Figura 13.21** Questionário de pesquisa de opinião sobre produtos eletrônicos. (*continuação*)

**13.** Posse de produtos eletrônicos. Informe o nível de propriedade de produtos eletrônicos que melhor o descreve.

**a.** __ Possuo poucos produtos eletrônicos
**b.** __ Possuo quantidade média de produtos eletrônicos
**c.** __ Possuo muitos produtos eletrônicos

**14.** Marque qual categoria melhor indica sua renda familiar anual bruta. (Marque apenas UMA.)

**a.** __ $20.000–$35.000
**b.** __ $35.001–$50.000
**c.** __ $50.001–$75.000
**d.** __ $75.001–$100.000
**e.** __ Mais de $100.000

**OBRIGADO POR COMPARTILHAR SUAS OPINIÕES COM NOSSA TURMA DE PESQUISA DE MARKETING.**

Para começar a análise, os pesquisadores classificaram os respondentes como "inovadores" ou "primeiros usuários". A escala de Inovação consistia em cinco variáveis: x3, x4, x5, x6 e x9. Foi utilizada análise de conglomerados para identificar respondentes com escores mais elevados (mais inovadores) nas cinco escalas. A análise produziu 137 inovadores e 63 primeiros usuários. A seguir, essa variável categórica (x14) serviu para descobrir mais sobre os respondentes. As variáveis iniciais que examinamos aqui são "x10: Percepções sobre produto reprodutor/gravador digital", "x11: Probabilidade de compra" e "x16: Atenção a preços". Os resultados se encontram na Figura 13.22.

Todas as comparações são significativamente diferentes. Analisando a variável x10, o valor médio para inovadores é maior do que para primeiros usuários (5,5 *versus* 3,2), o que indica que os inovadores acham que precisam de reprodutores/gravadores digitais muito mais do que os primeiros usuários. A variável "x11: Probabilidade de compra" produz um achado semelhante (codificado como 1= muito provável e 0 = moderadamente provável): o maior valor médio para inovadores (0,8 *versus* 0,1) indica que eles têm probabilidade muito maior de adquirir reprodutores/gravadores digitais. Finalmente, a análise de "x16: Atenção a preços" mostra que os inovadores prestam menos atenção em preços do que os primeiros usuários (0,4 *versus* 0,6; codificado como 1 = mais atento a preços e 0 = menos atento a preços).

O estudo sugere que os reprodutores/gravadores digitais não se encontram mais na fase de inovação do processo de difusão e já estão avançando na fase de primeiros usuários e além.

**Figura 13.22** Comparação entre inovadores e primeiros usuários.

| | Grupo | N | Média | Sig. |
|---|---|---|---|---|
| **x10: Percepções sobre produto reprodutor/gravador digital** | **0 = Primeiros usuários** | 63 | 3,2 | |
| | **1 = Inovadores** | 137 | 5,5 | |
| | **Total** | 200 | 4,7 | 0,00 |
| **x11: Probabilidade de compra** | **0 = Primeiros usuários** | 63 | 0,1 | |
| | **1 = Inovadores** | 137 | 0,8 | |
| | **Total** | 200 | 0,6 | 0,00 |
| **x16: Atento a preços** | **0 = Primeiros usuários** | 63 | 0,6 | |
| | **1 = Inovadores** | 137 | 0,4 | |
| | **Total** | 200 | 0,5 | 0,01 |

Entretanto, fabricantes de reprodutores/gravadores digitais e pesquisadores de varejo devem continuar a desenvolver estratégias para atrair mais primeiros usuários em potencial e criar conscientização e desejo entre a maioria inicial.

## Exercício prático

1. Quais outras questões podem ser examinadas com esse levantamento?
2. Quais problemas você enxerga no questionário?
3. Quais são os assuntos mais importantes para inclusão na apresentação dos achados?

## Resumo

**Entender os objetivos de um relatório de pesquisa.**
O objetivo principal do relatório de pesquisa de marketing é apresentar ao cliente uma interpretação clara e concisa do projeto de pesquisa. O relatório é o resultado final de todo um estudo e, portanto, deve comunicar a maneira sistemática pela qual o estudo foi concebido e implementado. O objetivo secundário do relatório é fornecer ao cliente informações precisas, críveis e fáceis de compreender. O resultado final do relatório é sua capacidade de agir como documento de referência para orientar a pesquisa futura e servir de fonte de informações.

**Descrever o formato de um relatório de pesquisa de marketing.**
O relatório de pesquisa normalmente inclui: folha de rosto; sumário; sumário executivo, que contém a declaração dos objetivos de pesquisa, o detalhamento dos métodos e procedimentos de pesquisa, uma breve descrição dos achados e as conclusões e recomendações. Após o sumário executivo, o relatório apresenta a introdução, uma descrição da metodologia utilizada e uma discussão das técnicas de análise de dados e dos resultados. Os elementos finais são as conclusões e recomendações e uma descrição das limitações. Também é possível incluir documentação ou explicações técnicas no apêndice.

**Discutir diversas técnicas de representação gráfica de resultados de pesquisa.**
Os pesquisadores têm à sua disposição uma gama de técnicas gráficas para representar resultados de pesquisa. Diversos tipos de gráfico de colunas servem para representar análises, desde meras frequências até tabulações cruzadas, testes *t* e ANOVAs. Os gráficos de pizza podem ser usados para representar os resultados de frequências. As tabelas são especialmente úteis para apresentar resultados relacionados, incluindo médias, testes *t* e correlações. Os resultados de regressão costumam ser representados com modelos conceituais que mostram as relações entre variáveis.

**Esclarecer problemas encontrados na preparação de relatórios.**
As áreas problemáticas que podem surgir na preparação do relatório de pesquisa são (1) falta de interpretação de dados; (2) uso desnecessário de estatísticas multivariadas; (3) ênfase na embalagem, não na qualidade; (4) falta de relevância; e (5) ênfase excessiva em poucos resultados estatísticos.

**Entender a importância das apresentações na pesquisa de marketing.**
As apresentações são importantes porque os resultados de pesquisa devem ser adequadamente comunicados àqueles que buscam utilizar as informações no processo decisório. O relatório ou a apresentação talvez seja a única parte do projeto de pesquisa que será visto(a) por seus contratantes. O conteúdo da pesquisa e sua forma de apresentação se misturam.

## Principais termos e conceitos

Apêndice 367
Confiabilidade 348
Credibilidade 347
Introdução 352
Limitações 365
Seção de métodos e procedimentos 352
Sumário executivo 351

## Questões de revisão

1. Quais são os sete componentes do relatório de pesquisa de marketing? Faça uma breve análise sobre cada componente e explique por que ele é importante.
2. No contexto do relatório de pesquisa de marketing, qual é o principal objetivo do sumário executivo?
3. Quais são os tópicos/questões principais que precisam ser trabalhados na seção de métodos e procedimentos de pesquisa de um relatório de pesquisa de marketing?
4. Por que as conclusões e recomendações são incluídas no relatório de pesquisa de marketing?
5. Quais são os problemas mais comuns associados ao relatório de pesquisa de marketing?
6. Por que é importante explicar as limitações em seu relatório de pesquisa de marketing?

## Questões para discussão

1. EXPERIMENTE A INTERNET. Visite o *site* **www.microsoft.com/Education/Tutorials.aspx**. Complete a caixa de diálogo *Tutorials*, digitando "higher education" ("educação superior") na caixa *Grade Level*, "technology" ("tecnologia") na caixa *Learning Area* e "PowerPoint" na caixa *Product*. Após selecionar e completar o tutorial, faça comentários escritos sobre o que aprendeu ao realizar o tutorial.
2. Selecione os dados do Santa Fe Grill ou outro banco de dados fornecido com este texto (ver: Deli Depot; Remington's; Qualkote; levantamento sobre gravadores digitais no *site*), analise os dados usando as técnicas estatísticas apropriadas, prepare uma apresentação de PowerPoint com seus achados e apresente-a para a turma de pesquisa de marketing.
   a. Selecione uma variável adequada do conjunto de dados e prepare um gráfico de colunas simples dos achados com o SPSS.
   b. Selecione uma variável adequada do conjunto de dados e prepare um gráfico de pizza simples dos achados com o SPSS.
   c. Selecione um grupo de itens com relação temática e em uma escala métrica. Com o SPSS, apresente os resultados em uma tabela e em um gráfico de colunas.
   d. Encontre dois itens categóricos que seriam adequados para tabulação cruzada e apresente os resultados em um gráfico de colunas criado no SPSS.
   e. Encontre uma variável independente categórica e uma variável dependente com níveis intervalares. Apresente os resultados em um gráfico de colunas criado no SPSS.
   f. Escolha uma variável de resultado que possa ser explicada por duas ou mais variáveis independentes. Realize uma regressão e desenvolva um diagrama (usando PowerPoint ou Word) que represente seus achados.
3. O *site* **www.mhhe.com/hairessentials3e** inclui diversas apresentações em PowerPoint para o estudo sobre o restaurante Santa Fe Grill (em inglês, disponíveis para professores). As apresentações demonstram como é possível informar os achados de uma análise estatística dos dados de um levantamento. Revise as apresentações e selecione aquela que, em sua opinião, melhor comunica os achados. Justifique sua escolha.

# Glossário

## A

**Abordagem de loteria** Sistema de incentivos especial que combina pequenos incentivos financeiros individuais em um bolo significativamente maior ou em um brinde não monetário substancial, seguido de um sorteio para determinar o vencedor ou grupo de vencedores. O sorteio é projetado para que todos os respondentes que responderem e completarem o levantamento tenham a mesma chance de receber o prêmio maior.

**Alfa de Cronbach** Medida bastante utilizada de consistência interna para escalas múltiplas na qual a média de todas as possíveis unidades subdivididas dos coeficientes são consideradas.

**Amostra proposital estratificada** Seleção de membros da amostra de modo que grupos possam ser comparados.

**Amostra** Grupo de pessoas ou objetos escolhidos aleatoriamente a partir de um conjunto de membros de uma população-alvo.

**Amostragem** Processo de seleção de pequenas quantidades de elementos a partir de um grupo definido maior para que as informações coletadas do grupo menor permitam a realização de avaliações sobre o grupo maior.

**Amostragem aleatória estratificada (AAE)** Método de amostragem probabilística no qual a população é dividida em diferentes subgrupos chamados de estratos e as amostras são selecionadas de cada estrato.

**Amostragem aleatória simples (AAS)** Método de amostragem probabilística no qual todas as unidades amostrais possuem a mesma chance não nula de serem selecionadas. Os resultados gerados pelo uso da amostragem aleatória simples podem ser projetados para toda a população-alvo dentro de uma margem de erro pré-especificada.

**Amostragem aleatória sistemática (AAS)** Método de amostragem probabilística semelhante à amostragem aleatória simples, mas que exige que a população-alvo definida seja ordenada naturalmente de algum modo.

**Amostragem bola de neve** Método de amostragem não probabilística que envolve a prática de identificar um conjunto de respondentes prospectivos iniciais que pode, por sua vez, ajudar a identificar pessoas adicionais a serem incluídas no estudo.

**Amostragem de conveniência** Método de amostragem não probabilística no qual as amostras são selecionadas com base em sua conveniência para o pesquisador ou entrevistador. Também conhecida como amostragem acidental. A amostragem de conveniência é bastante usada nos primeiros momentos da pesquisa, pois permite a entrevista de grandes quantidades de respondentes em períodos relativamente curtos.

**Amostragem estratificada desproporcional** Método de amostragem estratificada na qual o tamanho de cada estrato é independente de seu tamanho relativo na população.

**Amostragem estratificada proporcional** Método de amostragem estratificada na qual o tamanho de cada estrato é proporcional a seu tamanho relativo na população.

**Amostragem não probabilística** Concepção amostral na qual a probabilidade de seleção de cada unidade amostral não é conhecida. A seleção de unidades amostrais baseia-se na avaliação ou no conhecimento do pesquisador e pode ou não ser representativa da população-alvo.

**Amostragem por áreas** Formato de amostragem por conglomerados na qual os conglomerados consistem em designações geográficas, como cidades, subdivisões e quadras. Qualquer unidade geográfica com fronteiras pode ser usada, permitindo a abordagem em um passo ou em dois passos.

**Amostragem por conglomerados** Método de amostragem probabilística no qual as unidades amostrais são selecionadas em grupos (ou conglomerados) em vez de individualmente. Depois que o conglomerado foi identificado, os elementos da amostra são selecionados por amostragem aleatória simples, ou então todas as unidades são incluídas na amostra.

**Amostragem por julgamento** Concepção amostral não probabilística que seleciona participantes para amostra com base nas crenças de indivíduos experientes de que os participantes se encaixam nos requisitos do estudo de pesquisa.

**Amostragem por quotas** Seleção de participantes com base em determinadas quotas, considerando características como idade, etnia, gênero, renda ou comportamentos específicos. As quotas normalmente são determinadas pelos objetivos de pesquisa.

**Amostragem probabilística** Concepções amostrais nas quais a unidade amostral na base de amostragem (população operacional) possui uma probabilidade conhecida e não nula de ser selecionada para a amostra.

**Amostragem proposital** Seleção de membros para a amostra por possuírem atributos importantes para o entendimento do tema de pesquisa.

**Amostragem teórica** Seleção de membros da amostra com base em entrevistas anteriores que sugerem que determinados tipos de participantes ajudarão os pesquisadores a entender melhor o tema da pesquisa.

**Amostras independentes** Dois ou mais grupos de respostas testados como se viessem de populações diferentes.

**Amostras relacionadas** Dois ou mais grupos de respostas que se originaram da mesma população.

**Amplitude** Estatística que representa a aglomeração de respostas de dados em subgrupos mutuamente exclusivos, cada um dos quais possui valores de designação limítrofes superiores e inferiores, em um conjunto de respostas.

**Análise conjunta (*conjoint analysis*)** Técnica multivariada que estima a utilidade dos níveis de diversos atributos ou características de um objeto, além da importância relativa dos atributos em si.

**Análise da situação** Processo informal de analisar situações passadas, presentes e futuras enfrentadas por organizações para conseguir identificar oportunidades e problemas de decisão.

**Análise de caso negativo** Busca proposital por casos e fatos que contradigam as ideias e teorias que os pesquisadores estão tentando desenvolver.

**Análise de conteúdo** Técnica utilizada para estudar materiais escritos ou gravados por meio da divisão dos dados em aglomerados ou categorias significativas com o uso de regras preestabelecidas.

**Análise de custo** Análise de planos de sistemas logísticos alternativos que a empresa pode usar para cumprir seus objetivos de desempenho ao menor custo total possível.

**Análise de debriefing** Técnica de comparar anotações, ideias e sentimentos sobre uma discussão de grupo focal imediatamente após a entrevista.

**Análise de importância-desempenho** Procedimento de análise de dados e pesquisa usado para avaliar os pontos fortes e fracos de uma empresa e seus concorrentes, além de ações futuras que buscam identificar os principais atributos que levam ao comportamento de compra em um setor específico.

**Análise de inteligência competitiva** Procedimento específico para coleta de informações operacionais diárias relativas a empresas concorrentes e aos mercados que atendem.

**Análise de qui-quadrado** ($\chi^2$) Avalia até que ponto as frequências observadas se encaixam no padrão de frequências esperadas, sendo chamado "teste de qualidade de ajuste".

**Análise de regressão bivariada** Técnica estatística que analisa as relações lineares entre duas variáveis estimando coeficientes para a equação em uma reta. Uma variável é designada dependente e a outra independente ou previsora.

**Análise de regressão múltipla** Técnica estatística que analisa as relações lineares entre uma variável dependente e diversas variáveis independentes, estimando coeficientes para a equação em uma reta.

**Análise de Variância (ANOVA)** Técnica estatística que determina se duas ou mais médias são estatisticamente diferentes entre si.

**Análise do mercado-alvo** Informações para identificar aquelas pessoas (ou empresas) que uma organização deseja atender.

**Análise multivariada (Técnicas)** Grupo de técnicas estatísticas utilizadas quando existem duas ou mais medidas de cada elemento e as variáveis são analisadas simultaneamente.

**ANOVA de *n* fatores** Tipo de ANOVA que analisa diversas variáveis independentes ao mesmo tempo.

**Aparelhos mecânicos** Instrumentos tecnológicos que observam e registram artificialmente ações comportamentais atuais ou fenômenos físicos enquanto ocorrem.

**Apêndice** Seção no fim do relatório de pesquisa final usada para apresentar informações complexas, detalhadas ou técnicas.

**Armazém de dados** Conjunto de informações secundárias que indica o que os clientes estão comprando, com que frequência e em que quantidade.

**Arquivos** Fontes secundárias de registros de comportamentos e tendências anteriores.

**Auditorias de lojas** Exames e verificações formais de quanto produtos ou marcas específicos venderam no nível de varejo.

**Auditorias físicas (ou traços)** Evidências tangíveis (ou artefatos) de um evento passado ou comportamento registrado.

**Ausente do local** Tipo específico de tendenciosidade por não resposta que ocorre quando uma tentativa razoável de contatar inicialmente o respondente prospectivo não leva ao encontro entre entrevistador e respondente.

**Avaliação de oportunidade** Coleta de informações sobre os mercados e produtos a fim de prever como irão mudar no futuro. Esse tipo de avaliação foca a coleta de informações relevantes para o macroambiente.

## B

**Banco de dados** Repositório central de todas as informações significativas coletadas por uma organização.

**Base de amostragem** A lista de todas as unidades amostrais qualificadas para um dado estudo.

## C

**Capacidade de participar** A capacidade do entrevistador e do respondente de se reunirem para uma troca de perguntas e respostas.

**Características da tarefa** As exigências feitas aos respondentes no processo de fornecer respostas às perguntas.

**Características demográficas** Atributos físicos e factuais de pessoas, organizações ou objetos.

**Características do respondente** Atributos que compõem os respondentes inclusos no levantamento; três características importantes são diversidade, incidência e participação.

**Características situacionais** Fatores da realidade como orçamentos, tempo e qualidade dos dados que afetam a capacidade do pesquisador de coletar dados primários precisos e em pouco tempo.

**Carta de apresentação** Carta que acompanha questionários autoaplicados ou é enviada antes da primeira chamada do entrevistador, com o objetivo de conquistar a disposição do respondente de participar do projeto de pesquisa. Também chamada *Carta de introdução*.

**Carta de confirmação/convite** Documento de acompanhamento específico enviado a participantes prospectivos de grupos focais para encorajar e reforçar sua disposição e compromisso de participar da sessão de grupo.

**Cartões de avaliação** Cartões usados em entrevistas pessoais que representam uma reprodução do conjunto real de pontos de escala e descrições empregado para responder a perguntas específicas no levantamento. Os cartões servem para auxiliar o entrevistador e o respondente a acelerarem o processo de coleta de dados.

**Categorização** Classificação deporções de transcrições em grupos semelhantes com base em seu contexto.

**Censo** Estudo que inclui dados sobre todos os membros da população-alvo definida.

**Codificação** Atividades de agrupamento e designação de valores para diversas respostas.

**Codificação seletiva** Construção de uma narrativa em torno de uma categoria ou tema central. As outras categorias são relacionadas ou fundidas com essa grande categoria central.

**Código de barras** Padrão de barras e espaços de largura variável e sensibilidade eletrônica que representa um código único de números e letras.

**Código de ética** Conjunto de diretrizes que descreve os padrões e procedimentos operacionais para decisões e práticas éticas por parte dos pesquisadores.

**Códigos** Rótulos ou números usados para seguir categorias em um estudo qualitativo.

**Códigos da Standard Industrial Classification (SIC)** Sistema numérico de listagens industriais criado para promover uniformidade nos procedimentos de informação de dados para o governo americano.

**Coeficiente alfa** Ver *Alfa de Cronbach.*

**Coeficiente beta** Coeficiente de regressão estimado que foi recalculado para ter média igual a 0 e desvio-padrão igual a 1. A estatística permite a comparação direta de variáveis independentes com diferentes unidades de medida em termos de sua associação com a variável dependente.

**Coeficiente de correlação de Pearson** Medida estatística da força e direção de uma relação linear entre duas variáveis métricas.

**Coeficiente de correlação de postos de Spearman** Medida estatística da associação linear entre duas variáveis nas quais ambas foram medidas com instrumentos de escalas ordinais.

**Coeficiente de determinação ($r^2$)** Valor estatístico (ou número) que mede a proporção da varição em uma variável que é de responsabilidade de outra. A medida $r^2$ pode ser pensada como uma porcentagem e varia de 0,0 a 1,00.

**Coeficiente de regressão** Indicador da importância de uma variável independente na previsão de uma variável dependente. Grandes coeficientes padronizados são bons preditores, coeficientes pequenos são maus preditores.

**Comparação** Processo de desenvolvimento e refinamento de teorias e construtos por meio da análise de diferenças e semelhanças em passagens, temas ou tipos de participantes.

**Compensação monetária** Incentivo individual em dinheiro, usado pelo pesquisador para aumentar a probabilidade de um respondente prospectivo de participar em um levantamento.

**Compensação não monetária** Qualquer tipo de incentivo individual, com exceção de dinheiro (p.ex.: camiseta grátis) usada pelo pesquisador para encorajar a participação de um respondente potencial.

**Competência técnica** Até que ponto o pesquisador possui os requisitos funcionais necessários para conduzir o projeto de pesquisa.

**Completude** Profundidade e amplitude dos dados.

**Complexidade das informações** Uma das duas dimensões fundamentais usadas para determinar o nível das informações fornecidas pelo processo de pesquisa; relacionada a quão facilmente as informações podem ser compreendidas e aplicadas ao problema ou oportunidade em pauta.

**Comunidades *online* de pesquisa de marketing (MROCs)** Comunidades com propósito cuja finalidade principal é a pesquisa.

**Conceitualização** Desenvolvimento de um modelo que mostra variáveis e relações hipotéticas ou propostas entre variáveis.

**Concepções de escala de múltiplos itens** Método usado quando o pesquisador precisa mensurar diversos itens (ou atributos) simultaneamente para medir o objeto ou construto em pauta por inteiro.

**Confiabilidade (Reliability)** Até que ponto as mensurações realizadas com um instrumento específico podem ser repetidas.

**Confiabilidade** A qualidade alcançada pela criação de um relatório final baseado no raciocínio lógico e claro e em expressões e apresentações precisas.

**Confiabilidade da consistência interna** Até que ponto os itens de uma escala representam o mesmo domínio de conteúdo e estão altamente relacionados entre si e com escores de escalas somadas. Representa até que ponto os componentes estão relacionados ao mesmo domínio geral do construto.

**Confiabilidade da escala** Ponto até o qual a escala projetada pode reproduzir os mesmos resultados de mensuração em testes repetidos.

**Confiabilidade de concepção experimental** Até que ponto a concepção de pesquisa e seus procedimentos podem ser replicados e chegam a conclusões semelhantes sobre relações hipotéticas.

**Confiabilidade do serviço** Capacidade do pesquisador de ser consistente e de atender as necessidades do cliente.

**Confiabilidade entre pesquisadores** Quanta semelhança há entre a codificação dos mesmos dados por pesquisadores diferentes.

**Confiança** Certeza de que o valor verdadeiro do que estamos estimando está dentro do intervalo de precisão selecionado.

**Confidencialidade do cliente** Acordo entre pesquisador e cliente de que todas as atividades realizadas no processo de conduzir a pesquisa de marketing permanecerão privadas e de propriedade do cliente, a menos que ambas as partes especifiquem o contrário.

**Confidencialidade do respondente** Garantia expressa ao respondente prospectivo de que seu nome, apesar de conhecido pelo pesquisador, não será divulgado a terceiros, especialmente ao cliente.

**Confirmação com membros** Pedir a informantes importantes que leiam o relatório do pesquisador para verificar se a análise é precisa.

**Conhecimento** A informação se transforma em conhecimento quando um indivíduo, seja ele o pesquisador ou o tomador de decisão, interpreta os dados e os liga a um significado.

**Conhecimento de marketing** Característica que complementa a competência técnica de um pesquisador.

**Consciência da marca** Porcentagem de respondentes que já ouviram falar de uma determinada marca; a consciência da marca pode ser auxiliada ou não.

**Consciência do participante** Até que ponto os participantes estão conscientes de que seu comportamento está sendo observado; a *observação disfarçada* ocorre quando o participante não tem ideia de que está sendo observado, enquanto na *observação não disfarçada*, a pessoa está ciente de estar sendo observada.

**Construto** Variável hipotética constituída por um conjunto de respostas componentes ou comportamentos que se supõe estarem relacionados.

**Covariação** Quantidade de mudança em uma variável consistentemente relacionada com a mudança em outra variável de interesse.

**Credibilidade** Qualidade obtida pelo desenvolvimento de relatórios finais precisos, confiáveis e com organização profissional.

**Cumprimento de padrões** A capacidade do pesquisador de ser preciso, cumprir prazos, não cometer erros e evitar atrasos não planejados.

**Curva normal** Curva que indica que o formato da distribuição de uma variável é igual acima e abaixo da média.

**Custos do projeto** Requisitos de preço para a execução de uma pesquisa de marketing.

## D

**Dados** Fatos relativos a qualquer problema ou assunto.

**Dados por assinatura (ou comerciais)** Dados e informações compilados de acordo com algum procedimento padronizado e que fornecem dados customizados para empresas, como participação de mercado, eficácia de anúncios e acompanhamento de vendas.

**Dados primários** Estruturas de dados de variáveis que foram coletadas e reunidas para o problema de pesquisa ou oportunidade em pauta; representam estruturas "de primeira mão".

**Dados secundários** Estruturas de dados históricos de variáveis previamente coletados e reunidos para um problema de pesquisa ou situação de oportunidade diferente da situação em pauta.

**Dados secundários externos** Dados coletados por agências externas, como o governo federal, estadual ou municipal; entidades setoriais; ou periódicos.

**Dados secundários internos** Fatos coletados pela empresa individual para fins de contabilidade e atividade de marketing.

**Debriefing de participante** Explicação completa para os respondentes sobre qualquer subterfúgio utilizado durante a pesquisa.

**Definição do problema** Afirmação que busca determinar exatamente qual problema a gerência quer resolver e qual tipo de informação é necessário para resolvê-lo.

**Desanonimização de dados** Combinar diferentes informações de conhecimento público para determinar as identidades de consumidores, especialmente na Internet.

**Descrição** Processo de descobrir padrões, associações e relações entre as principais características do cliente.

**Descrição densa** Relatório de pesquisa etnográfica que contextualiza o comportamento dentro de uma cultura ou subcultura.

**Descritores de escala de avaliação de desempenho** Escala que usa formato de escalonamento avaliador que permite que os respondentes expressem avaliações pós-decisão sobre um objeto.

**Descritores de escala de item único** Escala usada quando os requisitos de dados focam a coleta de dados sobre apenas um atributo do objeto ou construto em investigação.

**Desenvolvimento de construto** Processo de atividades integrativo realizado por pesquisadores para melhorar o entendimento de que dados específicos devem ser coletados para resolver os problemas de pesquisa definidos.

**Desvio-padrão** Medida de dispersão média dos valores em um conjunto de respostas em relação à sua média.

**Desvio-padrão amostral estimado** Índice quantitativo da dispersão da distribuição dos dados reais das unidades amostrais selecionadas ao redor da média aritmética, uma medida de tendência central. O valor estatístico amostral especifica o grau de variação nas respostas de modo a permitir que o pesquisador traduza as variações em interpretações de curvas normais.

**Desvio-padrão populacional** Índice quantitativo da dispersão da distribuição dos dados reais dos elementos populacionais ao redor da média aritmética, uma medida de tendência central.

**Diagrama de dispersão** Gráfico da posição relativa de duas variáveis que usa os eixos vertical e horizontal para representar os valores das respectivas variáveis.

**Dificuldade da tarefa** Quanto o respondente precisa se esforçar para dar respostas e o nível de preparação necessário para criar um ambiente para o respondente.

**Dinâmica de grupo** Grau de interação espontânea entre os membros de um grupo durante a discussão sobre um tema.

**Direitura da observação** Até que ponto o pesquisador ou observador treinado observa de fato o comportamento ou evento enquanto acontece. Também chamada *observação direta.*

**Diretrizes para cartas de apresentação** Conjunto específico de fatores que devem ser incluídos na carta de apresentação com o objetivo de aumentar a disposição do respondente prospectivo de participar do estudo.

**Discagem aleatória de dígitos** Seleção aleatória de números telefônicos, incluindo código de área.

**Discagem aleatória de dígitos sistemática** Técnica de discagem aleatória de números de telefone, mas apenas de números que atendem critérios específicos.

**Disponibilidade da informação** Até que ponto as informações já foram coletadas e reunidas em algum formato reconhecido.

**Disposição de participar** Inclinação ou vontade do participante de compartilhar suas ideias.

**Distribuição amostral** Distribuição de frequência de um valor amostral estatístico específico que seria encontrada pela seleção de várias amostras aleatórias do mesmo tamanho.

**Distribuição probabilística da população** Frequências relativas de uma característica paramétrica da população que emulam o padrão da curva normal.

**Distribuições de frequência** Resumo de quantas vezes cada resposta possível a um sistema de perguntas e respostas foi registrado pelo grupo total de respondentes.

**Diversidade dos respondentes** Até que ponto os respondentes no estudo compartilham características em comum.

**Domínio de itens observáveis** Conjunto de manifestações observáveis de uma variável que não é intrinsecamente observável. Domínios representam conjuntos identificáveis de componentes que indiretamente constituem um construto de interesse.

## E

**Edição** Processo pelo qual os dados são analisados em busca de erros que possam ter sido cometidos pelo entrevistador ou pelo respondente durante as atividades de coleta de dados.

**Efeito de interação** Múltiplas variáveis independentes em uma ANOVA podem agir em conjunto para afetar as médias de grupos de variáveis dependentes.

**Elemento** Nome dado ao objeto sobre o qual busca-se informações. Os elementos devem ser únicos, contáveis e, quando somados, constituir toda a população-alvo.

**Elemento de dimensões e atributos da escala** Os componentes do objeto, construto ou conceito mensurado; identifica o que deve ser medido e é um dos três elementos de uma escala de medida.

**Elemento de perguntas e respostas** Pergunta e/ou diretiva feita ao respondente para o qual ele deve fornecer uma resposta; um dos três elementos que compõem qualquer escala de medida.

**Empresas de pesquisa customizada** Empresas de pesquisa que oferecem serviços personalizados para seus clientes.

**Empresas de pesquisa padronizada** Empresas de pesquisa que oferecem resultados gerais, seguindo um formato padrão, de modo que os resultados de um estudo conduzido para um cliente podem ser comparados à norma.

**Endereço de correspondência errado** Tipo de tendenciosidade por não resposta que ocorre quando o endereço de correspondência do respondente prospectivo está desatualizado ou não está mais ativo.

**Entra lixo, sai lixo (GIGO – *Garbage in, Garbage out*)** Expressão tradicional da pesquisa de marketing para representar situações em que o processo de coleta, análise e interpretação de dados para produzir informações contém erros ou tendenciosidade, criando informações imprecisas.

**Entrada de dados** Entrada direta de dados codificados em algum aplicativo específico que permite que o analista de pesquisa manipule e transforme os dados em informações úteis.

**Entrevista de calçada** Trapaça ou falsificação no processo de coleta de dados que ocorre quando os entrevistadores preenchem os questionários (ou parte deles) sozinhos.

**Entrevista de interceptação de compra** Entrevista parecida com interceptação em shopping center, exceto que o respondente é interceptado no ponto de compra para realização de perguntas predeterminadas.

**Entrevista de interceptação em shopping center** Técnica de entrevista na qual clientes de shoppings são interceptados e respondem a perguntas. A entrevista ocorre nas áreas comuns do shopping ou nos escritórios da empresa de pesquisa no shopping.

**Entrevista em domicílio** Entrevista pessoal que ocorre no domicílio do respondente.

**Entrevista em profundidade** Processo formal no qual um entrevistador treinado faz um conjunto de perguntas semiestruturadas profundas, normalmente em uma situação presencial.

**Entrevista executiva** Entrevista presencial com um executivo de uma empresa. É comum que esse tipo de entrevista ocorra no escritório do executivo.

**Entrevista telefônica assistida por computador (CATI)** O computador controla e acelera o processo de entrevista.

**Entrevista telefônica** Sessão de perguntas e respostas conduzida por meio de tecnologia telefônica.

**Entrevistadores treinados** Pessoas com alto nível de treinamento e excelentes habilidades de comunicação e audição que fazem perguntas específicas aos participantes da pesquisa e registram suas respostas com precisão.

**Erro** Diferença entre o resultado verdadeiro em um instrumento de pesquisa e o resultado observado de fato.

**Erro aleatório** Erro que ocorre como resultado de eventos aleatórios que afetam os resultados observados.

**Erro de amostragem aleatória** Diferença, mensurada estatisticamente, entre os resultados amostrais reais e os resultados populacionais verdadeiros estimados.

**Erro de amostragem** Qualquer tipo de tendenciosidade em um levantamento que possa ser atribuído a erros cometidos no processo de seleção das unidades amostrais prospectivas ou na determinação do tamanho de amostra necessário para garantir sua representatividade em relação à população-alvo maior definida.

**Erro de análise de dados** "Família" de erros não amostrais criados quando o pesquisador realiza procedimentos inadequados de análise de dados.

**Erro de base de amostragem** Erro que ocorre quando a amostra é selecionada a partir de uma lista incompleta de respondentes potenciais ou prospectivos.

**Erro de concepção amostral** Família de erros não amostrais que ocorrem quando os planos de amostragem não são desenvolvidos corretamente e/ou o processo de amostragem é executado incorretamente pelo pesquisador.

**Erro de concepção do instrumento de pesquisa** "Família" de erros de concepção ou formato que produzem questionários que não coletam corretamente os dados adequados. Este tipo de erro não amostral limita bastante a generalizabilidade, confiabilidade e validade dos dados coletados.

**Erro de desenvolvimento de construto** Tipo de erro não amostral (sistemático) criado quando o pesquisador não toma cuidado para identificar completamente os conceitos e construtos a serem incluídos no estudo.

**Erro de especificação da população** Definição incorreta da verdadeira população-alvo para a pergunta de pesquisa.

**Erro de medida/concepção** "Família" de erros não amostrais que resulta de concepções inadequadas de construtos, escalas de medida ou questionários usados para fazer perguntas e registrar as respostas dos participantes em um estudo.

**Erro de não resposta** Erro que ocorre quando a porção da população-alvo que não está representada de todo ou em parte no grupo de respondentes é sistemática e significativamente diferente daquela que respondeu.

**Erro de resposta** Tendência de responder uma pergunta de modo sistemático específico e exclusivo. Os respondentes podem consciente ou inconscientemente distorcer suas respostas e opiniões verdadeiras.

**Erro de seleção de amostra** Tipo específico de tendenciosidade por planejamento da amostra que ocorre quando uma amostra inadequada é selecionada a partir da população-alvo devido a procedimentos amostrais incompletos ou problemáticos ou porque os procedimentos corretos não foram executados.

**Erro do entrevistador** Tipo de erro não amostral criado em situações nas quais o entrevistador sistematicamente distorce as informações fornecidas pelos respondentes, durante ou depois do encontro entre entrevistador e respondente.

**Erro do instrumento de pesquisa** Tipo de erro que ocorre quando o instrumento de pesquisa induz algum tipo de tendenciosidade sistemática nas respostas.

**Erro do respondente** Tipo de erro não amostral que pode ocorrer quando respondentes prospectivos selecionados não podem ser localizados inicialmente para participar do processo de levantamento, não cooperam ou demonstram indisposição de participar do levantamento.

**Erro não amostral** Tipo de tendenciosidade que ocorre em estudos de pesquisa independentemente do uso de amostras ou censos.

**Erro padrão do parâmetro populacional** Medida estatística usada na amostragem probabilística que dá indicação da distância do resultado da amostra em relação à medida real da população que estamos tentando estimar.

**Erro padrão estimado da estatística amostral** Medida estatística do erro amostral esperado entre os valores estatísticos da amostra e os valores reais das distribuições das unidades amostrais das estatísticas relevantes. Os índices são conhecidos como *precisão geral.*

**Erro sistemático** O tipo de erro que resulta da má concepção e/ou construção de instrumentos, causando tendenciosidade consistente em escores ou leituras produzidos pelo instrumento. O erro sistemático cria alguma forma de variação sistemática nos dados que não é ocorrência ou flutuação natural da parte dos respondentes pesquisados.

**Erro tipo I** Erro realizado pela rejeição da hipótese nula quando ela é verdadeira; representa a probabilidade de erro alfa.

**Erro tipo II** Erro realizado pela aceitação da hipótese nula quando a hipótese alternativa é verdadeira; representa a probabilidade de erro beta.

**Erros de codificação de dados** Alocação incorreta de códigos digitais às respostas.

**Erros de edição de dados** Imprecisões causadas por procedimentos descuidados de confirmação dos dados em arquivos eletrônicos.

**Erros de entrada de dados** Alocação incorreta de códigos digitais a seus locais pré-designados em um arquivo de dados no computador.

**Escala comparativa** Escala usada quando o objetivo do escalonamento é que o respondente expresse uma atitude, uma emoção ou um comportamento relativo a um objeto específico (ou pessoa, ou fenômeno) ou seus atributos com base em algum outro objeto (ou pessoa, ou fenômeno) ou seus atributos.

**Escala de avaliação comparativa** Formato de escala que envolve a comparação de um objeto, pessoa ou conceito contra outro em uma escala.

**Escala de avaliação de ordenamento** Formato de escala que permite que os respondentes comparem suas respostas entre si, indicando qual sua primeira preferência, segunda preferência, terceira preferência, etc., até que todas as respostas desejadas estejam posicionadas em algum tipo de ordenamento, seja da maior para a menor ou da menor para a maior.

**Escala de diferencial semântico** Tipo especial de escala de avaliação simétrica que utiliza adjetivos e/ou advérbios bipolares para descrever algum tipo de polo negativo e positivo de um contínuo pressuposto. A escala é usada para capturar os componentes cognitivos e afetivos de fatores específicos e criar perfis de imagem perceptual relativos ao objeto ou comportamento estudado.

**Escala de intenção comportamental** Tipo especial de escala de avaliação criada para avaliar a probabilidade de que as pessoas demonstrarão algum tipo de comportamento previsível em relação à compra de um produto ou serviço.

**Escala de Likert** Formato de escala e avaliação especial que pede aos respondentes que indiquem até que ponto eles concordam ou discordam de uma série de afirmações.

**Escala de Likert modificada** Qualquer versão da escala de medida baseada em concordância/discordância que não a escala original em cinco pontos que vai de "concordo totalmente" a "discordo totalmente".

**Escala de medida** Processo de designar descritores para representar uma gama de possíveis respostas a uma pergunta sobre certo objeto, construto ou fator sob investigação.

**Escala de soma constante** Formato de escala que exige que o respondente distribua um certo número de pontos, geralmente 100, entre diversos atributos ou características, com base em sua importância para os indivíduos. O formato também exige que o respondente avalie cada característica com relação a outras na mesma lista.

**Escala de Staple** Considerada uma versão modificada da escala de diferencial semântico; centra simetricamente o domínio do ponto de escala entre um conjunto de descritores de mais (+) e menos (–).

**Escala não comparativa** Escala usada quando o objetivo do escalonamento é que o respondente expresse atitude, emoção, ação ou intenção relativa a um objeto específico (pessoa, fenômeno) ou seus atributos.

**Escala ordinal** Formato de escala/pergunta que ativa as propriedades de escalonamento de designação e ordem. O respondente é perguntado sobre a magnitude relativa das respostas a uma pergunta.

**Escalas de medida de escolha forçada** Concepções de escalas de medida simétricas que não têm descritores de escala lógicos "neutros" para dividir os domínios positivos e negativos de descritores de resposta.

**Escalas de razão** Formatos de escala/pergunta que ativam simultaneamente as quatro propriedades de escalonamento. As escalas de razão são o tipo mais sofisticado de escala, no sentido de poder identificar diferenças absolutas entre cada ponto da escala e entre as respostas dos indivíduos. As escalas de razão pedem que os respondentes deem valores numéricos específicos como resposta à pergunta.

**Escalas intervalares** Qualquer formato de escala/pergunta que ativa a propriedade de distância, além das propriedades de escalonamento de designação e ordem; todas as respostas da escala possuem uma diferença absoluta conhecida entre cada um dos pontos da escala (respostas).

**Escalas nominais** Estruturas de escala/pergunta que pedem ao respondente que forneçam apenas um descritor como resposta; a resposta não contém níveis de intensidade.

**Escâner óptico** Dispositivo eletrônico que lê códigos de barras eletronicamente. O escâner captura os números especiais dos códigos de barras e os traduz em informações sobre os produtos.

**Estatística amostral** Valor de uma variável estimado a partir de uma amostra.

**Estatística do modelo F** Estatística que compara a quantidade de variação na medida dependente "explicada" ou associada às variáveis independentes com a variância de erro ou "não explicada". Uma estatística F maior indica que o modelo de regressão tem mais variância explicada do que variância de erro.

**Estimativas** Fatos dos dados amostrais transformados por procedimentos de interpretação que representam inferências sobre a população-alvo em geral.

**Estratos** Subgrupos derivados por meio de procedimentos de amostragem aleatória estratificada.

**Estudo de caso** Técnica de pesquisa exploratória que investiga a fundo uma única situação semelhante à situação atual de problema/oportunidade, ou algumas poucas situações.

**Estudos com compradores disfarçados** Estudos nos quais compradores profissionais treinados visitam lojas, instituições financeiras ou empresas e "fazem compras", procurando produtos e avaliando níveis ou fatores de qualidade de serviço.

**Estudos de benefícios e estilos de vida** Estudos conduzidos para examinar semelhanças e diferenças em necessidades; utilizados para identificar dois ou mais segmentos em um mercado para uma categoria de produtos do interesse para uma empresa específica.

**Etnografia** Forma de coleta de dados qualitativos que registra o comportamento em situações naturais para entender como influências sociais e culturais afetam os comportamentos e as experiências dos indivíduos.

**Experimento** Investigação empírica que testa relações hipotéticas entre variáveis dependentes e uma ou mais variáveis independentes manipuladas.

**Experimentos de campo** Concepções de pesquisa causais que manipulam as variáveis independentes para medir a variável dependente em uma situação de teste natural.

**Experimentos de laboratório** Experimentos conduzidos em uma situação artificial.

## F

**Falsificação proposital** Quando o respondente e/ou entrevistador intencionalmente apresenta respostas erradas ou trapaceia deliberadamente em um levantamento.

**Fator alfa** Quantidade desejada ou aceitável de diferença entre valores paramétricos populacionais reais e esperados; também chamado *nível de tolerância de erro*.

**Fator de correção finito (fcf)** Fator de ajuste do tamanho da amostra usado em situações nas quais espera-se que a amostra selecionada represente 5% ou mais da população-alvo definida total. O fcf é igual à raiz quadrada da seguinte expressão: N – n/N – 1.

**Folha de codificação** Folha que lista os diferentes temas ou categorias para um determinado estudo.

**Folha de registro de chamada** Documento de registro que coleta informações de resumo básicas sobre a eficiência do desempenho do entrevistador (p.ex.: número de tentativas de contato, número de entrevistas completas, duração da entrevista).

**Folhas de quotas** Formulário de acompanhamento que melhora a capacidade do entrevistador de coletar dados do tipo certo de respondente; o formulário ajuda a assegurar o atendimento dos padrões de representação.

**Formato/layout do questionário** Combinação integrativa de medidas de escala/pergunta em um instrumento estruturado sistemático.

**Formulário de consentimento** Declaração formal dos participantes aprovando a gravação das informações fornecidas em discussões coletivas e a divulgação dos dados para o moderador, pesquisador ou cliente.

**Formulário de filtro** Conjunto de perguntas preliminares usadas para determinar a qualificação de um respondente potencial para inclusão no levantamento.

## G

**Generalizabilidade** Quanto os dados são uma representação precisa da população-alvo definida. A representatividade das informações obtidas de um pequeno subgrupo de membros em relação a toda população-alvo da qual o subgrupo foi selecionado.

**Grupo de controle** Porção da amostra que não está sujeita ao tratamento.

**Guia do moderador** Documento detalhado que descreve temas, perguntas e subperguntas que servem de base para gerar diálogos espontâneos interativos entre os participantes do grupo focal.

## H

**Habilidade de comunicação pessoal** Capacidade do entrevistador de articular as perguntas de modo claro e direto para que o(a) participante entenda a que ele(a) está respondendo.

**Habilidade interpretativas** Capacidade do entrevistador de entender e registrar corretamente as respostas do participante às perguntas.

**Heteroscedasticidade** O padrão de covariação em torno da linha de regressão não é constante, variando de alguma forma quando os valores se alteram, passando de pequenos para médios e grandes.

**Hipótese** Proposição ou possível solução a um problema de decisão, ainda sem comprovação, que pode ser testada empiricamente com o uso de dados que serão coletados pelo processo de pesquisa. É desenvolvida para explicar fenômenos ou a relação entre dois ou mais construtos ou variáveis.

**Hipótese alternativa** Afirmação que é o oposto da hipótese nula, na qual a diferença na realidade não se deve apenas ao erro aleatório.

**Hipótese direcional direta (positiva)** Afirmação sobre a relação percebida entre duas perguntas, dimensões ou subgrupos de atributos que sugere que, à medida que um fator se move em uma direção, o outro fator se move na mesma direção.

**Hipótese direcional inversa (negativa ou indireta)** Afirmação sobre a relação percebida entre duas perguntas, dimensões ou subgrupos de atributos que sugere que, à medida que um fator se move em uma direção, o outro fator se move na direção contrária.

**Hipótese não direcional** Afirmação sobre a existência de uma relação entre duas perguntas, dimensões ou subgrupos de atributos como significativamente diferentes, mas sem expressão de direção.

**Hipótese nula** Afirmação de que não há relação entre duas variáveis.

**Hipóteses causais** Afirmações teóricas sobre as relações entre variáveis que indicam uma relação de causa e efeito.

**Homoscedasticidade** O padrão da covariação é constante (igual) em torno da linha de regressão, independente dos valores serem pequenos, médios ou grandes.

## I

**Incentivos de grupos focais** Programas de investimento específicos para compensar participantes de grupos focais pelos gastos associados à demonstração de disposição de tornar-se membro do grupo.

**Índice de conclusão esperada (ECR – *Expected Completion Rate*)** Porcentagem esperada de respondentes prospectivos com participação completa no levantamento; também conhecida como *índice antecipado de respostas*.

**Índice de encontráveis (RR – *Reachable Rate*)** Porcentagem dos endereços ativos em uma lista de endereços ou outra base de amostragem definida.

**Índice de incidência** Porcentagem da população geral analisada por um estudo de pesquisa de mercado.

**Índice de resposta** Porcentagem de respostas utilizáveis dentro do total de respostas.

**Informação subjetiva** Informação baseada nas experiências, pressupostos, sentimentos ou interpretações do tomador de decisão ou pesquisador, sem trabalho sistemático de reunião de fatos ou estimativas.

**Informações oferecidas pelo cliente** Dados fornecidos pelo cliente voluntariamente.

**Informações primárias** Fatos ou estimativas de primeira mão, derivados de um processo de pesquisa formalizado para o problema em pauta.

**Informações secundárias** Informações (fatos ou estimativas) já coletadas, reunidas e interpretadas pelo menos uma vez para outra situação específica.

**Instalação para grupos focais** Instalação profissional que oferece uma série de salas especiais para condução de entrevistas em grupos focais. Cada sala contém uma mesa grande e cadeiras confortáveis para até 13 pessoas, com atmosfera relaxante, equipamento de áudio embutido e, normalmente, um espelho falso para observação disfarçada por parte do cliente ou do pesquisador.

**Instruções para entrevistadores** Veículo para treinar os entrevistadores sobre como selecionar respondentes potenciais, filtrá-los em termos de qualificação e conduzir a entrevista em si.

**Instruções para o supervisor** Formulário que serve de plano de treinamento para que o processo de entrevista seja realizado de modo padronizado. O documento descreve o processo de condução de um estudo que utilize entrevistadores pessoais ou telefônicos.

**Instrumento de pesquisa** Microscópio, radiômetro, régua, questionário, balança ou outro dispositivo criado com um propósito de mensuração específico.

**Integração** Processo de passar da identificação de temas e categorias para o desenvolvimento de teorias.

**Inteligência de mercado** Uso de informações de clientes em tempo real (conhecimento do cliente) para conquistar uma vantagem competitiva.

**Intenção de compra** Ação futura planejada de um indivíduo de adquirir um produto ou serviço.

**Intervalo de confiança** Amplitude de valores estatísticos dentro dos quais espera-se que o verdadeiro parâmetro da população-alvo em pauta se encontre, com base em um nível de confiança específico.

**Intervalo de salto** Ferramenta de seleção usada para identificar a posição das unidades amostrais a serem selecionadas em uma concepção de amostra aleatória sistemática. O intervalo é determinado pela divisão do número de unidades amostrais potenciais na população-alvo definida pelo número de unidades desejadas na amostra.

**Introdução** Contém as informações acessórias necessárias para o entendimento completo do relatório.

**Iteração** Realizar diversos ciclos de trabalho com os dados para modificar ideias iniciais e ser informado por análises subsequentes.

## L

**Lacuna amostral** Diferença de representação entre os elementos da população e unidades amostrais na base de amostragem.

**Levantamento "deixado"** Questionário deixado com os respondentes para serem completados em um momento posterior. O questionário é recolhido pelo pesquisador ou devolvido por algum outro meio.

**Levantamento autoaplicado** Levantamento no qual os respondentes leem as perguntas do levantamento e registram suas respostas sem o auxílio de um entrevistador.

**Levantamento por mala-direta** Questionário distribuído e devolvido por serviço postal.

**Levantamento por painel postal** Amostra representativa de respondentes individuais que concordaram previamente em participar de um levantamento por correio.

**Levantamento por telefone celular** Método de conduzir levantamentos de marketing no qual os dados são coletados com telefones celulares padrão.

**Levantamento presencial** Levantamento no qual o entrevistador individual faz as perguntas e registra as respostas.

**Levantamento telefônico assistido por computador** Levantamento que usa sistema automatizado no qual o respondente ouve uma voz eletrônica e responde por meio do teclado de seu aparelho.

**Levantamento via Internet** Método de utilizar a Internet para fazer perguntas e registrar as respostas dos respondentes.

**Levantamentos *online*** Dados de levantamento coletados com o uso da Internet.

**Levantamentos por correio** Levantamentos enviados a respondentes por meio do serviço postal.

**Limitações** Seção do relatório de pesquisa final na qual todos os eventos externos que limitam o relatório são comunicados, sem restrições.

## M

**Mapeamento perceptual** Representação gráfica das crenças dos respondentes sobre a relação entre objetos com respeito a duas ou mais dimensões (geralmente atributos ou características dos objetos).

**Marketing** Processo de planejamento e execução da precificação, promoção e distribuição de produtos, serviços e ideias, a fim de criar trocas que satisfaçam ao mesmo tempo a empresa e seus clientes.

**Mecanismo de observação** Como os comportamentos ou eventos serão observados; *observação humana*, quando o observador é uma pessoa contratada e treinada pelo pesquisador ou o próprio pesquisador; *observação mecânica* se refere ao uso de dispositivos tecnológicos para realizar a observação no lugar de um observador humano.

**Média** Média aritmética de todas as respostas; a soma de todos os valores de uma distribuição de respostas, divida pelo número de respostas válidas.

**Mediana** Estatística que divide os dados em um padrão hierárquico, no qual metade dos dados está acima do valor mediano e metade está abaixo.

**Medidas de dispersão** Estatísticas descritivas que mostram como os dados estão dispersos ao redor de uma medida de tendência central; a saber: distribuição de frequência, amplitude e desvio-padrão estimado da amostra.

**Medidas de tendência central** Estatísticas amostrais básicas geradas pela análise dos dados coletados: moda, mediana e média.

***Memoing*** Fazer anotações assim que possível após cada entrevista, grupo focal ou visita a local.

**Mensuração** Regras sobre a designação de números a objetos para que os números representem quantidades de atributos.

**Método científico** Processo sistemático e objetivo usado para desenvolver informações primárias confiáveis e válidas.

**Método dos mínimos quadrados** Abordagem de regressão que determina a linha de melhor ajuste por meio da minimização das distâncias verticais de todos os pontos em relação à linha, também chamado de MQO.

**Metodologias de "caixa preta" de marca** Metodologias oferecidas por empresas de pesquisa que possuem marca e não fornecem informações sobre como a metodologia funciona.

**Métodos de pesquisa por levantamento** Procedimentos de pesquisa para coletar grandes quantidades de dados por meio de entrevistas ou questionários.

**Mídia gerada por consumidores** Blogs, fóruns e plataformas de mídias sociais.

**Mineração de dados** Processo de encontrar padrões e relações ocultas entre as variáveis/características contidas nos dados armazenados em bancos de dados.

**Mínimos quadrados ordinários** Procedimento estatístico que estima os coeficientes de equações de regressão que produzem a menor soma dos quadrados das diferenças entre os valores reais e previstos da variável dependente.

**Moda** Resposta mencionada (ou que ocorre) com maior frequência em um dado conjunto de respostas dadas a uma pergunta ou situação.

**Moderador de grupo focal** Pessoa especial treinada em comunicação interpessoal; habilidades de audição, observação e interpretação; e personalidade e maneirismos profissionais. Sua função na sessão é obter dos participantes suas melhores e mais inovadoras ideias sobre o tema ou pergunta de em pauta.

**Monitoramento de mídias sociais** Pesquisa com base em conversas em mídias sociais.

**Multicolinearidade** Situação na qual diversas variáveis independentes estão altamente correlacionadas entre si. A característica pode ser o resultado da dificuldade em estimar coeficientes de regressão separados ou independentes para variáveis correlacionadas.

## N

**Netnografia** Técnica de pesquisa que trabalha com etnografia, mas utiliza "dados encontrados" na Internet produzidos por comunidades virtuais.

**Níveis de confiança** Níveis teóricos de garantia da probabilidade de que um intervalo de confiança específico incluirá ou medirá corretamente o verdadeiro valor paramétrico populacional. Na pesquisa de informações, os níveis mais usados são 90, 95 e 99%.

**Nível de conhecimento** Até que ponto os respondentes selecionados acreditam ter conhecimento ou experiência com relação aos temas do levantamento.

**Nível de tolerância de erro crítico** Diferença observada entre um valor estatístico de uma amostra e o parâmetro populacional hipotético ou verdadeiro.

**North American Industry Classification System (NAICS)** Sistema que codifica listagens industriais numéricas, criado para promover uniformidade nos procedimentos de informação de dados para o governo americano.

**Número de telefone errado** Tipo de tendenciosidade por não resposta que ocorre quando o número de telefone do respondente prospectivo está desligado ou foi informado incorretamente na lista amostral.

## O

**Objetividade** Até que ponto o pesquisador usa procedimentos científicos para coletar, analisar e criar informações sem tendenciosidade.

**Objetivos de pesquisa** Afirmações sobre o que o projeto de pesquisa tentará realizar. Oferecem diretrizes para estabelecer um cronograma de pesquisa das atividades necessárias para implementar o processo de pesquisa.

**Objetivos informacionais** Motivos pelos quais os dados devem ser coletados, afirmados de maneira clara, que servem como diretrizes para determinar os requisitos de dados.

**Objeto** Qualquer item concreto no ambiente do indivíduo que pode ser identificado clara e facilmente por meio dos sentidos.

**Observação mecânica/eletrônica** Algum tipo de aparelho

mecânico ou eletrônico usado para capturar fenômenos de marketing, comportamento humano ou eventos.

**Observação mediada por tecnologia** Coleta de dados que usa algum tipo de aparelho mecânico para capturar fenômenos de marketing, comportamento humano ou eventos.

**Observação não participante** Técnica de pesquisa etnográfica que envolve contato prolongado com situações naturais, mas sem a participação do pesquisador.

**Observação participante** Técnica de pesquisa etnográfica que envolve obervação prolongada de comportamento em situações naturais para permitir a absorção total dos contextos culturais ou subculturais.

**Observadores treinados** Indivíduos habilidosos que usam diversos aparelhos sensoriais para observar e registrar os comportamentos atuais de uma pessoa ou fenômenos físicos à medida que eles acontecem.

**Oportunidade de decisão** Presença de uma situação na qual o desempenho de mercado pode ser melhorado significativamente com a realização de novas atividades.

## P

**Painéis de consumidores** Grandes amostras de domicílios que fornecem certos tipos de dados por um longo período de tempo.

**Painéis de mídia** Grupos de residências usados principalmente na mensuração dos hábitos de consumo de mídia, não padrões de consumo de produtos/marcas.

**Painel executivo** Intranet para um grupo seleto de gerentes que tomam as decisões dentro da empresa.

**Painel por escaneamento** Grupo de domicílios participantes que possui um cartão com código de barras exclusivo como característica de identificação para inclusão no estudo.

**Parâmetro** Verdadeiro valor de uma variável.

**Participação de respondentes** Nível geral de quanto as pessoas selecionadas têm capacidade e disposição de participar, além de conhecimento sobre o tema da pesquisa.

**Patrocínio disfarçado** Quando a verdadeira identidade da pessoa ou cliente para quem a pesquisa está sendo conduzida não é divulgada ao respondente potencial.

**Patrocínio não disfarçado** Quando a verdadeira identidade da pessoa ou cliente para quem a pesquisa está sendo conduzida é revelada diretamente ao respondente potencial.

**Pensamento coletivo** Fenômeno no qual um ou dois membros de um grupo afirmam uma opinião e os outros membros são influenciados indevidamente.

**Pergunta de pesquisa de informação** Afirmações específicas relativas às áreas problemáticas que o estudo de pesquisa tentará investigar.

**Pergunta semiestruturada** Pergunta que direciona o respondente em direção a uma área temática específica, mas cujas respostas não têm limites. O entrevistador não está procurando uma resposta certa preconcebida.

**Pergunta tendenciosa** Pergunta que tende a suscitar respostas específicas propositalmente.

**Perguntas críticas** Perguntas usadas por moderadores para direcionar o grupo a questões críticas, fundamentais ao tema de interesse.

**Perguntas de abertura** Perguntas usadas por moderadores de grupos focais para quebrar o gelo entre os participantes, identificar traços em comum dos membros do grupo e criar uma zona de conforto para estabelecer a dinâmica do grupo e discussões interativas.

**Perguntas de encerramento** Perguntas usadas por moderadores de grupos focais para encerrar discussões sobre temas específicos; encorajam comentários que resumam a discussão.

**Perguntas de transição** Perguntas usadas por moderadores para direcionar a discussão de um grupo focal em direção ao tema de interesse principal.

**Perguntas estruturadas** Perguntas que exigem que o respondente escolha entre um número limitado de respostas pré-selecionadas ou pontos de escala. As perguntas estruturadas são menos exigentes em termos de esforço para os respondentes. Também chamadas de *perguntas fechadas*.

**Perguntas introdutórias** Perguntas usadas por moderadores de grupos focais para apresentar o tema de discussão geral e oportunidades de reflexão sobre as experiências passadas dos participantes.

**Perguntas não estruturadas** Formatos de perguntas e escalas que exigem que o respondente use suas próprias palavras na resposta. O formato requer mais raciocínio e energia da parte do respondente para expressar suas respostas. Também conhecidas como *perguntas abertas*.

**Perguntas ramificadas** Usadas se a próxima pergunta (ou conjunto de perguntas) só deve ser respondida se o respondente se encaixa em uma condição específica.

**Perguntas ruins** Qualquer pergunta ou diretiva que oculte, impeça ou distorça a comunicação fundamental entre respondente e pesquisador.

**Perguntas sensíveis** Perguntas sobre renda, crenças ou comportamentos sexuais, problemas médicos, dificuldades financeiras, consumo de álcool e assim por diante, que tendem a gerar respostas incorretas dos respondentes.

**Pesquisa causal** Pesquisa que foca a coleta de estruturas de dados e informações que permitirão que o tomador de decisão ou pesquisador modele relações de causa e efeito entre duas ou mais variáveis investigadas.

**Pesquisa de grupo focal** Método formalizado de coleta de dados qualitativos para o qual os dados são coletados de um pequeno grupo de pessoas que discute um tema ou conceito específico de modo interativo e espontâneo.

**Pesquisa de marketing** Função que liga uma organização a seu mercado por meio da coleta de informações. As informações permitem a identificação e a definição de oportunidades e problemas de mercado, além da geração, do refinamento e da avaliação de ações de marketing.

**Pesquisa de varejo** Investigações de pesquisa que focam tópicos como análise da área de comércio, percepção/imagem da loja, padrões de tráfego em loja e análise de localização.

**Pesquisa descritiva** Pesquisa que utiliza um conjunto de métodos e procedimentos científicos para coletar dados que são usados para identificar, determinar e descrever as características existentes de uma população-alvo ou estrutura de mercado.

**Pesquisa experimental** Investigação empírica que testa relações hipotéticas entre variáveis dependentes e variáveis independentes manipuladas.

**Pesquisa exploratória** Pesquisa concebida para coletar e interpretar dados secundários ou primários com um formato não estruturado.

**Pesquisa observacional** Observação e registro sistemáticos de padrões comportamentais de objetos, pessoas, eventos e outros fenômenos.

**Pesquisa qualitativa** Método de pesquisa utilizado em concepções de pesquisas exploratórias no qual o objetivo principal é reunir uma gama de ideias preliminares para descobrir e identificar oportunidades e problemas de decisão.

**Pesquisa quantitativa** Método de coleta de dados que enfatiza o uso de práticas de perguntas formalizadas, padronizadas e estruturadas nas quais as opções de resposta foram predeterminadas pelo pesquisador e administradas a quantidades significativamente grandes de respondentes.

**Plano de amostragem** Plano ou estrutura usado para garantir que os dados coletados realmente são representativos da estrutura da população-alvo definida geral.

**Poder discriminatório** Capacidade da escala de diferenciar significativamente entre respostas categóricas de escalas (ou pontos).

**Pontos de escala** Conjunto de descritores que designam os graus de intensidade das respostas relativas às características investigadas sobre um objeto, construto ou fator; um dos três elementos que compõem qualquer escala de medida.

**Pontuação de propensão** Dar pesos maiores aos respondentes subrepresentados nos resultados.

**População** Conjunto total identificável de elementos sendo investigado pelo pesquisador.

**População-alvo** Grupo específico de pessoas ou objetos para os quais as perguntas podem ser dirigidas ou observações podem ser feitas a fim de desenvolver estruturas de dados e informações.

**População-alvo definida** Grupo específico de pessoas ou objetos para os quais as perguntas podem ser dirigidas ou observações podem ser feitas a fim de desenvolver estruturas de dados e informações; também chamada de *população de trabalho*. A definição exata da população-alvo é essencial para a realização de um projeto de pesquisa.

**Posicionamento** Percepção desejada que a empresa quer estar associada com seus mercados-alvo em relação a seus produtos ou marcas.

**PowerPoint** Aplicativo específico usado para desenvolver slides para apresentação eletrônica de resultados de pesquisa.

**Prazo de realização** Parte das informações contidas na carta de apresentação que comunica diretamente ao respondente prospectivo a data até a qual o questionário completo deve ser devolvido ao pesquisador.

**Pré-teste** Condução da administração simulada do levantamento (ou questionário) planejado a um pequeno grupo representativo de respondentes.

**Precisão** Nível de exatidão dos dados em relação a outras respostas possíveis da população-alvo; quantidade de erro aceitável na estimativa amostral.

**Precisão geral** Quantidade de erro amostral geral associada a uma amostra de dados gerada por algum tipo de atividade de coleta de dados. Não há preocupação específica com qualquer nível de confiança.

**Previsões** Estimativas populacionais extrapoladas para um período futuro, derivadas a partir de fatos ou estimativas de dados amostrais.

**Princípio do *iceberg*** Noção geral que indica que as partes perigosas de muitos problemas de decisão de marketing não estão visíveis nem são compreendidas pelos gerentes de marketing.

**Procedimento de classificação formal** Uso de questionários ou instrumentos de pesquisa estruturados para obter informações a respeito de ocorrências ambientais.

**Processo de desenvolvimento de questionários** Série de atividades lógicas específicas, mas integradas, realizadas para criar instrumentos de pesquisa sistemáticos com o objetivo de coletar dados primários de conjuntos de pessoas (respondentes).

**Processo de pesquisa de informação** As 10 tarefas sistemáticas envolvidas nas quatro fases de coleta, análise, interpretação e transformação de dados e resultados em informações para uso por parte de tomadores de decisão.

**Profundidade** Número total de campos de dados ou variáveis importantes que comporão os registros.

**Proposta de pesquisa** Documento específico que serve como contrato entre o tomador de decisão e o pesquisador.

**Propriedade de alocação** Emprego de descritores únicos para identificar cada objeto em um conjunto.

## Q

**Quadro de avisos** Formato de pesquisa *online* no qual os participantes concordam em postar regularmente durante um período de 4–5 dias.

**Qualidade das informações** Uma das duas dimensões fundamentais usadas para determinar o nível das informações fornecidas pelo processo de pesquisa; refere-se a quanto é possível contar com as informações enquanto precisas e confiáveis.

**Questionário** Conjunto de perguntas e escalas criado para gerar dados suficientes para cumprir os requisitos informacionais por trás dos objetivos de pesquisa.

**Questões-filtro** Também chamadas *filtros* ou *perguntas-filtro*; usadas na maioria dos questionários. Sua finalidade é identificar respondentes potenciais qualificados e impedir a inclusão dos não qualificados no estudo.

**Quotas** Sistema de acompanhamento que coleta dados de respondentes e ajuda a garantir que subgrupos estão representados na amostra como especificado.

## R

**Randomização** Procedimento pelo qual muitos participantes são alocados a diferentes condições de tratamento experimentais, com o resultado que cada grupo normaliza qualquer efeito sistemático da relação funcional investigada entre as variáveis independentes e dependentes.

**Razão F** Razão estatística do quadrado da média da variância entre grupos sobre o quadrado da média da variância dentro dos grupos; o valor F é usado como indicador da diferença estatística entre médias de grupos em uma ANOVA.

**Recursivo** Relacionamento no qual uma variável pode ser a causa e a consequência da mesma variável.

**Recusa** Tipo específico de tendenciosidade por não resposta causado pela recusa do respondente potencial em participar da pesquisa.

**Redução de dados** Categorização e codificação de dados é uma parte do processo de desenvolvimento de teorias na análise de dados qualitativos.

**Relação curvilínea** Associação entre duas variáveis na qual a força e/ou direção de sua relação muda ao longo da amplitude de ambas as variáveis.

**Relação funcional** Mudança sistemática mensurável e observável em uma variável quando outra variável muda.

**Relação linear** Associação entre duas variáveis na qual a força e a natureza da relação permanecem as mesmas em toda a amplitude de ambas as variáveis.

**Relação negativa** Associação entre duas variáveis na qual uma aumenta enquanto a outra diminui.

**Relação positiva** Associação entre duas variáveis na qual ambas aumentam ou diminuem em conjunto.

**Relacionamentos** Associações entre duas ou mais variáveis.

**Reputação da empresa** Apogeu da capacidade da empresa de pesquisa de cumprir padrões, confiabilidade do serviço, conhecimento de marketing e competência técnica com o objetivo de fornecer resultados de alta qualidade.

**Reputação geral** Dimensão principal da qualidade percebida dos resultados. A qualidade do produto final pode ser avaliada em proporção direta ao nível de conhecimento, confiança, credibilidade e contribuição que a pesquisa produz para o cliente.

**Requisitos informacionais** Fatores, dimensões e atributos identificados dentro de um objetivo informacional definido para os quais os dados devem ser coletados.

**Respondentes fantasmas** Tipo de falsificação de dados que ocorre quando o pesquisador pega os dados de um respondente real e os duplica para representar um segundo conjunto de respostas (não existentes).

**Revisão da literatura** Análise abrangente das informações disponíveis relativas ao tema de sua pesquisa.

**Revisão por pares** Processo no qual especialistas externos sobre metodologia qualitativa ou sobre área do tema da pesquisa revisam a análise da pesquisa.

## S

**Seção de métodos e procedimentos** Comunica como a pesquisa foi conduzida.

**Seção de perguntas de pesquisa** Segunda seção do questionário que enfoca as perguntas de pesquisa.

**Seção introdutória** Oferece ao respondente um panorama da pesquisa.

**Segmentação comportamental** Apresentar anúncios em um *site* com base no comportamento de navegação passado do usuário.

**Sensibilidade do tema** Até que ponto a pergunta ou tema investigado específico leva o respondente a fornecer respostas socialmente aceitáveis.

**Serviços de negócios por assinatura** Serviços oferecidos por empresas de pesquisa padronizadas que incluem dados criados ou desenvolvidos a partir de um bancos de dados ou conjunto de dados comum.

**Silo de dados** Coleta de dados em uma das áreas de um negócio que não é compartilhada com outras áreas.

**Sintomas** Condições que indicam a presença de uma oportunidade ou problema de decisão; tendem a ser os resultados observáveis e mensuráveis de problemas ou oportunidades.

**Sintomas de desempenho de mercado** Condições que indicam a presença de oportunidade e/ou problema de decisão.

***Sugging/Frugging*** Afirmar que o levantamento tem fins

de pesquisa e então solicitar uma venda ou doação.

**Sumário executivo** Parte do relatório de pesquisa final que apresenta os pontos principais de modo completo o suficiente para ser uma representação verdadeira de todo o documento.

## T

**Tabela de números aleatórios** Tabela com números gerados aleatoriamente.

**Tabulação** Procedimento simples de contabilização do número de observações, ou itens de dados, classificados em certas categorias.

**Tabulação cruzada** Processo de simultaneamente tratar (ou contar) duas ou mais variáveis no estudo. O processo categoriza o número de respondentes que responderam a duas ou mais perguntas consecutivamente.

**Tabulação simples** Categorização de variáveis isoladas existentes em um estudo.

**Tamanho da população** Número total determinado de elementos que representam a população-alvo.

**Tamanho de amostra** Número total determinado de unidades amostrais necessárias para ser representativo da população-alvo definida.

**Taxa de incidência geral (TIG)** Porcentagem dos elementos da população-alvo definida que se qualificam para inclusão no levantamento.

**Técnica de Indução de Metáforas de Zaltman (ZMET)** Técnica de pesquisa visual usada em entrevistas em profundidade que encoraja os participantes a compartilhar reações emocionais e subconscientes a um determinado tema.

**Técnicas de dependência** Procedimentos multivariados adequados quando uma ou mais variáveis podem ser identificadas como dependentes e as restantes são independentes.

**Técnicas de interdependência** Procedimentos estatísticos multivariados em que todo um conjunto de relações interdependentes é examinado.

**Técnicas projetivas** Família de métodos de coleta de dados qualitativos na qual pede-se que os participantes projetem a si mesmos em situações de compras específicas e depois respondam a perguntas sobre tais situações.

**Tecnologia de gatekeeper** Qualquer aparelho usado para proteger a privacidade contra práticas de marketing invasivas, como telemarketing, marketing direto indesejado, trapaceiros e "sugging" (identificação de chamadas, caixas de voz e secretárias eletrônicas).

**Tempo de ciclo** Tempo entre o instante em que o produto ou serviço entra em contato com o cliente pela primeira vez e sua entrega final.

**Tendenciosidade** Tendência ou inclinação particular que distorce resultados, prevenindo assim a interpretação precisa de uma pergunta de pesquisa.

**Tendenciosidade de interpretação** Erro que ocorre quando o pesquisador ou tomador de decisão comete uma inferência errada sobre o mundo real ou a população-alvo definida devido a algum tipo de fator estranho.

**Tendenciosidade de ordem das respostas** Ocorre quando a ordem das perguntas, ou das respostas fechadas a uma pergunta específica, influencia a resposta dada.

**Tendenciosidade de seleção** Contaminação das medidas de validade interna criada por processos de seleção e/ou alocação inadequados dos participantes a grupos de tratamento experimentais.

**Tendenciosidade metodológica** Fonte de erro que resulta da seleção de um método inadequado para investigar a pergunta de pesquisa.

**Tendenciosidade por conveniência social** Tipo de tendenciosidade que ocorre quando o respondente presume qual resposta é socialmente aceitável ou respeitável.

**Tendenciosidade por percepção seletiva** Tipo de erro que ocorre em situações nas quais o pesquisador ou tomador de decisão usa apenas parte dos resultados do levantamento, criando uma imagem distorcida da realidade.

**Teorema do limite central (CLT)** Espinha dorsal teórica da teoria de amostragem. O teorema diz que a distribuição amostral do valor da média amostral ($\bar{x}$) ou da proporção amostral ($\bar{p}$) derivada de uma amostra aleatória simples coletada da população-alvo terá distribuição aproximadamente normal, desde que o tamanho de amostra associado seja suficientemente grande (p. p.ex.: n é maior ou igual a 30). Por sua vez, o valor médio da amostra ($\bar{x}$) dessa -amostra aleatória, com erro de amostragem estimado ($S_g$) (erro padrão estimado), flutua ao redor do valor médio populacional verdadeiro (m) com erro padrão de s/n e tem distribuição amostral igual a uma aproximação da distribuição normal padronizada, independentemente da forma da curva de distribuição de frequência probabilística da população-alvo geral.

**Teoria** Grande conjunto de afirmações relacionadas sobre como certa porção de certo fenômeno opera.

**Teste de acompanhamento** Teste estatístico que marca as médias que são estatisticamente diferentes entre si. Os testes de acompanhamento são realizados depois que uma ANOVA determina que existem diferenças entre as médias.

**Teste de associação de palavras** Técnica projetiva na qual o participante recebe uma lista de palavras ou frases curtas, uma de cada vez, e precisa responder com as primeiras ideias que lhe vierem à mente.

**Teste de completamento de orações** Técnica projetiva em que os participantes recebem um conjunto de orações incompletas e precisam completá-las com suas próprias palavras.

**Teste de conceito e produto** Informações que subsidiam decisões ligadas a melhorias em produtos ou lançamentos de novos produtos.

**Teste de mercado** Experimento de campo controlado, conduzido para obter informações sobre fatores ou indicadores específicos de desempenho de mercado.

**Teste de mercado tradicional** Teste de mercado que utiliza procedimentos de concepção experimental para testar um produto e/ou as variáveis do mix de marketing de um produto em vários canais de distribuição. Também chamado *mercado-teste padrão.*

**Teste de metades partidas** Técnica utilizada para avaliar a confiabilidade da consistência interna de escalas de medida com múltiplos componentes de atributos.

**Teste empírico** Coleta de dados no mundo real com o uso de instrumentos de pesquisa e realização de análise rigorosa dos dados para comprovar ou rejeitar uma hipótese.

**Teste F** Teste usado para avaliar estatisticamente as diferenças entre médias do grupo na ANOVA.

**Teste *t* (também chamado estatística t)** Procedimento de teste de hipóteses que utiliza a distribuição *t*; os testes *t* são usados quando o tamanho da amostra é pequeno (em geral, menor do que 30) e o desvio-padrão é desconhecido.

**Teste z (também chamado estatística z)** Procedimento de teste de hipóteses que utiliza a distribuição *z*; os testes *z* são usados quando o tamanho da amostra é maior do que 30 indivíduos e o desvio-padrão é desconhecido.

**Testes de mercado eletrônicos** Procedimentos de teste que integram o uso de painéis de consumidores com um cartão de identificação especial para registrar seus dados de compra de produto.

**Triangulação** Trabalhar o tema da análise de diversas perspectivas, incluindo o uso de múltiplos métodos de coleta e análise de dados, conjuntos de dados, pesquisadores ou períodos de coleta ou diversos tipos de informantes relevantes.

## U

**Unidade de análise** Especifica se os dados devem ser coletados no nível de indivíduos, residências, organizações, departamentos, áreas geográficas ou alguma combinação destes.

**Unidades amostrais** Elementos disponíveis para seleção durante o processo de amostragem.

## V

**Validação de dados** Processo de controle específico que o pesquisador realiza para garantir que seus representantes coletaram os dados necessários. O processo normalmente envolve recontatar cerca de 20% do grupo de respondentes selecionados para determinar se eles realmente participaram do estudo.

**Validade** Até que ponto o instrumento de pesquisa serve

o propósito para o qual foi construído; até que ponto as conclusões tiradas do experimento são verdadeiras.

**Validade convergente** Até que ponto diferentes medidas do mesmo construto têm alto nível de correlação.

**Validade da conclusão estatística** Capacidade do pesquisador de fazer afirmações razoáveis sobre a covariação entre os construtos de interesse e a força de tal covariação.

**Validade de conteúdo** Propriedade de um teste que indica que todo o domínio do tema ou construto em pauta foi amostrado corretamente, ou seja, que os fatores identificados de fato são componentes do construto de interesse.

**Validade discriminante** Até que ponto as medidas de diferentes construtos não estão correlacionadas.

**Validade do construto** Até que ponto os pesquisadores medem o que pretendem medir e a consequente identificação correta das variáveis independentes e dependentes incluídas na investigação.

**Validade êmica** Atributo da pesquisa qualitativa que afirma que todos os membros principais de uma cultura ou subcultura concordam com os achados do relatório de pesquisa.

**Validade externa** Até que ponto pode-se esperar que os resultados mensurados dos dados de um estudo amostral sejam verdadeiros para toda a população-alvo definida. Além disso, até que ponto pode-se esperar que a relação causal encontrada no estudo seja verdadeira para toda a população-alvo.

**Validade interna** Certeza com a qual o pesquisador pode afirmar que o efeito observado foi causado por um tratamento específico. Existe quando a concepção de pesquisa identifica corretamente as relações causais.

**Validade nomológica** Até que ponto um construto específico está relacionado com vários outros construtos estabelecidos diferentes, mas relacionados.

**Validade preditiva** Até que ponto uma escala consegue prever corretamente algum evento externo à escala em si.

**Valor amostral percentual** Valor percentual real calculado da característica em pauta entre as unidades amostrais selecionadas.

**Valor médio amostral** Valor da média aritmética real calculada com base em dados intervalares ou de razão das unidades amostrais selecionadas.

**Valor médio populacional** Valor paramétrico da média aritmética real calculado com base em dados intervalares ou de razão para os elementos (ou unidades amostrais) da população-alvo definida.

**Valor proporcional populacional** Valor percentual paramétrico real calculado da característica de interesse para os elementos (ou unidades amostrais) da população-alvo definida.

**Valor z crítico** Valor z oficial e a quantidade de variabilidade aceitável entre os resultados dos dados amostrais observados e os valores populacionais hipotéticos verdadeiros prescritos, medidos em grau padronizado de erro padrão para níveis de confiança específicos.

**Variabilidade** Medida de dispersão dos dados; quanto maior a dessemelhança ou mais "espalhados" os dados, maior a variabilidade.

**Variância amostral estimada** Quadrado do desvio-padrão amostral estimado.

**Variância de métodos comuns (VMC)** Variância tendenciosa que resulta do método de mensuração utilizado em um questionário.

**Variância não explicada** Em métodos multivariados, é a quantidade de variação no construto dependente que não pode ser explicada pela combinação das variáveis independentes.

**Variância** Desvio quadrado médio sobre uma média de uma distribuição de valores.

**Variância populacional** Quadrado do desvio-padrão da população.

**Variáveis de controle** Variáveis estranhas que o pesquisador consegue explicar de acordo com sua variação sistemática (ou impacto) sobre a relação funcional entre as variáveis independentes e dependentes incluídas no experimento.

**Variáveis estranhas** Todas as variáveis, além das independentes, que afetam as respostas dos participantes. Se não forem controladas, tais variáveis podem ter efeito de confusão sobre as medidas de variáveis dependentes que enfraqueceriam ou invalidariam os resultados de um experimento.

**Variável dependente** Atributo observável isolado que é o resultado mensurado derivado da manipulação da variável ou variáveis independentes.

**Variável independente** Atributo de um objeto cujos valores de mensuração são manipulados diretamente pelo pesquisador, também conhecida como *previsora* ou *variável de tratamento*. Presume-se que variáveis desse tipo sejam fatores causais em relações funcionais com variáveis dependentes.

**Variável** Qualquer elemento (ou atributo) observável e mensurável de um evento.

**Verbatins** Citações de participantes usadas nos relatórios de pesquisa.

# Notas de fim

## CAPÍTULO 1


1. Matt McGee, "OneRiot Offers Twitter Search with a Twist," April 2, 2009, www.searchengineland.com/oneriottwitter-search-with--a-twist-17180.
2. Tim Ryan, "Gartner: Four Ways Companies Use Twitter for Business," March 30, 2009, www.retailwire.com/Discussions/Sigl_Discussion.cfm/13644.
3. Visite www.Markettruths.com para conhecer uma empresa de pesquisa dedicada a utilizar a Web 2.0 e outras ferramentas da Internet em pesquisas.
4. Mya Frazier, "Hidden Persuasion or Junk Science?" Advertising Age, September 10, 2007.
5. American Marketing Association, Official Definition of Marketing Research, 2009, www.marketingpower.com.
6. Dan Ariely, Predictably Irrational: The Hidden Forces That Shape Our Decisions (New York: HarperCollins, 2009).
7. "Shopper Marketing," Wikipedia.org, acessado em 15 de agosto de 2012.
8. "Shopper Insights for Consumer Product Manufacturers and Retailers," www.msri.com/industry-expertise/retail.aspx, acessado em 23 e março de 2012.
9. Kurt Lewin, Field Theory in Social Science: Select Theoretical Papers by Kurt Lewin (London: Tavistock, 1952).
10. Sheena S. Iyangar and Mark R. Lepper, "When Choice Is Demotivating: Can One Desire Too Much of a Good Thing?," Journal of Personality & Social Psychology 79, no. 6 (December 2000), pp. 995–1006.
11. "Survey of Top Marketing Research Firms," Advertising Age, June 27, 1997.
12. "Fostering Professionalism," Marketing Research, Spring 1997.
13. Ibid.
14. Bureau of Labor Statistics, www.bls.gov/ooh/Business--and-Financial/Market-research-analysts.htm, Occupational Outlook Handbook, "Market Research Analysis," March 29, 2012.
15. Max Kalehoff, "A Note about Tracking Cookies," Online Spin, MediaPost.com, April 3, 2009, www.mediapost.com/publications/?fa=Articles.showArticle&art_aid=103459.
16. Steve Smith, "You've Been De-Anonymized," Behavioral Insider, MediaPost.com, April 3, 2009, www.mediapost.com/publications/?fa=Articles.showArticle&art_aid=103467.
17. ICC/ESOMAR International Code on Social and Market Research, April 3, 2009, http://www.esomar.org/index.php/codes-guidelines.html. Reproduzido com permissão da ESOMAR.


## CAPÍTULO 2


1. R. K. Wade, "The When/What Research Decision Guide," Marketing Research: A Magazine and Application 5, no. 3 (Summer 1993), pp. 24–27; e W. D. Perreault, "The Shifting Paradigm in Marketing Research," Journal of the Academy of Marketing Science 20, no. 4 (Fall 1992), p. 369.


## CAPÍTULO 3


1. Mark Walsh, "Pew: 52% Use Mobile While Shopping," MediaPost News, January 30, 2012; Aaron Smith, "The Rise of In-Store Mobile Commerce,"Pew Internet & American Life, January 30, 2012, http://

pewinternet.org/Reports/2012/In-store-mobile-commerce.aspx; Ned Potter, "'Showrooming': People Shopping in Stores, Then Researching by Cell Phone, says Pew Survey," ABC World News, January 31, 2012, http://abcnews.go.com/Technology/pew-internet- showrooming-half-cell-phone-users-research/story?id=15480115#.Ty2tIlx5GSo.

2. Sally Barr Ebest, Gerald J. Alred, Charles T. Brusaw, and Walter E. Oliu, Writing from A to Z: An Easy-to-Use Reference Handbook, 4th ed. (Boston: McGraw-Hill, 2002).
3. Ibid., pp. 44–46 e 54–56.
4. The Wall Street Journal Index, www.wallstreetjournal.com, acessado em 22 de maio de 2009.
5. GfK Custom Research North American, "GfK Roper Consulting," www.gfkamerica.com/practice_areas/roper_consulting/index.en.html, acessado em 14 de abril de 2009.
6. Youthbeat, www.crresearch.com, acessado em 24 de abril de 2009.
7. Nielsen Media Research, "Anytime, Anywhere Media Measurement," June 14, 2006, p. 1, a2m2.nielsenmedia.com.
8. Adaptado de David C. Tice, "Accurate Measurement & Media Hype: Placing Consumer Media Technologies in Context," www.knowledgenetworks.com/accuracy/spring2007/tice.html, acessado em 29 de abril de 2009; Jacqui Cheng, "Report: DVR Adoption to Surge Past 50 Percent by 2010," www.arstechnica.com/gadgets/news/2007/report-dvr-adoption-to-surge-past-50-percent-by-2010.ars-, acessado em 29 de abril de 2009; Dinesh C. Sharma, "Study: DVR Adoption on the Rise," CNET News, http://news.cnet.com/Study-DVR-adoption-on-the-rise/2100-1041_3-5182035.html.

## CAPÍTULO 4

1. Clotaire Rapaille, The Culture Code: An Ingenious Way to Understand Why People around the World Buy and Live as They Do (New York: Broadway Books, 2006), pp. 1–11.
2. Yvonne Lincoln and Egon G. Guba, "Introduction: Entering the Field of Qualitative Research," in Handbook of Qualitative Research, eds. Norman Denzin and Yvonne Lincoln (Thousand Oaks, CA: Sage, 1994), pp. 1–17.
3. Gerald Zaltman, How Customers Think: Essential Insights into the Mind of the Market (Boston: Harvard Business School, 2003).
4. Melanie Wallendorf and Eric J. Arnould, "We Gather Together: The Consumption Rituals of Thanksgiving Day," Journal of Consumer Research 19, no. 1 (1991), pp. 13–31.
5. Dennis W. Rook, "The Ritual Dimension of Consumer Behavior," Journal of Consumer Research 12, no. 3 (1985), pp. 251–64.
6. Alfred E. Goldman and Susan Schwartz McDonald, The Group Depth Interview: Principles and Practice (Englewood Cliffs, NJ: Prentice Hall, 1987), p. 161.
7. Mary Modahl, Now or Never: How Companies Must Change Today to Win the Battle for Internet Consumers (New York: HarperCollins, 2000).
8. Power Decisions Group, "Market Research Tools: Qualitative Depth Interviews," 2006, www.powerdecisions.com/ qualitative-depth-interviews.cfm.
9. Harris Interactive, "Online Qualitative Research," 2006, www.harrisinteractive.com/services/qualitative.asp.
10. M. F. Wolfinbarger, M. C. Gilly, and H. Schau, "Language Usage and Socioemotional Content in Online vs. Offline Focus Groups," Winter American Marketing Association Conference, Austin, TX, February 17, 2008.
11. Online Focus Groups, "VideoDiary Qualitative Research Software," www.qualvu.com/videodiary, acessado em 17 de abril de 2009.
12. Zaltman, How Customers Think.
13. Ibid.
14. Robert M. Schindler, "The Real Lesson of New Coke: The Value of Focus Groups for Predicting the Effects of Social Influence," Marketing Research: A Magazine of Management & Applications, December 1992, pp. 22–27.
15. Ray Poynter, "Chatter Matters," Marketingpower.com, Fall 2011, pp. 23–28.
16. Al Urbanski, "Community' Research," Shopper Marketing, November 2009, Com-

munispace .com, January 7, 2011.
17. Ibid.
18. Poynter, "Chatter Matters."
19. Stephen Baker, "Following the Luxury Chocolate Lover," Bloomberg Businessweek, March 25, 2009.
20. Julie Wittes Schlack, "Taking a Good Look at Yourself," November 7, 2011, Research-live.com.
21. Poynter, "Chatter Matters."
22. Clifford Geertz, Interpretation of Cultures (New York: Basic Books, 2000).
23. Richard L. Celsi, Randall L. Rose, and Thomas W. Leigh, "An Exploration of High-Risk Leisure Consumption through Skydiving," The Journal of Consumer Research 20, no. 1 (1993), pp. 1–23.
24. Jennifer McFarland, "Margaret Mead Meets Consumer Fieldwork: The Consumer Anthropologist," Harvard Management Update, September 24, 2001, http://hbswk.hbs.edu/archive/2514.html.
25. Arch G. Woodside and Elizabeth J. Wilson, "Case Study Research Methods for Theory Building," Journal of Business and Industrial Marketing 18, no. 6/7 (2003), pp. 493–508.
26. Gerald Zaltman, "Rethinking Market Research: Putting People Back In," Journal of Marketing Research 34, no. 4 (1997), pp. 424–37.
27. Emily Eakin, "Penetrating the Mind by Metaphor," The New York Times, February 23, 2002, p. B11; ver também Zaltman, How Consumers Think.
28. Eakin, "Penetrating the Mind by Metaphor."
29. Paula Andruss, "When the Water Is Right," Marketing News, September 30, 2010, pp. 28–30.
30. Poynter, "Chatter Matters."
31. Poynter, "Chatter Matters."
32. David Murphy and Didier Truchot, "Moving Research Forward," RWConnect, December 22, 2011, Esomar.org.
33. Poynter, "Chatter Matters," p. 28.
34. Angela Hausman, "Listening Posts in Social Media: Discussion from Ask a Marketing Expert," January 16, 2011, www.hausmanmarketresearch.org.
35. Surinder Siama, "Listening Posts for Word-of-Mouth Marketing," RWConnect, January 16, 2011, Esomar.org.
36. Peter Turney, "Thumbs Up or Thumbs Down? Semantic Orientation Applied to Unsupervised Classification of Reviews," Proceedings of the Association for Computational Linguistics, 2002, pp. 417–24; Bo Pang, Lillian Lee, and Shivakumar Vaithyanathan, "Thumbs Up? Sentiment Classification Using Machine Learning Techniques," Proceedings of the Conference on Empirical Methods in Natural Language Processing, 2002, pp. 79–86; Bo Pang, and Lillian Lee, "Seeing Stars: Exploiting Class Relationships for Sentiment Categorization with Respect to Rating Scales," Proceedings of the Association for Computational Linguistics, 2005, pp. 115–24; Benjamin Snyder and Regina Barzilay, "Multiple Aspect Ranking Using the Good Grief Algorithm," Proceedings of the Joint Human Language Technology/North American Chapter of the ACL Conference, 2007, pp. 300–07.
37. Michelle de Haaff, "Sentiment Analysis, Hard But Worth It!" CustomerThink, March 11, 2010.
38. Tanzina Vega, "E*Trade's Baby Creates the Most Online Buzz," The New York Times, December 28, 2011.
39. "ThreatTracker," Nielsen-online.com, www.nielsen-online.com/include/jsp/us/threat_popup.jsp, acessado em 12 de janeiro de 2010.
40. Robert V. Kozinets, "The Field behind the Screen: Using Netnography for Marketing Research in Online Communities," Journal of Marketing Research 39 (February 2002), p. 69.
41. Ibid., pp. 61–72.

## CAPÍTULO 5

1. Terry L. Childers and Steven J. Skinner, "Toward a Conceptualization of Mail Survey Response Behavior," Psychology and Marketing 13 (March 1996), pp. 185–225.
2. Kathy E. Green, "Sociodemographic Factors and Mail Survey Response Rates," Psychology and Marketing 13 (March 1996), pp. 171–84.
3. M. G. Dalecki, T. W. Ilvento, and D. E. Moore, "The Effect of Multi-Wave Mailings on the External Validity of Mail Surveys," Journal of Community Development Society 19 (1988), pp. 51–70.

4. "Mobile Memoir: The Power of the Thumb," April 2004, Mobile Memoir LLC 2004, www.kinesissurvey.com/phonesolutions.html.
5. Leslie Townsend, "The Status of Wireless Survey Solutions: The Emerging Power of the Thumb," Journal of Interactive Advertising, Fall 2005, http://jiad.org/vol6/no1/townsend/index.htm.
6. "Mobile Memoir: The Power of the Thumb."
7. Townsend, "The Status of Wireless Survey Solutions."
8. "Consumers Ditching Landline Phones," USA Today, May 14, 2008, p. 1B .
9. Townsend, "The Status of Wireless Survey Solutions."
10. Kevin B. Wright, "Research Internet-Based Populations: Advantages and Disadvantages of Online Survey Research, Online Questionnaire Authoring Software Packages, and Web Survey Services," Journal of Computer-Mediated Communication 10, article 11, 2005, http://jcmc.indiana.edu/vol10/issue3/wright.html.
11. Maryann Jones Thompson, "Market Researchers Embrace the Web," The Industry Standard, January 26, 1999, www.thestandard.com/article/0,1902,3274,00.html.

## CAPÍTULO 6

1. Ian Paul, "Mobile Web Use Explodes," PC World, March 16, 2009.
2. http://www.ssisamples.com. Os preços reais das listas variam de acordo com o número e complexidade das características necessárias para definir a população-alvo.
3. Nielsen Online, www.nielsen-online.com/resources.jsp?section=pr_netv&nav=1, acessado em 27 de julho de 2009.
4. http://www.knowledgenetworks.com/accuracy/spring2009/Dennis-Osborne-Semans-spring09.html, acessado em 29 de abril de 2009.

## CAPÍTULO 7

1. K. Williams and R. L. Spiro, "Communication Style in the Salesperson-Customer Dyad," Journal of Marketing Research 12 (November 1985), pp. 434–442.
2. K. C. Schneider, "Uninformed Response Rate in Survey Research," Journal of Business Research, April 1985, pp. 153–162; ver também Del I. Hawkins and K. A. Coney, "Uninformed Response Error in Survey Research," Journal of Marketing Research 18 (August 1981), pp. 370–374.
3. Roobina Ohanian, "Construction and Validation of a Scale to Measure Celebrity Endorsers' Perceived Expertise, Trustworthiness, and Attractiveness," Journal of Advertising 19, no. 3 (1990), pp. 39–52; e Robert T. W. Wu and Susan M. Petroshius, "The Halo Effect in Store Image Management," Journal of Academy of Marketing Science 15 (1987), pp. 44–51.
4. Rajendar K. Garg, "The Influence of Positive and Negative Wording and Issues Involvement on Response to Likert Scales in Marketing Research," Journal of the Marketing Research Society 38, no. 3 (July 1996), pp. 235–246.
5. Ver www.burke.com and Amanda Prus and D. Randall Brandt, "Understanding Your Customers—What You Can Learn from a Customer Loyalty Index," Marketing Tools, July/August 1995, pp. 10–14.

## CAPÍTULO 8

1. Mario Callegaro, "Web Questionnaires: Tested Approaches from Knowledge Networks for the Online World," Spring 2008, www.knowledge networks.

## CAPÍTULO 9

1. Barney G. Glaser and Anselm Strauss, The Discovery of Grounded Theory: Strategies for Qualitative Research (Chicago, IL: Aldine, 1967); ver também Anselm Strauss and Juliet M. Corbin, Basics of Qualitative Research: Grounded Theory Procedures and Techniques (Newbury Park, CA: Sage, 1990).
2. Alfred E. Goldman and Susan Schwartz McDonald, The Group Depth Interview: Principles and Practice (Englewood Cliffs, NJ: Prentice Hall, 1987), p. 161.
3. Matthew B. Miles and A. Michael Huberman, Qualitative Data Analysis: An Expanded Sourcebook (Thousand Oaks, CA: Sage, 1994).
4. Miles and Huberman, Qualitative Data Analysis.
5. Susan Spiggle, "Analysis and Interpretation of Qualitative Data in Consumer Rese-

arch," Journal of Consumer Research 21, no. 3 (1994), pp. 491–503.

6. Mary Wolfinbarger and Mary Gilly, "Shopping Online for Freedom, Control and Fun," California Management Review 43, no. 2 (Winter 2001), pp. 34–55.
7. Mary C. Gilly and Mary Wolfinbarger, "Advertising's Internal Audience," Journal of Marketing 62 (January 1998), pp. 69–88.
8. Wolfinbarger and Gilly, "Shopping Online for Freedom, Control and Fun."
9. Richard L. Celsi, Randall L. Rose, and Thomas W. Leigh, "An Exploration of High-Risk Leisure Consumption through Skydiving," Journal of Consumer Research 20, no. 1 (1993), pp. 1–23.
10. Robin A. Coulter, Linda L. Price, and Lawrence Feick, "Rethinking the Origins of Involvement and Brand Commitment: Insights from Post-socialist Central Europe," Journal of Consumer Research 31, no. 2 (2003), pp. 151–69.
11. Hope Jensen Schau and Mary C. Gilly, "We Are What We Post? Self-Presentation in Personal Web Space," Journal of Consumer Research 30, no. 3 (2003), pp. 385–404; Albert M. Muniz and Hope Jensen Schau, "Religiosity in the Abandoned Apple Newton Brand Community," Journal of Consumer Research 31, no. 4 (2005), pp. 737–47; Mary Wolfinbarger, Mary Gilly, and Hope Schau, "A Portrait of Venturesomeness in a Later Adopting Segment," working paper 2006; Lisa Penaloza, "Atravesando Fronteras/Border Crossings: A Critical Ethnographic Exploration of the Consumer Acculturation of Mexican Immigrants," Journal of Consumer Research 21, no. 1 (1993), pp. 32–54.
12. Anselm Strauss and Juliet Corbin, Basics of Qualitative Research: Grounded Theory Procedures and Techniques (Beverly Hills, CA: Sage, 1990).
13. Goldman and McDonald, The Group Depth Interview; ver também Miles and Huberman, Qualitative Data Analysis.
14. Miles and Huberman, Qualitative Data Analysis.
15. Goldman and McDonald, The Group Depth Interview.
16. Glaser and Strauss, The Discovery of Grounded Theory; ver também Strauss and Corbin, Basics of Qualitative Research.
17. Yvonne S. Lincoln and Egon G. Guba, Naturalistic Inquiry (Beverly Hills, CA: Sage, 1985), p. 290.
18. Caroline Stenbecka, "Qualitative Research Requires Quality Concepts of Its Own," Management Decision 39, no. 7 (2001), pp. 551–55.
19. Glaser and Strauss, The Discovery of Grounded Theory; ver também Strauss and Corbin, Basics of Qualitative Research.
20. Goldman and McDonald, The Group Depth Interview.
21. Ibid., p. 147.
22. Ibid., p. 175.
23. Nathan, Rebekah, My Freshman Year: What a Professor Learned by Becoming a Student, Cornell University Press, Sage House, Ithaca: NY, 2005.

## CAPÍTULO 10

1. Barry Deville, "The Data Assembly Challenge," Marketing Research Magazine, Fall/Winter 1995, p. 4.

## CAPÍTULO 11

1. Para uma discussão mais detalhada sobre a análise de variância (ANOVA), ver Gudmund R. Iversen and. Helmut Norpoth, Analysis of Variance (Newbury Park, CA: Sage, 1987); e John A. Ingram and Joseph G. Monks, Statistics for Business and Economics (San Diego, CA: Harcourt Brace Jovanovich, 1989).

## CAPÍTULO 13

1. David Corcoran, "Talking Numbers with Edward R. Tufte; Campaigning for the Charts That Teach," The New York Times, February 6, 2000, www.NYTimes.com.
2. Ibid.

# Índice onomástico

# Índice

## B

## D

## E

## F

## G



## H

## N



## O

## P

## Q



## R

## S

## T

## W



## X



## Y



## Z